MAXIME CHATTAM

Né en 1976 à Herblay, dans le Val-d'Oise, Maxime Chattam fait au cours de son enfance de fréquents séjours aux États-Unis, à New York et surtout à Portland (Oregon), qui devient le cadre de *L'Âme du mal*. Après avoir écrit deux ouvrages (qu'il ne soumet à aucun éditeur), il s'inscrit à 23 ans aux cours de criminologie dispensés par l'université de Saint-Denis. Son premier thriller, *Le 5e Règne*, publié sous le pseudonyme Maxime Williams, paraît en 2003 aux Éditions du Masque. Cet ouvrage a reçu le prix du Roman fantastique du festival de Gérardmer.

Maxime Chattam se consacre aujourd'hui entièrement à l'écriture. Après une trilogie composée de *L'Âme du mal*, *In tenebris* et *Maléfices*, il écrit *Le Sang du temps* (Michel Lafon, 2005) puis *Le Cycle de l'Homme et de la Vérité* en quatre volumes – *Les Arcanes du chaos* (2006), *Prédateurs* (2007), *La Théorie Gaïa* (2008) et *La Promesse des ténèbres* (2009) – aux Éditions Albin Michel.

Sa série *Autre-Monde* est parue chez le même éditeur, ainsi que *Léviatemps* (2010), *Le Requiem des abysses* (2011), *La Conjuration primitive* (2013), *La Patience du diable* (2014), *Que ta volonté soit faite* (2015), *Le Coma des mortels* (2016), *L'Appel du néant* (2017) et *Le Signal* (2018).

Retrouvez toute l'actualité de l'auteur sur :
www.ma...

L'APPEL
DU NÉANT

MAXIME CHATTAM

L'APPEL
DU NÉANT

ALBIN MICHEL

© Éditions Albin Michel, 2017
ISBN : 978-2-266-26909-4
Dépôt légal : février 2019

Comme toujours, j'ai écrit en musique et je conseille la lecture de ce roman accompagnée par les notes de ces albums :
- *Mesrine*, de Marco Beltrami et Marcus Trumpp.
- *L'Affaire SK1*, de Christophe La Pinta et Frédéric Tellier.
- *Passion*, de Peter Gabriel.
- *Zero Dark Thirty*, d'Alexandre Desplat.

Ce roman est dédié à nos forces de l'ordre, à nos enseignants, et aux victimes.

« Si je diffère de toi, loin de te léser, je t'augmente. »

Antoine de Saint-Exupéry,
Lettre à un otage

« Il y avait une fêlure dans son crâne et un peu du monde des ténèbres s'y immisçait et le poussait vers la mort. »

Rudyard Kipling,
The Phantom Rickshaw

1.

Cette fille avait tout pour plaire. À commencer par son physique. Dans une société attirée en premier lieu par les apparences, elle pouvait s'enorgueillir d'être plutôt jolie. Même très jolie si on la regardait en détail. Une plastique de blonde cliché, taille moyenne, cheveux mi-longs dont les torsades inflexibles trahissaient la nature rebelle, beaux yeux clairs d'un bleu de pierre précieuse, pommettes hautes, juste assez saillantes pour lui allonger le visage et lui creuser les joues, lui conférant cet air un peu racé, presque slave. Lèvres pleines, d'un rose de pamplemousse à croquer, comme pour détourner le regard de ces courbes lentement dessinées au prix d'innombrables heures de sport régulier. La parure sociale était ciselée pour séduire, semblait-il.

Mais au-delà de toute superficialité d'apparat, c'était son attitude, ce qui émanait d'elle, qui haussait sa silhouette dans une catégorie au-dessus de la moyenne : elle dégageait ce qu'il est convenu d'appeler communément un charme fou. Sa façon d'observer de biais les gens, de sourire sans rire, d'être trahie par ses fossettes lorsqu'elle était amusée, ses gestes fluides de femme bien dans son corps et l'intensité captivante qui se dégageait de son regard composaient cette sorte de vernis sélectif aléatoirement posé sur certains par la nature, comme une aura indomptable. À vrai dire, même les petits défauts physiques de cette fille s'intégraient si parfaitement dans la composition générale qu'ils en devenaient des singularités touchantes. Ces canines juste ce qu'il faut de travers pour rendre sa bouche unique, ou cette auréole brune causée par le soleil d'un été lointain qu'on pouvait prendre pour une grosse tache de rousseur à l'extrémité de ses lèvres et qui ressemblait à la signature d'un artiste.

Cette fille n'était pas reconnue pour l'étendue de sa culture, mais elle lisait et cela, ajouté à une bonne dose de curiosité, avait suffi à lui constituer un bagage de survie en milieu intellectuel à forte tendance à l'étalage. À l'écouter, son intelligence n'était pas plus élevée que la moyenne, mais elle était très fière de son esprit de déduction. Tous ceux qui la côtoyaient dans son milieu professionnel s'accordaient à confirmer, voire à souligner davantage cette qualité.

Cette fille avait eu ses vices, certes. D'abord des excès de jeunesse – excès de naïveté surtout ; puis les drames et les traumatismes qu'elle avait dû affronter l'avaient peu à peu poussée dans une forme exagérée d'autoprotection, au point de chercher à se forger une armure physique grâce au sport, de se couper d'une partie de ses émotions et de s'emmurer dans ses peurs. Mais elle avait récemment réussi à vaincre ses angoisses et à accepter la possibilité de souffrir. À présent, elle respirait un savoureux mélange de joie de vivre, de sensibilité et de profonde connaissance de soi. Elle était enfin prête pour la vie.

Cette fille avait une petite trentaine d'années et pas encore connu le mariage ni les enfants, mais elle excellait dans son métier où certains la considéraient autant comme un petit génie que comme une créature étrange au potentiel effrayant dans des domaines nébuleux à leurs yeux. Elle avait beaucoup donné de sa personne pour en arriver là, et avait récemment atteint ce point d'équilibre qui dicte à un être qu'il est paré pour grandir davantage. En d'autres termes, elle aspirait à présent à réussir sa vie personnelle, sentimentale et familiale.

Cette fille avait donc tout pour plaire.

Tout sauf l'essentiel.

Séquestrée dans un réduit obscur et percluse sous l'effet des vapeurs chloroformées, cette fille n'avait pas plus d'avenir qu'une mouche se débattant dans la toile d'une araignée affamée.

2.

L'homme a souvent considéré, à tort, que les ténèbres consistent en une entité propre, alors qu'elles ne sont qu'absence de lumière. Elles n'existent que par un manque et, s'il faut convenir qu'elles incarnent bien quelque chose, ce n'est rien d'autre que le néant.

Telle était en tout cas la conviction de la jeune femme qui se tenait ramassée sur elle-même dans un coin de l'étroit réduit silencieux et aveugle. Elle enserrait de ses bras ses jambes repliées contre sa poitrine, le menton calé entre les genoux. Bien qu'il n'y ait pas le moindre photon pour l'éclairer, elle savait que son visage devait être crasseux, elle devinait la terre séchée qui lui croûtait les joues et le front, sa peau de porcelaine maquillée de zébrures de poussière noire, les boucles blondes de sa chevelure appesanties par la saleté lui tombant sur les épaules, sa beauté dissoute dans le vide de l'attente, dans l'angoisse et l'obscurité.

Elle se passa la langue sur les lèvres et perçut les fines gerçures d'un début de déshydratation. Elle frissonna et mit cela sur le compte du froid. La chair de poule remonta sous le coton de son T-shirt à manches longues. Très étrangement, elle n'avait pas peur. En tout cas pas cette terreur profonde qui vous mord de l'intérieur et vous paralyse, celle qui vous fige au pire moment, qui aspire en vous toute capacité de réaction, toute pensée cohérente, pour vous exposer au danger totalement désarmé. Si elle bougeait peu, c'était uniquement pour préserver ses forces et conserver la chaleur que produisait son corps et qui réchauffait la fine pellicule d'air entre sa peau et ses vêtements. Cet isolant était son meilleur allié pour tenir ici. Serait-ce long ? Elle ne le croyait pas, mais il était préférable de se préparer au pire. N'était-ce pas ce qui l'attendait ?

Non, non, ne dis pas ça ! se tança-t-elle aussitôt. *Tu n'en sais rien ! C'est peut-être juste... un hasard ! Une coïncidence. Oui, c'est possible ! Rien qu'un malheureux concours de circonstances, tout va bientôt s'expliquer. Tout va bientôt s'arranger.*

Mais alors pourquoi, si elle en était si persuadée elle même, faisait-elle tout depuis le début pour s'économiser comme si elle s'apprêtait à devoir se battre pour survivre ?

Son instinct le lui commandait. Dès le moment où elle s'était réveillée ici, dans cet endroit minuscule, sans fenêtre, elle avait su qu'elle était en mauvaise posture, avant même de se souvenir de ses derniers instants de conscience, de l'agression en elle-même.

Que lui voulait-on ? Pourquoi elle ? Les premières réponses qui lui étaient venues à l'esprit l'avaient glacée, mais elle les avait chassées immédiatement. Ce n'était pas le moment d'envisager le scénario le plus catastrophique, elle se l'interdisait. Elle avait procédé par étapes, s'obligeant à décomposer ses réactions, point par point, pour demeurer maîtresse de ses nerfs, pour ne surtout pas que son imagination s'emballe et que la peur l'inonde. Elle l'avait trop côtoyée pour se laisser déborder. D'une certaine manière, elle avait été son esclave autrefois et s'était juré de ne plus jamais s'y abandonner. C'était le meilleur moment pour se le prouver. Elle en avait la trempe, les armes mentales et l'expérience. Ce qu'elle avait déjà enduré dans son existence l'y avait préparée.

D'abord elle avait estimé son état physique. Globalement bon. Pas de plaie, pas de blessure grave, rien qu'un mal de crâne lancinant, une pulsation douloureuse derrière les yeux : le chloroforme qu'on avait utilisé pour l'étourdir. À l'exception de quelques écorchures superficielles, elle n'avait rien. Puis elle avait songé au viol, avant de se rendre compte qu'elle n'éprouvait aucune douleur et que son jean et sa culotte lui collaient à la taille parfaitement. Il était impensable qu'on ait pu la déshabiller et la rhabiller si bien. Non, rien non plus de ce côté-là.

Pour l'instant.

Arrête ! Arrête ça tout de suite. Ces pensées parasites. Tu ne sais pas. Tu n'as aucune preuve, aucun indice. C'est peut-être juste une coïncidence... Une putain de coïncidence...

La jeune femme fit craquer ses articulations en bougeant du mieux qu'elle put dans le maigre espace. Elle était percluse de courbatures. Depuis combien de temps attendait-elle dans le noir ? Dix heures ? Le double ? Elle avait faim, sans être affamée, et elle estima que la nuit était passée mais guère plus. Peut-être le milieu de matinée. À moins que ses sens ne lui jouent des tours.

Combien de temps faudrait-il pour que son entourage comprenne et que sa disparition soit prise en compte ? Vingt-quatre heures. Environ.

Et ensuite ? Comment remonter jusqu'à moi ?

Elle fit faire quelques mouvements à sa mâchoire pour la déverrouiller, et étira ses bras jusqu'à ce que les liens qui lui mordaient les poignets la fassent grimacer. Elle avait rapidement renoncé à s'en libérer car ils étaient trop serrés, trop solides, deux serflex en plastique qui lui maintenaient les mains collées l'une contre l'autre. L'environnement n'était guère plus rassurant. Pas la moindre particule de lumière, nulle part. Elle était soit profondément enfouie sous terre, dans une cave, soit dans un renfoncement parfaitement étanche. Dans tous les cas, elle savait qu'il était inutile de crier, personne ne l'entendrait – personne de bien intentionné.

Et à présent, qu'allait-il lui arriver ? Pourquoi était-elle ici ? Il fallait être naïf pour croire que tout allait bien se passer et, si elle s'avouait facilement être pleine de défauts, elle n'avait pas celui d'être trop candide, loin de là. Plus maintenant.

Personne ne prenait autant de risques, personne n'élaborait un plan aussi méticuleux sans être particulièrement déterminé, guidé par des pulsions puissantes et mauvaises. Il ne fallait pas se voiler la face, tôt ou tard la porte s'ouvrirait et la suite ne serait pas belle à voir.

Ludivine Vancker réprima le sanglot qui naissait dans les profondeurs de sa gorge. Elle n'avait pas tenu tout ce temps pour craquer maintenant. Elle se l'interdisait. Elle travaillait à la section de recherche de la gendarmerie de Paris, elle avait affronté les pires pervers du territoire français, parfois même d'au-delà, elle était experte au tir à l'arme de poing, elle mettait régulièrement K-O au corps à corps des types qui faisaient le double, voire le triple de son poids, elle courait plusieurs fois par semaine pour cultiver son endurance, son mental était en acier trempé, à toute épreuve, surtout après tout ce qu'elle avait vécu. Non, elle s'interdisait de craquer. Ce n'était pas le moment. Elle ne pouvait pas se le permettre.

Pourtant les larmes apparurent, malgré toute la rage qu'elle mit à les contenir. C'était plus fort qu'elle. Après s'être longuement enfouie dans une armure imperméable aux sentiments, Ludivine avait enfin décidé de déchirer cette seconde peau qui n'était qu'un masque pour s'offrir au monde et éprouver des émotions. Peu à peu, elle était redevenue une jeune femme de son âge, se laissant aller à la douce euphorie que procurent des petites joies simples, et elle commençait même à aimer ce qu'elle devenait. Une trentenaire qui avait tout pour plaire. Tout ça ne pouvait pas disparaître maintenant.

La peur se frayait un chemin, lentement, dans la carapace de ses résistances. Ludivine s'en voulut. Autrefois elle aurait su la contrôler, peut-être même la retourner pour la transformer en énergie. Mais c'était avant, lorsqu'elle n'était qu'une bête de guerre qui n'avait rien à perdre, obsédée par le résultat, détachée de ce qu'elle ressentait. Elle maudit alors l'idée du bonheur, cette porte d'entrée de la peur. Elle avait affronté ses démons, elle en avait triomphé, tous ces spectres qu'elle avait rapportés avec elle de Val-Segond, puis des sous-sols sordides de la clinique de Saint-Martin-du-Tertre[1], elle les avait mis au tapis, disséqués, pour mieux se redécouvrir, pour rejaillir de ces épreuves avec une force de caractère et un désir de vie qu'elle n'avait jamais éprouvés. Elle s'était sentie en vie comme jamais ces derniers temps.

Et à présent que les ténèbres la ceignaient depuis si longtemps qu'elles en devenaient presque l'assiette de son nouvel équilibre mental, Ludivine en venait à penser qu'elle, comme beaucoup, s'était peut-être égarée dans ses certitudes. Les ténèbres ne sont pas que le témoin du vide, le révélateur d'une absence, non, elles ont leur propre consistance, leur matière. Un corps bien réel. Elles sont l'antimatière, la substance noire qui comble le cosmos, la terreur qui donne de la profondeur à nos psychés. Plus encore, elles étaient la preuve concrète que ce monde est mauvais et que la souillure pointe à la lisière de nos regards à tout moment, à chaque coin de rue, prête à nous avaler pour répandre le pire.

Ludivine s'était trompée.

Les ténèbres existaient bel et bien. Et pas seulement dans la tête des pires monstres. Elles l'avaient rattrapée et, à présent, elle-même flottait dans leurs entrailles corruptrices.

---

1. Voir *La Conjuration primitive* puis *La Patience du Diable*, du même auteur, aux Éditions Albin Michel ; Pocket n° 14554 et n° 14555.

3.

Mentir pour se rassurer. Refuser l'évidence. Se protéger aussi longtemps que possible. Mais jusqu'à quel point ? Jusqu'à fuir la réalité ? Jusqu'à se fabriquer des œillères denses comme des murs et que le déni devienne folie ?

Ludivine secoua la tête doucement dans le noir.

Ce n'était pas une coïncidence. Elle n'était pas séquestrée dans ce trou par un psychopathe de passage. Ça ne pouvait pas être un hasard, pas en ce moment. Pas après ce qui s'était passé ces dernières semaines. Pas avec ces liens pour lui entourer les poignets et ce qu'elle avait entr'aperçu de *lui* juste avant qu'il ne l'étourdisse.

Elle ferma les paupières et cela ne fit aucune différence sinon qu'elle eut le sentiment de sombrer un peu plus profondément en elle. Au moins, cette obscurité-là était la sienne.

Pourquoi ne venait-on pas lui parler ? Pourquoi n'entendait-elle aucune voix, aucun son, même distant ?

Je suis enterrée vivante. Je suis enfouie sous trois mètres de terre et personne ne viendra me chercher ici, je vais crever de soif, de froid, de faim et avant tout d'asphyxie.

L'enquêtrice enfonça ses ongles dans ses paumes jusqu'à grimacer de douleur. Sortir de son carcan de guerrière invulnérable ne lui avait pas fait que du bien. Décidément, elle était devenue stupide. Il ne fallait pas raisonner ainsi. Pas se laisser abattre, pas imaginer le pire. Elle était dans un minuscule réduit de terre, pas dans une tombe. Et même si elle était loin sous la surface, ça ne signifiait pas pour autant que l'air ne circulait pas. Plusieurs heures s'étaient écoulées depuis son réveil et elle ne respirait pas plus mal. Malgré l'étroitesse du lieu, il ne faisait pas plus chaud, bien au contraire, c'était donc bien que l'air circulait. Premier bon point.

Ludivine commençait à admettre la probable vérité.

C'est le même type. Je n'ai pas beaucoup de temps devant moi. Très peu même...

Elle serra les cuisses instinctivement en repensant à *lui*, à ce qu'elle et ses collègues enquêteurs avaient retrouvé de ses proies. Elle connaissait bien l'affaire, et pour cause...

Ses poignets la brûlaient, ses liens commençaient à lui ronger la peau.

Il fallait qu'elle sorte. Par tous les moyens, trouver une solution pour s'échapper.

Ludivine rejeta la tête en arrière et son crâne rencontra de la terre friable. Quelques particules froides se détachèrent et glissèrent sous son col, le long de son échine, qui la firent frémir.

C'était forcément *lui*. À présent elle l'acceptait, elle retrouvait toute sa lucidité.

Ludivine ne pouvait pas rester coincée ici. Elle en savait trop. Elle serra les mâchoires de rage, souffla toute sa frustration et retint les larmes qui affluaient.

Elle venait de passer la première étape du choc. Le déni, la fuite dans ses délires. Dès lors elle pouvait se concentrer sur l'instant présent, sur les circonstances, les lieux, ses sensations. Elle devait faire face à ce qui l'attendait car elle savait. Ce qui allait suivre, mais surtout qui l'avait enlevée. Et probablement pourquoi.

Un pervers de l'espèce la plus dangereuse qui soit. Impitoyable. Sans aucun état d'âme. Pour lui, elle n'était rien de plus qu'un outil au service de ses propres besoins, à peine un objet. Il ne verrait rien d'humain en elle. Rien sinon ses attributs féminins parce qu'ils lui seraient utiles. Comment réagir face à un tel monstre ?

Il y a forcément une réponse. Même s'il n'a aucune empathie, il reste un être humain, constitué d'émotions, aussi réduites soient-elles, de protections, de fantasmes et de failles. C'est là qu'il faut entrer.

Trouver la porte d'entrée de son bunker – les dernières parcelles d'humanité tapies loin au fond de ses souffrances et déviances – c'était exactement ce qu'il fallait faire. Trouver les moyens de court-circuiter ses schémas habituels, de le sortir de sa routine perverse.

Mais que savait-elle de lui ? Comment détecter la fissure où s'immiscer sans l'alerter ? Et quand ?

Il va venir. Bientôt. Il va me sortir de là pour se servir de moi. Ce sera rapide, je n'aurai que peu de temps pour agir. Ça ne sera pas le moment d'improviser, il faudra savoir quoi dire, comment heurter ses mécanismes de prédateur, pour le faire dévier de sa trajectoire, pour faire remonter à la surface ce qui subsiste de son humanité. Juste assez pour attirer son attention, que ma parole devienne audible.

Et ensuite ? Elle n'allait pas le tenir en respect juste avec des mots, encore moins le contraindre à la libérer ! Cet homme était un prédateur insatiable qui trouvait enfin une proie susceptible d'assouvir sa faim. Ludivine avait autant de chances qu'une souris cherchant à négocier avec un serpent affamé.

Se préparer. Agir. Méthodiquement. Voilà ce qu'il faut faire.

Ensuite elle verrait bien.

Commencer par dresser le portrait psychologique du psychopathe. Parce qu'elle avait cette passion dans le sang, Ludivine Vancker savait qu'un meurtre est souvent la projection d'une psyché à un instant précis. À plus forte raison dans le cas d'un criminel en série, qui répond à une mécanique perverse bien personnelle. Décortiquer les crimes pour décrypter le langage du sang, ça elle savait faire. Oui, Ludivine était capable d'aller loin dans ce domaine.

Elle retrouva un soupçon d'espoir. Une braise tiédissante pour maintenir un peu de chaleur et de lumière dans les ténèbres.

Elle se raccrocha à cette idée.

Que sais-je de lui ? De son premier crime ?

Non pas le tout premier, mais celui sur lequel nous avons fait connaissance. C'est par là qu'il faut commencer. Le jour de notre rencontre.

Un vendredi. Ludivine s'en souvenait dans les moindres détails.

Personne n'aurait pu oublier un moment pareil.

4.

La première moitié de l'automne s'était à peine fait sentir, progressant avec la détermination d'un paresseux anémique. Les températures variaient sans logique, comme si les dépressions demeuraient coincées derrière des portes claquantes, surgissant un matin pour aussitôt laisser place à une douceur quasi printanière le week-end suivant. La nature elle même, perdue face à cette girouette, rechignait à se dévêtir. Tout juste daignait-elle céder aux standards d'une mode brunissante, tirant sur l'ocre, le jaune et le rouge.

Après le chaos qui avait frappé le pays pendant le mois de mai[1], la France avait retrouvé peu à peu son calme. L'été avait été particulièrement doux, comme si tout le monde demeurait groggy sous l'effet du choc. Ludivine, compte tenu du rôle qu'elle avait joué et des libertés qu'elle avait prises avec sa propre sécurité, fut mise au vert pendant trois mois. Trois longs mois sans travail. Mais trois mois qu'elle ne gaspilla pas. Juin et juillet filèrent, à l'abri dans la montagne

---

1. Voir *La Patience du Diable, op. cit.*

en compagnie de Richard Mikelis, son mentor, et de sa famille. Ludivine se prit d'affection pour Sacha et Louis, ses enfants, et Ana l'accepta sous son toit comme une petite sœur cabossée ayant besoin d'un réconfort de toute urgence. Ce fut une période étrange mais constructive au côté de Richard Mikelis, considéré comme l'un des plus grands profileurs ayant jamais exercé. Un criminologue exceptionnel, tant par ses compétences que par sa personnalité. Un homme qui avait pourtant été trop loin dans l'horreur, au point de raccrocher. Il vivait à présent retiré dans les Alpes et s'occupait des siens, comme s'il avait besoin de se gorger de vie pour compenser une fréquentation trop longue de la mort. Ludivine l'observa beaucoup pendant sa retraite montagnarde. Son obsession de ne rien manquer de ses enfants, l'amour qu'il portait à sa femme, parfois aussi touchant que celui d'un premier béguin, la marquèrent. Pendant ces deux mois, elle se refit cent fois le film des deux dernières années et pensa à ce qu'elle était devenue, elle disséqua ses propres névroses et passa la plupart de ses journées à marcher dans les alpages, contemplant les vues aussi vertigineuses que merveilleuses, scrutant tout au fond de ses propres failles.

Les Mikelis lui firent beaucoup de bien. Ils l'aidèrent à fendre son armure, à s'ouvrir à la vie. Ce ne fut pas un choix conscient, juste une évidence, comme si la matière qui la recouvrait pour la protéger, et qui même l'étouffait, avait fait son temps et s'effritait progressivement au contact du grand air et de cette famille. L'amour œuvra mieux qu'un gros coup de masse dans son armure craquelée.

Ludivine revint à Paris quelques jours début juillet pour voir Segnon et Laëtitia, qui se remettait lentement de ses blessures. Après le traumatisme de son agression, elle avait d'abord fait la guerre à son mari pour qu'il change de métier, ou qu'il quitte, au moins, la section de recherche de la gendarmerie. Puis, peu à peu, réalisant qu'elle avait elle-même sauvé la vie de plus de trente enfants dont les siens, Laëtitia avait fait volte-face et soutenu Segnon. Protéger les innocents et mettre hors d'état de nuire les salopards, pour ça il était vraiment bon et cette cause était grande, trop pour la fuir par égoïsme et par terreur. Cela lui avait pris plusieurs semaines et l'assistance d'un bon professionnel pour l'accepter et intégrer le choc du stress post-traumatique, mais Laëtitia avait réussi à se voir en héroïne, et non plus en victime. C'était un moyen comme un autre de survivre, d'encaisser. Ne plus se considérer comme une proie, plutôt comme une guerrière amochée. Ludivine fêta son anniversaire avec eux et son sauveur : Guilhem Trinh, qui l'avait tirée quelques mois plus tôt d'un bien mauvais pas dans les sous-sols de cet hôpital abandonné.

Puis ce fut le mariage de ce dernier avec Maud. La fête qui suivit fut mémorable et Ludivine y rit plus qu'elle ne l'avait fait depuis longtemps. Le petit jour trouva la jeune femme assise sur un muret, des champs de lavande à perte de vue en contrebas, entre Magali, leur collègue de la SR, et Segnon, Laëtitia somnolant sur l'épaule de son mari, les trois gendarmes se passant une bouteille de champagne qu'ils éclusaient au goulot, un sourire fatigué accroché aux lèvres, leurs beaux habits fripés et tachés. Ce fut la plus belle et longue journée de tout l'été.

Ludivine rentra se mettre sous la protection de la montagne et des Mikelis pour quelques semaines encore. Elle sentait qu'un changement s'opérait en elle, et la fragilité qui en découlait la perturbait. Elle avait encore besoin de leur bienveillance, de s'entourer de ce qu'ils dégageaient.

Pendant cette période, Richard et elle parlèrent peu de l'affaire, sauf lorsque Ludivine l'évoquait. Le criminologue, à la manière d'un psy, l'écoutait, orientait un peu la conversation, et l'aidait à verbaliser ce qu'elle avait de plus enfoui, la peur qu'elle avait ressentie, ou pire encore : l'absence de peur. Pour survivre à tout ce qu'elle avait enduré pendant ces deux années, Ludivine s'était à ce point insensibilisée qu'elle s'était muée en machine de guerre. Reprendre contact avec ses sens, avec sa vulnérabilité, avec l'envie de vivre pleinement l'effrayait, mais elle savait à présent que c'était nécessaire pour avancer dans son parcours de femme.

Elle opéra son retour parisien au mois d'août et décida d'investir l'argent qu'elle avait de côté – une grande partie provenant d'un héritage familial – dans une maison nichée le long d'une rue tranquille de Pantin qu'elle acheta en prenant un crédit sur vingt ans. Sa manière à elle de s'engager à vivre, au moins pour rembourser ses dettes. Et une opportunité pour quitter son logement de fonction, rompre avec la routine militaire, faire un break. Elle avait besoin de son espace à elle.

La maison était trop grande, mais son originalité fut un vrai coup de cœur, du genre qu'on ne peut ignorer. Ancienne fabrique de chocolat, ses murs en brique rouge contrastaient avec le grand escalier en fer forgé au centre de la pièce principale aménagée dans l'esprit loft, et les fines colonnes d'acier brun qui grimpaient s'enchâsser dans les poutres métalliques. Une belle véranda courait sur toute la longueur et ouvrait sur un jardin luxuriant où roses, géraniums, dahlias et autres fleurs coloraient les massifs qui débordaient sur les allées. Ludivine aimait ce jardin en fouillis, un peu à son image, et elle se promit de ne pas laisser les fleurs mourir faute d'entretien.

Elle fut convoquée par le colonel Jihan la troisième semaine d'août pour reprendre du service petit à petit. Pas de sanction, pas de restriction, et surtout : pas de mutation. Elle avait pris des risques, mais elle avait aussi permis l'arrestation d'un criminel hors norme. Et compte tenu de ses états de service tout aussi exceptionnels, il fut entendu qu'une évaluation psychologique positive suffirait à lui rendre son poste, ses responsabilités, son grade et son arme.

Septembre et octobre furent plutôt calmes, presque trop. Une fraude à l'assurance avec incendie volontaire qui avait entraîné des dégâts considérables dans le 77 l'occupa un moment, ainsi que plusieurs petits dossiers traités par des collègues sur lesquels elle donna un coup de main. Elle traînait le soir avec Magali et Franck, qui étaient aussi proches l'un de l'autre que Ludivine pouvait l'être de Segnon. Franck était alors en instance de divorce et le vivait plutôt mal. Ludivine profitait aussi de ses soirées pour aller au cinéma, lire des magazines insipides ou végéter devant la télé lorsque la flemme l'engourdissait. Moins assidue qu'auparavant aux cours d'arts martiaux, délaissant de plus en plus le club de tir, elle redevenait un peu plus femme que combattante. Elle s'obligeait à courir plusieurs fois par semaine pour se maintenir en forme et surtout pour éliminer les excès alimentaires. C'était à peu près sa seule discipline.

La première semaine de novembre touchait à sa fin. Ludivine rentra chez elle vers 19 h 15, grimpa à l'étage où son jean s'échoua sur le lino de la salle de bains, elle enfila un bas de pyjama en coton confortable, jeta pull et soutien-gorge sur le rebord de la baignoire et se glissa dans un sweat aussi doux qu'une peau de bébé, « Femme Fatale » écrit en lettres noires sur le devant. Dans son cas, ça n'était pas ironique. Si seulement les gens savaient ce qu'elle avait vécu et fait depuis deux ans...

Elle redescendit ensuite dans sa cuisine trop vaste pour une célibataire, chercha un moment quoi se faire à dîner avant de capituler et de commander des sushis.

Ludivine était plutôt fière de la décoration du rez-de-chaussée. Une bibliothèque bien garnie donnait un peu de chaleur à l'immense pièce. Faute de temps et d'énergie le soir après le boulot, elle n'était plus une aussi grande lectrice qu'autrefois. Ses livres ressemblaient à des trophées gagnés sur l'ignorance, mais à sa grande honte son butin sentait la poussière... Il fallait qu'elle s'y remette, qu'elle replonge dans le tiède oubli de soi que procure une lecture captivante.

La cheminée, elle, n'attendait plus qu'une étincelle pour embraser ses fagots et réchauffer l'atmosphère, des photos de famille encadrées étaient posées sur son manteau, avec quelques clichés des collègues de la SR. Sur l'un d'entre eux, on pouvait voir Ludivine, Segnon et un autre trentenaire plutôt mignon. Alexis.

Ludivine avait été fleurir sa tombe un mois plus tôt pour les deux ans de sa mort, et elle y retournerait bientôt, pour son anniversaire. Elle se sentait obligée. Un devoir envers celui qui avait été son confrère, son amant. Une victime.

Les murs du grand loft étaient occupés par plusieurs tableaux que la jeune femme avait chinés longuement. Un Fazzino, du pop art 3D représentant Paris, avec ses couleurs chatoyantes et la dynamique de son relief, complétait celui qu'elle avait déjà sur Manhattan ; en face un grand drapeau américain – dévoré par des décennies de vents que le sable du Nouveau-Mexique avait rendus abrasifs – habillait le plus grand pan. Ludivine l'avait payé une petite fortune, mais il lui rappelait son voyage aux États-Unis lorsqu'elle avait vingt ans. Ce pays envoûtant et ses mythes de cow-boys résonnaient dans la pièce rien qu'en observant les couleurs délavées et les lambeaux déchiquetés de ses extrémités. Parfois, elle pouvait presque l'entendre claquer au son des trompettes et des cris d'Indiens.

Un parquet aux larges lattes de wengé courait entre les colonnes de fer forgé, couvert ici et là par des tapis molletonnés, et des meubles que Ludivine avait choisis avec attention pour leurs teintes patinées ou cérusées achevaient d'investir le lieu. Son nid était à la mesure de son nouvel intérieur à elle. Elle le désirait aussi apaisant qu'elle était devenue sereine ces derniers mois. Il fallait que son environnement lui corresponde, même si l'étage était encore encombré de cartons, qu'il restait des peintures à finir, de la déco à inventer et qu'elle s'était montrée incapable de s'attaquer à sa chambre – encore glaciale –, sans savoir pourquoi elle ne parvenait pas à se lancer. Mais le travail était en cours et elle était confiante.

La mobylette du livreur de sushis pétarada dans la rue dissimulée par les massifs de fleurs et les buissons. Elle dévora son poisson cru assise en tailleur sur son canapé d'angle.

Ludivine végétait, vautrée sous un plaid cocoon, sans même regarder la télé pourtant allumée, perdue dans ses pensées, lorsque son portable sonna. Elle envisagea d'abord de le laisser s'égosiller avant de se souvenir qu'elle était de permanence pour le week-end et, par acquit de conscience, vérifia le numéro affiché sur le cadran de son iPhone.

La gendarmerie. Elle soupira et décrocha.

— Désolé de te pourrir la soirée, fit la voix douce de Guilhem, on a besoin de nous.

— C'est urgent ?

— Un type retrouvé sur les rails du RER D pas loin d'Évry.

— C'est pas le boulot des flics locaux ça, ou d'une brigade ?

— Pas avec ce qu'on vient de me raconter. Je passe te prendre dans dix minutes. Tu as juste le temps d'enfiler un jean et une doudoune, la nuit va être longue.

Tout avait commencé comme ça. Aussi simplement.

5.

Une lune froide jetait un œil insensible sur la scène perdue dans la banlieue sud de la région parisienne. Une route cahoteuse, des nids-de-poule garnis de boue, une végétation brune et anémique sur les bas-côtés, quelques arbres sourdant des friches qui jalonnaient un ravin abritant la voie ferrée. Seuls les sommets de quelques tours percées de multiples points de lumière confirmaient la présence de vie dans le secteur des cités alignées à bonne distance. Le reste se limitait à des murs antibruit, un échangeur routier, un parking désert de supermarché au-delà du terrain vague et une interminable succession de toits tournant le dos à l'endroit qui, en effet, ne méritait pas d'être admiré.

Ludivine sortit de la voiture en compagnie de Guilhem, et se faufila entre les camionnettes de la gendarmerie et celles des pompiers dont les gyrophares nimbaient le paysage de flashs bleus et rouges. Au loin la rumeur du trafic grondait, inlassablement, véritable pouls de la civilisation.

Les deux enquêteurs gravirent un talus couvert de hautes herbes et s'immobilisèrent pour découvrir le spectacle, quinze mètres en contrebas. La pente abrupte ne facilitait pas l'accès des intervenants, la plupart en uniforme. La voie ferrée était enfoncée dans la terre, quatre rails parallèles surmontés de câbles à haute tension. Et, dans cette relative obscurité, une poche de clarté chirurgicale palpitait sous l'incandescence des projecteurs portatifs dressés sur leurs pieds. Ils délimitaient une zone de plus de vingt mètres de long sur toute la largeur du ballast. Ludivine devina qu'ils n'allaient pas au-delà faute de matériel suffisant, car elle distingua aussitôt des silhouettes isolées à bonne distance, en train de sonder le sol du rayon surpuissant de leur lampe à batterie. Puis elle aperçut l'arrière d'un RER à un jet de pierre. La rame était entièrement noire, comme abandonnée, la carcasse creuse d'un immense ver d'acier dont seuls les deux yeux rouges brûlaient dans l'obscurité.

En bas, juste sous leurs pieds, les pompiers se tenaient en retrait, les mains sur les hanches ou les bras croisés sur la poitrine, tandis que les gendarmes terminaient de délimiter un périmètre de sécurité dont tout le monde se trouvait chassé, même les deux hommes en tenues blanches du SAMU.

Ludivine se crut subitement revenue deux ans plus tôt, dans cette gare où un malade avait poussé autant de gens qu'il le pouvait sous les trains. Un tournant dans sa carrière, dans sa vie d'enquêtrice mais aussi de femme. Elle chassa le souvenir d'un clignement de paupières. Elle était là, maintenant, et c'était une tout autre affaire.

L'enquêtrice descendit la pente en prenant soin de ne pas glisser, dérapa un peu, et, parvenue en bas, fendit le groupe de pompiers accompagnée par Guilhem, avant de se planter face à un gendarme qui arborait le grade de lieutenant. Elle n'était pas d'humeur bavarde et lui montra aussitôt sa carte – sa tenue civile n'indiquait ni son grade ni sa fonction précise –, ce qui lui évita d'avoir à se présenter.

— Vous êtes aux Stups de la section de recherches ? demanda-t-il.

— Ça s'appelle la DCO chez nous, Division criminalité organisée, mais non, nous sommes d'astreinte, on fera le relais si besoin.

— C'est vous qui reprenez le bébé à partir de maintenant ?

— Ça va dépendre de ce qu'il y a vraiment.

Il la fixa d'un œil acéré avant de désigner la zone lumineuse non loin.

— Trois pains de cannabis et surtout un gros paquet de sachets douteux, je ne suis pas expert. J'ai préféré vous appeler tout de suite, des fois que ce soit un client des Stups de chez nous.

— Vous avez appelé la CIC[1] ? s'enquit Guilhem.

— Bien sûr, ils devraient débarquer d'un instant à l'autre.

L'homme, la trentaine, visage allongé et un peu sévère, se distinguait par son regard vif. C'était bon signe, songea Ludivine, ils n'étaient peut-être pas venus pour rien.

---

1. Cellule en identification criminelle, les « experts » de la gendarmerie.

— Nous allons les attendre, alors ne polluons pas inutilement la scène, précisa l'enquêtrice. Vous vous appelez comment ?

— Lieutenant Picard.

— Vous avez fait du bon boulot.

Le fourgon de la CIC ne tarda pas et l'un des techniciens reconnut Ludivine, qu'il avait déjà côtoyée sur des affaires précédentes. Elle en profita :

— Vous auriez une tenue pour nous ? Je ne voudrais pas perdre de temps pour aller jeter un œil.

L'homme hésita puis lui désigna un des casiers à l'arrière du fourgon entièrement aménagé. Quelques minutes plus tard, l'enquêtrice et son collègue arboraient une combinaison blanche avec capuche, masque, gants et protège-chaussures.

Ludivine entra dans le rectangle mis à nu par les projecteurs et remarqua tout de suite les traînées d'un rouge sombre qui couraient sur les traverses, puis les fragments. Il y en avait de toutes les tailles, certains percés par un os brisé, d'autres qui révélaient des lambeaux de peau, mais la plupart n'étaient qu'amas pourpres. Les bourgeons luisants de la mort. Ludivine nota mentalement qu'il y en avait de plus en plus à mesure qu'on s'éloignait du train. Elle souffla longuement par le nez. Elle n'avait pas envie d'en voir plus. Vraiment pas. Elle se mit à regretter sa confortable soirée sur son canapé, et maudit les hasards de la vie pour l'avoir désignée de service ce soir.

Ses yeux remontèrent le long des rails et trouvèrent l'homme à quelques mètres seulement, renversé sur le côté entre les deux voies. Il était amputé sous les genoux et au-dessus de la mâchoire. Cette dernière pendait mollement, mouchetée de sang, grotesque. Ludivine vit alors un projecteur isolé, beaucoup plus loin, et comprit qu'il éclairait un autre morceau. Elle retourna auprès du lieutenant en uniforme qui se tenait en retrait pour ne déranger personne, sans perdre une miette de tout ce qui se passait, en particulier du travail des techniciens en identification criminelle qui commençaient le marquage au sol de tous les indices.

— Le point d'impact est là-bas ? interrogea-t-elle en abaissant son masque en papier.

— On le pense, confirma le lieutenant. C'est là qu'il y a aussi le sac avec la drogue.

— La tête s'y trouve ?

— Ce qu'il en reste.

— Et le bas des jambes ?

— On cherche encore. Les pompiers nous disent que ça peut être quelque part sous les rames, entraîné par les roues sur toute la longueur du convoi. Ça arrive parfois.

Ludivine haussa les sourcils, déjà épuisée par cette surenchère sanglante. Elle marcha jusqu'au corps et en fit le tour doucement avant de s'accroupir pour l'examiner.

Les bras étaient relevés et figés au-dessus du torse, mains ouvertes comme pour se protéger d'un choc. Plusieurs doigts manquaient, sans doute arrachés lorsque la locomotive avait frappé.

Guilhem, qui avait recueilli d'autres témoignages, se rapprocha, sa combinaison frottant à chaque pas.

— Le chauffeur n'a rien vu ? fit-elle.

— Comme tu peux le remarquer, nous sommes dans une courbe, il roulait à plus de soixante-dix kilomètres à l'heure, le corps était allongé sur la voie, le chauffeur en est certain, sinon il l'aurait vu se jeter devant lui. Heureusement le train ne transportait pas de passagers, il a pu freiner en urgence sans conséquence. Sa rame s'est arrêtée là où elle est encore. À première vue, le corps n'a pas beaucoup bougé par rapport à l'endroit où il se tenait au moment de l'impact. Quelques morceaux ont été entraînés mais le principal a été sectionné net et repoussé ici sur quelques mètres seulement.

Le pantalon de jogging du mort était entortillé sur ses cuisses pâles, dévoilant un caleçon coloré. Le T-shirt déchiré montrait un abdomen masculin relativement musclé mais fissuré, la peau rompue comme un vulgaire sac trop plein sous la violence de la collision, déballant les boyaux sur le ballast.

Le gendarme continua sur sa lancée :

— Près de la loco, il y a un des camarades de la brigade avec le chauffeur et des types de la SNCF. Ils disent qu'il faut qu'on fasse vite pour nettoyer la scène parce que la régulation veut pouvoir disposer de la ligne tôt demain matin pour les horaires de pointe. Il paraît que même pour une scène de crime la priorité est au réseau.

Ludivine grogna en signe de mécontentement mais ne commenta pas.

— Tu as vu son froc baissé ? demanda Guilhem. C'est bizarre, non ? Et puis il y a la rigidité cadavérique des membres supérieurs. Elle n'apparaît qu'au bout de trois ou quatre heures minimum et met plus ou moins dix heures pour être maximale, or l'accident a eu lieu il y a une heure et demie, c'était déjà comme ça lorsque les gendarmes sont arrivés, le lieutenant Picard me l'a confirmé. Ce type était mort bien avant que le train ne lui roule dessus ! Ça ne colle pas.

— C'est toi qui as pigé ça tout seul ? s'étonna Ludivine qui connaissait les champs de compétence de son collègue mais aussi ses lacunes.

— Nan, j'avoue. Picard a l'air de s'y connaître. C'est un ambitieux. C'est lui qui m'a fait le topo. Quand ils ont vu la came en plus, il a tout de suite préféré nous passer un coup de fil.

Dans sa période de tous les excès, Ludivine avait lu et appris par cœur des dizaines de manuels de criminologie en français et en anglais. Elle secoua la tête en se remémorant ce qu'elle savait sur les accidents de ce type.

— Les chocs avec un train sont si violents qu'ils peuvent arracher les vêtements ou les rouler ainsi, de même qu'ils peuvent parfois figer les victimes, les « saisir » sur le coup, au point qu'on peut confondre leur état avec la rigidité cadavérique classique. Je ne suis pas légiste mais les dilacérations sous les genoux ressemblent à ce qu'on peut attendre d'un passage sous les roues d'une rame. Et puis il y a des traces de cambouis près des sections, ça confirme.

— J'ai fait le tour en détail, insista Guilhem, et je peux t'assurer que tout le sang est celui qui a été répandu par l'impact, mais il n'y a pas de giclures ensuite, pas de projections autour du tronc, comme si le cœur avait cessé de battre instantanément. C'est possible ça ?

Ludivine lui jeta un bref regard intéressé.

— Picard a fouillé le corps ?

— Non, juste un examen visuel pour se faire un avis rapide, il n'a rien contaminé.

Malgré l'agressive clarté qui tombait des projecteurs, Ludivine sortit une petite lampe torche de sa poche de doudoune, la pointa vers les replis du cadavre et sonda les quelques ombres coriaces. Elle ne vit rien de particulier, mais s'attarda sur la gorge. Au-dessus, la mâchoire inférieure était tout ce qu'il restait de l'homme. Ce qu'il avait vécu, ressenti, sa mémoire sensorielle, son histoire, tout ce qui le définissait avait été emporté, anéanti à jamais dans un froissement d'acier, le temps d'une étincelle. Ludivine poursuivit vers les avant bras, puis les mains. Deux doigts manquaient et trois étaient complètement désarticulés. Plusieurs ongles cassés dépassaient comme des bouts d'os. La jeune femme se pencha encore plus et demeura ainsi une dizaine de secondes à renifler d'un air intrigué, puis elle détailla les mains, balayant chaque doigt restant de son pinceau lumineux.

— Non, ce n'est pas pour la DCO, lâcha-t-elle du bout des lèvres.

Cette fois Guilhem fit un pas vers elle.

— Malgré la drogue ? insista-t-il.

Ludivine désigna les mains tordues :

— Soit il avait des bracelets qui se sont entortillés autour de ses poignets pendant le choc avant d'être arrachés et propulsés quelque part, soit cet individu a été attaché par des liens avant de mourir.

Guilhem se pencha à son tour.

— Oh merde.

— Et tu as vu ses ongles ? Ils ne sont pas à lui. Ils sont vernis pour certains. Ils ont été collés par-dessus les siens. Pas la bonne taille, ni la bonne forme.

— Tu penses à un trav' ?

— Non, je pense à un meurtre.

6.

L'écho du trafic routier résonnait, cassé par la distance et les murs antibruit, avant de parvenir au fond de la tranchée. Ludivine fixait les lieux dans sa mémoire. La longue courbe de la voie ferrée, cette glissière infernale, guillotine infinie qui reliait les hommes entre eux. Cette fois elle en avait découpé un en plusieurs morceaux.

Guilhem, engoncé dans une combinaison immaculée qui peinait à recouvrir sa parka et son écharpe, se rapprocha pour parler avec sa collègue à l'abri des oreilles indiscrètes :

Lulu, t'emballe pas non plus. Ce serait pas le premier suicidé à s'être attaché les mains avant de mourir. Quand ils sont au bout du rouleau, certains sont assez ingénieux pour y parvenir.

— Plus aucun lien présent sur ses poignets.

— Tu l'as envisagé toi-même : ils ont été arrachés par le choc. Si c'est un camé qui a piqué le stock d'un dealer et qui courait ici pour s'enfuir, on aura l'air cons. Les ongles qui sont pas les siens ça veut rien dire, des tordus dans son genre on en a déjà croisé.

45

Il faisait peut-être le tapin pour se payer sa dose et il s'est effondré là après s'être fait son shoot.

— Pas de traces de piqûres aux poignets.

— Il se pique sous les bras, derrière les genoux, dans la cuisse, qu'est-ce que j'en sais moi ! Ou il fume du crack...

— Tu l'as senti ?

— Comment ça ?

— Vas-y, penche-toi et colle ton nez sur le corps.

— Non merci, l'odeur de la barbaque, très peu pour moi.

— Il pue l'eau de Javel. À tel point que même debout tu aurais dû le remarquer. Tu vas me dire qu'il a pris une douche de Javel avant de sortir, pour se désinfecter ?

Guilhem hésita. Il porta sa cigarette électronique à ses lèvres et aspira goulûment une bouffée parfumée à la cannelle.

— Tu sais qu'il est tard, demain c'est samedi, jour férié de surcroît, rappela-t-il, ça signifie qu'il va falloir déranger un paquet de monde, argumenter auprès d'un proc qui ne sera probablement pas de bonne humeur, gérer la pression de la SNCF qui s'en carre de savoir le temps que ça prend à nos équipes pour inspecter une scène pareille du moment qu'ils peuvent nous virer à l'aube, et bien sûr la politique du chiffre *préférerait* que tu n'ouvres pas une enquête pour homicide alors qu'il s'agit probablement d'un accident, bref, es-tu prête à foutre un beau bordel qui va emmerder tout le monde ?

— Je le sens pas, Guilhem, fais-moi confiance. Le type était allongé, le lieutenant Picard n'a pas tort : il a relevé plusieurs anomalies qui certes peuvent s'expliquer par l'impact, mais cumulées ça fait beaucoup. Je préfère qu'on prenne la main. Au moins le temps d'identifier notre gars et d'en savoir plus sur lui. Ça te va ?

— C'est sous ta responsabilité, je t'ai donné mon avis, mais je serai solidaire.

— De toute façon t'as pas le choix, tu es mon ange gardien, tu te rappelles ?

Depuis que Guilhem lui avait sauvé la vie, six mois auparavant, Ludivine l'appelait ainsi. Elle avait craint que leur relation change, qu'un malaise s'installe, avant que la fête de son mariage n'apaise ses craintes et surtout qu'ils retravaillent ensemble. Leur complicité, presque de la fraternité, n'en était finalement que renforcée.

Elle leva le nez et marcha lentement d'un air songeur.

— À quoi tu penses ? s'enquit Guilhem.

— La rigidité est effective, le corps froid. Sans être experte, je pense qu'il est mort depuis un bon moment. Un paquet de rames ont dû passer par ici dans la journée et même dans la soirée…

— Tu es en train de me dire que la scène de crime n'est pas le lieu du crime ?

— J'en ai l'impression.

— On va demander à la régulation quand est passée la rame précédente, ça nous donnera un créneau précis pour la dépose du macchabée.

Ludivine désigna le flanc ouest de la tranchée au fond de laquelle ils se trouvaient.

— Le mur antibruit fait bien cinq mètres de haut, impossible de passer par là. Il ne reste que le talus par lequel on est venus.

— La route empruntée par tout le monde pour venir, on a roulé dessus, on l'a piétinée, en gros on a saccagé toute trace éventuelle.

— C'était bien anticipé par le ou les coupables.

— Oh, tu t'emballes là, ma Lulu ! On va un peu loin dans la spéculation. Tu sais comme moi que les assassins sont rarement aussi retors.

Elle désigna les lieux de ses bras :

— La victime était déjà morte avant d'être amenée. Pourquoi s'emmerder à ce point pour la transporter ici ? Pourquoi prendre le risque de se faire pincer ? Il suffisait de l'abandonner dans n'importe quel endroit perdu, une forêt, un champ de la lointaine banlieue. Non, l'auteur des faits est venu jusqu'ici avec le cadavre sur les bras. Il y a forcément une bonne motivation derrière cet effort. Et ils sont peut-être plusieurs.

Guilhem désigna le sommet de la pente où clignotaient les gyrophares invisibles en un stroboscope hypnotisant.

— Ils l'ont peut-être tué là-haut, voilà tout.

— Et ils auraient attendu des heures que la rigidité cadavérique s'installe pour finalement le descendre ici entre deux trains ?

« Non, pas cohérent. Regarde, nous sommes dans un virage. Ils savaient que le train n'aurait pas le temps de l'apercevoir et de freiner. Ils voulaient qu'on le trouve et, tant qu'à faire, nous emmerder à tout nettoyer derrière.

— Les meurtriers préfèrent généralement qu'on ne découvre jamais leurs cadavres, c'est pas logique ton histoire.

— Pourquoi crois-tu qu'il est entièrement lavé à l'eau de Javel ? Pour faire disparaître tout ADN. Ils veulent faire passer un message. Un règlement de comptes entre bandes de trafiquants ?

Guilhem fit la moue. Il savait que Ludivine réfléchissait à voix haute, ça l'aidait dans son raisonnement. Elle-même n'était pas totalement convaincue par ses théories, toutefois les énoncer lui permettait d'en tirer le meilleur et d'en discerner les failles. C'était son gueuloir à elle. La Flaubert de l'investigation.

— Pourquoi tu te marres ? s'étonna-t-elle.

— Pour rien. Dis-moi, si c'est vraiment ce que tu envisages, comment tu expliques la présence de la drogue ? Je ne connais pas un seul réseau qui se permettrait de laisser la came derrière lui.

Ludivine acquiesça doucement en pivotant dans la direction du projecteur isolé. Puis elle se lança et marcha vingt mètres jusqu'à cette bulle de clarté au milieu de l'obscurité. Elle repéra tout de suite la tache d'un vermillon obscène qui devait être la tête et préféra ne pas s'attarder dessus. Il le faudrait à un moment ou à un autre, mais pas maintenant. Ils se tenaient au point d'impact. Elle tourna le dos à la chair et vit Guilhem s'accroupir à côté d'un sac à dos noir. Équipé de ses gants jetables, il ouvrit délicatement le rabat.

— Qu'est-ce qu'on a ? Coke ? Héro ? Grosse quantité ?

Guilhem soupesa le sac avant de le fouiller délicatement.

— Il est lourd. Bien chargé. Je vois trois pains de résine de cannabis et… un sacré paquet de… Oh, merde.

Il sortit un sachet de plastique transparent sur lequel était dessinée une pieuvre noire dont le corps ressemblait à une tête de mort. À l'intérieur, de minuscules cristaux blancs scintillèrent sous l'éclairage violent du projecteur. Ils brillaient comme les diamants de la Faucheuse en personne, sa parure préférée, la plus efficace.

Ludivine les reconnut immédiatement et elle fit un pas en arrière sans s'en rendre compte.

Son cœur se mit à battre vite.

Très vite.

7.

La bûche se consumait dans la cheminée en émettant de petits crépitements et Ludivine songea aussitôt au bruit d'une pipe à crack en train de chauffer. Fichue déformation professionnelle. Elle reposa le livre qu'elle feuilletait pour se changer les idées ; manifestement ça ne fonctionnait pas.

Ludivine se prépara un thé au ginseng qu'elle noya de lait. Elle alluma sa chaîne hifi et lança le CD de Bob Dylan qui se trouvait déjà dedans. Elle n'était pas encore passée au tout-dématérialisé qui envahissait la planète. S'entourer de ce qu'elle aimait la rassurait. Que ce soient des livres, des albums de musique ou bien de vieux DVD qui prenaient la poussière sur les étagères de son salon. La dématérialisation permanente l'inquiétait, nos passions perdaient leur corps, nous n'en gardions plus que l'âme, stockée numériquement, peu à peu nous ne nous entourions que des fantômes de nos plaisirs, songeait-elle. Décorporer tout ce qui divertissait le plus l'homme, était-ce la première étape nécessaire avant d'envisager la dématérialisation de l'homme lui-même, un jour ?

La guitare lança les premiers accords de « Blowing in the Wind » et la voix légendaire s'éleva dans toute la pièce, se répercutant contre les briques rouges et couvrant les pépiements du feu. Le son était très fort mais Ludivine n'éprouva pas le besoin de le baisser. Elle sirota son thé ainsi, portée par la mélodie, par la mélancolie qui se dégageait de la chanson, son esprit à cheval entre les divagations apaisantes de la musique et les enchaînements inquiétants de sa pensée pragmatique.

Il lui était difficile de se reposer, de couper totalement lorsqu'une enquête démarrait.

Elle était rentrée très tard dans la nuit pour dormir quelques heures, et se préparait à enchaîner pour tout le week-end. Guilhem l'attendait vers midi dans les bureaux de la section de recherches, la SR pour les intimes. Segnon avait été appelé en renfort et, comme convenu, il vint sonner chez Ludivine à 11 h 30. La jeune femme sortait à peine de sa douche, les cheveux encore mouillés, ses boucles blondes plus rebelles que jamais tombant sur ses grands yeux bleus qui transperçaient le monde.

Le colosse était vêtu d'un jogging ample, baskets et sweat-shirt à capuche, qui peinait à enfermer toute sa musculature. Il baissa le son vrombissant de la chaîne, en boucle sur le CD de Dylan.

— Je vois que tu as fait des efforts pour t'habiller ce matin, se moqua Ludivine.

— Me sortir du pieu un samedi matin, férié en plus, tu t'attendais quand même pas à ce que je fasse péter la cravate, non ?

— Laëti l'a pas mal pris ?

— Je crois pas, non.

Ludivine, qui connaissait son collègue par cœur, crut discerner une pointe de cynisme.

— Ça va entre vous en ce moment ?

— Tout dépend des jours.

— Elle fait toujours des cauchemars ?

— Rarement, de ce côté au moins c'est mieux. Par contre elle a toujours mal aux reins et au dos. Elle ne va plus voir le psy, ce qui est une connerie à mon avis, mais elle ne m'écoute pas. Un matin je suis un héros qui sauve des vies et je dois tout donner pour mon métier, le lendemain je suis un égoïste qui prend trop de risques et qui ne pense pas assez à ma famille.

— Laisse-lui du temps. C'est dur aussi pour elle, tu sais.

Les yeux de Segnon s'ouvrirent en grand, et dans la pénombre de sa capuche ils brillèrent comme deux lunes inquiètes.

— Je suis là pour elle, mais j'avoue que ses sautes d'humeur, c'est dur à comprendre et à gérer.

— Sois patient. C'est une coriace, elle va éliminer peu à peu les souvenirs toxiques. Ce qu'elle a vécu dans ce bus, c'est un putain de traumatisme.

Ludivine savait de quoi elle parlait. Elle-même avait eu son lot de drames dont elle ne se remettait qu'à peine.

— Par contre tu dois l'obliger à consulter pour son dos, ajouta-t-elle.

Segnon acquiesça.

— Bon, et cette nuit, on a décroché le gros lot, c'est ça ? fit-il.

— Guilhem t'a dit ?

— Pour la came ? Vous êtes sûrs que c'en est ?

— Oui, même apparence, mêmes sachets avec la pieuvre à tête de mort. C'est des sels de bain modifiés.

Le SBM, ainsi dénommé, avait fait son apparition massivement en début d'année, au moment même où la section de recherches traquait celui que certains avaient surnommé le Diable. Un cocktail de drogues terrifiant. Benzylpipérazine, LSD, kétamine et méthamphétamine combinés à des dosages précis pour provoquer une euphorie orgasmique prolongée, mais aussi une perte totale d'inhibition, un stress croissant, une altération complète du jugement moral, des hallucinations et une réactivité aux sensations – qu'elles soient réelles ou inventées par l'esprit – décuplée. Le SBM transformait un agneau timide en satyre capable du pire, avant la descente qui dévorait ses consommateurs au point de les muter en zombies lents, bavants et à l'esprit débranché. De nombreux délires avaient engendré un pic de violence inouïe depuis que cette drogue avait inondé le marché des amateurs de sensations fortes. Ses adeptes minoraient son impact, affirmant que les dérives violentes constituaient des cas isolés, et que son rapport qualité-prix sans équivalent en faisait un must sur le marché de la défonce. La nuit s'étirait sans fin sous son emprise, avec une énergie jusqu'ici inconnue de ceux qui l'absorbaient, une joie de vivre totale, un plaisir sexuel démultiplié. Ils pouvaient faire la fête pendant deux jours sans s'arrêter, sans avoir besoin de boire ou de manger. Mais la descente était à la hauteur. Et entre les deux, des pertes de mémoire régulières, des flashs de délire, et parfois un dérèglement de la personnalité allant jusqu'à l'automutilation extrême ou des agressions d'une brutalité rare. Suicide, accident mortel, crise cardiaque, autocastration et même cannibalisme étaient au programme des conséquences déjà répertoriées à plusieurs reprises depuis le début de l'année.

De la même manière que les sismologues attendaient le Big One qui raserait un jour la Californie de la carte, les virologues le dérivé de H5N1 qui engendrerait une pandémie mondiale, les toxicologues redoutaient depuis longtemps l'émergence d'une drogue aussi addictive que monstrueusement destructrice pour la personnalité. Le SBM était ce fléau. Le Big One pandémique de la drogue existait bel et bien, et il se diffusait de façon exponentielle parmi les toxicomanes mais aussi dans le milieu de la nuit, parmi les consommateurs occasionnels et même chez les plus jeunes, curieux ou soumis à la pression sociale de la festivité exacerbée.

— Il faut bosser avec Yves et les gars de la DCO, soupira Segnon. Si c'est de la came, c'est pour eux.

— C'est prévu. Nous allons nous concentrer sur le mort et son ou ses assassins. Si on identifie une filière de trafiquants, le colonel décidera qui prend la suite, mais je pense qu'on refilera le bébé à la DCO. Chacun sa part du boulot. Nous, c'est l'homicide.

— Des pistes pour commencer ?

— C'est flou pour le moment. Il a fallu travailler vite pour rouvrir la ligne au trafic ce matin, donc les TIC[1] ont bossé un peu à l'arrache sur une zone aussi étendue que compliquée. Au moins neuf cents prélèvements, mégots, chewing-gums, déchets divers,

---

1. Technicien d'investigation criminelle.

la plupart, sinon tous, appartenant probablement aux milliers d'usagers qui passent par là chaque jour et s'en débarrassent par la fenêtre du train – mais il fallait le faire. Peu probable qu'on ait le budget pour les analyser.

C'était une des plus grandes frustrations de Ludivine depuis qu'elle exerçait sa profession : réaliser que la justice avait un coût. La vérité s'achetait. Chaque analyse ADN coûtait plusieurs centaines d'euros, et sur une scène de crime normale il n'était pas rare de récolter un bon millier d'échantillons, parfois bien plus. Si on ajoutait les heures supplémentaires des enquêteurs, des experts, les frais de déplacement des uns et des autres à ceux du fonctionnement habituel de tous les services nécessaires à une enquête, le moindre dossier criminel se soldait au minimum par une facture à cinq chiffres, souvent six, et le million d'euros de frais n'était pas rare, voire plus encore. Chaque juge voyait s'empiler les demandes, et le budget de la Justice sombrait semaine après semaine, si bien que les enquêteurs se voyaient refuser des vérifications parfois simples mais estimées « pas indispensables » eu égard à leur prix.

— Pour un camé qui s'est peut-être suicidé ? railla Segnon. Tu peux oublier tes analyses ADN à plus de deux cent mille balles ! On a quoi d'autre ?

— Les circonstances et le lieu.

— C'est-à-dire ?

— J'ai eu l'IML[1] et ils me disent que ça n'est pas une priorité, donc l'autopsie ne sera pas effectuée avant

_____

1. Institut médico-légal.

56

lundi matin, mais je suis sûre que le gars était déjà mort depuis un moment avant d'être abandonné sur place.

— Il a dit quoi, le médecin sur place ?

— La même chose. Les rigidités étaient très marquées, trop, même si l'impact du train peut avoir saisi le type. Le légiste nous le confirmera.

— Les lividités cadavériques semblaient cohérentes avec la position du corps ?

— Tu t'intéresses aux lividités, toi maintenant ?

— Ma partenaire ne jure que par le jargon criminalistique, je me suis adapté, à force.

Ludivine eut un rictus amusé.

— Rien de concluant de ce côté. Il a été découpé et des morceaux traînés par le train, le corps a été secoué, le sang dispersé, on ne peut pas s'en servir. En revanche, le conducteur précédent n'a rien vu lorsqu'il est passé dix minutes plus tôt.

Ça nous donne une dépose du cadavre à quelle heure ?

— Entre 22 h 50 et 23 heures. Le ou les tueurs voulaient qu'on le retrouve, sinon ils ne se seraient pas donné autant de mal pour l'amener jusque-là.

— Un message passé aux autres dealers ? Une guerre des gangs ?

— Le nom du mort pourrait peut-être nous confirmer ça. C'est un coin un peu paumé, difficile d'accès. Il n'y a qu'un chemin, et nous avons tous roulé dessus pour y arriver. J'ignore si c'était prémédité, mais en tout cas ça devait être pratique pour les tueurs. Et donc, aucune trace à espérer de ce côté-ci. Il fallait connaître. Il y a des cités pas loin, on verra si ça colle avec l'identité de notre mec.

— En même temps pourquoi ils auraient laissé toute la came derrière eux ? C'est con… Non, ça marche pas !

— Il y a plusieurs éléments qui n'ont pas de logique. Ça pue à plein nez l'histoire louche, c'est pour ça qu'elle m'intéresse.

Segnon désigna la grande cuisine.

— Tu me fais un café ?

Le téléphone portable de Ludivine sonna alors qu'elle se dirigeait vers les placards. Voyant le nom de Guilhem s'afficher, elle décrocha en mode haut-parleur.

— Hulk est là ? demanda d'entrée le gendarme.

— Je t'entends, le péril jaune !

— Bonjour à toi aussi, Segnon.

— On arrive, fit Ludivine.

— Vous feriez bien. J'ai pris de l'avance, et ça a payé : on a le nom de notre mort. C'est loin d'être un inconnu.

8.

La section de recherches de Paris avait installé ses locaux dans une ancienne caserne d'octroi du XIXe siècle, porte de Bagnolet. Un immense U de pierre blanche virant au gris, sur cinq niveaux, avec sa cohorte de hautes fenêtres étroites dominant la rue et sa petite cour comme autant de regards vigilants sur la ville.

Ludivine, Segnon et Guilhem occupaient une pièce du premier étage entièrement colonisée par leurs goûts selon certains clichés en vigueur, comme si tous les enquêteurs de la planète éprouvaient le besoin viscéral de s'entourer de totems de joie pour affronter les horreurs de leur profession. L'espace de Guilhem était le plus caricatural avec ses affiches de *Usual Suspects* et *Seven* séparées par un fanion du PSG. Segnon, lui, amassait. Il dressait une barrière de colis à moitié ouverts entre lui et le reste du monde. Des DVD encore cellophanés, des bandes dessinées qu'il n'avait pas lues, tout ce que sa fièvre compulsive de fouineur de bonnes affaires le poussait à acheter sur Internet et à faire expédier ici même. Ludivine, elle, avait longtemps eu un bureau parfaitement ordonné et vide de toute démonstration affective. Depuis peu, elle avait ressenti le besoin de s'accaparer son espace, d'abord avec un mug des New York Giants qui avait appartenu à son ancien collègue Alexis et qui trônait désormais entre son ordinateur et une grosse bougie parfumée à l'ambre, puis elle avait caché le mur derrière son fauteuil avec deux bibliothèques Ikea qu'elle avait gavées de livres de criminalistique. Le seul mystère résidait dans la petite collection qui commençait à envahir ses étagères : les jouets bariolés d'œufs Kinder. Ludivine ne savait pas qui s'amusait à garnir ses étagères ainsi et découvrir plusieurs nouveaux jouets chaque semaine la rendait folle de frustration. Ni Guilhem ni Segnon ne mangeaient de chocolat devant elle, cela pouvait venir de n'importe qui dans la SR. Les plus probables étant les enquêteurs du groupe de travail de Magali, juste en face dans le couloir. Ben et Franck étaient toujours avides de bonnes blagues. Quoi qu'il en soit, cette enquête futile servait de fil rouge à Ludivine chaque semaine pour se remettre dans le bain après un court repos, un moyen de ne pas se prendre au sérieux, de conserver une dose de légèreté dans cette pièce où le plus sordide faisait souvent intrusion.

Ce samedi 11 novembre régnait à l'étage un silence presque inquiétant. Ils n'étaient que trois et n'avaient croisé personne en montant.

Guilhem, qui arborait une de ses habituelles chemises très colorées, plaqua une feuille fraîchement imprimée sur le tableau blanc effaçable et la maintint avec un aimant en forme de badge de la police américaine.

Sous une chevelure hirsute et sombre, un visage fermé fixait l'objectif, regard bas, cerné, paupières lasses, nez épaté, joues mal rasées, des traits épaissis par le poids d'une courte vie déjà trop remplie de rancœurs. L'homme avait la trentaine, plusieurs petites cicatrices sur la mâchoire, le menton et le front.

— Laurent Brach, le présenta Guilhem, j'avais la confirmation de son identité dans ma boîte mail ce matin, son empreinte était bien dans le FAED[1].

Cette entrée en matière amusa intérieurement Ludivine. La réalité était loin des images de films et de séries télé où les empreintes défilaient à toute vitesse pour clignoter en rouge dès qu'elles correspondaient. La réalité des enquêteurs se réduisait à un e-mail les informant qu'une empreinte matchait avec un nom archivé dans le FAED. Pas de sirène, pas de bip lumineux autour de l'écran ni même d'écran géant pour admirer le scan digital. Juste un e-mail au milieu d'autres.

— Il y est archivé pour quoi ? demanda Ludivine.

— D'après le TAJ[2], la liste est longue. Ça commence par des conneries à l'adolescence, bagarres, dégradations, possession de stupéfiants, et peu à peu ça dégénère jusqu'à un vol dans un entrepôt d'électroménager. Là il part à Villepinte pour un petit séjour derrière les barreaux, ensuite plus rien pendant dix-huit mois, en tout cas il s'est pas fait pincer. Puis il attaque un DAB

---

1. Fichier automatisé des empreintes digitales.
2. Traitement d'antécédents judiciaires : base de données commune à la Police et à la Gendarmerie regroupant toutes les informations sur les individus suspectés ou reconnus coupables dans des affaires criminelles ou des délits importants.

à la voiture bélier et se fait serrer à nouveau. Cette fois, il part à Fresnes pour plus longtemps. Plus rien dans le fichier depuis.

— Il est sorti depuis quand ? s'enquit Segnon.

— Deux ans.

— Aucun signalement par la suite ? insista Ludivine.

— Que dalle. Vous me connaissez, je suis plutôt du genre minutieux. Pendant que vous glandiez chez Lulu à boire du café, j'ai fouillé Internet pour voir s'il ressortait quelque chose sur Laurent Brach. Je sais qu'il a toujours traîné du côté de Corbeil, dans le 91, et avec sa date de naissance et sa photo, c'est fou tout ce qu'on ramasse sur le web et les réseaux sociaux !

— Tu l'as retrouvé ? s'étonna Segnon.

— Je crois bien. Entre Copains d'avant et Facebook j'ai surtout trouvé une fille qui se dit mariée à un Laurent Brach dont une des photos laisse planer peu de doutes. Et comme elle a renseigné Corbeil-Essonnes en lieu de vie…

— Il s'est marié ? Des gamins ?

— D'après la photo de profil de la nana en question on peut le supposer, elle pose avec un gosse dans les bras.

— Donc il s'est rangé en trouvant l'amour, conclut Ludivine. Du moins officiellement. Corbeil, c'est juste à côté de là où on a retrouvé son cadavre. Il habite à proximité de la voie ferrée ?

Guilhem hocha la tête.

— Il a immatriculé un véhicule il y a quelques mois à l'adresse d'une cité qu'on peut apercevoir en haut du talus.

— C'est quoi le scénario ? fit Segnon. Il sort de taule, se marie, fait un ou deux gosses, se rend compte qu'il ne doit plus déconner ou en tout cas être plus prudent, mais c'est plus fort que lui, il ne traîne pas avec les bonnes personnes, met son nez dans le trafic de drogue local et ça dégénère ? Il nous faut Yves et ses gars ! Sans la division Criminalité organisée, on va perdre un temps fou.

— J'ai pris sur moi de l'appeler, avoua Guilhem. Il était tranquille chez lui en famille, il nous rejoint.

Ludivine le menaça de l'index :

— Méfie-toi, à être aussi efficace tu vas finir par prendre du grade ! Super boulot, Guilhem. Donc voilà notre mort. Un type avec un lourd passif mais a priori rentré dans le droit chemin depuis sa sortie de prison. Marié, au moins un fils. Il serait intéressant de savoir s'il avait un job, des revenus réguliers.

— J'ai été enquêteur financier à la SR de Versailles avant de débarquer à Paris, rappela Guilhem, je peux consulter le FICOBA, le fichier des comptes bancaires. Ça va me sortir tous les numéros de comptes rattachés à la victime. Par contre, faudra attendre lundi que j'appelle les banques pour avoir le détail. En attendant je vais accéder à ses impôts, pour vérifier ce qu'il déclarait.

Ludivine savait que Guilhem allait éplucher toutes les données possibles pour cerner la personnalité de Laurent Brach. La gendarmerie disposait de plus d'une trentaine de fichiers différents qu'il était nécessaire d'interroger pour faire un tour d'horizon complet d'un suspect. La fameuse CNIL veillant à ce qu'il n'existe aucun recoupement entre eux, l'opération se devait d'être effectuée fichier par fichier.

— Continue sur ta lancée. Faudrait aussi annoncer la nouvelle à sa veuve, fit la jeune femme d'un air accablé. À condition que ce soit la bonne personne et la bonne adresse. Si elle est en état de répondre, je vais tenter d'en savoir plus sur leur train de vie. On comparera sa version avec les chiffres qu'ils déclarent à l'État. Guilhem, je peux te charger d'une mission ? Je voudrais aussi que tu lances une recherche SALVAC[1].

— Si vite ? On s'emballe pas un peu ? Et puis je mets quoi comme entrées particulières ?

— Tout ce qu'on a. Drogue abandonnée à proximité, corps déposé sur une voie ferrée, SBM, travelo, démembrement, précise aussi corps javellisé, entièrement nettoyé. Vois large, on ne sait jamais.

— Si au moins on attendait les résultats de l'autopsie ?

— Ils ne tomberont pas avant la semaine prochaine, pas envie d'attendre aussi longtemps. S'il y a des précisions on élargira dans un second temps.

— Les analystes vont être contents de se taper le boulot deux fois !

— Pas mon problème.

Segnon, qui toisait Ludivine avec malice, se pencha vers elle :

— Je te connais assez pour savoir que tu lances pas ça au pif. C'est quoi ton idée ?

---

1. Système d'analyse des liens de la violence associée aux crimes : sorte d'équivalent français du VICAP américain, permettant le rapprochement de crimes éloignés grâce à une base de données regroupant les crimes violents et les affaires jugées suspectes.

— Scène de crime anormale. Il y a quelque chose de bizarre que je ne pige pas. Les auteurs du meurtre voulaient qu'on le retrouve, sinon ils ne l'auraient pas abandonné sur une voie ferrée, pourtant ils le laissent dans un virage, pour être sûrs qu'on lui roule bien dessus. C'est con, ils se doutent que ça n'empêchera pas l'identification avec les empreintes ou l'ADN du mort. Alors pourquoi nous imposer ça ? Et puis le corps a été parfaitement désinfecté auparavant, il avait des ongles collés aux doigts qui n'étaient pas les siens, et puis la came… Tout ça n'a pas de sens, pas comme on l'entend dans une affaire de drogue normale. C'est autre chose. Il y a une dimension supplémentaire, qui va au-delà du règlement de comptes ou du crime de dealers. Je voudrais m'assurer qu'on a pas affaire à une petite bande organisée qui a déjà sévi ailleurs en région parisienne ou plus loin.

— Très bien, acquiesça Guilhem, je vais m'y coller.

Yves glissa une tête dans la pièce une heure plus tard, tandis que les trois enquêteurs mangeaient des plats chinois achetés au petit restaurant de la porte de Bagnolet, chacun assis à son bureau. Yves travaillait à la fameuse DCO, les Stups de la SR entre autres, où il dirigeait une petite équipe de choc que Ludivine connaissait bien pour l'avoir assistée sur plusieurs coups, dont l'interception d'un go-fast six mois plus tôt, une arrestation qui avait lancé toute l'« affaire du Diable », comme ils l'appelaient à présent. Yves ne fixait pas ses interlocuteurs, il les transperçait d'un air aussi raide que ses courts cheveux sombres striés ici et là d'éclats blancs. Un cercle noir broussailleux encadrait sa bouche, dessinant comme un piège prêt à se refermer sur le premier inconscient susceptible de se frotter à lui. Même les pattes-d'oie qui étiraient son regard ressemblaient davantage à des cicatrices qu'à des rides. Comme si la drogue elle-même avait fini par creuser son sillon morbide dans ce chasseur qui la traquait telle une Némésis implacable. Pourtant, à l'abri des pressions du terrain, Yves était plutôt tout le contraire, tout en rondeur et en sympathie. Il cogna trois fois contre la porte pour s'annoncer et éluda d'un geste les excuses de ses collègues pour l'avoir arraché à sa famille un samedi midi.

Guilhem lui exposa ce qu'ils savaient et Yves se retrouva soudain saisi par les regards des trois gendarmes qui le scrutaient comme s'il détenait la clé de toute l'énigme. Il haussa les épaules.

— Déjà je peux vous dire que votre macchabée n'est pas un client à nous. Le visage et le nom ne m'évoquent rien. Je vais vérifier mais n'attendez pas grand-chose de ce côté. La cité où il crèche est connue, divers trafics, on a déjà eu des dossiers par là-haut, mais faudra aussi en discuter avec mes homologues chez les flics. Je peux faire ça dans le week-end si c'est urgent, on se connaît bien, j'ai leurs numéros de portable.

— Le mode opératoire ne ressemble à rien que tu connaisses ? demanda Ludivine.

— Non. Et les dealers n'abandonnent pas la marchandise comme ça derrière eux, en tout cas certainement pas lorsqu'ils veulent faire passer un message.

— Un oubli te paraît envisageable ? proposa Segnon. Dans la panique, il fait nuit, ils déposent le cadavre et repartent sans la came.

— Tu les prends pour des débiles ? Une grosse quantité en plus, tu l'égares pas aussi bêtement. Mets-toi à leur place, c'est au contraire ce que tu as de plus cher, donc tu sais toujours où elle est, avec qui, et tu te balades pas avec le long d'une voie ferrée pendant que tu largues un cadavre. Non, je n'y crois pas une seconde.

— Une hypothèse ? le lança Ludivine en nouant ses boucles blondes en une queue de cheval indocile.

— La seule raison pour des trafiquants d'abandonner derrière eux un plein sac de came, c'est qu'ils y ont été forcés. D'une manière ou d'une autre, ils ont dû se tirer à toute vitesse et il était préférable qu'ils n'aient pas la drogue sur eux s'ils se faisaient rattraper.

Ludivine pivota vers Guilhem.

— On a pas pensé à interroger la BAC locale. Ils ont peut-être dérangé nos tueurs et les ont pris en chasse sans se rendre compte qu'il y avait un mort pas loin.

— Ça scintillait de tous les côtés avec les gyrophares, les messages radio en ont parlé, répliqua le gendarme en chemise flashy, ils nous auraient contactés d'eux-mêmes. Mais je vais appeler, on ne sait jamais.

Yves se lissa les poils autour de la bouche avant d'intervenir à nouveau :

— S'ils ont lâché la drogue en s'enfuyant, il est probable qu'ils envoient un gars pour fouiner dans le secteur, juste pour s'assurer qu'elle n'y est pas encore. Il est peut-être trop tard, mais je serais vous j'enverrais quelqu'un en planque.

Ludivine s'en voulut de n'y avoir pas pensé plus tôt et se jeta sur son téléphone de bureau. Elle appela la brigade de gendarmerie qui avait été détachée la nuit précédente sur la scène du crime et insista pour qu'on lui passe le lieutenant Picard, qui connaissait la configuration des lieux. Elle lui demanda d'envoyer de toute urgence deux hommes.

— N'espérons rien de ce côté, dit-elle après avoir raccroché, mais au moins on l'aura tenté.

Segnon enchaîna à l'intention d'Yves :

— Les sachets de sels de bain modifiés ne peuvent pas nous mettre sur la piste d'une bande en particulier ?

— Depuis cet été c'est mort. Il en vient de partout. Pays-Bas et Allemagne surtout. C'est pas cher et ultra-efficace, il y a une énorme demande, tous les dealers se sont mis à en vendre. Et dans le secteur du mort, le 91, autant te dire que la plupart des cités ont leur petit réseau. Ils sont chapeautés par des plus gros bonnets qui ont le fric et les contacts, mais ça change tout le temps, en fonction des arrestations, des morts, de ceux qui finissent par se tirer au soleil avec le pactole, et cetera.

Ludivine se leva.

— Pour l'heure, on ne sait même pas si Laurent Brach a un rapport avec le trafic de drogue du coin. Yves, je peux te demander de passer tes coups de fil pour dresser un topo de ce qu'on sait de la cité où il vivait ? Et s'il était dans le collimateur des flics aussi, j'aimerais le savoir, et pourquoi. Guilhem, je te laisse remplir le questionnaire SALVAC et le leur envoyer.

— Et nous, on va où comme ça ? s'enquit Segnon en voyant sa collègue enfiler sa doudoune.

— Vérifier l'adresse de Laurent Brach et annoncer la mauvaise nouvelle à sa veuve, si elle existe bien. On va voir ce qu'on peut tirer de cette petite visite.

Segnon soupira. Il détestait annoncer la mort.

Il avait l'impression d'en devenir l'émissaire.

9.

Tout petit déjà, il était si léger qu'il s'envolait presque lorsqu'il courait dans les bourrasques chaudes et le souffle mordant du khamsin qui préfiguraient l'arrivée du printemps. Il était aussi un enfant de la terre, toujours sale, des épines plantées dans les vêtements, les ongles noircis à force de grimper sur les rochers ou de fourailler dans les terriers en quête d'un rongeur à rapporter pour jouer avec. Mais il était avant tout un gamin du feu, fasciné par la danse lascive et dévorante des flammes. Dès son plus jeune âge, sa mère le lui avait maintes fois raconté, il vouait aux braises et à leur panache une adoration quasi mystique. Rien ne l'apaisait autant lorsqu'il pleurait sans fin que le spectacle d'un feu rongeant son os de bois jusqu'à la trame, jusqu'à la poussière de cendres. Il était né ainsi.

Un enfant de l'air, de la terre et du feu.

Un enfant doux également, à l'écoute des autres, capable de veiller une nuit entière pour rassurer un fils de berger effrayé par la mélopée nocturne d'un caracal ou d'un hibou inquiétant, prêt à offrir son repas à une fille affamée, punie par l'excès d'autorité d'un père radical. Un enfant unique proche de sa mère, discipliné et fidèle à son père.

Mais un enfant diabolique parfois, noyant sans hésitation le chiot de son voisin parce que ce dernier avait insulté sa famille, ou versant du verre pilé dans la bouteille d'un camarade de classe qu'il détestait sans raison, juste parce qu'il était brillant et que ça l'énervait.

Pour tout cela, sa mère avait fini par le surnommer Djinn.

Esprit de l'air et du sable, âme du feu, tour à tour bon génie ou démon. Djinn était tout cela.

« Les flammes te calment parce qu'elles sont ta matrice, mon fils, lui disait sa mère. Mon ventre t'a abrité, ma chair t'a donné la nourriture de ta création, mais ce sont les flammes qui t'ont façonné. Dieu a fait les hommes tendres et cassables parce qu'ils viennent de l'argile, mais toi c'est un feu sans fumée qui t'a construit. C'est écrit ainsi dans le Livre sacré, c'est ainsi que sont nés les djinns, et tu es mon petit djinn à moi. »

Si sa mère avait été la toile de sa naissance et le feu le pinceau de son être, Djinn se demandait quel rôle alors avait joué son père. Sa mère lui caressait les cheveux chaque fois qu'il lui redemandait une explication à ce sujet, car Djinn aimait qu'elle lui raconte encore et encore ses origines, et elle lui chuchotait toujours de la même manière, entre regard rieur et ton de comploteur : « Ton père a soufflé en toi toute ton âme, mon fils, c'est le rôle du père. »

Et Djinn avait ainsi grandi avec ce nom secret qu'il chérissait, trésor de son enfance qu'il protégeait à mesure qu'il grandissait, qu'il déménageait, d'abord pour Saïda dans le sud du pays, puis qu'il devenait un adolescent dans le quartier de Haret Hreik au sud de Beyrouth. À chaque fois qu'il quittait sa maison, ses amis, ses repères et qu'il fallait tout reconstruire, Djinn savait qu'il emportait avec lui l'essentiel : son histoire, sa singularité.

Jeune adulte, il fit la part des choses. Il savait bien qu'il n'était pas réellement un djinn, mais il prisait l'idée qu'il abritait quelque chose de différent, une force à part, unique, qu'il ne trouvait pas chez les autres.

Et à mesure que ses convictions d'homme l'imprégnaient, il garda à l'esprit l'histoire que lui avait tant contée sa mère pour ne pas oublier d'où il venait. Léger comme le vent, solide comme la terre, dangereux comme le feu, bon envers son prochain et inflexible avec celui qui méritait sa colère.

Djinn était devenu un homme tandis que Haret Hreik se reconstruisait sur les fondations des immeubles détruits par Israël, façade après façade, toit par toit, âme par âme. Cette banlieue avait été une carapace qui l'avait protégé pendant plusieurs années, ils s'étaient bâtis ensemble. La quitter fut difficile, même si Djinn savait que la raison surpassait de loin les sentiments. Il avait traversé bien des frontières depuis, visité des pays, s'était fondu dans leurs faubourgs, accaparé jusqu'à leur culture pour mieux y disparaître. Jusqu'à ce que vienne le jour. Son jour. Celui du grand départ.

Il avait longuement mûri son projet de voyage, envisageant toutes les options possibles, à commencer par l'entrée dans l'espace Schengen par la voie la plus naturelle, avec son passeport et un visa. Les prétextes ne manquaient pas, surtout si on frappait à la porte de l'Europe avec un peu d'argent dans les poches, prêt à être injecté dans l'économie moribonde du Vieux Continent. Mais, lorsqu'on s'annonce sur le perron d'une maison, il ne faut pas s'étonner qu'ensuite son propriétaire vous suive partout à l'intérieur pour vérifier que vous ne lui volez rien. Et Djinn ne pouvait pas se le permettre.

Il connaissait la porosité de la frontière turque. Passer par la Syrie et remonter facilement jusqu'à Gaziantep. Mais la région était de plus en plus surveillée par tous les services de renseignement craignant le retour au pays d'enfants pas exactement prodigues, la tête farcie d'idéaux de décapitation. Ça aurait été se mettre volontairement dans le panier avec le serpent. Pas une bonne idée.

Djinn se souvenait qu'enfant, lorsqu'il fallait chasser un rat de la petite maison qu'il occupait avec sa famille, c'était une courte traque sans merci car l'animal finissait toujours par se retrouver acculé sous un meuble ou dans un coin. Une fois qu'il s'est fait remarquer, le rat n'est pas de taille à survivre à l'homme déterminé. Pourtant, une fois, Djinn n'avait rien pu faire. C'était la veille d'une inondation. Les rats avaient surgi dans la pièce principale par dizaines. Ils couraient partout, grimpaient sur la table, sautaient sur les sièges. Djinn et son père s'agitaient dans tous les sens sans parvenir à en tuer aucun parce qu'ils dispersaient leurs efforts, parce qu'il y en avait trop d'un coup et que, plutôt que de se focaliser sur un seul, à vouloir tous les avoir en même temps, ils n'en avaient eu aucun.

Djinn aimait cette stratégie de la saturation.

Ses contacts étaient bien implantés dans le Sud. Traverser le Sinaï n'était nullement un problème, chaque jour l'Égypte en perdait un peu plus le contrôle. De là, une fois franchi le canal de Suez, rallier la Libye était un jeu d'enfant. La terre du défunt Kadhafi constituait un vivier inépuisable de candidats à l'exode surgissant massivement de tout le pays, mais aussi du Niger, du Tchad, du Soudan, de l'Érythrée et au-delà. Chaque jour, des navires saturés de clandestins se jetaient à la mer en direction du nord, de l'espoir.

Djinn se souvenait qu'un rat au milieu de milliers d'autres passant totalement inaperçu, ses risques d'être attrapé étaient particulièrement réduits. Les médias européens ne se privaient pas de diffuser les images de ces barges enfouies sous une marée humaine, dérivant vers une mort lente, mais ils montraient un peu moins les cohortes de survivants traversant les campagnes du sud de l'Italie pour se disséminer un peu partout en Europe. Pour un bateau arraisonné par les autorités, dix au moins passaient entre les mailles du filet. Et Djinn avait mis toutes les chances de son côté. Avec de l'argent, il n'était pas difficile de trouver les meilleurs passeurs, les plus sûrs. Lampedusa, ce graal du réfugié lambda, n'était pas une destination décente pour Djinn. Pas plus que la Sicile : il se méfiait des insulaires. Non, l'unique objectif acceptable était la terre ferme, l'Italie elle-même.

La dernière difficulté pour un immigré clandestin qui atteignait enfin la terre promise était d'y rester.

Au moindre contrôle, il filait vers un centre de rétention provisoire dans l'attente d'une expulsion du territoire.

Mais Djinn avait tout prévu.

Son faux passeport tout comme le visa qui y figurait pouvaient faire illusion lors d'un banal contrôle. Et, une fois encore, il avait assez d'argent pour se fondre dans le décor, avec une voiture, une apparence anodine, des lunettes de soleil vissées sur le nez et un air décontracté. Même s'il se faisait arrêter par des policiers, il était à peu près certain de s'en sortir. Les probabilités qu'il soit contrôlé sur la route étaient faibles et celles qu'on cherche à vérifier l'authenticité de son visa encore plus marginales.

Lorsque Djinn quitta le sol africain pour embarquer sur le pont du petit chalutier battant pavillon maltais, il eut pour la première fois depuis longtemps un mouvement d'hésitation.

Il s'apprêtait à quitter ce qu'il y avait de plus proche de la poussière de ses origines pour partir à la conquête d'une terre sur laquelle il n'était rien.

Mais les choses allaient changer.

Djinn prit une longue inspiration pour s'emplir d'air pur et cette hésitation s'étiola.

Ce fut la dernière de son existence.

10.

La pluie gommait peu à peu le jardin derrière la baie vitrée, dressant un flou gris entre Ludivine et le monde extérieur tandis que la jeune femme tournait en rond dans son grand salon. Elle avait allumé des bougies partout pour mettre un peu de vie, pour contre-attaquer le déluge, et s'était préparé un thé au gingembre. Puis, après avoir zappé sans conviction devant la télévision, elle avait mis un peu de musique. La voix suave de Diana Krall la réchauffait et Ludivine échoua sans s'en rendre compte devant la longue bibliothèque, à caresser la tranche des livres comme si les titres étaient en braille. Un plaid en laine sur les épaules, elle s'immobilisa devant la collection de vieux albums de Tintin, une passion d'enfance, et se demanda si une courte régression coupable ne lui ferait pas du bien, avant de réaliser qu'elle n'en avait pas vraiment envie.

Elle s'ennuyait. Incapable de décrocher de ses préoccupations, de s'abandonner au plaisir simple du divertissement. Faute de pistes exploitables dans l'immédiat, Ludivine avait dû se résoudre à passer son dimanche chez elle, loin du boulot, loin de *son* mort, loin de la vérité.

La veille elle s'était rendue chez la veuve de Laurent Brach en compagnie de Segnon. Elle avait pris sur elle d'annoncer le décès pendant que son collègue se concentrait sur les lieux, à commencer par le salon mal rangé d'un petit trois-pièces d'une cité décrépite de Corbeil-Essonnes. La femme avait beaucoup pleuré, presque trop, ce qui avait entraîné les larmes de son fils, un bébé d'un an qui gambadait déjà partout en pistant le colosse d'ébène qui déambulait lentement pour examiner les rares photos sur les étagères ou sur le vaisselier. Gendarme ou pas, Segnon semblait suspect aux yeux du bambin. Sous prétexte de s'occuper du petit bonhomme, Segnon s'était éclipsé du salon pour sonder l'appartement. Rien qu'un coup d'œil attentif.

Lorsque la femme s'était calmée Malika de son prénom, entièrement couverte de la tête aux pieds –, elle avait accepté de répondre aux questions de Ludivine. Cette dernière avait commencé par lui conseiller d'appeler sa famille pour qu'elle vienne la soutenir, mais Malika avait refusé. Dommage : en présence de la famille, s'il devient plus délicat pour l'enquêteur de faire son métier parce que tout le monde cherche à protéger le témoin, la vérité autour d'un ou d'une suspecte devient, elle, plus compliquée à maquiller, chacun y allant de sa remarque, et tous écoutant ce que raconte le ou la principale intéressé[e], qui peut alors difficilement mentir.

Malika avait répondu lentement, confirmant que son mari n'avait plus replongé dans la délinquance, que la prison l'avait fait réfléchir, et qu'il était devenu un père de famille responsable. Ils s'étaient rencontrés à sa sortie de prison, présentés par un ami commun, un coup de foudre, le mariage et le bébé dans la foulée. Laurent avait trop perdu de temps, il avait gâché de précieuses années à se dissoudre dans la violence, et il était pressé de tout bien rattraper. Malika avait contenu ses larmes pendant toute l'audition que Ludivine avait essayé de mener avec la délicatesse que commandait pareil instant.

Laurent Brach travaillait dans une entreprise d'air conditionné, il posait des climatiseurs. Il avait trouvé ce boulot grâce à une formation qu'il avait décrochée à sa sortie de prison et à un peu de piston. Malika avait certifié que c'était un bosseur, il partait très tôt le matin et ne râlait pas contre les heures supplémentaires qui les arrangeaient plutôt bien financièrement car elle ne travaillait pas pour s'occuper du petit.

Elle s'était presque emportée lorsque Ludivine lui avait demandé si son mari fréquentait de près ou de loin des gens liés au trafic de drogue. Même dans la cité, Laurent les ignorait. Il se tenait à distance de tout le monde, savait que mal s'entourer signifierait replonger à petit feu. Il avait coupé les ponts avec ses anciens amis, quitte à passer pour un con ou un égoïste. C'était devenu un homme droit, honnête, un bon mari, un bon père, un bon musulman. Car Laurent s'était converti pendant son dernier séjour en prison. L'islam lui avait donné la rigueur qu'il n'avait pas, le cadre que ses parents n'avaient pas su établir. Surtout, la religion lui avait ouvert l'esprit sur le sens même de son existence et sur la morale, qu'il ne pouvait plus ignorer. Il répondait désormais de ses actes, non plus devant cette société qu'il méprisait à cause de ce qu'elle n'avait jamais fait pour lui, mais devant Dieu en personne, et pour Lui, il avait le devoir d'être un homme bon.

La difficulté pour Ludivine était de montrer la compassion attendue sans perdre la distance professionnelle indispensable tout en parvenant à taper le compte rendu de ce qui se disait sur l'ordinateur portable qu'elle gardait sur ses genoux. Comme si ça n'était pas assez, il avait encore fallu meubler pendant que la minuscule imprimante portative crachait ses feuilles pour que l'enquêtrice les fasse signer à la veuve.

En écoutant attentivement cette longue litanie, la gendarme avait eu l'impression qu'ils faisaient fausse route. Laurent Brach s'était vraiment rangé, la foi l'avait transformé, plus même que l'amour. Pourtant, en sortant de l'appartement, lorsque Segnon lui avait demandé ce qu'elle en pensait, Ludivine avait mis trois étages avant de réussir à répondre. Tout ça était trop propre. Le débit sans hésitation de Malika, l'argumentaire sagement exposé malgré l'émotion, presque préparé au mot près. Segnon avait approuvé. L'appartement lui donnait l'impression d'une façade. Trop de signes religieux partout, coran, calligraphies coraniques sous verre sur les murs, vert de l'islam sur chaque coussin, chaque tissu. La conversion pourquoi pas, mais là c'était presque de l'obsession. Tout ça sentait à plein nez le décor, la pièce sagement répétée, prête à être jouée dès que les flics franchiraient le seuil.

Laurent Brach cachait quelque chose.

Mais Ludivine ne savait pas si sa femme était dans le coup ou si on lui avait seulement bourré le mou. Segnon avait ri, lui rappelant que c'était elle qui tenait la maison, et que la plupart des femmes tenaient également leur homme dans l'ombre. Si Laurent Brach dissimulait une activité criminelle sous sa façade de gentil converti, sa femme ne pouvait l'ignorer, pas avec un tel cinéma.

La suite des investigations exigeait de fouiller dans les revenus de la famille Brach, d'exploiter la téléphonie pour voir où ils étaient l'un et l'autre dans la journée et la nuit du vendredi, d'établir l'emploi du temps du mort en commençant par interroger son employeur, de lister ses amis, de vérifier s'il fréquentait réellement une mosquée, d'interroger le personnel de la maison d'arrêt où il avait séjourné pour en savoir plus et ainsi de suite. Rien de simple un week-end férié, aussi Ludivine avait renvoyé Segnon et Guilhem auprès de leurs femmes jusqu'au lundi. Ils avaient mérité une courte pause.

Le samedi soir, Ludivine s'était enfermée dans une salle de cinéma avec un paquet de pop-corn entre les genoux et avait enchaîné deux films pour se vider la tête.

Mais le dimanche s'étirait sans fin, dilué dans l'ennui, enfermé dans la frustration que Ludivine éprouvait à ne pouvoir avancer dans son enquête. Même la justice et la vérité avaient des jours ouvrables, en fin de compte.

Lorsque la pluie cessa, la jeune femme enfila une tenue sportive et se jeta sur l'asphalte détrempé pendant plus d'une heure. Le bain chaud dans lequel elle

s'immergea ensuite termina de la détendre complètement et elle clôtura la journée sur son lit, un roman
d'Alessandro Baricco en main, où il était question d'un
homme peignant la mer avec… de l'eau de mer. Bon
début.

Le lundi matin, Ludivine se retrouva assise dans
la salle de réunion de la SR, où des néons tentaient
de suppléer l'anémique lueur grisâtre qui peinait à se
frayer un chemin depuis les cieux nuageux. Guilhem et
Segnon occupaient les sièges face à elle. Magali Capelle
entra, sexy sous sa frange brune et dans son jean mou-
lant, suivie de Ben et Franck – toute son équipe –,
un quadra dégarni fumant cigarette sur cigarette et un
quinqua au look militaire, brosse parfaitement dressée
sur le crâne et moustache ciselée au millimètre près.

Le colonel Jihan ferma la porte et vint présider la
réunion. Aussi strict dans son physique de sportif tout
en finesse que dans son attitude ou sa gestion, Jihan se
frotta les mains avant de donner la parole à Ludivine
pour qu'elle fasse le bilan de sa permanence et de sa
nouvelle enquête. Lorsqu'elle eut terminé, le colonel
demanda :

— Vous en êtes où du pédophile de Draveil ?

Il s'agissait de la principale affaire sur laquelle plan-
chaient Ludivine et les siens avant qu'ils ne tombent
sur le mort de la voie ferrée.

— Guilhem continue la souricière, il se fait passer
pour une gamine de douze ans sur un forum où ils
discutent ensemble, expliqua Segnon, qui dirigeait
l'enquête. Le mec accélère, il veut la voir, qu'elle
mente pour rater l'école, il lui a expliqué comment

faire et le rendez-vous est fixé à vendredi matin pour « s'amuser ».

— Très bien. Capelle, ça donne quoi de votre côté ?

— Toujours sur le viol collectif des deux ados, mon colonel. Et aussi l'incendie criminel des entrepôts de fringues à Meaux.

— Vous avancez ?

— Pour l'incendie j'ai un nouveau témoin à interroger, mais s'il y a urgence, je peux refiler le dossier à la division Atteintes aux biens. Ludo sera d'accord, on bosse dessus conjointement depuis le début même si j'ai pris la main à cause de la clandestine qui a été sévèrement brûlée. Pour le viol, ça va être coton, ils nient tous, les filles ont attendu avant de porter plainte, du coup aucune preuve physiologique. Bref ça va être tendu. On va repasser tout le monde à la moulinette, voir si on parvient à en faire craquer un.

Jihan ne bronchait pas, encaissant la pédophilie, le viol collectif, l'incendie criminel et même le meurtre sans un froncement de sourcils. Il hocha la tête, presque fier de ses troupes :

— Bon, je vous laisse mener votre barque, on refait un point détaillé en milieu de semaine. Dabo, finalisez-moi la procédure pédo dès que vous le pouvez et concentrez-vous à cent pour cent sur l'homicide de la voie ferrée. Vancker, vous êtes directeur d'enquête sur celle-ci.

— Oui, mon colonel, répliqua Ludivine.

— Si vous avez besoin de moyens supplémentaires, je verrai où en est le groupe de Capelle et si je peux libérer Yves et ses gars pour qu'ils vous assistent, mais ce ne sera pas évident.

— On devrait se débrouiller à trois, patron, le rassura Ludivine. Yves collecte les infos sur les trafics de la cité où vivait Laurent Brach et il nous briefera. Si j'ai besoin de plus, je vous le dis.

On cogna à la porte et une secrétaire de la SR passa la tête :

— Un appel, mon colonel, c'est Levallois, ils disent que c'est très urgent.

La réunion s'acheva sur ces mots, et chacun réintégra son espace.

En entrant dans le bureau, Ludivine allait s'asseoir à sa place lorsqu'elle remarqua une nouvelle figurine Kinder en dessous des autres, sur l'étagère de sa bibliothèque. Elle pivota vers Segnon et Guilhem :

— Lequel de vous deux ? Faut que je sache, ça m'énerve.

Segnon leva les mains devant lui en signe d'innocence.

— On est avec toi depuis qu'on est arrivés, se dédouana Guilhem.

Ludivine voulut sortir dans le couloir pour passer dans la pièce voisine et interpeller Magali et ses deux acolytes mais elle se heurta à un buste puissant qui la repoussa en arrière. Une poigne ferme la retint par le bras avant qu'elle ne trébuche.

L'homme se tenait dans l'encadrement de la porte, à contre-jour, fenêtre dans le dos. Ludivine n'aperçut d'abord que l'ombre qui la dominait, puis elle distingua des cheveux savamment ébouriffés, un menton très carré, et une carrure plutôt marquée. Son parfum l'atteignit ensuite, sauvage. Pas une vulgaire eau de

Cologne, plutôt une fragrance complexe, ambrée et racée à la fois.

— Vous devez être le lieutenant Vancker, fit une voix un peu rauque sans être désagréable.

— Oui, oui, balbutia-t-elle en retrouvant l'équilibre et en se dégageant de l'étreinte qui l'avait empêchée de basculer. Et vous êtes ?

Habituellement, lorsqu'une personne se présentait à la caserne dans le cadre d'une affaire traitée par la SR, les gendarmes étaient toujours prévenus. Nul ne montait ainsi dans les étages sans y être autorisé et annoncé, et il y avait plusieurs portes sécurisées pour les atteindre. L'homme avait forcément dû montrer patte blanche.

— Marc Tallec.

Un flottement s'installa tandis qu'ils s'observaient tous. L'homme avait la trentaine, châtain foncé et adepte de l'épi travaillé, mal rasé, nez fin encadré d'un regard intense, parka kaki usée, chemise col officier et jean l'enveloppant comme une seconde peau. Il tenait presque du mannequin pour une marque de vêtements à la différence près qu'il n'était pas particulièrement beau, plutôt très charismatique. Tout en lui passait par le charme. Une animalité sous contrôle.

— On ne vous a pas prévenus ? demanda-t-il.

— Pas encore... Qu'est-ce qu'on peut faire pour vous ?

Un léger sourire donna au visage de Marc Tallec un air plus amical.

— C'est plutôt l'inverse.

Il enfouit sa main dans la poche intérieure de sa parka et en sortit un portefeuille de cuir noir qu'il ouvrit sur une carte officielle.

— DGSI[1]. C'est moi qui ai quelque chose pour vous à propos de Laurent Brach.

---

1. Direction générale de la Sécurité intérieure, une des branches des services secrets français.

11.

Segnon croisa les bras sur son torse puissant et Guilhem s'enfonça dans son fauteuil avant que celle qui pilotait leur petit groupe ne recule pour retourner dans son espace, à bonne distance du nouveau venu.

Ludivine encaissait. DGSI, des initiales presque inquiétantes. Synonymes d'obscurité, de trop grandes libertés judiciaires. Un organisme lointain, aux méthodes qui lui échappaient, source de tous les fantasmes et des rumeurs les plus folles. Les services secrets.

— Personne ne m'a informée, finit par lâcher Ludivine qui se ressaisissait sans bien savoir si c'était la présence de la DGSI entre ces murs ou l'aura singulière de son représentant qui l'affectait le plus.

— Votre colonel l'a été ce matin même par mes supérieurs. Passez-lui donc un coup de fil.

— Comment savez-vous que nous sommes sur Laurent Brach ? demanda Guilhem.

— Nous le surveillions.

Le silence tomba sur la petite pièce, seule la sonnerie d'un téléphone au loin à l'étage semblait témoigner que le temps défilait encore.

— Vous le pistiez lorsqu'il a été assassiné ? interrogea Ludivine.

Marc Tallec repoussa la porte pour les enfermer et, les mains dans sa parka, se posta au milieu des trois enquêteurs.

— C'est un meurtre, c'est confirmé ? Vous avez écarté l'hypothèse du suicide ?

Ludivine fit la moue. Ses ongles coupés court tapotèrent sur le rebord de son bureau, nerveusement. Elle finit par hocher la tête.

— Monsieur Tallec...

— Marc, appelez-moi Marc.

— Vous débarquez comme ça en nous demandant où nous en sommes d'une enquête en cours, sans formalités, sans rien nous expliquer, je suis désolée mais je ne crois pas que ça va être possible.

Les pupilles de Marc Tallec fusèrent du mur qu'il sondait jusqu'à l'enquêtrice. Il y avait quelque chose d'étrange dans son regard. Quelque chose de déstabilisant. Une lueur, une intensité ou une aspérité que la jeune femme ne parvenait pas à identifier.

Le téléphone de Ludivine se mit à sonner. Elle cilla à chaque carillon et il fallut que Marc Tallec l'engage à décrocher d'un geste de la main pour qu'elle se décide à le faire. Le colonel Jihan fut bref et autoritaire : un certain Marc Tallec devait arriver d'un moment à l'autre, et il faudrait se montrer courtoise et obéissante. Ludivine eut envie d'ajouter : « Et soumise ? » avec toute la morgue qu'elle éprouvait en cet instant, mais elle se retint face à son supérieur. La DGGN[1] et Levallois, siège de la DGSI, avaient demandé une coopération totale et au ton qu'il employait, Ludivine comprit qu'ils l'avaient plutôt exigée. Même le BLAT, le Bureau de la lutte antiterroriste de la Gendarmerie était prévenu. Lorsqu'elle raccrocha Marc Tallec inspira longuement et un sourire poli illumina soudain son visage fermé.

— Je suis désolé que les choses se fassent sans formalités et dans l'urgence, mais c'est la situation qui le commande. Je recommence : je m'appelle Marc.

Cette fois, il tendit la main à chacun des enquêteurs présents en terminant par Ludivine.

— Pourquoi la DGSI s'intéresse à Laurent Brach ? s'enquit-elle sans autre salutation.

Marc hocha la tête.

— Très bien, je commence donc. Nous lui collons au train depuis seulement quelques mois. Brach a séjourné à Fresnes pendant un petit moment. Là-bas il s'est converti à l'islam, et pas dans sa version la plus connue et la plus tolérante, mais dans la branche la plus radicale. Vous êtes familiers avec cette problématique ?

Ludivine secoua négativement la tête, imitée par Segnon.

— Pour faire simple, reprit Marc Tallec, les salafistes sont des musulmans sunnites fondamentalistes qui revendiquent un retour à un islam des origines, un islam « dur » comme on pourrait le qualifier selon nos concepts occidentaux. La majeure partie de ces

---

1. Direction générale de la Gendarmerie nationale.

salafistes sont des quiétistes, ils sont stricts, inflexibles et archaïques si on veut, mais n'ont aucune sympathie pour les mouvements qui prônent la violence. Ceux qui nous intéressent sont ceux qui cherchent une implication politique. Ceux-là peuvent établir des passerelles vers les plus extrémistes des salafistes : les révolutionnaires ou djihadistes, qu'on appelle terroristes. Les salafistes sont très présents dans les prisons françaises où leur enseignement strict gagne en popularité. Il fournit un cadre, impose des règles et offre une vision du monde précise à des types qui n'ont rien de tout ça. Ça les structure, les rassure, les guide. Notre problématique c'est d'identifier le type de fondamentalisme dans lequel ils tombent. Si c'est celui des quiétistes, le plus étendu, en général on garde un œil sur les convertis mais ça nous intéresse moins. Ce sont certes des durs, mais « élevés » dans la haine du salafiste révolutionnaire qui se fourvoie dans son action. Par contre, si un prisonnier tombe dans le salafisme plus politisé, voire carrément djihadiste, alors là on s'intéresse à lui de près. La difficulté c'est bien entendu que les plus radicaux se planquent en général sous le masque acceptable du quiétiste, en attendant leur heure.

— C'est pas interdit ce discours intégriste ? s'étonna Guilhem.

— Pas directement. C'est la liberté d'expression et de culte qui prévaut. Tant que le discours n'incite pas à la haine ou à la rébellion. Les catholiques intégristes qui prônent une société sans avortement, sans droits pour les homosexuels, où la place de la femme serait rétrograde et où l'homme ne descendrait pas du singe mais d'Adam et Ève ne sont pas interdits non plus, que je sache. Environ cinq pour cent des lieux de culte musulmans en France sont salafistes, soit très peu en réalité.

— Sur combien de mosquées en tout ?

— Mosquées ou lieux de prière, on les estime à environ deux mille cinq cents sur tout le territoire. En comparaison des cinquante mille édifices catholiques environ, vous pouvez tout de suite relativiser le discours de ceux qui racontent que la religion en France est en train de basculer !

— Bon, et Laurent Brach dans tout ça ? demanda Ludivine.

— Un grand classique en taule. Les recruteurs salafistes sont des malins. Ils repèrent les plus fragiles, les types isolés, et s'arrangent en général pour que leur cible passe un mauvais moment. Lorsque le mec est à bout, ils l'approchent en bons Samaritains, ils le prennent sous leur aile, le rassurent, le protègent, et commencent alors leur bourrage de crâne. Peu à peu, ils en font un des leurs. C'est long plusieurs années de prison lorsque chaque jour, chaque nuit, encore et encore, vous vous sentez menacé. Sans protecteur, sans famille, les plus doux ne tiennent pas. Mais les frères salafistes sont là pour les aider, et ils leur montrent comment leur ressembler, comment être fort, grâce à la religion. Leurs cibles sont des gars déstructurés, souvent sans figure paternelle, sans modèle, en tout cas qui n'ont aucun cadre, qui manquent de repères, et qui ne trouvent aucun sens à l'existence. Les frères leur montrent alors comment l'islam explique tout, la route à suivre, les limites, ce qu'il faut faire et croire, et la religion vient pallier tous les vides. Le type se convertit parce qu'il se sent enfin exister, qu'il trouve une place, et que le monde devient cohérent selon sa nouvelle foi. Et lorsqu'il sort, c'est pas fini ! Ils lui trouvent un boulot, voire une femme s'il n'en a pas, et le mec a le sentiment qu'il a enfin une famille, un code de conduite et un but dans sa vie, tandis que le système n'a jamais rien fait pour lui à part le détruire. Et voilà.

— Comment vous avez repéré Brach ? fit Segnon.

— Par recoupements. Son nom était déjà sorti parmi les fréquentations d'un imam influent qu'on surveille. Mais comme c'était un petit poisson dans l'océan, nous n'avons pas jugé utile d'en faire plus le concernant. Sauf qu'il y a trois mois, nous avons enfin pu identifier un mec qui fait du prosélytisme violent sur le web depuis l'étranger et en épluchant les commentaires sur ses vidéos nous sommes remontés jusqu'à Laurent Brach sous un pseudo. Bref, on se retrouve avec un jeune converti à la sauce plutôt radicale qui fréquente un imam pas porté sur la modération en public et qui met des commentaires positifs sur les vidéos d'un recruteur salafiste proche des djihadistes. Pour nous, il est passé de l'autre côté. Donc sous surveillance.

— Physique ? demanda Guilhem.

Marc secoua la tête.

— Non, nous n'avons pas les ressources humaines pour ça. On a plus de vingt mille fichés S dont plus de la moitié pour leur lien avec l'islamisme radical, c'est impossible de coller une équipe entière derrière chaque suspect, on est totalement noyés par le nombre. Il faut environ vingt personnes pour traquer un type comme suspect en permanence, faites le calcul. Pour Laurent Brach c'est surveillance de base : vigilance digitale, c'est-à-dire téléphonie ponctuelle, et on jette un œil sur Internet pour vérifier s'il fréquente les sites radicaux, on checke ce qu'il raconte, ce qu'il aime, parfois un peu d'enquête de terrain, on fait des recoupements avec les autres noms qui circulent et on dresse un portrait général de son entourage, en l'incluant dans la galaxie salafiste qu'on connaît. En gros, son nom est dans nos bases de données, s'il ressort on s'inquiète, sinon on se contente de jeter un œil dans sa direction de temps en temps. C'est le mieux qu'on puisse faire compte tenu de nos moyens.

Ludivine enchaîna :

— Donc vous ne savez pas où était Brach jeudi et vendredi derniers ?

— Je peux faire un contrôle de sa téléphonie, mais c'est ce que vous avez probablement déjà lancé, n'est-ce pas ?

— Et ça ne reste que de la téléphonie, soupira Guilhem.

— OK, donc vous aviez Laurent Brach dans vos fichiers, résuma Ludivine. Comment êtes-vous arrivés si vite jusqu'à nous ?

— Vous contactez pas mal de monde depuis vendredi soir, vous consultez tous les fichiers possibles, bref, nos alertes se sont déclenchées. D'où ma présence. Maintenant j'en viens à l'essentiel : est-ce qu'il a été assassiné ?

— L'enquête est en cours, éluda Ludivine qui n'arrivait pas à se montrer détendue en sa présence.

Elle haïssait l'idée d'une intrusion extérieure dans son travail, en particulier sans y avoir été préparée, elle avait l'impression d'être elle-même surveillée.

Marc Tallec acquiesça, sceptique.

— Écoutez, dit-il, je ne veux surtout pas être le poids mort qu'on vous parachute sur les épaules. Que les choses soient claires : c'est votre enquête, c'est vous qui menez la danse. Moi je ne suis là que pour comprendre ce qui est arrivé à Brach, grâce à vous. Une fois que je pourrai estimer que tout ça n'a rien à voir avec nos services, je disparaîtrai et vous n'entendrez plus parler de moi. Ça vous va ?

— Vous voulez dire que vous ne vous contentez pas d'une visite de courtoisie ? Vous restez avec nous ? s'étonna Segnon.

Tallec dévoila un sourire carnassier.

— Jour et nuit, répondit-il. Je suis votre nouveau meilleur collègue.

— J'entends parler de Levallois depuis tout à l'heure, c'est le siège de la DGSI, non ? Si vos patrons et les miens se sont mis d'accord, alors je ne peux qu'obéir, conclut Ludivine. Par contre, vous l'avez constaté : c'est tout petit ici et il n'y a pas de bureau libre, faudra vous débrouiller pour vous trouver une place.

Le sourire de Marc Tallec perdit de son cynisme pour n'être que rondeur :

— Je sais me faire tout petit.

Ludivine en doutait.

Au-delà du sentiment désagréable de se faire forcer la main, elle détestait qu'on la prenne pour une idiote. La DGSI dépêchait-elle vraiment un agent directement sur le terrain dès qu'un fiché S disparaissait ? Suivre l'enquête à distance, exiger un rapport détaillé, pourquoi pas, mais Ludivine sentait qu'il y avait autre chose qu'on ne lui disait pas. Les services secrets, le fanatisme religieux et ses zones d'ombre, il n'y avait rien là pour la rassurer.

Cette affaire sentait de plus en plus mauvais.

12.

La rumeur de la circulation s'estompait petit à petit à mesure que Ludivine s'enfonçait dans le parc des Buttes-Chaumont. Une dominante brune et orangée avait investi la flore tandis que, lentement, les premières fraîcheurs de l'automne s'immisçaient jusque dans la capitale. Des femmes seules ou en grappes, arrimées à des poussettes, constituaient l'essentiel des promeneurs que Ludivine croisait, plus quelques joggeurs et une poignée de jeunes. En ce lundi après-midi de novembre, le parc semblait un îlot sauvage à la dérive au cœur de la civilisation dont les façades grises s'éloignaient un peu plus à chaque pas.

La conversion de Laurent Brach n'était donc pas une façade destinée à se donner une image au-dessus de tout soupçon pour mieux masquer la reprise d'activités criminelles. Là-dessus, le témoignage de Marc Tallec était instructif et Ludivine n'avait aucune raison de le remettre en question.

Un type de la DGSI ! maugréa-t-elle in petto. Décidément, elle aurait tout vécu dans ce métier... Elle se reconcentra sur ce qui était important.

Si Brach était un musulman fondamentaliste, alors comment expliquer qu'il se soit retrouvé au milieu d'une affaire de drogue ? Elle n'était pas très au fait de ce que les radicaux pouvaient ou ne pouvaient pas faire, mais vendre de la drogue n'était certainement pas parmi les exigences morales requises. S'était-il opposé au trafic dans sa cité ? D'anciennes connaissances qui n'avaient pas passé l'éponge sur son passé criminel ? Tout était possible, et l'enquêtrice espérait beaucoup du retour qu'Yves lui ferait. Si la DCO n'avaient pas les informations, elle ne pourrait rien obtenir par elle-même dans un milieu si fermé.

Restait l'option du terrorisme. La DGSI ne fourrait pas son nez dans cette enquête pour rien. Brach les intéressait et Ludivine ne savait pas grand-chose en la matière sinon que l'argent de la drogue pouvait proba-blement servir à financer toutes sortes de choses, dont les opérations d'extrémistes religieux.

Au final, elle n'était pas plus avancée.

La silhouette abrupte des falaises se dessinait entre les frondaisons, et le petit temple apparut, dominant le piton rocheux formé par l'île du Belvédère. Ludivine n'était plus revenue au cœur du parc depuis une éter-nité, et elle s'immobilisa face au spectacle. En plein Paris, cela semblait improbable. Ces parois jaillissant de l'eau sur près de trente mètres de haut, couvertes de végétation, coiffées en leur sommet par le kiosque de pierre blanche semblable à un minuscule temple romain échoué là par quelque caprice ou erreur de l'his-toire et la longue passerelle suspendue qui permettait d'accéder à l'île, tout dans ce décor évoquait un conte pour enfants.

Étrange lieu de rendez-vous, presque romantique...

— Vous aimez ?

Marc Tallec surgit de nulle part dans le dos de la jeune femme.

— À vrai dire, je ne viens presque jamais. C'est dommage.

Marc lui tendit un sandwich tandis qu'il en entamait un lui-même.

— Merci, fit-elle. Pourquoi vous vouliez me voir ici ?

— Pour faire connaissance dans un environnement neutre.

— Ne le prenez pas mal, mais vous l'avez dit vous-même, dès que vous saurez ce qui s'est passé pour la mort de Brach, vous disparaîtrez. Et j'entends bien boucler cette affaire sans y passer trois mois, alors faire connaissance...

Marc Tallec se contenta de mâcher en la fixant. Il était beaucoup plus grand que Ludivine et elle se sentit soudain toute petite, ce qui n'était pas dans ses habitudes. Il y avait quelque chose d'intimidant dans l'intensité du regard de cet homme, dans sa stature.

Venez, marchons, commanda-t-il en indiquant la direction.

La jeune femme se rendit compte que depuis qu'il avait débarqué, elle ne faisait que le remettre à sa place. Ce n'était pas exactement le genre de comportement dont elle était fière. Elle décida de jouer la transparence :

— Bon, je suis désolée si je ne vous semble pas très ouverte, c'est juste que... vous arrivez sans vous annoncer, vous nous êtes imposé, c'est pas tout à fait comme ça que nous travaillons habituellement.

— Je comprends tout à fait. Agréable pour personne. Je ferai au mieux pour que ma présence ne vous gêne pas.

— Simple observateur ?

Tallec dodelina de la tête.

— Disons que… je vous suis dans vos décisions mais je me permettrai de prendre la main sur certains points si cela est nécessaire.

— Je croyais que c'était moi qui menais la danse ?

— Ce sera le cas, sauf si on touche à un sujet sensible qui est de ma compétence.

— Pas sûr que ma hiérarchie laisse faire, sauf votre respect.

— Sauf votre respect, lieutenant, la DGGN et Levallois se sont déjà mis d'accord, c'est une association provisoire et exceptionnelle dans l'intérêt de la nation, or une association signifie que les deux parties sont actives.

Ludivine avala trois morceaux de sandwich en quelques secondes pour dissimuler l'agacement qui pointait. Après quelques bouchées, Tallec brisa le silence qui commençait à s'installer :

— J'ai lu vos états de service. C'est impressionnant.

— Vous avez de la chance, moi je ne sais rien de vous. Tallec, c'est votre vrai nom au moins ?

— Pourquoi vous dites ça ? Bien sûr que…

— Services secrets, voilà pourquoi.

Il émit un petit rire sec.

— Il ne faut pas croire tout ce que vous voyez dans les films. Je m'appelle vraiment Marc Tallec, je suis un peu plus âgé que vous, divorcé, sans enfant, originaire de Rennes, un master de droit, je suis entré dans la police, j'y étais officier avant d'intégrer la DGSI où je suis plutôt affecté à des affaires liées aux radicaux comme vous l'avez compris, bref un parcours classique. Rien de très secret là-dedans. Voilà, maintenant vous avez une petite idée de qui je suis.

— Si tout ça est vrai...

Tallec s'immobilisa.

— Je vous en prie, ne commençons pas ainsi, lâcha-t-il sur un ton affecté. Tout ce que je vous dirai sera toujours vrai. Toujours. Je choisirai de ne pas vous dire les choses plutôt que de vous mentir, ça se produira probablement, et ce sera dans l'intérêt des uns et des autres ou parce que je n'ai pas le choix, mais je serai honnête avec vous. Je ne suis pas votre ennemi.

Ludivine le toisa longuement. Puis elle acquiesça lentement :

— OK. Je me suis juré de ne plus construire de relation basée sur des fondations marécageuses avec les hommes, j'imagine que ça peut s'appliquer à vous.

Tallec ricana.

— Vous êtes directe au moins.

Ils reprirent leur marche.

— C'est quoi la suite du programme ? voulut-elle savoir.

— Vous conduisez l'enquête, c'est à vous de me le dire.

— Je pensais faire l'entourage de Laurent Brach et de sa femme. Vous pouvez nous aider ? Vous avez déjà des dossiers, et je crois savoir que la DGSI dispose d'un fichier informatique unique plutôt bien rempli...

Tallec secoua la tête vivement.

— Non. Au mieux je valide vos infos, je les aiguille pour gagner du temps lorsque je sais quelque chose, mais vous ne pouvez pas avoir accès à CRISTINA, c'est une maîtresse exclusive.

— Cristina ?

— Centralisation du renseignement intérieur pour la sécurité du territoire et des intérêts nationaux. Notre base de données.

— Bon, fit Ludivine, tout aussi résignée que déçue. Sinon j'ai eu le proc qui va superviser le dossier au téléphone…

— Ce n'est pas le parquet antiterroriste qui reprend le dossier, on est d'accord ?

Ludivine fut un peu déstabilisée par la soudaineté et la véhémence de la question.

— Euh… non, pour l'instant il n'y a aucun élément qui aille dans ce sens. Vous avez un problème avec eux ?

— Pas du tout, mais j'aimerais autant que tout ça reste loin des radars tant qu'il n'y a aucune raison de s'inquiéter. Plus facile pour moi d'avoir les mains libres.

Ludivine ne voyait pas bien ce qu'il voulait signifier par là, elle se contenta donc de poursuivre :

— Le procureur refuse qu'on lance une étude ADN pour la totalité des prélèvements effectués sur la zone autour du corps, pas le budget. Surtout s'il s'avère que c'est une affaire de toxico comme il a l'air de le croire. Il me validera quelques analyses si je les justifie bien, mais si je n'ai droit qu'à un minimum de jokers j'ai intérêt à ne pas me planter, donc je vais attendre un peu. Lorsque je sortirai de l'enquête de flagrance, un juge reprendra la main et c'est lui qui décidera ce qu'on fait ou pas, mais ça ne sera pas avant deux semaines. Et lancer une procédure, ça prend aussi du temps. Alors autant dire qu'on ne va pas attendre les bras croisés. On va se concentrer sur la téléphonie du couple Brach. J'ai demandé qu'on regarde s'il y a de la vidéosurveillance dans le secteur où a été trouvé le corps, ou au moins à proximité des accès, mais j'ai peu d'espoir. J'ignore comment ça fonctionne pour vous, mais si vous pouviez faire comprendre à notre procureur qu'un peu plus de moyens ne serait pas de refus…

— Je crois qu'on ne s'est pas compris : pour le proc, c'est *votre* enquête, moi je n'apparais pas.

Ludivine écarquilla les yeux.

— C'est-à-dire ? Légalement…

— S'il y a quoi que ce soit, le parquet fera ma connaissance, mais la DGSI ne travaille pas comme vous. Je ne judiciarise mes affaires en sollicitant un magistrat que si je trouve quelque chose de probant, mes activités sont couvertes par le secret défense. Jusqu'à ce que j'estime nécessaire que la justice entre en action, je travaille librement et dans mon coin, sans en référer à un juge. J'œuvre en toute discrétion, c'est plus rapide et plus efficace. Je ne rends compte qu'à ma hiérarchie directe. Voilà pourquoi je préférerais que le procureur ne soit informé de ma présence que si elle doit être justifiée en dernier recours, parce qu'une fois que j'y serai mêlé, ce sera plus compliqué. Comprenez que d'habitude la DGSI fait son boulot dans son coin et n'alerte les magistrats que si elle a besoin d'eux

pour valider les arrestations, dès que toute la mécanique judiciaire doit se mettre en branle, en gros à
partir du moment où notre enquête de l'ombre entre
dans la lumière : à ce moment-là l'affaire n'est plus
de notre ressort, c'est celle de la justice, et nous dis-
paraissons.

Ludivine approuva d'un geste lent, comme pour intégrer complètement tout ce que cela impliquait.

— C'est noté. Mais moi je dois répondre de mes
actes dans un cadre légal strict, sous l'autorité d'un
magistrat, alors n'attendez pas que je le dépasse, on
est d'accord ?

— Bien sûr.

Ils déambulèrent le temps de terminer leur déjeuner au milieu de ce fragment de forêt aménagé dans
l'est de la capitale, jusqu'à ce que Marc s'accoude à
la rambarde d'un pont dominant une profonde tranchée, ancienne voie ferrée désormais abandonnée aux
hautes herbes et au lierre. Ludivine reconnut la Petite
Ceinture, cette ancienne ligne de chemin de fer qui
faisait le tour de Paris et qui n'était plus en service pour
l'essentiel depuis les années 1930. Elle réalisa alors
que Tallec savait exactement où il la guidait depuis
le début.

— Faites comme si nous étions un couple, dit-il.

— Pardon ?

— Venez à côté de moi. Pas besoin d'être tendre,
rassurez-vous, ce sera même moins suspect.

Circonspecte mais curieuse, Ludivine obéit et s'ac-
couda de la même manière, quasi collée à l'agent des
services de renseignements.

— Vous saviez dès le début que vous m'amène-riez ici, alors qu'est-ce que je suis censée découvrir ? demanda-t-elle tout bas.

— Nous sommes un peu en avance, mais ça ne va pas tarder.

Ludivine comprit que le spectacle viendrait de la tranchée et elle l'observa pour noter la moindre anoma-lie. C'était un lieu semblable à celui où le cadavre de Laurent Brach avait été retrouvé, la nature conquérante en plus. Voie ferrée isolée de la civilisation, tunnel, personne ou presque comme témoin… Y avait-il là une analogie à constater ?

Un homme en sweat gris apparut juste sous le pont et il marcha le long du mur jusqu'à s'arrêter devant le tunnel d'où émergèrent trois autres silhouettes en jogging. Ils arboraient des capuches qui masquaient en partie leur visage mais Ludivine n'eut pas grand mal à deviner qu'ils avaient moins de trente ans. Deux autres franchirent un grillage découpé dans le parc et parvinrent à descendre par un talus pentu jusqu'au fond de la tranchée pour rallier leurs camarades. Ils parlèrent entre eux puis formèrent un cercle avant de commencer toute une série d'exercices d'échauf-fement.

— Qui sont-ils ? s'enquit Ludivine.

— Des jeunes des environs.

— Ça je m'en doute. Mais que font-ils ici ?

— Ils se préparent. Tous sont fichés chez nous. Tous prônent un retour à un islam des ancêtres, avec appli-cation de la charia. Ils considèrent la lutte de Daech comme celle de leurs camarades opprimés. Et la plupart aimeraient les rejoindre. Peut-être qu'ils le feront, s'ils y parviennent.

— Et ils sont en liberté ?

— Ils font attention à ce qu'ils racontent en public. Et jusqu'à preuve du contraire, se retrouver à six dans un parc pour faire un peu de sport n'est pas interdit.

— Soutenir Daech n'est pas suffisant pour être arrêté ?

— Plusieurs cellules similaires ont été démantelées au cours des années passées, certains terroristes connus étaient passés par là. Mais ces garçons apprennent des erreurs de leurs aînés. Ils sont vigilants sur ce qu'ils écrivent sur Internet, ne font pas de prosélytisme excessif dans la rue, ne s'échangent quasi rien par SMS, bref, ils savent que nous ne sommes pas loin... Tiens, d'ailleurs...

Celui qui semblait être le leader, un Black de plus d'un mètre quatre-vingt-dix, tourna la tête vers le pont et scruta ce couple contemplatif. Aussitôt, Marc Tallec passa son bras autour des épaules de Ludivine et lui déposa un baiser sur le front.

— N'y voyez rien de personnel, murmura-t-il, je me contente juste de donner un semblant de vraisemblance à notre couverture.

— Soyez crédible alors, répliqua Ludivine tout en lui adressant un sourire de façade avant de l'embrasser à pleine bouche.

Le visage de Marc Tallec ne laissait rien paraître lorsque Ludivine recula ses lèvres mais elle vit dans son regard qu'il était surpris, sinon désemparé, et elle fut assez fière d'avoir repris un peu la main sur lui, même provisoirement. *Chacun ses armes*, songea-t-elle avec une pointe de défiance, *à ce petit jeu-là, crois-moi, tu ne sais pas à qui tu te frottes, mon coco*. Elle n'était pas du genre à se dégonfler, au contraire, si cela lui permettait de montrer qui elle était. Ludivine Vancker ne se laissait pas facilement impressionner et s'il fallait prendre l'ascendant, elle avait de la ressource.

Le grand Black continua l'entraînement et les six jeunes se mirent par paires pour répéter des exercices de combat au corps à corps. Clés de bras, enchaînements pieds-poings, endurcissement en encaissant des séries de coups dans les avant-bras ou sur les tibias et ainsi de suite…

— J'ai peine à imaginer qu'on sache qui ils sont, quelles sont leurs ambitions et que nous ne fassions rien pour les arrêter, avoua Ludivine en assistant au spectacle de ces hommes déterminés.

— Nous n'avons pas grand-chose contre eux. Au nom de quoi les mettrions-nous derrière les barreaux ? Croyance collective excessive ? Je vous l'ai dit : ceux-là sont bien plus prudents que les précédents. Nous les avons repérés parce qu'ils fréquentent des lieux de culte sous surveillance, parce qu'ils font ce type de séances ensemble, et grâce à du renseignement de terrain nous savons que certains évoquent l'idée de partir en Syrie pour se battre avec leurs frères, mais c'est trop peu, nous n'avons pas de preuves tangibles.

— Et si demain deux d'entre eux décident d'aller égorger des passants du quartier au nom de leur fanatisme ?

Marc grimaça.

— C'est le risque… Mais n'oubliez pas que nous protégeons notre démocratie. Un pays libre où chacun a le droit de revendiquer ses convictions religieuses, même extrémistes, du moment qu'il n'appelle pas directement à la violence. Encore une fois, pourquoi faudrait-il mettre en prison ceux-là et pas ceux qui se revendiquent du christianisme le plus radical ? Ceux qui veulent interdire la pilule, l'avortement, le mariage pour tous, voire ceux qui évoquent à demi-mot d'aller se battre en Syrie contre Daech… Ceux que nous considérons comme radicaux peuvent l'être dans toutes les religions. Nous sommes en démocratie, libres d'avoir nos convictions, tant que nous ne poussons pas à la haine et à la violence.

— Les circonstances font que nous avons toutes les raisons de craindre ces six combattants.

— C'est pourquoi nous les gardons à l'œil du mieux que nous pouvons, même si c'est imparfait, faute de moyens. Si nous les arrêtions par précaution, soyez certaine que ce serait probablement pire que mieux, car ces six-là hurleraient à la dictature, à l'oppression religieuse, ils crieraient haut et fort qu'ils n'ont rien fait, qu'ils ont été écartés de la société uniquement pour leurs convictions spirituelles, et faute de preuves réellement concluantes de notre part, ils n'auraient pas tout à fait tort. Je vous laisse imaginer ce que ce discours pourrait avoir comme impact sur des jeunes totalement paumés, sur le point de basculer dans le radicalisme… Bien utilisée, ce genre de situation permettrait d'endoctriner dix fois plus que les six mecs sous nos yeux. Des recruteurs malins s'en serviraient pour prouver que la France est un pays corrompu, une nation ennemie de l'islam qui met en prison les musulmans les plus proches de la voie montrée par le Prophète, et ainsi de suite... Non, croyez-moi, en voulant agir au plus simple on risque bien souvent de perdre gros.

— Alors on les laisse dehors avec une surveillance bancale ?

Tallec haussa les épaules.

— Nous faisons de notre mieux. Personne n'a dit qu'une démocratie n'avait pas ses failles et ses difficultés. Et nos ennemis actuels savent les utiliser. Maintenant soyez lucide sur un point. Là, ils sont six. Selon toute probabilité, il y a au moins parmi eux trois ou quatre petites frappes qui ont trouvé dans la religion un refuge spirituel, une famille, mais s'ils ne sont pas trop bousculés, ça ne devrait pas aller plus loin et ils ne représenteront jamais une menace réelle. Peut-être même que cela va les éloigner de la délinquance, et au final la société tout entière y gagnera. La vraie question est de savoir lesquels sont les vrais loups du groupe. Ceux qui sont prêts à passer à l'acte ou qui le seront tôt ou tard. Mais si nous les enfermons tous, nous fabriquerons une bande de six loups.

— Et le rapport avec Laurent Brach dans tout ça ?

— À vous de me le dire. Sa mort est-elle liée à tout ça ? À ses mauvaises fréquentations ?

— Et si c'est le cas, de quel côté se situait-il ? déduisit aussitôt Ludivine. Était-ce une brebis galeuse mais inoffensive ou un loup sans pitié ?

Marc Tallec pivota vers elle.

— Vous avez tout compris. Je veux savoir s'il y a un réseau derrière lui et si sa mort ne cache pas quelque chose de plus vaste.

En contrebas les combattants venaient de terminer leur entraînement, ils se congratulèrent puis se mirent tous à genoux pour entamer la prière.

13.

En trois jours, le groupe de travail constitué par Guilhem, Segnon et Ludivine parvint à « faire l'entourage » de Laurent Brach, ce qui consistait à dresser l'arborescence des contacts plus ou moins réguliers de la victime et de sa famille, et à comprendre brièvement les rapports entretenus avec chacun. En si peu de temps, le schéma de noms demeurait superficiel et sujet à erreurs ou malentendus mais c'était un point de départ.

Au grand regret de Ludivine, la DCO n'avait rien remonté concernant Brach et ses proches, et personne dans la Division criminalité organisée ne connaissait la victime.

La BAC qui traitait le secteur où le corps avait été retrouvé ne fut d'aucune aide, et aucune caméra de sécurité ne couvrait les environs. De son côté, Segnon éplucha rapidement les revenus déclarés par les Brach avec les fiches de paie fournies par la société où travaillait Laurent Brach et nota que leur train de vie modeste semblait cohérent.

La téléphonie restait l'outil le plus pratique pour dresser un portrait général des contacts gravitant autour de la victime. Chaque numéro avait été entré dans le logiciel Analyst Notebook dont se servait Guilhem pour effectuer des recoupements parmi des centaines, parfois des milliers d'entrées différentes au cours d'une même affaire. Tout pouvait y être archivé, noms propres, numéros de téléphone, plaques d'immatriculation et ainsi de suite, jusqu'à disposer de toute la base de données d'une enquête. S'il y avait le moindre rapprochement à faire entre deux éléments, le logiciel ne manquait pas de le mettre en avant, ce qu'un être humain aurait pu manquer, surtout lorsqu'il s'agissait de recouper les données téléphoniques de plusieurs suspects sur plusieurs mois, soit des dizaines de milliers de chiffres.

L'étude des appels entrants et sortants de Laurent Brach, associés à leur géolocalisation et comparés à l'emploi du temps professionnel fourni par son employeur, permit de se faire une idée plus précise de l'homme qu'il était. Travailleur, ça ne faisait aucun doute. Ponctuel et respectueux. Ses SMS s'adressaient quasi exclusivement à sa femme, son patron et ses clients. Très peu de données personnelles filtraient en revanche à travers son téléphone portable. À peine une poignée d'appels à destination de ce que les gendarmes établirent comme étant des amis, à croire qu'il en avait peu, et rien n'indiquait qu'il sortait.

Ludivine en vint à se demander s'il n'avait pas une seconde ligne non répertoriée, une carte prépayée sans aucun enregistrement. Il n'existait qu'un moyen de le savoir : une perquisition complète chez lui, au risque de se mettre la veuve définitivement à dos et d'alerter d'éventuels guetteurs, ce que Ludivine préférait éviter, surtout s'ils ne devaient rien trouver.

— Je vais tout de même vérifier si nos services n'avaient pas un IMSI Catcher dans le secteur, on ne sait jamais, proposa Marc Tallec.

— Un IMSI quoi ? demanda Segnon.

— C'est un système embarqué dans un véhicule qui se fait passer pour une antenne relais et qui capte toutes les données des téléphones portables du secteur où il se trouve. Pratique pour suivre à la trace et en direct, géolocalisation comprise, un suspect dont on a enregistré le téléphone. Mais par recoupements on peut aussi obtenir pas mal d'autres infos, comme l'utilisation d'un portable prépayé et non officiellement rattaché à un suspect.

Mais après vérification, Marc Tallec annonça qu'aucun dispositif de cette sorte n'était déployé sur le secteur de leur victime.

À défaut d'une analyse ADN de tous les prélèvements effectués sur la scène du crime, Ludivine obtint tout de même la mise sur écoute de la veuve. La Plate-forme nationale des interceptions judiciaires centralisait toutes les demandes d'écoutes et servait ensuite d'intermédiaire entre les opérateurs téléphoniques et les enquêteurs. La PNIJ était souvent source de moqueries en interne, parfois d'angoisses. Les bugs s'étaient succédé depuis sa création, mais plus préoccupant encore : beaucoup se demandaient pourquoi le cœur des écoutes françaises n'était pas abrité et géré directement par l'administration judiciaire plutôt que par Thales, une entreprise privée et l'un des plus gros marchands d'armes français.

Par chance, cette fois le système fonctionnait et il suffisait de se connecter avec sa carte professionnelle sur un terminal pour suivre tous les appels et SMS directement sur ordinateur. En l'occurrence, il fallait bien s'avouer qu'il n'y avait pas grand-chose, sinon rien. Malika Brach avait beaucoup parlé au téléphone avec sa famille. Elle ne comprenait pas la mort de Laurent. Elle avait également appelé plusieurs personnes dans la cité, pour poser des questions, pour qu'on l'aide à comprendre, et personne ne savait quoi lui répondre sinon que c'était la décision d'Allah et qu'il fallait la respecter. La plupart de ces contacts se révélèrent fréquenter la même mosquée que celle où se rendait Laurent Brach, un lieu sans histoires particulières. Les Brach étaient profondément ancrés dans leur religion, et rien ne semblait les rattacher à la drogue et à son trafic.

L'emploi du temps de Malika pour le vendredi de la découverte du cadavre fut facile à retracer et il semblait improbable qu'elle soit impliquée physiquement dans la mort de son mari.

Le rapport d'autopsie complet tomba le mercredi. Toxicologie nulle, rien d'anormal, pas de consommation de produits stupéfiants. En revanche, les conclusions sur le corps furent plus intéressantes. Traces de liens évidentes sur les poignets et les chevilles, avec ecchymoses profondes qui ne laissaient planer aucun doute : la victime avait été entravée de son vivant. La mort remontait à l'après-midi, peut-être même la fin de matinée.

Le cadavre avait été retrouvé à 23 heures, après que le train lui était passé dessus, et avait donc été conservé pendant un long moment quelque part. Le passage des trains précédents dans la journée et la soirée n'ayant révélé aucune présence suspecte sur les voies, qu'avaient fait le ou les tueurs avec le cadavre pendant tout ce temps ? Pourquoi l'avoir gardé ? Même le lieu de dépose était atypique. Ludivine sentait qu'il y avait là un élément fondamental.

Le rapport d'autopsie stipulait par ailleurs que des fragments d'ongles avaient été collés sur ceux de la victime, probablement des ongles appartenant à plusieurs personnes différentes compte tenu de leur apparence parfois très éloignée d'un échantillon à l'autre, au-delà des vernis que certains arboraient ou de leur longueur aléatoire. Ludivine entoura cette mention en rouge et inscrivit : « ADN ? » en gros à côté – même si elle doutait déjà qu'on puisse établir le profil génétique de quiconque à partir de ces maigres fragments probablement « nettoyés ».

De plus, le légiste avait retrouvé plusieurs touffes de cheveux, manifestement coupés, dans ceux du cadavre. Une simple comparaison au microscope avait suffi à prouver qu'il s'agissait de cheveux n'appartenant pas à la victime. Il y en avait de plusieurs natures, de teintes relativement proches. Le légiste en avait répertorié au moins six, pour certainement autant d'individus, sans aucun bulbe permettant une analyse ADN.

Le cadavre avait été déchiqueté par le passage du train mais certains morceaux avaient été peu déplacés et leur propreté associée à l'odeur prégnante de javel laissait supposer qu'on l'avait entièrement désinfecté avant de le déposer sur place.

La mort résultait d'une asphyxie par strangulation à l'aide de plusieurs objets fins serrés si fort qu'ils avaient profondément entaillé la chair, jusqu'au sang. Le légiste mentionnait « probablement de type collier de serrage serflex », a priori au nombre de trois, disposés côte à côte et coupés ensuite à l'aide d'un instrument semblable à un ciseau qui avait laissé des marques tant les colliers étaient incrustés dans les chairs.

Fin du rapport d'autopsie.

Un instantané de mort. Des taches d'encre formatées sur du papier blanc, un petit bloc en tout, agrafé par le coin. Ludivine voyait du sang sur de la peau. Des gestes et des émotions. Confusion… saturation… terreur… Mais aussi l'autre côté : excitation. Contrôle. Pic d'adrénaline. Maîtrise. Décharge émotionnelle. Organisation. Obsession.

Une aberration.

Voilà ce que Ludivine pensait de cette scène de crime.

Rien n'était logique, rien n'avait de sens. Un mélange de rigueur improbable et quelques pointes de fantaisie inexplicables.

Plus elle y pensait, plus Ludivine flairait le rituel criminel. Ce n'était pas une mise en scène pour berner les enquêteurs, plutôt un acte dicté par une nécessité personnelle. Un rapport intime au corps. Et cela poussait Ludivine à considérer qu'il n'y avait qu'un seul tueur. Impossible de s'approprier autant un mort et de laisser libre cours à ses fantasmes lorsqu'il y a d'autres personnes.

Les trois gendarmes étaient assis autour d'une minuscule table de café, place de la Porte-de-Bagnolet, en compagnie de Marc Tallec, les mains enfouies dans sa parka kaki. Le manque de place dans leur bureau et l'envie de s'aérer avaient poussé Ludivine à organiser cette réunion en dehors de la caserne.

— C'est pas lié à la drogue, conclut-elle après avoir résumé tout ce qu'ils avaient.

— Qu'est-ce qui vous fait dire ça ? interrogea Marc.

— Ça ne colle pas. Le crime est celui d'un malade, pas celui d'un dealer.

— Allez-y, développez…

Ludivine posa les coudes sur la table pour se pencher vers les trois hommes :

— Le tueur l'a conservé une dizaine d'heures avant d'aller le jeter sur la voie ferrée.

— Parce qu'il ne voulait pas prendre le risque d'être vu en plein jour, la coupa Segnon. Il a attendu qu'il fasse nuit.

Ludivine leva le pouce.

— C'est bien possible, sauf que pendant ce temps il lui colle des bouts d'ongles qu'il a récupérés je ne sais où, et il prend soin de mêler aux cheveux de Laurent Brach des mèches appartenant à d'autres personnes.

D'autres victimes tu penses ? fit Guilhem, trop habitué aux affaires sordides qu'ils avaient traitées à la SR de Paris.

— J'espère que non ! D'après le légiste, il s'agit de mèches coupées net, comme chez le coiffeur.

— Notre bonhomme fait les poubelles des ongleries et des salons de coiffure donc, se moqua Segnon sans humour.

— En parlant de ça, aucun prélèvement sous les vrais ongles du mort ? s'enquit Guilhem.

— Non, répondit Ludivine, le légiste est formel : c'était déjà nettoyé de près, tout comme le reste a été entièrement lavé à la javel. Nous sommes face à un obsédé du détail. Il est tout en maîtrise.

Segnon, qui connaissait sa collègue, observa son air songeur avant de lâcher :

— Tu penses à quelque chose, toi.

Ludivine acquiesça doucement.

— La scène de crime, dit-elle, ce n'est pas anodin. Le tueur a choisi cet endroit parce que c'est tranquille, personne pour risquer de le voir déposer le corps, et en même temps il voulait qu'on le découvre. Il tient à ce que ses actes ne passent pas inaperçus. Une voie ferrée avec tout ce que les usagers jettent par les fenêtres, ce que le vent amasse… c'est un dépotoir, un vrai merdier pour nous, trop d'indices potentiels, et ce mec le sait. Il a un problème, une sorte d'obsession pour la notion d'indices, voire pour l'ADN.

— Vous devinez tout ça rien qu'avec la scène de crime et le rapport d'autopsie ? s'étonna Marc Tallec.

— Ce n'est pas un crime anodin, c'est celui d'un être compliqué, avec une psyché complexe, et c'est la raison pour laquelle il tue. Son crime parle pour lui. Qu'un dealer qui ne veut surtout pas laisser d'ADN sur sa victime la passe à la javel, à la rigueur je veux bien l'entendre – cela dit la plupart se contenteraient de brûler le corps, beaucoup plus simple et efficace. Mais je vous rappelle qu'il l'a complètement nettoyé puis rhabillé ! Rien que ça, ce n'est pas normal. Et en plus il y a ces ongles et ces cheveux... Puis la dépose du corps a été bien pensée. Je vous le répète : il veut qu'on connaisse son crime. Un dealer aurait plutôt été au plus rapide ou au plus discret. Il ne se serait pas embarrassé de toute cette mise en scène pour éliminer un concurrent ou une balance. Ça ne colle pas.

— Pourquoi autant de came alors ? demanda Tallec.

— Je ne vois qu'une hypothèse : nous leurrer. C'est trop gros pour être honnête. Le tueur veut que nous pensions à une histoire de drogue.

— Pourtant tu affirmes qu'il veut qu'on sache ce qu'il a fait, alors pourquoi nous guider vers une fausse piste ? C'est plus très logique ! s'opposa Segnon.

Ludivine se balança d'avant en arrière.

— En effet, il y a quelque chose qui m'échappe...

Marc Tallec avala son café puis fixa la responsable du groupe.

— Donc pour vous on se dirige vers le crime d'un pervers. Laurent Brach était au mauvais endroit au mauvais moment, et c'est tout.

— C'est à voir, mais ça y ressemble. Maintenant ça ne signifie pas qu'il ne connaissait pas son assassin...

Marc Tallec tapota le rebord de sa tasse en soupirant.

— Bon, eh bien on dirait que vous n'allez pas m'avoir sur le dos très longtemps.

Le téléphone de Guilhem sonna et il se recula pour décrocher. L'échange fut bref avant qu'il ne revienne vers ses compagnons :

— C'était Yves, je lui ai demandé un coup de main sur les noms des correspondants qu'on a identifiés sur la FADET[1] de notre victime, juste au cas où il y aurait un ou deux individus liés au trafic de drogue.

— Et ? demanda Ludivine un peu fort.

— Il vient d'en identifier un. Le dernier coup de fil passé par Laurent Brach, c'était à un dealer...

---

1. Facturation détaillée du téléphone, en jargon gendarme.

14.

La bruine déposait un filtre flou sur les fenêtres de la caserne, comme pour mieux séparer du reste du monde ce haut lieu de l'étude de la violence et de ses tristes vérités.

Ludivine, penchée sur l'écran d'ordinateur, lisait le fichier TAJ concernant le dealer qu'avait appelé Laurent Brach avant de mourir. Un dur. Il avait poussé sur un terreau toxique, ses racines profondément ancrées dans la haine et la came. D'après Yves, qui avait appelé les flics du secteur où le dealer vivait, le type était suspecté d'être à présent un gros bonnet dans sa cité de Seine-Saint-Denis. Consommateur, guetteur, passeur, dealer, coupable d'outrages, d'agressions et de possession d'armes, l'homme avait toutes les décorations d'un futur général qu'on enterrerait en pleine gloire pour avoir tout donné sans retenue à *sa* guerre.

Yves caressait distraitement sa moustache sombre.

— J'ai aucune surveillance sur lui, avoua-t-il, je ne sais pas où il était vendredi dernier, et les collègues que j'ai eus au téléphone non plus. On peut tenter de demander la géolocalisation de son portable pour se

119

faire un avis, mais un mec comme ça, il aura pas fait un coup pareil avec son portable sur lui. Surtout son tél perso. C'est loin d'être un abruti !

— Il peut l'avoir commandité, suggéra Segnon.

Yves acquiesça.

— Son nom ne ressort pas dans le FNOS[1], ce qui va nous arranger, se félicita-t-il.

— Pourquoi ? s'étonna Marc Tallec.

— Quand un nom apparaît dans le FNOS, on est pas censés continuer à travailler dessus sans prendre contact avec le service qui l'a entré, pour ne pas griller le travail en cours. Et nos amis les flics ont une fâcheuse tendance à y enregistrer aussi toutes leurs sources, pour les protéger, ce qui nous paralyse dans certains cas.

— Donc on revient à la drogue, souligna Guilhem en guettant Ludivine.

— Il y a des récurrences de contacts entre eux ? demanda-t-elle sans cesser sa lecture.

Guilhem tapota sur son clavier et finit par secouer la tête.

— Non, première et dernière fois qu'ils se contactaient, du moins sur cette ligne.

— On va faire la téléphonie du dealer, annonça Ludivine. Éplucher tous ses contacts. Si Brach avait un téléphone prépayé, il finira peut-être par apparaître de ce côté.

---

1. Fichier national des objectifs en matière de stupéfiants, commun à la Gendarmerie, les Douanes et la Police, permettant de coordonner les actions des différents services en répertoriant les personnes faisant l'objet d'investigations judiciaires en lien avec les produits stupéfiants.

— Attends une seconde, fit Guilhem. J'avais pas fait gaffe, l'appel n'a pas duré. Seulement trois secondes.

— Une erreur ? proposa Segnon sans trop y croire lui-même.

Ludivine se redressa :

— Il se serait gouré en appelant un dealer qui loge à moins de quinze kilomètres de Brach alors qu'on retrouve justement de la came sur la scène de crime ? Non, même pas en rêve. Et le dealer n'a pas rappelé ensuite ?

— Moi j'ai rien de ce côté, faudrait voir avec sa ligne à lui, qui il a contacté dans la foulée, s'il y a eu un appel...

— Guilhem, tu t'en charges ? Tu m'identifies tous les téléphones rattachés de près ou de loin à ce mec, famille étendue comprise. C'est un prudent, il est évident qu'il n'utilise pas sa propre ligne pour son business. Et tu m'épluches tout.

Le jeune gendarme haussa les sourcils en songeant à l'ampleur du travail.

— Yves, implora-t-il, dis-moi que vous êtes déjà sur son dos, que vous avez au moins rétréci le cercle de la téléphonie autour de lui ?

— Désolé mon vieux, mais on va te filer un coup de main. Si on peut faire d'une pierre deux coups...

Ludivine s'était enfoncée dans son siège et son regard passait des uns aux autres. Marc Tallec était assis sur le rebord du bureau de Guilhem et écoutait attentivement ce dernier et Yves échafauder un plan de bataille.

Le colonel Jihan avait convoqué Ludivine la veille pour lui dire de vive voix que si la coopération entre la DGSI et la gendarmerie était exceptionnelle, il fallait qu'elle se fasse dans l'intérêt de tous et qu'il espérait qu'elle serait brève mais fructueuse. Jihan était un officier commandant une unité importante, pas le genre à montrer ce qu'il ressentait, c'était un homme déterminé, intelligent et fin analyste. Il savait que ses hommes marchaient sur des œufs, la présence de la DGSI, ordonnée par ses propres supérieurs, n'était pas anecdotique. Compte tenu du climat d'insécurité général lié aux événements terroristes, cela ne présageait rien de bon. S'il fallait contribuer à empêcher un attentat, la gendarmerie devait donner tout ce qu'elle pouvait, même si elle avançait les yeux bandés, la DGSI refusant de révéler quoi que ce soit dans cette affaire. C'était déjà surprenant qu'elle ne cherche pas à prendre la main et à délester la SR de son enquête. Jihan comme Ludivine en concluaient que la DGSI elle-même n'était pas sûre que tout ça ait un lien avec ses services, mais dans le doute, chacun restait vigilant. Même s'il n'en montrait rien, Ludivine devinait que le colonel était mal à l'aise.

« Soyez pleinement coopérative, lui avait-il ordonné. Toutefois, n'oubliez pas que le cadre légal qui régit votre champ d'investigation n'est pas le même que celui dans lequel navigue Tallec. Ne faites rien qui pourrait vous mettre dans une situation compliquée, c'est clair Vancker ? » Ludivine avait approuvé, elle qui était plutôt du genre à foncer tête baissée, dans l'intérêt de la vérité et des victimes, sans toujours se poser la question du respect des procédures. Pour le coup, elle était du même avis. Les services secrets n'avaient pas une réputation très reluisante dans tous les domaines et s'il fallait, à un moment ou à un autre, cramer un fusible pour faire passer le reste, la jeune femme ne se faisait aucune illusion, elle prendrait la décharge à la place de Marc Tallec.

Elle sortit de ses pensées en sentant son téléphone vibrer dans sa poche. Elle constata avec surprise qu'elle avait deux appels en absence et répondit par un texto pour savoir s'il y avait une urgence. La réponse fut immédiate et elle se leva aussitôt.

— Je file à Nanterre, annonça-t-elle, Philippe Nicolas veut me voir, il dit qu'il a peut-être quelque chose pour moi.

— En rapport avec l'affaire ? demanda Marc.

— À voir. Philippe Nicolas est un cocrim, coordinateur des opérations de criminalistique, avec qui je travaille souvent. En gros, il fait le lien entre nous et tout l'aspect scientifique des enquêtes. Gros champ de compétence.

— Gros ego surtout, plaisanta Segnon avant de s'empresser de clarifier : mais à la hauteur de ce qu'il peut dénicher parfois, c'est vrai.

— Je viens avec vous, déclara Marc sans laisser la place à la moindre protestation.

En sortant de la caserne, Ludivine guida son binôme vers le parking adjacent et désigna une Audi TT RS.

— Je conduis.

Marc Tallec siffla d'admiration.

— Dites donc, vous avez les moyens à la SR !

— Voiture saisie. Faut bien quelques avantages en nature.

— Vous aimez les bolides !

— J'ai goûté au plaisir de la conduite sportive par hasard sur une grosse affaire. Depuis j'ai même claqué mes économies dans une bonne occasion, une vieille Porsche Boxster.

— Ainsi que dans l'achat d'une maison, fit Marc en bouclant sa ceinture.

Ludivine le dévisagea.

— Ça aussi c'est dans le dossier que vous avez sur moi ? remarqua-t-elle sèchement. Vous êtes obligé d'aller aussi loin dans le domaine personnel ?

Tallec soutint son regard glacial.

— Ne le prenez pas mal, je dois savoir à qui j'ai affaire. Quels seraient les éventuels moyens de pression qui pourraient être exercés sur vous.

— Par qui ?

— Tout dépend de qui est derrière la mort de Laurent Brach.

— En épluchant ma vie intime vous vous imaginez qu'on va pouvoir me retourner le cerveau ?

— Je suis désolé, Ludivine, je suis obligé de savoir avec qui je travaille.

— Et alors, je passe le test ? Je suis apte à la confiance ou je reste une petite blonde dont on peut se servir mais avec laquelle il ne faut surtout pas trop fricoter ?

Le visage fermé de Marc Tallec se défit de son masque brusquement. Il parut sincèrement affecté.

— Je sais que ça n'est pas agréable. Je vous présente mes excuses.

Ludivine soupira lourdement. Le moteur se mit à ronfler. Elle sortit de l'enceinte militaire et se coula

124

dans la circulation en direction du périphérique dans un silence pesant.

Après plusieurs minutes, elle demanda sur un ton plus doux :

— Quels sont les moyens de pression sur moi, alors ?

Tallec lui jeta un regard amusé avant de répondre :

— VICE.

— Oh, soyez sûr que je travaille à les contrôler !

Tallec ricana.

— Non, c'est la méthode utilisée classiquement par les services secrets pour recruter ou en tout cas utiliser quelqu'un. On applique les VICE pour vénal, idéologie, compromission et « ego ». En gros ça consiste à trouver quelle est la porte d'entrée qu'il faut utiliser pour obtenir vos services. En échange d'argent ? Parce que vous êtes patriote ou que vous avez des convictions très fortes ? En vous faisant chanter ? Ou à travers de belles paroles, des promesses et du pouvoir qui flattent votre personne ? Nous sommes tous sensibles à quelque chose… En dernier recours on vous mitonne un guet-apens qui se résume donc à la compromission…

— Et pour moi, vous utiliseriez quoi ?

— En toute franchise ?

— Allez-y, je crois qu'on est plus à ça près…

— Une forte dose d'idéologie mâtinée d'un peu d'ego. Vous avez votre métier dans le sang, ça vous dépasse même, il ne serait pas difficile de vous exposer tous les enjeux dramatiques et la façon dont votre aide pourrait être précieuse, voire déterminante pour le bien de tous, pour sauver des vies.

— Pas faux. L'ego c'est pour soigner mes vagues à l'âme ?

— Pour vous valoriser. Vous êtes une fille exceptionnelle qui obtient des résultats hors norme en se dévaluant. Je n'ose pas imaginer ce qu'on pourrait tirer de vous si vous étiez en pleine confiance et sûre de vous.

— Mes doutes, mes blessures et mes fragilités donnent de la nuance à mon raisonnement, c'est ce qui, justement, me rend plus pertinente. Si vous m'ôtez ça, je me plante. Et vous le savez. L'ego c'est pour mieux me manipuler. Mettre de la sensibilité dans la relation, parce que vous savez que je suis une affective.

Tallec esquissa de nouveau un sourire mais ne répondit pas.

— N'empêche que c'est très désagréable que vous en sachiez autant sur moi. J'ai l'impression d'être nue à côté de vous.

— Je vous rassure, ça n'est pas le cas ! Revenons à nos moutons plutôt : pour vous la mort de Brach est liée à la drogue ou pas ?

Ludivine réalisa qu'elle était vexée par sa réaction, il embrayait sur le professionnel sans une remarque sur elle, au moins quelque chose de doux, au moins qu'il rebondisse sur ce qu'elle venait d'affirmer, ce n'était pas anodin, dans un habitacle aussi réduit... Soudain elle se demanda si une part d'elle ne voulait pas jouer à la séduction... *Les vieux démons... séduire pour se prouver... séduire pour dominer... pour se remplir, contre la peur du vide, la peur de se retrouver seul face à soi...* Non, elle n'en était plus

126

là. Elle avait fait ce travail sur elle, elle avait grandi, changé. Là, c'était plus sain, plus... chimique, plus physiologique... *Oh merde ! Non, Lulu, pas lui !* Il lui plaisait. Il fallait bien dire que son physique avait de quoi. *Cœur d'artichaut, c'est pas possible !* Il n'était pas véritablement beau, mais son charme n'était pas commun. *C'est juste... du désir physique. Et alors ? C'est humain, non ? J'ai pas dit que je voulais coucher avec lui, juste qu'il est...* Et dans la promiscuité du coupé, elle le sentit à nouveau, ce parfum animal qui se mêlait si bien à sa peau, comme une houle inlassable qui vous rapproche petit à petit de la côte, jusqu'à vous jeter tout contre...

— Ludivine ?

Depuis combien de temps n'avait-elle pas eu un mec ? Cette solitude permanente, ces nuits désertes, sans une once de tendresse, sans partage, sans échange, sans intimité... Ça la rendait sensible au premier venu un tant soit peu mignon, c'était agaçant. Désespérant. *Et pourtant si humain... Surtout pour quelqu'un qui revendique de renouer avec ses sens, avec le soi profond, la part vraie, sensible...*

— Ludivine ?

Elle cligna des paupières pour se sortir de ses songes.

— Euh... oui, pardon. Je réfléchissais à...

Elle prétexta le trafic chargé pour se concentrer sur sa conduite. Le rugissement des cinq cylindres meubla le vide entre eux le temps d'une brusque accélération pour se glisser entre deux véhicules.

Ludivine avait repris le contrôle. Elle enchaîna :

— Je ne sais plus quoi penser de ce meurtre. Tout me renvoie à un assassin minutieux, obsessionnel, avec des lubies extrêmement fortes, une charge fantasmée lourde. Bref, pas un criminel comme un autre. Et pourtant, la drogue, le coup de fil au dealer... Les cartes se remélangent sans cesse.

— Les faits, je peux les analyser aussi. Ce que je voudrais entendre, c'est votre conviction profonde. Votre instinct, il vous dit quoi ?

— La drogue est un leurre. Pourtant il a fallu au tueur des contacts importants pour s'en procurer autant. Je ne le vois pas prendre le risque d'en acheter une telle quantité comme un simple consommateur. Il aurait pu se faire pincer par des flics sur une transaction pareille, ou se faire avoir par des dealers peu scrupuleux... Ça ne lui ressemble pas, lui qui fait attention à tout, qui lave, qui mélange, qui brouille... C'est un prudent qui planifie, qui ne prend aucun risque. Donc il doit avoir des connexions importantes.

— Comme un mec de la cité ?

— Peut-être. Mais ça n'explique pas tout. Il y a une dimension paradoxale dans ce crime. Pourquoi voulait-il qu'on retrouve le corps si vite ? Pourquoi le leurre si gros de la drogue ? Je ne pige pas.

— Et si tout ça était une vaste mise en scène ? Pour nous faire perdre un maximum de temps ?

Ludivine tapota son volant de ses doigts, coincée dans les embouteillages de fin d'après-midi.

— Ce serait se donner un mal de chien, répondit-elle. Quel intérêt ? Il faudrait être sacrément tordu !

— Ou motivé...

— À quoi vous pensez ? interrogea-t-elle en pivotant vers Marc.

Il l'étudiait, comme sur le point de lui avouer quelque chose de grave. Il finit par faire un signe discret du menton qui ressemblait à une capitulation.

— OK, je pense qu'il est temps que vous ayez une vision d'ensemble, lâcha-t-il, mais tout ça doit rester entre nous, c'est hautement sensible. Je surveille un certain Abdelmalek Fissoum depuis un bon moment. C'est un acteur clé dans le milieu des islamistes radicaux, il connaît beaucoup de monde, et énormément d'informations transitent par lui.

— Un radical genre… terroriste potentiel ? s'étonna Ludivine.

— En tout cas il s'entoure de profils inquiétants pour nous, et il prêche en ce sens.

— Vous ne l'avez pas arrêté ?

— Non, ça ne fonctionne pas comme ça. Si je l'enferme, je perds mon point d'ancrage. En le surveillant, nous avons accès à beaucoup de nouveaux visages, nous remontons des filières. Bref, il est plus utile de se servir de lui aussi longtemps que possible avant de lui tomber dessus. Quoi qu'il en soit, Fissoum est un gros poisson qui sévit dans toute l'Île-de-France, et en particulier du côté d'Argenteuil, dans le Val-d'Oise. Nous faisions notre boulot lorsqu'un beau jour, un nouveau visage a débarqué auprès de lui.

— Laurent Brach, devina Ludivine.

— Exact. Nous ne savons pas comment ils se sont connus, probablement par le biais d'un intermédiaire à la mosquée de Brach, ou d'une fréquentation de la cité où il résidait. Fissoum et Brach se sont vus une dizaine de fois en un mois alors qu'ils ne se connaissaient pas avant, nous sommes certains de ça.

— Ils parlaient de quoi ? Ils faisaient quoi ensemble ?

— Nous l'ignorons, Fissoum est très prudent. Ce sont ceux qui gravitent autour de lui qui commettent des erreurs, et le peu qu'on sait, on l'a appris grâce à eux. Brach aurait pu passer pour un converti de plus qui décide de fréquenter les plus radicaux et nous nous serions contentés de faire une fiche à son nom, mais la fréquence de leurs rencontres nous a alertés. Là-dessus, les grandes oreilles se sont mises à bruisser. Énormément.

— Qu'est-ce que ça veut dire ?

— Nous et les services de renseignements des pays alliés procédons à une surveillance permanente de tous les réseaux de communication directs et indirects qui existent entre les plus radicaux des islamistes. Sur la Toile, forums plus ou moins secrets, téléphones, mais aussi exploration du Darknet autant que possible…

— Le Darknet c'est cet Internet parallèle qui échappe à tout contrôle ?

— Et qui rend toute surveillance presque impossible, oui. Mais au-delà de ça, nous avons d'autres critères d'alerte : par exemple lorsque le volume d'échanges global augmente fortement, e-mails, SMS, coups de fil et rencontres, y compris lorsque leur contenu est neutre, cela peut être du langage codé. Ce qui est significatif, c'est la brusque augmentation du nombre de messages. C'est le signe qu'il se passe quelque chose, que la communauté des islamistes radicaux est en émoi et donc que ça va péter quelque part. C'est exactement ce qui s'est produit il y a cinq mois. Nous étions sur les dents, mais rien n'est venu. Et dans la foulée, Brach et Fissoum ne se sont plus jamais revus ni recontactés.

— Ils se sont fâchés ? Ça arrive ça, avec les types de ce genre ?

— C'est une option. Ou Fissoum a compris que Brach était identifié par nos services...

— Ou il a su qu'il était lui-même grillé !

— Exactement. En tout cas, tout s'est arrêté entre eux. Et comme par magie, quasi en même temps, nous sommes retournés au bruit de fond habituel intercepté par les grandes oreilles, le pic était passé. C'est là que nous avons décidé de mettre le nom de Laurent Brach en rouge dans nos fichiers.

— Pourquoi avoir relâché la surveillance dernièrement ? Surtout si son nom est ressorti il y a trois mois dans les commentaires d'une vidéo de propagande.

— Parce que tout va très vite, qu'il y a des alertes partout qui s'enchaînent et que faute de pouvoir tout faire, nous avons décidé de garder un œil lointain sur lui tout en mobilisant notre énergie sur des cibles devenues plus prioritaires. Brach ne faisait rien, ni ne fréquentait plus personne d'intéressant pour nous. Son commentaire sur la vidéo nous a certes un peu titillés, mais nous avons des menaces bien plus concrètes à étudier qu'un type qui exprime son extrémisme une fois en cinq mois. Surtout qu'il avait une vie de famille, un boulot... Nous ne pouvions nous permettre de gaspiller nos forces sur un gars au profil si peu marginal et qui n'avait contre lui que ses rencontres avec Fissoum au moment où il se passait quelque chose dans le monde des fanatiques d'Allah. Mais ça explique néanmoins pourquoi nos écrans ont clignoté quand vous avez commencé à poser des questions à tout le monde et à consulter les bases de données sur Brach.

— Et Fissoum pendant tout ce temps ?

— Lui c'est un gros bonnet, nous ne l'avons pas lâché. Il a continué sa petite vie, ses fréquentations, mais plus discrètement, comme s'il s'était calmé ou qu'il avait compris qu'on l'avait dans le collimateur.

— Vous avez su ce qui avait déclenché les grandes oreilles ?

— Non. Mille raisons pour l'expliquer, aucune à valider. Bienvenue dans un monde de frustrations.

— Si je résume, mon macchabée est un ancien délinquant qui trouve le salut à travers la foi en prison, et qui devient un type droit en sortant, se marie, fait un gosse, exerce un boulot régulier qu'il fait bien. Cinq mois avant sa mort, il a fréquenté brièvement mais assidûment un dangereux radical, avant de finir massacré par un train à côté d'un sac plein de came. Quel merdier...

— Vous comprenez pourquoi je dois savoir qui a tué Laurent Brach et pour quelle raison ?

— Vous vous rendez compte du mal qu'ils se sont donné ? Tout ça pour quoi ?

— Tout ça pour que nous passions à côté de l'essentiel.

L'Audi s'engouffra dans un tunnel et, dans la pénombre, le regard de Marc Tallec sur Ludivine prit un pâle éclat trouble mais pourtant diaboliquement incisif.

15.

Ludivine ne comprenait pas où Marc Tallec voulait en venir.

— Plus un crime est complexe, plus l'assassin risque de laisser une trace quelque part, énonça-t-elle, et nous la trouverons. Même si nous y passons deux mois au lieu de trois semaines. Je ne vois pas…

— L'essentiel, Ludivine. Vous restez sur qui et pourquoi, et compte tenu de la scène de crime c'est exactement ce qu'on est en droit d'attendre de vous. Un crime pareil, ça focalise toute l'attention et tous les moyens sur l'auteur des faits, parce qu'il est hors norme. Et ça vous pousse à considérer que le choix de la victime était lié au hasard. Laurent Brach était au mauvais endroit au mauvais moment, il a croisé la route d'un pervers. Et si cette piste-là ne vous suffit pas, il y a celle de la drogue.

Le raisonnement de Marc Tallec fit enfin sens dans l'esprit de Ludivine. Elle conclut :

— Autant d'éléments qui nous éloignent de l'hypothèse la plus simple : Laurent Brach a été tué pour ce qu'il était et le tueur ne veut pas que nous enquêtions trop vite et profondément de ce côté.

Marc fit claquer son pouce contre son majeur en signe de victoire.

— C'est un réseau qui l'a tué, ajouta-t-il. Et qui veut nous éloigner de lui en nous gavant de pseudo-indices pour que nous partions à la recherche d'un grand pervers fantôme. Et pas n'importe quel réseau : une cellule islamiste.

— Parce que Brach était sur le point de les balancer ?

— Peut-être. Il savait ou avait découvert quelque chose. En tout cas c'était suffisamment grave pour qu'ils prennent des risques en le tuant.

Ludivine réfléchit avant de faire la moue.

— Je ne sais pas. Dans ce cas pourquoi n'ont-ils pas plutôt enterré le cadavre dans une forêt ? N'importe où pour qu'on ne le retrouve pas avant longtemps... Sa femme aurait signalé sa disparition, d'accord, mais le temps que les services judiciaires concernés prennent l'affaire au sérieux compte tenu des antécédents criminels du disparu, il se serait passé un sacré long moment ! Alors que là au contraire ils ont attiré notre regard sur lui. Vous ne croyez pas que par déformation professionnelle vous voyez du terrorisme partout ?

— Possible. C'est pour ça que vous êtes là. C'est à vous de me dire ce que je dois croire.

Au regard des enjeux possibles, Ludivine se sentit soudainement écrasée par sa responsabilité.

— Bon, pour l'instant, faisons à ma manière avec ce que nous avons, reprit-elle en tournant dans la rue de Nanterre où se trouvait le bâtiment de l'OCRVP.

L'Office central pour la répression des violences aux personnes dépendait de la police judiciaire, mais il abritait également le groupe SALVAC où policiers et militaires de la gendarmerie cohabitaient pour sa bonne gestion. À l'intérieur, les couloirs et les bureaux s'enchaînaient dans un calme surprenant. Ludivine frappa à la porte entrouverte d'une petite pièce qui sentait le chaud à cause des ordinateurs et des imprimantes. Un homme qui détonnait avec le reste de ses collègues se leva aussitôt. Cheveux gominés et savamment lissés en arrière, teint de surfeur incongru en cette mi-novembre, polo Lacoste mauve sous un cardigan bleu roi, tout en lui respirait le culte de l'apparence et du jeunisme – ainsi que la crème de soin parfumée pour le visage qu'il devait consommer par palettes.

— C'est bien que tu sois venue, dit-il en mâchant ostensiblement un chewing-gum.

— Philippe Nicolas, notre cocrim préféré. Je te présente Marc Tallec avec qui je travaille en ce moment. Depuis quand est-ce que c'est toi qui gères le SALVAC ?

Le cocrim se pencha et répondit sur le ton de la confidence :

— Il y a une petite poulette qui bosse pour l'Office, rien de sérieux, hein, mais ça me distrait. Du coup, je suis souvent fourré là... Quand j'ai vu ta demande en analyse je me suis permis de jeter un œil.

Ludivine haussa les sourcils, amusée, et préféra enchaîner à l'intention de Marc Tallec :

— Compte tenu de la singularité de certains aspects de notre scène de crime, j'ai tout de suite voulu lancer une recherche SALVAC. Pour faire simple, c'est un logiciel qui répertorie les données précises de tous les homicides, agressions sexuelles, tortures et actes de barbarie, empoisonnements, séquestrations, disparitions et ainsi de suite, y compris les tentatives de tous ces crimes. Tout y est enregistré dans les moindres détails. Lorsqu'un enquêteur quelque part sur le territoire est pris d'un doute sur une affaire qui lui laisse à penser qu'il pourrait y avoir des rapprochements avec d'autres, il peut remplir un questionnaire SALVAC et demander une étude. Des analystes entrent ses données dans le logiciel et voient ce qu'il en ressort avant de comparer et de livrer leurs conclusions.

— Dès la découverte du cadavre vous avez lancé un questionnaire ? s'étonna Marc Tallec.

— Vous parliez de mon instinct tout à l'heure, je l'ai suivi depuis le début. Quelque chose d'étrange, un ensemble de petites particularités. Tu as trouvé quoi, Philippe ?

— Le logiciel a sorti deux affaires avec des points communs flagrants mais aussi des différences majeures. C'est peut-être bidon, mais sinon c'est... eh bien, à toi de me dire.

Il attrapa deux pochettes de couleur sur un bureau et les ouvrit distraitement car il ne faisait aucun doute qu'il connaissait déjà parfaitement les détails.

— Déjà, commença-t-il, on est pas du tout sur le même profil de victimes. Là il s'agit de femmes, dans les deux cas. Et plus surprenant encore, elles ont été violées.

— De la drogue retrouvée sur les scènes de crime ? demanda Marc.

— Non, rien. Ni dans les analyses sanguines des victimes.

— Pourquoi le SALVAC les a sorties alors ? s'enquit Ludivine.

— Les deux filles ont été abandonnées sur une voie ferrée, et à chaque fois elles avaient été entièrement lavées au désinfectant.

Ludivine prit les pochettes des mains du cocrim.

— C'est lui, dit-elle après avoir rapidement feuilleté les documents. Aucun doute, c'est le même coupable. Nous avons un tueur en série sur les bras.

La pluie tambourinait sur la véranda, diluant les rares lumières de la rue qui auraient dû filtrer à travers la végétation du jardin. Ludivine se sentait isolée, loin de tout. Elle avait allumé plusieurs lampes dans le salon pour repousser la nuit, et marchait pieds nus sur le parquet frais. Quand elle rentrait chez elle, elle s'imposait de conserver un minimum de rituels pour que sa vie professionnelle n'engloutisse pas totalement la femme qu'elle demeurait, c'est pourquoi elle était montée se changer, un bas de pyjama ample et doux, un sweat-shirt rassurant, élastique dans les cheveux, arme au coffre, avant de redescendre pour allumer un feu dans la cheminée.

À présent la tasse de thé qu'elle s'était préparée ne fumait plus, presque froide, tandis qu'elle reculait pour admirer son œuvre, le crépitement des braises dans le dos. Le Fazzino de Paris en 3D était décroché, posé au sol face contre le mur, et à sa place, plusieurs immenses feuilles de paperboard avaient été scotchées bord à bord jusqu'à former un immense tableau sur lequel Ludivine avait séparé trois espaces.

Un pour chaque victime, de la première à la dernière.

Nom, âge, profil général.

Cause de la mort.

Similarités et différences d'un crime à l'autre.

Ludivine était parvenue à joindre les directeurs d'enquête des SRPJ concernés pour se faire briefer sur les deux premiers meurtres. Deux flics coopératifs, gentils, déçus de n'avoir pas sorti leur affaire, avaient accepté de partager leurs infos avec elle, en off, et même de lui faire suivre les dossiers à condition qu'elle les tienne au courant. Elle s'en voulait d'avoir caché à chacun l'existence de l'autre et se jura d'y remédier plus tard, une fois qu'elle en saurait davantage. C'est elle qui avait fait le lien.

Trois vies rayées. Détruites. Annihilées à jamais.

Les trois victimes avaient été assassinées puis soigneusement lavées au désinfectant avant d'être déposées sur une voie de chemin de fer, dans un virage. Dans les trois cas, les corps avaient été sectionnés par le passage d'un train.

En soi, et malgré des différences notables, cet aspect-là du mode opératoire aurait suffi à Ludivine pour soupçonner que le tueur des deux femmes et celui de Laurent Brach étaient le même, mais la cause de la mort lui en donnait la certitude : asphyxie par strangulation à l'aide de trois à quatre instruments fins et résistants serrés si fort qu'ils s'étaient enfoncés dans les chairs, obligeant le tueur à laisser des marques de ciseaux dans les tissus pour parvenir à les découper ensuite. Il faisait peu de doute qu'il devait s'agir de colliers de serrage en plastique, qu'on appelait en général « serflex », comme les menottes de plus en plus utilisées par les CRS, le RAID ou le GIGN.

Une mort lente.

Abominable.

Pour la deuxième victime, les colliers étaient si serrés qu'ils avaient fini par sectionner les veines jugulaires externes.

Perte de contrôle ? Rage supérieure ? Frustration ?

Ludivine analysait chaque donnée.

L'homme avait tué à trois reprises déjà.

Au moins.

Il y avait une escalade entre le premier et le deuxième meurtre. La deuxième victime avait été frappée à de nombreuses reprises, y compris et surtout post mortem. Des côtes brisées, d'innombrables ecchymoses qui n'avaient pas eu le temps de marquer sur la peau, mais qui se révélaient dès lors qu'un légiste effectuait les « crevaisons » à l'aide de son scalpel pour répertorier tous les vaisseaux détruits par les coups.

Pourquoi le tueur avait-il changé après avoir tué deux femmes ? Le déferlement de haine sur la deuxième témoignait-il d'une frustration plus grande ?

Besoin d'essayer autre chose pour libérer ses fantasmes ?

Les blessures au niveau du vagin et de l'anus témoignaient de viols particulièrement violents, probablement multiples bien que les tissus, en grande partie abîmés par un « lavage insistant à la Javel » ne permettaient pas d'être formel. Il s'agissait de crimes sexuels dans le cas des femmes, sans aucun doute possible : la pénétration n'était pas « hasardeuse », ni la conséquence d'une escalade non maîtrisée, elle était la raison des deux attaques, leur motivation première. À l'inverse, aucun indice relevant d'une agression sexuelle concernant Laurent Brach.

Pourquoi tu t'en prends à un homme ? Besoin d'une proie plus à même de te résister ?

Non, ça ne collait pas. Le viol était au cœur des premiers meurtres, Ludivine n'avait aucun doute. Il y avait huit mois entre les deux, huit mois pendant lesquels le tueur avait dû se repasser en boucle les souvenirs de sa première fois. Huit mois de fantasmes grandissants, de frustration contenue. Était-ce pour cela qu'il s'était à ce point lâché sur la deuxième victime ? Lui faisait-il payer la trop longue attente ?

Ludivine secoua la tête. *Non. Il a un rapport direct à ses victimes, il les utilise pour assouvir sa pulsion mais il ne les garde pas avec lui pendant plusieurs jours.*

Enlevées, violées, tuées et abandonnées sur moins de vingt-quatre heures. *Les grands pervers sexuels qui passent à l'acte essentiellement pour la jouissance et qui ont ce degré de contrôle se fabriquent un esclave sexuel. Ils enlèvent leur proie et la séquestrent plusieurs jours, au moins, pour épuiser leurs fantasmes avant de la mettre à mort pour s'en débarrasser.*

Lui préfère l'immédiateté. Peut-être plusieurs pénétrations en quelques heures et la mort. Pas de cohabitation avec la future victime, pas ou peu de séquestration, le moins de contacts possible en définitive, il ne voulait pas jouir à loisir, mais répondre à un élan irrépressible. *Et pourtant il est d'une prudence incroyable...*

Les femmes étaient chosifiées à l'extrême. Usage unique.

140

La lumière se fit dans l'esprit habité de ténèbres de Ludivine. Un tout petit point mais qui brillait tel un phare dans la nuit.

La jouissance est moins forte que le fantasme. Il est frustré. Il est déçu, jusqu'à la rage. C'est pour ça qu'il tue rapidement. Il a tenu huit mois après la première parce que ça n'était pas à la hauteur de ce qu'il imaginait. Et lorsque finalement les pulsions sont redevenues trop obsessionnelles, il a recommencé, mais c'était là encore décevant, et il s'est mis en colère. Il a cogné la deuxième, encore et encore, pour déverser toute sa frustration…

Après il avait tenu encore pendant presque deux ans et il s'en était pris à un homme, Laurent Brach.

Non, le sexe est au cœur de sa motivation, se répétat-elle, *et Brach n'a pas été agressé de cette manière. Il y a autre chose dans sa motivation.*

Et puis deux ans d'attente, c'était long pour un pervers aussi déterminé. En général c'était plutôt l'inverse, à mesure qu'il prenait confiance, ce type de criminel avait tendance à céder de plus en plus vite à ses fantasmes, il passait à l'acte de plus en plus souvent…

Était-il en prison pendant ces deux ans ? Détenu avec Laurent Brach ?

C'était possible. Et le mode opératoire était si précis, si calibré que Ludivine ne l'imaginait pas une seconde en changer entre ses crimes. Il ne s'était pas fait pincer pour les deux filles, il n'avait aucune raison de s'en éloigner. Un mode opératoire si singulier relevait presque du fantasme lui-même, une part de sa signature criminelle, il ne pouvait en changer si radicalement. Non, il n'y avait pas d'autres crimes que ces trois-là.

À moins qu'on ait conclu pour d'autres victimes à un suicide, bâclant le dossier, sans même remarquer les traces d'agression sexuelle, et qu'il soit classé sans suite, sans vérification...

Ludivine nota qu'il faudrait creuser de ce côté-là, établir la liste de tous les suicidés sur voie de chemin de fer, et approfondir le profil et les circonstances de chacun.

Cela n'expliquait toujours pas pourquoi il était passé au meurtre d'un homme selon le même mode opératoire très personnel mais sans la dimension sexuelle pourtant essentielle à sa dynamique criminelle.

Marc Tallec pouvait-il avoir raison ? Le crime d'un réseau ?

Non, ce mec est trop autocentré, il tue seul. Il le fait pour lui, pour son plaisir, pour assouvir ses besoins, ça ne peut pas être partagé avec d'autres.

Alors un crime de commande ?

Ludivine soupira. Un tueur en série devenu tueur à gages ? C'était assez loufoque.

Il n'y a que dans les séries télé que ça peut marcher. Un vrai pervers répond à des tiraillements profonds et intimes, il est l'esclave de ses perversions, certainement pas capable de les manipuler pour rendre service ou gagner de l'argent !

Complètement farfelu. Elle ne supportait pas de regarder *Dexter* et les autres séries du même acabit à cause de ça. C'était hollywoodien à souhait, rien de crédible, une incompréhension totale des mécanismes psychiques qui poussent les êtres humains à devenir des tueurs.

Alors pourquoi ce changement de profil ? Pourquoi Laurent Brach ? Était-ce lui en particulier ou juste un homme au hasard ?

Ludivine décida de passer à autre chose, et se mit à déambuler dans son vaste salon. Le feu dans la cheminée commençait à s'éteindre doucement et elle fourragea dans les braises à l'aide du tisonnier pour le raviver. Son visage s'éclaira de lueurs rouges, les flammes se reflétèrent dans ses pupilles.

Il est obsédé par la propreté.

Pris individuellement, cet élément pouvait orienter vers un profil de pervers bien particulier, toutefois Ludivine ne pouvait le décorréler de tout le reste. Notamment les ongles et les cheveux.

Dans les trois crimes, des ongles de différentes natures et origines avaient été collés sur ceux de la victime après que ces derniers avaient été récurés profondément, jusqu'à entailler le doigt. De la même manière, des mèches de cheveux coupées proprement et n'appartenant pas à la victime étaient systématiquement mélangées aux siens. Segnon n'avait peut-être pas tort lorsqu'il avait dit par boutade que le tueur de Laurent Brach faisait les poubelles des coiffeurs et des ongleries.

Un chewing-gum avait été retrouvé dans la gorge de la première victime, qui ne contenait pas son ADN mais celui d'un individu inconnu, et Ludivine était prête à parier qu'il ne s'agissait pas de celui du tueur mais d'un quidam lambda qui avait eu le malheur de jeter sa sucrerie là où le tueur avait pu la récupérer.

Il aime brouiller les pistes. Les voies de chemin de fer c'est aussi pour ça. Parce que les corps seront encore plus abîmés, parce que c'est un lieu constellé de déchets avec des centaines sinon des milliers de prélèvements à effectuer et tout autant d'analyses ADN.

Ludivine commençait à se faire une idée générale.

Il ne les lave pas avant de les tuer. Il s'en fiche. Il le fait ensuite, seulement pour effacer toute trace de son passage. Leur propreté lui est égale, ce qu'il veut c'est ne pas laisser d'indice conduisant jusqu'à lui. Jusqu'à remplir leurs cavités vaginale et anale de javel et frotter...

Un monstre.

Petit à petit, à la lecture des rapports détaillés, Ludivine acquérait des convictions. Plus elle lisait, plus l'évidence lui sautait aux yeux. Elle était douée pour ça. Richard Mikelis, le grand criminologue qui l'avait prise sous son aile, avait de quoi être fier. Elle avait travaillé dur et assimilé un immense savoir théorique. Elle connaissait le cadre. Ce qui faisait sa force, c'était sa capacité à le remplir intelligemment, pas seulement à *sentir* les faits ou à deviner le sens des actes et à interpréter justement chaque geste. Elle pouvait certes se glisser dans la peau de détraqués, les comprendre, percevoir la logique interne et dysfonctionnelle de chacun selon les traces qu'ils laissaient dans leur sillage, sur leurs victimes, mais elle était surtout capable de faire parler ces traces, ces rapports, ces photos...

La pluie avait cessé au-dehors sans que Ludivine s'en soit rendu compte, pas plus qu'elle n'était dérangée par ses pieds devenus glacés sur le parquet froid.

L'afficheur digital de la box Internet indiqua qu'il était minuit. La jeune femme était encore debout, face à son mur couvert de notes, avec la certitude que « le tueur des rails », comme elle l'appelait désormais, était tout près, juste sous leurs yeux, son nom complet au chaud dans un fichier.

Et soudain, aussi simplement qu'il suffit de changer de position pour découvrir le motif dissimulé par une anamorphose, Ludivine analysa les données sous un autre angle, et alors elle sut.

16.

Comment garder l'équilibre lorsqu'il n'y a aucun repère, que le vide est omniprésent ?

Ludivine se le demandait sans cesse pour conserver les idées claires, pour ne surtout pas céder à la peur et se laisser envahir par les tentacules impitoyables de la terreur qui vous vident de toute pertinence, de la moindre capacité de raisonnement et d'action.

Il lui semblait qu'elle flottait dans les ténèbres, engourdie par les heures, repliée sur elle-même, dans le froid, sans plus aucune notion du temps, seulement celles de la soif et de la faim qui commençaient à la tirailler.

Un papillon nocturne ne finit pas brûlé vif sur une ampoule incandescente par hasard. Il grille parce qu'il a trop tourné autour, fasciné, attiré malgré le danger, parce que c'est plus fort que lui. Ludivine était ce papillon. Elle s'était approchée trop près. Elle, ce n'était pas la lumière qui l'avait fascinée, mais les ténèbres. Et il ne pouvait pas le tolérer. Parce qu'il ne faisait plus aucun doute à présent que c'était lui qui l'avait enlevée. Lui qui attendait, quelque part au-dessus d'elle. Ludivine en était à présent convaincue.

Tout avait commencé au bord d'une voie de chemin de fer un vendredi soir, avec le cadavre de Laurent Brach.

Où et comment cela allait-il se terminer ?

Stop. Ça ne m'aide pas. Uniquement des pensées utiles. Tout repenser. Tout revoir. Analyser. Comprendre. Tirer des conclusions.

Ludivine savait que le tueur des rails ne gardait pas ses victimes avec lui très longtemps. À vrai dire, c'était miraculeux qu'elle soit toujours en vie. Qu'il ne l'ait pas encore violée.

Elle serra les poings et ses poignets entravés lancèrent une décharge jusqu'à ses épaules. Les colliers de serrage étaient si ajustés qu'ils lui entaillaient déjà sérieusement la peau.

Ça aussi c'était un élément probant, les serflex.

Aussitôt, Ludivine préféra chasser de son esprit les images qui lui revenaient de ces filles étranglées par les lanières de plastique.

Pense utile !

Qui était-il ? Quels étaient ses fantasmes, ses besoins, son parcours ? Par quel cheminement psychique était-il passé pour en arriver à son premier passage à l'acte ? Où en était-il à présent ? Ludivine devait se concentrer sur la matière susceptible d'alimenter l'espoir qui brûlait un peu plus à chaque seconde, pour tenir l'obscurité à l'écart de son âme. Elle devait trouver une brèche, aussi fine soit-elle, un interstice par lequel se glisser dans sa tête, pour qu'au moins un instant il ne voie plus en elle un simple outil récalcitrant, mais un être humain.

Il y a trop de barrières entre son empathie et les autres, c'est un bunker inexpugnable. Ce n'est pas la carte qu'il faut jouer. Je n'y arriverai pas, jamais il ne verra en moi une femme, un être sensible, il me faudrait beaucoup plus de temps, c'est perdu d'avance !

Ne restait qu'une option sur la table : devenir un miroir. Le comprendre assez bien pour qu'il stoppe son geste au moment d'agir contre elle, qu'il l'entende, et que ses mots soient suffisamment pertinents pour qu'ils fassent mouche en quelques instants. Elle devait lui parler de lui. Elle ne pouvait pas être une femme qu'il respecterait, c'était impossible, en revanche elle pouvait tenter d'agir comme une projection de lui-même, un fragment de cette conscience enfouie loin sous des couches de souffrance, d'indifférence et d'égoïsme. Un pervers comme lui n'écoutait personne d'autre que lui-même.

Oui, c'est ça. Et pour ça il faut que je localise la faille dans son raisonnement, pour fendre son armure de violeur, de tueur et m'introduire en lui.

Ces derniers mots la firent frissonner.

Après tout ce qu'elle avait vécu, tout ce qu'elle avait affronté, et alors même qu'elle commençait à redevenir une femme et non une coquille hermétique, elle refusait de finir ainsi. C'était impossible.

Mais Ludivine savait qu'il lui manquait des éléments. Elle avait beau se souvenir de tout, elle n'apercevait pas encore la moindre fêlure par laquelle s'immiscer.

Du temps, juste encore un peu de temps, c'est tout ce que je demande.

Reprendre le fil de son enquête. Il y avait forcément plus que ce qu'elle croyait se remémorer. À côté de quoi était-elle passée ?

Cette frustration devenait envahissante. Ludivine était habituée à l'urgence des enquêtes, habitée par ce terrible sentiment que chaque jour qui passe est un jour donné au criminel pour qu'il recommence, que chaque semaine d'une investigation qui piétine est peut-être la dernière semaine d'un homme ou d'une femme dont le tueur fera sa victime. Mais cette fois, c'était elle la victime. Elle jouait sur tous les tableaux en même temps, et cela la paralysait. De combien de temps disposait-elle, elle ? Quelques heures ? À peine quelques minutes ?

Elle expira lentement, les paupières closes. Des ténèbres sur des ténèbres. Son corps était endolori, ses fesses lui faisaient mal à force d'être recroquevillée de la sorte, ses poignets la brûlaient, sa gorge se parcheminait lentement.

Alors qu'elle essayait de se concentrer à nouveau sur l'enquête, un grattement la fit sursauter. Un frottement régulier, quelque part au-dessus d'elle, derrière la paroi.

Se pouvait-il qu'elle ne soit pas seule ? Une autre victime ?

Très vite, tout espoir s'éteignit lorsqu'elle entendit une voix au loin, étouffée par l'épaisseur du mur :

— Je… te… sens…

Assurément un homme. Il semblait loin, et pourtant Ludivine ne se fit aucune illusion, elle sut de qui il s'agissait et qu'il s'adressait à elle, ou plutôt qu'il lui parlait pour faire monter sa propre excitation.

Il gratta encore contre la terre et ajouta, plus fort cette fois :

— Tu ne seras plus jamais seule... toi et moi... je vais te remplir... et après tu seras... à moi...

Il parlait d'une voix haut perchée, en surarticulant chaque syllabe, ce qui le rendait encore plus effrayant.

La respiration de Ludivine s'accéléra. La rage se diffusa en elle, lui faisant crisper les poings. Si seulement elle n'était pas entravée...

— Sois bien mûre... pour que je te fasse éclater avec mes reins...

Ludivine serra les dents et, de colère autant que de désespoir, elle tapa plusieurs fois dans la pierre derrière elle avec l'arrière de son crâne.

Il lui fallait un moyen d'entrer dans son esprit, et il le lui fallait tout de suite.

17.

La rumeur de l'autoroute A115 qui passait non loin, bien qu'invisible au fond de son sillon, contrastait avec les paysages de champs en friche et la colline boisée qui entouraient l'Audi TT RS garée sur le bas-côté d'une petite route perdue au nord-ouest de Paris. Un îlot de campagne à moins de trois quarts d'heure de la capitale.

Une berline aux vitres fumées ralentit à la hauteur de Ludivine, appuyée sur l'aile de son bolide. Marc Tallec était au volant et baissa la vitre :

— C'est quoi cette histoire d'identification ? demanda-t-il sans autre forme de salut.

— Vous faites toujours confiance à mon instinct ? Je suis convaincue que le tueur est déjà dans nos fichiers. Je vous fais le résumé. Il a un rapport à ses victimes qui n'est que dans la chosification. Ce sont des objets qu'il utilise pour son plaisir. Même les tuer ne l'excite pas, d'où l'utilisation de colliers de serrage, je ne suis même pas sûre qu'il reste à côté tandis qu'elles agonisent. C'est un pervers sexuel exclusivement, mais qui ne parvient pas à la jouissance fantasmée.

— Un impuissant, donc ?

— Pas exactement, non, je pense que la charge du fantasme chez lui est immense, et qu'en comparaison, au moment de jouir de ses proies, ce qu'il ressent n'est pas à la hauteur de son rêve, de toutes ses attentes, de ses efforts. C'est pour ça qu'il a battu la deuxième victime, trop de frustration après avoir autant rêvé du truc. Mais son obsession pour les nettoyer, elle, ne baisse pas. Il est d'une minutie extraordinaire. Excessive même. Les laver à la Javel, jusque dans les... leurs parties intimes... récurer leurs ongles, mélanger des cheveux et des ongles d'autres, ça fait beaucoup, mais les faire découper en plus par des trains... au milieu de dépotoirs... Bref, il se donne plus de mal pour éliminer les traces que pour enlever ses victimes.

— Un dingue, j'avais compris, merci.

— Oui, mais il ne fait pas ça par hasard. C'est au contraire le fruit d'une expérience, d'un processus de réflexion adapté.

Marc Tallec baissa ses lunettes de soleil pour attendre la suite.

— Il s'est déjà fait choper ! conclut Ludivine comme s'il s'agissait d'une évidence. C'est un violeur qui s'est fait attraper, à cause de son ADN probablement, et aussi du témoignage de sa ou ses victimes. Il a déjà fait de la taule, et c'est pas ça qui l'aura calmé. Un pervers pareil ne se remet pas en question quand il est enfermé, il fait plutôt mûrir ses fantasmes. C'est là qu'il a eu l'occasion de préparer la suite. Cette fois il ne se fera pas avoir par un témoin, ni par des traces. Il est obsédé par l'idée de brouiller les pistes parce que ça lui a déjà coûté très cher !

Marc approuva doucement.

— OK, jusque-là je vous suis.

— Nous avons donc son nom dans nos fichiers. J'ai demandé à Guilhem de me sortir tous les violeurs de moins de quarante-cinq ans sortis de prison un an avant le premier crime. Je pense que ses pulsions sont trop fortes, il n'a pas pu les contrôler pendant des décennies avant le passage à l'acte. Même s'il a fait dix ans de prison, il a quarante piges tout au plus. Ensuite on regardera quels violeurs vivent désormais en Île-de-France et lesquels ont des profils qui pourraient correspondre. Je vais y travailler dès que je pourrai.

Marc désigna Segnon, engoncé dans le siège passager du coupé.

— Pourquoi on est ici alors ?

Ludivine se tourna en direction de la petite colline boisée vers laquelle partait un chemin plus qu'une route.

— Le premier meurtre est toujours le plus parlant. Le tueur ne choisit pas sa toute première victime n'importe comment. Il y a forcément quelque chose à glaner pour mieux le comprendre. La fille vivait là-haut, sur la butte de Montarcy, dans un camp de Roms.

Marc Tallec fit une grimace contrariée.

— Pas le genre à s'ouvrir facilement aux flics.

— C'est pour ça qu'on y va entre nous, sans renforts. Je préférerais ne pas me les mettre à dos, donc si vous le voulez bien, je mène la discussion. Vous et Segnon vous restez en retrait, juste au cas où…

Dix minutes plus tard, l'Audi entrait en cahotant dans une clairière au sommet de la colline, après avoir remonté un chemin jalonné de déchets, sacs-poubelle, électroménager vétuste, meubles cassés, moteurs dépouillés que les ronces et les feuilles mortes tentaient de dissimuler tant bien que mal.

Plusieurs cabanes rudimentaires apparurent, faites de bric et de broc, minuscules. Du papier journal était tendu dans la plupart des encadrements servant de fenêtres, et des cheminées bricolées avec des gaines de ventilation récupérées crachotaient leur panache gris dans l'air maussade de la matinée. Du linge flottait entre les masures comme autant de spectres.

Personne en vue.

Ludivine se gara à l'entrée du camp et fit signe à Segnon de l'attendre dès qu'il eut déplié son immense carcasse. Marc Tallec stoppa son véhicule juste derrière et laissa aussi la gendarme s'avancer seule.

Un sentier de terre battue serpentait entre les cabanes et les arbres. Ludivine avait peine à croire que plus d'une centaine de personnes vivaient ici, avec des enfants.

Une balle tomba devant elle et rebondit jusqu'à sa voiture. Trois petites silhouettes surgirent sans un bruit et la dévisagèrent avant de remarquer l'engin de course. La fascination balaya la méfiance et ils se ruèrent tout autour sans pour autant perdre du regard le colosse noir et le Blanc en parka militaire postés en retrait.

Ludivine se retourna pour continuer son exploration, mais elle se retrouva nez à nez avec un homme de taille moyenne, joues creusées, teint basané, moustache grise et regard noir. Lui aussi était sorti de nulle part, et il lui barrait à présent le passage.

— Vous voulez quoi ? demanda-t-il d'une petite voix aiguë et avec un accent de l'Est.

Plusieurs de ses incisives brillaient comme de l'or.

Consciente que sa tenue civile pouvait prêter à confusion, Ludivine montra sa carte militaire.

— Je ne viens pas vous embêter, au contraire, je voudrais vous aider.

L'homme recula d'un pas, l'air peu amical.

— Pas d'ennuis, ici tout est calme.

— Je viens pour Georgiana Nistor.

Une lueur passa dans le regard de son interlocuteur.

— Vous avez attrapé le salaud ?

— Non. Justement, j'ai quelques questions à vous pos...

— Déjà tout dit.

— Je sais, c'étaient mes collègues du SRPJ de Versailles, mais moi je suis une autre enquêtrice. Vous comprenez ? Je voudrais vous...

L'homme secoua la tête farouchement et montra les voitures :

— Non, non, c'est déjà dit, allez-vous-en.

— Je...

— Assez ! aboya-t-il. Laissez-nous tranquilles.

— Zsik ! s'écria une femme non loin.

La silhouette épaisse se tenait à l'entrée d'une petite bicoque qui menaçait de s'effondrer, une bâche bleue en guise de toit. Elle s'adressa à l'homme sur un ton tranchant, dans une langue que Ludivine ne connaissait pas, puis l'homme pesta et cracha au sol avant de s'éloigner.

— Merci, madame, commença Ludivine en se rapprochant.

La femme était sans âge, probablement à peine quarante ans, mais elle en paraissait au moins dix de plus. Une longue tignasse noir corbeau soigneusement peignée, assez petite, elle s'emmitoufla dans une robe de chambre usée jusqu'à la trame, par-dessus ses vêtements.

— Zsikajo est dur avec la police. Ses deux fils ont des ennuis...

Elle aussi avait un accent à couper au couteau mais elle s'exprimait facilement.

— Je suis désolée. Je viens pour Georgiana Nist...

— J'ai entendu. C'est gentille fille, je veux aider.

— J'imagine que vous la connaissiez, dit Ludivine en se sentant un peu bête.

Elle jeta un coup d'œil autour d'elle et constata que la communauté s'étendait bien plus profondément dans la forêt qu'elle ne l'avait supposé. Il y avait des cabanes partout, aussi loin qu'elle pouvait distinguer. Certaines s'appuyaient sur des troncs, d'autres étaient faites de simples palettes renforcées et recouvertes de plaques de tôle, quelques-unes étaient plus sophistiquées et plus grandes... Entre des piles de cartons et de caisses en bois fracassées, il y avait des caddies de supermarché bourrés de linge ou de pièces de mécanique. Plusieurs adolescents circonspects se réchauffaient autour d'un baril où brûlaient des bûches, et une longue table avec des bancs bricolés accueillait plusieurs personnes qui scrutaient Ludivine avec assez peu de bienveillance.

— Tout le monde connaît Georgiana.

— Vous n'avez aucun lien de parenté avec elle ?

— Je suis tante.

Espérant qu'un peu d'intimité aiderait la femme à se confier, Ludivine désigna la porte de ce qui lui servait d'habitation :

— Peut-on entrer ?

La femme secoua la tête sans méchanceté.

— C'est mieux ici. Vous voulez entendre quoi ?

Un peu déstabilisée, Ludivine se reprit en pensant à son enquête :

— Celui qui a fait du mal à Georgiana a recommencé. Avec une autre fille, vous le saviez ?

La femme porta la main devant sa bouche où plusieurs dents manquaient.

— Je suis navrée de vous l'apprendre, insista Ludivine. Je crains que Georgiana ait été la première. En ce sens, il se pourrait qu'il ait pris le temps de l'observer avant d'agir. Vous savez si elle sortait beaucoup d'ici ?

— Oui, presque tous les jours.

— Pour aller où ?

— Ça dépend. Cergy, Paris, sur le bord de la nationale à Éragny.

— Elle… travaillait ?

La femme acquiesça et Ludivine se demanda si Georgiana faisait la manche ou si cela allait parfois plus loin, mais elle n'osa évoquer le tapin de peur de froisser celle qu'elle devinait être une des rares qui accepteraient de lui parler. Pas encore, elle attendrait la fin de l'entrevue.

— A-t-elle mentionné un homme en particulier dans la période précédant sa disparition ?

— Pourquoi ?

Un air méfiant s'affichait à présent sur les traits de la Rom. Ludivine décida de jouer cartes sur table :

— Je pense que son assassin a pu lui tourner autour avant de passer à l'acte. Ce n'est pas sûr, mais c'est une possibilité.

— Il connaît Georgiana ?

La gendarme dodelina, embêtée.

— Peut-être. Mais ne vous méprenez pas : je ne dis pas que c'est quelqu'un du camp. Je n'accuse personne.

Au fond, Ludivine en était même convaincue depuis l'instant où elle y avait posé les pieds : le tueur disposait d'un véhicule, d'un lieu à lui, tranquille, pour violer ses victimes. La promiscuité du camp rendait cela impossible et ses occupants manquaient cruellement de moyens, alors s'offrir un véhicule, se payer des serflex, disposer d'un endroit calme loin d'ici pour javelliser les victimes, non, certainement pas.

Constatant que la femme demeurait préoccupée, Ludivine insista :

— Vous pensez à quelque chose ?

La Rom hésita. Elle guetta brièvement ceux qui les observaient et répondit plus bas :

— Mirko.

— Pardon ?

— Parlez à Mirko.

— Qui est-ce ? Mes collègues du SRPJ l'ont déjà entendu ?

— Non. Mais Mirko est plus normal depuis.

Ludivine enregistra l'information.

— Et où puis-je le trouver, ce Mirko ?

La femme montra d'un index timide les profondeurs du camp.

Cela ne présageait rien de simple, songea la jeune lieutenant. Il devait y avoir au moins cinquante ou soixante abris et le double d'habitants parlant mal français, presque tous réticents à l'idée de répondre à celle qu'ils considéraient comme une sale flic venue leur chercher des embrouilles.

— Vous pourriez m'aider à le trouver ? demanda-t-elle.

À ces mots, un des jeunes qui traînaient autour du baril de feu apostropha la femme en roumain et lui fit signe de rentrer chez elle. Ludivine s'interposa physiquement et se rapprocha du protestataire dont la carrure était assez impressionnante.

Ludivine avait pratiqué les sports de combat pendant longtemps, elle se savait à même de riposter s'il le fallait pour maîtriser son adversaire, mais elle espérait ne pas avoir à en arriver là. Ils étaient de plus en plus nombreux à venir voir ce qui se passait. *Un coup de couteau est si vite parti...*

Elle ne portait pas son gilet pare-balles sur elle, seulement son arme de service. Elle prit une longue bouffée d'air.

— Plus vite j'obtiens ce dont j'ai besoin, plus vite je repars, dit-elle tout haut pour qu'un maximum de personnes puissent l'entendre. Je ne viens pas vous ennuyer, je suis là pour Georgiana. Avec votre aide, j'espère arrêter celui qui l'a tuée.

— Les autres schmitts ont dit la même chose, ça fait presque trois ans qu'on attend ! protesta un autre jeune.

— Ma présence vous prouve que nous n'abandonnons pas l'affaire. Mais j'ai besoin de votre aide. Pour la mémoire de Georgiana, écoutez-moi et parlez-moi.

Certains visages demeuraient totalement fermés et Ludivine sentait que même avec du temps elle ne parviendrait pas à les mettre suffisamment en confiance pour qu'ils s'ouvrent à elle. En revanche, elle détecta le doute et la fragilité chez une petite poignée. Elle joua de son élan :

— Vous ne vous en rendez pas compte, mais il est possible que quelqu'un parmi vous ait vu quelque chose, ou dispose d'une information, même anodine, qui puisse faire la différence. Est-ce que vous voulez que celui qui a fait tout ce mal à Georgiana reste impuni ? Vous n'avez pas envie de le voir au tribunal, puis derrière les barreaux ? Ce n'est pas la police ou la gendarmerie que vous aidez en me parlant, c'est la mémoire de Georgiana.

À ces mots, un vieil homme lui lança :

— Mirko Matesco.

— Sale poucave ! répliqua aussitôt un des jeunes.

Un homme particulièrement costaud déplia son bras et, avec une célérité surprenante, gifla l'arrière du crâne du jeune en le sermonnant. Nul besoin de parler roumain pour comprendre qu'il était question de respect des aînés.

— Où puis-je trouver ce Mirko ? demanda Ludivine.

— Il a rien à voir, insista un autre jeune.

Mais le vieil homme siffla pour le faire taire.

— C'est pas une gadjo qui va s'en mêler, s'énerva le jeune.

La discussion s'envenima et plusieurs personnes se levèrent pour s'opposer tandis que le ton montait.

Le regard usé du vieil homme fixait Ludivine. Il inclina la tête et lui montra la suite du camp. Sans attendre, la gendarme se glissa entre deux palissades branlantes et s'enfonça plus avant parmi les taudis.

Ludivine avait compris que Mirko devait être un adolescent, puisqu'il était particulièrement défendu par ceux de sa génération, vraisemblablement ses amis. Et comme il était impossible pour elle de pénétrer dans les minuscules cabanons, elle espérait que le Mirko en question serait à l'extérieur. La plupart des habitants semblaient vivre dehors, ce qui se comprenait sans mal. Des enfants criaient, d'autres riaient. Des femmes parlaient en lavant du linge dans des bassines. Des nourrissons pleuraient. L'odeur de plats épicés commençait à se répandre, mêlée parfois à celle plus âcre de l'essence qui brûlait dans un demi-fût d'acier fendu sur toute sa longueur. Des chats et des chiens se faufilaient entre les jambes de Ludivine, manquant la faire tomber. Les regards se braquaient sur elle, les mots trébuchaient sur les lèvres à son passage. Une jolie petite blonde déterminée qui fendait l'air d'un œil inquisiteur, ça n'était pas commun par ici.

Soudain, elle perçut une présence sur le côté.

Une silhouette rapide.

Elle la revit un instant plus tard, se glissant un peu plus loin entre deux bicoques. Un jeune homme. Il fonçait vers l'autre bout du camp.

Il va le prévenir.

Ludivine ajusta son rythme sur le sien en s'efforçant de ne pas le perdre de vue. Elle enjambait les fagots de petit bois, les pneus renversés en guise de sièges, esquivait les groupes trop importants, sautait par-dessus les sacs-poubelle ou les jouets abîmés qui traînaient ici et là, se penchait pour éviter les cordes de vêtements qui séchaient, mais elle ne se laissait pas distancer.

Le garçon bifurqua brusquement et se rapprocha d'elle avant d'interpeller en roumain quelqu'un un peu plus loin. Dans sa phrase, Ludivine reconnut le nom de Mirko.

Elle déboucha sur un minuscule espace dégagé où deux adolescents bavardaient en s'affairant sur un scooter désossé. Le plus grand et longiligne s'était redressé et écoutait attentivement d'un air inquiet ce qu'un troisième, celui que Ludivine suivait, était en train de lui raconter.

Dès qu'il vit Ludivine, son regard se fit dur et il lâcha le tournevis qu'il tenait dans ses mains crasseuses avant de détaler plus vite qu'un lièvre sous les coups de fusil du chasseur.

18.

Les feuilles récalcitrantes à l'automne lui fouettaient le visage. Ludivine esquivait les branches basses, franchissait les racines piégeuses dans le sillage de l'adolescent qui filait avec une agilité évidente. Il contourna un talus couronné par un immense marronnier avant que la gendarme réalise qu'ils étaient de retour dans le camp, à son autre extrémité.

Ils fusèrent entre deux cabanes, baissant la tête au dernier moment pour éviter de se prendre la gorge dans une corde tendue entre elles, jaillirent au-dessus d'un petit feu sur lequel bouillait de l'eau, bousculèrent plusieurs personnes sur leur passage. Ludivine ne parvenait pas à le rattraper.

— Mirko ! s'écria-t-elle entre deux inspirations. Arrête ! Je veux juste te parler !

Elle remarqua d'autres ombres qui s'agitaient tout autour. D'autres jeunes qui commençaient à les suivre.

Soudain Mirko pénétra dans une petite baraque. Sans réfléchir Ludivine se lança derrière lui et manqua se prendre le pied dans le sol de planches fendues. Une femme cria dans la pénombre, un enfant en fit autant et Mirko disparut en soulevant une bâche qui servait d'ouverture sur l'arrière. Ludivine se dépêtra et le rata de quelques centimètres à peine. Il renversa plusieurs cuvettes d'eau de pluie puis déversa derrière lui le contenu d'étagères de fortune pour ralentir sa poursuivante, qui les repoussa en craignant un instant qu'il s'agisse d'objets lourds et tranchants, elle se prit les pieds dans des boîtes de conserve entassées là et jura, en perdant de précieuses secondes.

Cette fois il dévalait la pente à travers bois.

Ludivine accéléra, mains ouvertes, bras le long du corps, basculant son centre de gravité vers l'avant pour courir sur la pointe des pieds, encore plus vite. Elle s'efforça de rythmer son souffle, de lutter contre le rétrécissement de son champ de vision afin d'anticiper les aléas du paysage, la trajectoire de son fugitif. Toutes ses années de pratique de la course, de contrôle de son corps convergeaient en cet instant.

Elle vit en contrebas un fourré d'épineux que Mirko ne pourrait que contourner, et elle ajusta légèrement l'angle de ses foulées pour gagner un peu de terrain. Ludivine sauta par-dessus un tronc couché, traversa un rideau de feuilles rousses craquantes et ses membres se déployèrent d'un coup. Une lionne bondissant sur sa proie.

Déstabilisé et emporté par son élan, Mirko roula au sol avec la jeune femme, qui se redressa au-dessus de lui, les genoux fermement plantés dans le sol. Ses deux mains s'ouvrirent en signe de paix.

— Stop ! s'époumona-t-elle, à califourchon sur la poitrine de Mirko. Stop !

Le regard paniqué du garçon fouillait tout autour, dans l'espoir de trouver une aide quelconque, mais Ludivine hurla à quelques centimètres de son nez pour terminer de le sonner. La peur s'afficha sur ses traits face à cette femme aussi déterminée qu'enragée.

— C'est bon ? dit-elle, essoufflée, t'es calmé ? Je veux juste... te parler.

Sur quoi elle se releva en pointant un index menaçant sur lui :

— Reste là... sinon... la prochaine fois... je te mets les pinces.

Elle ouvrit sa veste en jean et désigna les menottes arrimées à sa ceinture par une pochette de cuir.

Mirko s'assit, encore groggy, des feuilles mortes dans les cheveux, et tous deux se regardèrent en chiens de faïence le temps de retrouver une respiration presque normale.

— Pourquoi tu t'enfuis ? commença Ludivine.

— J'ai peur.

— Tu sais pourquoi je suis là ?

Il hésita puis hocha la tête.

— Dyl m'a prévenu.

— Qu'est-ce qui s'est passé avec Georgiana ?

Les pupilles brunes de Mirko remontèrent à toute vitesse vers la gendarme. Ludivine y lut ce qu'elle prit pour de la confusion plus que de la peur ou de la culpabilité.

— Rien...

— Me prends pas pour une conne, Mirko. Les vieux parlent de toi. Ils savent que tu caches quelque chose. Il s'est passé quoi ?

— Je sais pas.

Ludivine sentait qu'elle n'obtiendrait rien de lui si rapidement à moins de le rassurer complètement.

— OK, je vais te dire : je ne crois pas que tu lui aies fait du mal, d'accord ? Je peux même t'aider à le prouver à ceux du camp qui te suspectent. Mais pour ça, il faut que tu me files un coup de main. Donnant-donnant. Qu'est-ce qu'il y avait avec Georgiana ? Pourquoi certains pensent que tu aurais pu lui faire du mal ?

Mirko était désemparé. Il luttait contre sa méfiance naturelle à l'égard d'une gadjo, une inconnue, flic de surcroît.

— Tu me dis, insista Ludivine, et je t'aide. Les vieux ne t'accuseraient pas sans raison, il y a forcément un truc que tu caches. Tu me racontes et moi je prouve que tu n'as rien fait. C'est simple. T'as tout à y gagner. Et Georgiana aussi, pour sa mémoire. Pour que j'arrête celui qui l'a tuée. Tu la connaissais bien, non ?

Mirko finit par acquiescer.

— Voilà… on y vient. Vous étiez amis ?

Nouveau signe de tête.

— C'était ta petite copine ?

Les yeux du jeune homme se plantèrent dans ceux de la gendarme.

— Faut pas trop le dire, avoua-t-il.

— Pourquoi ? Parce qu'elle était plus âgée que toi ?

Mirko ne devait pas avoir plus de dix-neuf ans et la mort de Georgiana remontait à presque trois ans. Elle en avait vingt-trois lorsque le tueur des rails avait serré sa gorge à l'aide de serflex pour lentement l'asphyxier.

— Nos familles… admit Mirko, c'est compliqué.

— Bon, OK. Toi et Georgiana vous couchiez ensemble alors que vos familles se détestent. Quoi d'autre ? Elle t'a parlé de quelqu'un avant sa mort ? Un homme qui lui tournait autour ?

Mirko secoua la tête.

— Dis-moi, qu'est-ce qui fait que certains anciens te suspectent ?

Il haussa les épaules puis, après un court silence, avoua :

— Quand elle est morte j'ai plus mangé, j'ai plus voulu vivre. Et même depuis, je suis plus pareil.

Il s'exprimait presque sans accent mais prenait le temps de bien choisir ses mots.

— C'est pour ça ? Rien que ça ?

Il y a des clans ici. On aime pas ma famille.

— Et juste parce qu'on ne vous aime pas, et que tu as changé de comportement après la disparition de Georgiana, on te suspecte ? Mirko, sois franc avec moi, sinon je ne pourrai rien faire.

Après une nouvelle hésitation, il finit par lâcher :

— Le jour où elle a disparu, j'étais pas au camp. Et il y en a qui savent que j'avais rendez-vous avec elle.

Ludivine se pencha vers lui.

— Tu devais la voir ? Et... et tu as vu quelque chose ?

Le regard de Mirko se brouilla comme s'il se perdait dans ses souvenirs.

— Non, dit-il du bout des lèvres.

— Dis-moi comment ça s'est passé.

— On devait se voir, à l'écart du camp, en bas de la colline.

— C'était dans la journée ?

— Le soir. Avant le dîner.

— Elle est venue ?

— Non.

— Tu as attendu longtemps ?

— Peut-être deux heures. C'est pendant ce temps-là qu'elle a disparu. Son frère l'a vue quitter le camp, mais elle est jamais revenue.

— Et toi ?

— J'ai attendu puis je suis remonté manger avec ma mère. C'est tout.

— Tu n'as rien vu ? Ni personne ?

— Non.

— Rien entendu non plus ?

— Non.

— Pendant deux heures, tu es resté caché dans les fourrés et il ne s'est rien passé ?

— C'est ça.

— Tu faisais quoi ?

— J'attendais.

— Tu avais ton portable avec toi ?

— Non, j'en avais plus, ma sœur l'avait cassé.

— Tu as dormi pendant ces deux heures ?

Ludivine le harcelait de questions pour le forcer à répondre immédiatement et vérifier qu'il ne se contredisait pas.

— Non. J'ai rien fait, c'est tout.

— Comment tu sais qu'il s'est passé deux heures ?

— J'ai une montre, répondit-il comme si l'enquêtrice était idiote.

— Tu fumais des cigarettes pour t'occuper ?

— Non.

— Rien qu'on puisse retrouver sur place pour prouver que tu as attendu longtemps ?

— Bah non. Pis trois ans après…

— On peut faire des choses extraordinaires tu sais, même après trois ans. Personne ne t'a vu pendant ce temps ?

— Personne. C'est pour ça. Il y en a qui disent que c'est ma faute ce qui lui est arrivé. Son frère dit qu'elle est partie par là où j'étais parti et ensuite…

— Donc elle s'est bien mise en route pour votre rendez-vous, mais elle n'y est jamais arrivée. Il y a quelle distance entre le camp et votre cachette ?

— Je sais pas. C'est en bas de la colline. Ça fait moins de dix minutes à pied.

— Un sentier ?

— Oui, tout petit, puis faut marcher cent mètres dans le bois.

— Elle aurait pu passer pas loin de toi sans que tu la voies ?

— Non, c'était notre endroit habituel.

— Je ne dis pas qu'elle se serait perdue, juste qu'elle aurait pu passer pas loin et ne pas s'arrêter.

— Je l'aurais vue.

Mirko fronça les sourcils.

À quoi penses tu ? réagit Ludivine aussitôt.

— Rien… juste… peut-être qu'elle aurait pu passer quand je regardais le gadjo avec son clebs.

— Tu m'as dit que tu n'avais vu personne pendant ces deux heures !

— Bah oui, mais lui si. Juste un gadjo qui attend son chien, c'est personne.

— Un gars du camp ?

— Non, sûr que non, un gadjo je vous dis, je l'aurais reconnu sinon, même si je le voyais mal.

169

— Il ressemblait à quoi ?

— Je sais pas. Me souviens plus.

— Mirko ! Fais un effort ! Grand ? Petit ? Brun ? Blond ? Habillé comment ?

— Je sais plus trop. Moyen, un Blanc avec les cheveux normaux, enfin coupés normal quoi, et noirs. Il était en jogging je crois. Et il avait une laisse de clebs à la main, il était en train de le chercher.

— Seul ?

— Oui.

— Tu pourrais le reconnaître si je te montrais des photos ?

— Non, c'était rapide et puis c'était il y a long-temps. Me souviens plus trop... C'était personne je vous dis !

— Tu lui as parlé ?

— Non. Il m'a pas vu.

— Tu te souviens du nom du chien ?

— Non. Il l'a pas dit.

— Alors comment sais-tu qu'il le cherchait ?

— Il avait l'air de le chercher.

— Il est resté combien de temps ?

— Je sais pas. Peut-être dix minutes, puis il est reparti vers la route.

— Sans son chien, sans croiser personne et sans rien dire ?

— C'est ça.

— Il avait une voiture ?

— J'ai pas vu. Je voyais pas la route de là où j'étais.

— Il a fumé une cigarette ou bu une canette ?

— Non.

— Il portait des gants ?

Mirko grimaça comme si fouiller si loin dans sa mémoire était douloureux.

— Oui, je crois. C'était l'hiver, il faisait assez froid.

Ludivine se demanda pourquoi le SRPJ de Versailles n'avait pas enquêté de ce côté avant de comprendre qu'ils n'avaient jamais eu Mirko entre les mains. Les gens du camp avaient gardé leurs doutes pour eux, en tout cas à l'époque où tout ça était encore frais.

Réalisant qu'elle n'avait presque rien appris, Ludivine soupira.

Mirko n'était pas un suspect pour elle. Trop jeune, pas assez d'assurance, de moyens, même s'il connaissait la victime.

— Je peux te poser une question gênante, Mirko ? Il me faut une réponse honnête, c'est très important. Est-ce que Georgiana vendait ses charmes sur le bord de la route ?

Mirko grimaça à nouveau, contrarié.

— La pute ? Non ! Pas Georgiana !

— Qu'est-ce qu'elle faisait pour gagner de l'argent ?

— Laver les pare-brise aux feux et un peu la manche.

— À Paris ?

— Des fois, mais la plupart du temps à Éragny, sur la nationale entre le centre commercial et le McDo.

— Tous les jours ?

— Souvent.

Le tueur pouvait l'avoir repérée là. Une proie facile en apparence. Isolée, noyée dans le flot des véhicules. Il avait suffi d'un passage, qu'elle lui lave les vitres, qu'il la regarde se pencher sur son pare-brise, que ça l'excite, et son choix était verrouillé. Était-il revenu souvent au même endroit pour la revoir ? Probablement.

Était-ce un lieu de passage régulier pour lui ? À envisager. Par la suite, il l'avait suivie, peut-être à pied ou à vélo.

Juste un gadjo qui attend son chien, c'est personne.

La phrase de Mirko résonnait dans l'esprit de Ludivine.

C'est personne.

Un type anonyme, sans signe distinctif. Rien qu'un promeneur…

Ludivine tendit la main au garçon pour l'aider à se relever.

Un bruit de feuilles mortes écrasées la fit pivoter.

Dans la pente, cinq adolescents descendaient vers eux, barres à mine, battes de base-ball et pieds-de-biche en main. Résolument hostiles, ils fixaient Ludivine avec le regard de ceux qui comptent se payer une flic.

Elle recula d'un pas et son bras remonta lentement jusqu'à ce qu'elle sente la crosse de son arme de service entre ses doigts.

Un sifflement puissant retentit depuis le sommet de la colline.

La masse impressionnante de Segnon projetait son ombre en direction des adolescents qui s'étaient retournés.

— Je serais vous, je ferais pas ça, dit-il d'une voix caverneuse.

Il fit apparaître une matraque télescopique et l'agita en l'air, transperçant des yeux chacun des adolescents.

19.

Le père transmet la religion.

Djinn était donc né chiite, même si sa mère, elle, était de confession sunnite. C'était un mariage surprenant, un mariage de raison. Djinn n'avait jamais vraiment su pourquoi ces deux-là s'étaient aimés, s'il y avait là un intérêt supérieur pour les familles ou une sombre histoire charnelle qu'il avait fallu officialiser dans la précipitation. Lui s'était convaincu qu'à travers cette union, c'était Dieu qui parlait, et que lui, Djinn, était la conséquence de ce murmure. À peine un souffle.

De son enfance, il retenait l'amour de sa mère et des odeurs d'olive, de citron, de miel, de fleur d'oranger, de pain qui cuit dans le four dehors, des chèvres lorsqu'il était tout petit ; puis, une fois à Beyrouth, il y avait eu celle, plus âcre, de la poudre.

Il se souvenait de la sévérité de son père. De la morsure cuisante du cuir sur ses reins lorsque Djinn le bon génie se muait en Djinn le démon.

Son enfance était également une mélopée lointaine. Le muezzin bien sûr, qui appelait à la prière sans faillir,

173

métronome des jours et des nuits, symbole de pérennité qui rappelait à l'homme sa place sur la terre de Dieu. Le vent également. Djinn l'avait souvent écouté bruisser entre les volets ou sous la porte, et susurrer ses incantations célestes. Puis, plus tard, il y avait eu le sifflement perfide des bombes, le crépitement des balles. Les cris parfois.

Mais toujours la douceur de sa mère, ses caresses pour le rassurer, pour le consoler, parfois en cachette. Elle avait toujours su trouver les bons mots et Djinn avait grandi en sachant le pouvoir de ces arabesques de la gorge, pirouettes du vent humain, funambules des esprits, capables de provoquer la chute cruelle ou d'élever celui qui savait les faire danser avec grâce.

La religion n'occupait pas une place importante dans leur existence. Djinn avait reçu une éducation minimale dans ce domaine, ni son père ni sa mère n'étant particulièrement dévots. L'islam était là, tel un puits au milieu du village qui rassemble et abreuve, mais un puits ancestral auquel on ne prête presque plus attention. Une fois installée à Beyrouth-Sud, la famille s'était même détachée de ses reliquats de pratique religieuse, trop occupée à faire tourner la petite épicerie, à tenir la maison et à survivre à la guerre.

Ils avaient fui le Sud chéri, fui l'invasion israélienne, pour chercher refuge dans la capitale, où ils n'avaient bientôt trouvé que désolation.

L'État n'en était plus un. La sécurité n'était garantie par personne. Les soins, l'école, même l'approvisionnement en nourriture dans le quartier de Haret Hreik n'étaient plus assurés. La guerre civile faisait des ravages. Le Hezbollah avait pris la relève. C'était lui qui *fournissait les marchands, lui qui payait la construction d'une école pour remplacer celle qui était détruite, lui encore qui ouvrait un hôpital pour accueillir tous ceux qui en avaient besoin. En grandissant, Djinn avait fini par penser que le véritable État, c'était le Hezbollah. Lui seul les protégeait, offrait aux familles de ses martyrs une maison neuve et de quoi faire vivre les enfants. Djinn avait beaucoup appris dans l'école ouverte par le Parti de Dieu, il avait compris les mensonges du monde et ses injustices. Mais toujours lorsqu'il rentrait chez lui, sa mère écoutait ce qu'il s'empressait de répéter fièrement. Et sa douce mère lui expliquait que tout n'était peut-être pas exactement ainsi, que le plus important était d'être en vie, tous ensemble.*

Sa douce et tendre mère qui avait été déchiquetée par un obus tombé du ciel.

Un obus chiite dans un quartier chiite. Amal luttant contre le Hezbollah. Deux frères s'entre-déchirant sous le même toit, incapables de s'entendre.

Après cela, Djinn ne fut plus jamais tout à fait le même. Son père non plus, passant l'essentiel de son temps dans ce qu'il restait de son minuscule commerce de quartier.

Djinn s'engagea auprès du Hezbollah quelques mois plus tard, alors qu'il était à peine un jeune homme. Il ne connaissait pas l'amour, ne savait pas conduire une voiture, mais il apprit rapidement comment charger une arme et manipuler de l'explosif.

Le Hezbollah lui donna sa seconde vie, sous le sourire de Dieu.

Djinn se remémorait son enfance tandis que les panneaux défilaient inlassablement. Il cligna des paupières et se reconcentra aussitôt sur la route. Tenir sa trajectoire, ne pas rouler trop vite, donner l'impression de savoir où il allait, tout ce qu'il fallait pour éviter d'être remarqué et arrêté.

Tout s'était passé à merveille depuis qu'il avait quitté Tripoli. Mieux même qu'il ne l'avait imaginé. La traversée de la Méditerranée avait été un jeu d'enfant sur ce chalutier maltais, il était passé totalement inaperçu, bien plus que ces dizaines de canots surchargés de migrants qui occupaient l'essentiel des forces navales affectées à la surveillance des eaux territoriales. Ses faux papiers lui avaient permis de louer une voiture en Italie, il avait dormi dans de petits hôtels en bord d'autoroute et passé le semblant de frontière avec la France sans subir le moindre contrôle.

À la radio, il écoutait le journaliste raconter que Daech encaissait de lourdes pertes sur l'ouest de son territoire, en partie causées par les forces syriennes et quelques appuis du Hezbollah. Les sunnites extrémistes de Daech aux prises avec leurs ennemis farouches : alaouites syriens et chiites libanais. Ceux-là mêmes de qui Djinn avait tout appris autrefois luttaient à présent jusqu'au sang contre le Califat islamique autoproclamé sous sa bannière noire.

Djinn s'autorisa un rictus puis il coupa la radio.

Il sortit du périphérique pour s'engager en banlieue nord de Paris, comme il l'avait bien noté sur son plan. Une longue feuille de route complétée par un livret de cartes routières détaillées qu'il consultait chaque soir et chaque matin avant de reprendre la voiture. Djinn ne

*pouvait se permettre l'utilisation d'un GPS, il ne vou-
lait entrer aucune adresse, laisser aucun indice, même
virtuel, dans ce simple véhicule de location qui serait
traçable avec le temps. Il avait passé plusieurs soirées
sur les parkings des hôtels à sonder la carrosserie
puis l'intérieur du moteur jusqu'à repérer la balise
GPS placée là par l'agence de location. Classique.
Les loueurs ne prenaient plus le risque de lâcher leurs
biens dans la nature sans un système de surveillance...
Djinn avait attendu d'approcher de Paris pour l'arracher et la coller discrètement sur une autre voiture.
À présent il était invisible.*

*Son plan était infaillible, il ne voyait pas comment
quiconque pourrait remonter jusqu'à lui, mais l'expérience lui avait démontré qu'on n'est jamais trop
prudent.*

*Il roula encore presque trois quarts d'heure, ralenti
par les bouchons, puis tourna dans le secteur pour ne
pas arriver trop en avance, en profitant pour vérifier
qu'on ne le suivait pas. Il s'engagea enfin dans une
petite rue bordant une longue cité, et se gara devant
l'entrepôt au rideau de fer rouge baissé, comme
convenu.*

*Il disposait encore de cinq minutes avant l'heure
du rendez vous, alors il attendit patiemment dans sa
voiture.*

*Il n'avait pas touché à un ordinateur depuis plu-
sieurs semaines et ignorait donc s'il y avait eu d'autres
messages, mais depuis qu'il était sur le sol européen,
il préférait se tenir à l'écart de toute forme de technologie. Au moins tant qu'il ne serait pas bien installé,
sûr de lui.*

Un homme d'environ trente ans, en blouson floqué du logo d'une université américaine, apparut au bout de la rue. Il portait un sac vert sous le bras et releva ses lunettes de soleil sur ses cheveux.

Les deux signes.

L'homme ralentit en arrivant à la hauteur du véhicule et, voyant la main de Djinn qui tapotait le rétroviseur extérieur de ses doigts, il sembla rassuré.

— Salam Aleik…

— Pas de signe musulman, le coupa brutalement Djinn dans un français très correct. Tu as ce qu'il faut ?

L'homme déglutit et approuva vivement, tendant le sac à Djinn qui s'en empara aussitôt.

— C'est ça, tu as bien œuvré.

— Je suis de la aqida, je donnerai tou…

— Stop, je t'ai dit. Ton apparence est correcte mais ta langue est maladroite. Tu dois te fondre, indétectable, tu le sais.

— J'ai pris sur moi de vous apporter quelque chose qui n'était pas dans la liste.

L'homme se pencha vers la voiture et ouvrit son blouson pour découvrir la crosse d'une arme de poing.

Djinn expira fortement par le nez, agacé.

— Vous pourriez en avoir bes…

— Tu me prends pour quoi ? demanda Djinn sèchement. Un tueur ?

— Non, c'est que…

— Garde ça ou jette-le, mais ne m'insulte pas. Je n'en ai pas besoin.

— C'était pour vous défendre…

Djinn secoua la tête, accablé. Il fit signe à l'homme de se rapprocher encore un peu.

— Sais-tu quelle est la meilleure arme, mon ami ?

L'homme fit signe qu'il l'ignorait et Djinn poursuivit :

— La symbolique. Voilà l'arme la plus terrifiante. Parce qu'elle ne touche pas un individu, ni même dix, cent ou mille, non... elle les touche tous. Tous. Au-delà des frontières parfois.

L'homme ne voyait pas où Djinn voulait en venir, mais il comprit qu'il était préférable de ne pas insister, alors il referma son blouson.

— Je ne tue pas un homme, moi, ajouta Djinn en mettant le contact. Je les tue tous.

20.

Marc Tallec se tenait à la portière ouverte, penché vers le siège conducteur de l'Audi où un petit d'à peine dix ans se cramponnait au volant. En voyant Ludivine et Segnon revenir du camp de Roms, il fit sortir l'enfant et lui offrit un bonbon qui traînait dans sa poche pour le faire déguerpir.

— On avance ? interrogea-t-il.

— Vous devriez le savoir, répondit Ludivine, c'est petit bout par petit bout qu'on assemble le puzzle.

— Et cette visite a donné quoi ?

— Un petit bout. Un tout petit bout.

Sans rien ajouter, elle alla prendre une grande carte routière dans la boîte à gants, sous le regard circonspect de Marc Tallec. Elle la déplia sur le capot de la berline de la DGSI. Paris et sa région étendue. La jeune femme pointa du doigt une zone verte au nord-ouest.

— Nous sommes ici. Georgiana Nistor y vivait et travaillait le plus souvent non loin, à Éragny, dit-elle en désignant une petite portion de route nationale quelques centimètres en dessous. Elle a très probablement été enlevée ici même, au camp, ou juste à proximité. Son corps abandonné sur une ligne des Yvelines à plus d'une heure d'ici. Victime numéro un. La suivante, Hélène Trissot, a été découpée par un train au beau milieu de la forêt près de Rouen, au-dessus d'un bled appelé Orival.

Marc Tallec s'aperçut que Ludivine ne consultait aucune note.

— Vous connaissez tout par cœur ?

— Bien sûr, répondit la jeune femme comme s'il s'agissait d'une évidence. C'est le SRPJ de Rouen qui a pris l'affaire. J'ai à nouveau eu le chargé d'enquête au téléphone ce matin en venant. Ils ont mis le paquet sur le petit ami au début mais ça n'a rien donné. Hélène Trissot vivait à plus de cent bornes de là, à Poissy. Et elle travaillait au centre commercial Family Village à Aubergenville, le long de l'autoroute A13. La PJ de Rouen a interrogé les flics de Poissy et ceux d'Aubergenville, mais jamais leurs homologues du SRPJ de Versailles. C'est pour ça qu'aucun lien n'a été établi entre les deux victimes, malgré le mode opératoire semblable. Aucun ADN, aucune empreinte retrouvés sur place... ou plutôt si : trop de prélèvements possibles et par conséquent, faute de moyens pour tout analyser, on a quasiment rien testé, et bien entendu rien n'est sorti.

— Même pour un meurtre aussi sordide, le juge ne vous donne pas le feu vert pour tout envoyer au labo ? s'étonna Marc.

— Normalement c'est jouable, surtout compte tenu du profil de la fille. Sauf que l'enquêteur de la PJ que j'ai eu ce matin m'a expliqué que l'affaire était mal tombée. Un scandale politique local qui a monopolisé la presse, un double homicide dans les beaux quartiers rouennais et là-dessus tout le monde sur les dents à cause d'un loup solitaire qui, au nom de son islamisme, décide de s'en prendre à une église... les types du SRPJ de Rouen ne sont pas des super-héros. La pauvre Hélène Trissot est passée aux oubliettes. Sa famille vit dans le Jura, ce sont de braves gens qui se contentent de faire confiance à la justice, sans mettre la pression sur quiconque. Autant vous dire que son dossier est resté au-dessous de la pile.

Segnon, qui regardait la carte, tapota sur l'emplacement de Poissy.

— Les deux victimes ne vivaient pas très loin l'une de l'autre, fit-il remarquer.

— En effet. Et au milieu, tu as la zone où « travaillait » la première. Est-ce parce que le tueur habite lui-même par là ? Le premier crime est souvent difficile, besoin de se rassurer par un environnement qu'on connaît, par exemple.

— Et ensuite il a pris un peu plus d'assurance ? proposa Segnon. Il a élargi sa zone de confort ?

— Possible. Grâce aux recoupements, la PJ de Rouen pense qu'Hélène Trissot a été enlevée le soir en allant faire son jogging.

Marc hocha la tête.

— Bon, très bien, et maintenant ?

— Nous allons sur place.

Tallec fit la moue.

— Désolé si ça vous choque mais j'ai un peu l'impression de ne servir à rien et de perdre mon temps.

— Vrai et faux, conclut Ludivine en repliant la carte en toute hâte. Vous ne servez à rien, mais c'est vous qui vouliez me coller au train. Par contre, pour ce qui est de perdre votre temps… ça dépend si vous voulez vraiment coincer le type qui a tué Laurent Brach. Terroriste ou pas.

Sur ces mots, elle se jeta dans le coupé et claqua la portière sans ménagement.

Le centre commercial où travaillait la deuxième victime était bâti sur le modèle américain, entièrement à ciel ouvert, organisé autour d'un vaste parking et entouré de verdure.

Marc Tallec désigna les caméras de surveillance arrimées aux façades colorées des magasins :

J'imagine que les flics de Rouen ont déjà saisi les bandes de l'époque pour vérifier si quelqu'un a approché Hélène le jour de son enlèvement et les précédents.

— Je le suppose, répondit Ludivine, mais je n'en ai trouvé aucune mention dans ce que j'ai lu. Maintenant ne comptez pas sur moi pour ça, officiellement je ne suis même pas censée être ici. Je suis en enquête de flagrance sur l'homicide de Laurent Brach, et je n'ai pas de juge qui appuie l'élargissement vers les deux premières victimes, alors je me contente du minimum : lieux, témoins éventuels, mais rien qu'il faudrait judiciariser.

— Le procureur n'est pas au courant du rapprochement avec les deux filles ? s'étonna Segnon.

Ludivine éluda rapidement :

— Non, je mets d'abord mon nez vite fait et ensuite il aura tout pour décider quoi faire et refiler le bébé à un juge.

Segnon poussa un râle de frustration.

— Lulu...

Marc intervint :

— De toute manière, deux ans après, les vidéos sont effacées depuis longtemps si elles n'ont pas été saisies, alors aucun regret. C'est bon pour vous, vous avez vu ce que vous vouliez ?

Ludivine scrutait les environs depuis plus de dix minutes après avoir trouvé le magasin de chaussures où avait travaillé Hélène Trissot.

Ici aussi il était aisé d'étudier les habitudes de quelqu'un. Il suffisait de s'installer confortablement dans sa voiture et d'attendre en guettant. Les jours de foule, il était même possible de se rapprocher de sa proie, de l'écouter, de s'asseoir non loin d'elle pendant qu'elle déjeunait d'un sandwich sur un banc ou dans un des restaurants bon marché. Facile dans ces circonstances d'espionner ses conversations, avec une collègue à qui on se confie, ou au téléphone. Le tueur avait mis huit mois après son premier crime pour choisir et épier sa victime suivante. Largement de quoi tout savoir d'elle. La suivre jusqu'à son domicile, faire ses poubelles pour lire son courrier, peut-être même récupérer un mot de passe Internet pour suivre une activité, pour connaître toute sa vie intime, savoir ce qu'elle mangeait, quand elle avait ses règles, si elle était malade et ainsi de suite... Il ne s'était certainement pas privé.

Silencieuse, Ludivine retourna à sa voiture et ils roulèrent une demi-heure, s'arrêtèrent pour déjeuner sur le pouce en bord de route dans un restaurant douteux, puis traversèrent Poissy et se garèrent en bordure d'un mur gris qui délimitait le parc de la Charmille. Ce lieu dominait un quartier en périphérie de la ville, coincé entre l'immense forêt de Saint-Germain-en-Laye d'une part et de l'autre des rues tranquilles bordées de petites maisons ou de quelques tours de cités en contrebas.

Ludivine nota que l'accès en voiture était aisé et qu'il y avait plusieurs entrées au parc. D'après les informations recueillies par la PJ de Rouen, Hélène Trissot avait l'habitude le soir de venir courir ici, parfois au-delà. L'enquête de proximité avait conclu que le jour de sa disparition, plusieurs témoins l'avaient vue passer en jogging, en direction du parc, aux alentours de 20 heures, tandis qu'il faisait déjà nuit. Personne ne l'avait vue ensuite, sur le chemin du retour. Le lendemain matin, elle n'avait pas été travailler et la PJ supposait qu'elle avait disparu durant son footing, plutôt que chez elle pendant la nuit. L'accès à son immeuble nécessitait de franchir deux sas à code, aucun signe d'effraction n'avait été relevé à son domicile, son lit n'était pas défait et, plus évident encore, son cadavre portait les vêtements de sport décrits par les rares témoins.

Ludivine fut tout d'abord frappée par l'immensité du parc. Il était légèrement pentu, et particulièrement boisé. Autant de zones où se cacher pour un prédateur. Bien qu'il fasse jour, elle ne releva aucun éclairage, ce qui indiquait que si Hélène Trissot venait souvent courir ici le soir, notamment en hiver, elle n'était pas froussarde. « Une fille de tempérament », lui avait confié le flic de Rouen à qui elle avait parlé le matin même. Cela se confirmait.

Ludivine savait qu'un tueur qui avait le temps d'étudier sa victime s'en prenait à une femme qui reflétait son propre degré de confiance. Les pervers introvertis, qui doutent d'eux, visent des proies faciles, qui n'opposent pas ou peu de résistance. À l'inverse, un prédateur égocentrique et prétentieux pouvait oser s'attaquer à une victime, avec une personnalité affirmée. Au-delà même du profil de la victime c'étaient les circonstances qui en racontaient le plus. Si le tueur agissait par impulsion, loin de tous, sur une cible facile, alors cela confirmait une personnalité fragile, tandis qu'un enlèvement en plein jour ou dans un lieu public, a fortiori sur une femme au caractère bien trempé, témoignait d'une assurance frôlant la provocation. Il s'agissait là de grandes lignes, de généralités, mais qui faisaient sens et s'avéraient la plupart du temps.

Tu n'as pas peur de te rapprocher des Roms, de leur camp. Et t'attaquer à une sportive dans un parc ne t'effraie pas plus... Tu es maître de toi, tu prépares tout minutieusement, ça participe de ton excitation. La traque te fait bander, pas vrai ? Et lorsque ta proie se débat aussi ?

Ludivine se mit à douter de ce dernier point. Non, il n'aimait pas les tuer. Hormis le viol, il ne les torturait pas et n'avait pas d'autre rapport sadique direct. Chez lui tout était dans l'acte sexuel. Parce qu'il ne prenait son pied que dans la soumission brutale, dans la perforation de l'autre...

Tu passes à l'acte en un éclair. Il faut que ce soit rapide. Tu ne veux pas de scandale, pas de cris, il n'y a aucun fantasme dans l'enlèvement, c'est un passage obligé, mais tu en profites pour faire monter la sauce, c'est ça ? Pendant l'attente, tu t'excites, tu sens que ça approche...

Un pragmatique. Il devait se garer non loin, se cacher près d'un accès, pour avoir un œil sur les allées et venues dans le parc.

Ludivine observa les alentours. Plusieurs sentiers tressaient un maillage à travers tout le parc, mais elle en repéra un plus large que les autres qui semblait faire le tour, en longeant le mur.

C'est là. Elle courait probablement ici, pour éviter les hautes herbes, pour éviter les racines dans la pénombre, pour ne pas se perdre, elle suivait le mur, et toi tu étais quelque part par là, dans un buisson, près d'une des sorties...

Segnon, qui s'était fait distancer en consultant son portable, éteignit ce dernier et se rapprocha pour faire le bilan de ses recherches rapides :

— Seize hectares, plusieurs accès, impossible à fermer, donc ouvert en permanence, fréquentation familiale, surtout le week-end, plutôt calme en semaine et sujet à beaucoup de plaintes des habitants car lieu propice au trafic de stupéfiants la nuit, squats, quelques rixes et parfois de la came ou des seringues retrouvées non loin des aires de jeux pour les gosses.

— Charmant les Charmilles, ironisa Marc. On cherche quoi au juste ?

— On ne cherche plus, répondit Ludivine d'un ton absent. On a trouvé. Un autre petit bout du puzzle.

Elle fixait deux silhouettes au loin. L'une jouait avec son chien en lui lançant une balle et l'autre, une femme, se promenait, un collier en cuir à la main.

187

Le tueur des rails avait plusieurs endroits possibles pour enlever Hélène, que ce soit dans le parking souterrain en bas de chez elle, sur le chemin du parc ou même non loin de son travail, mais il avait choisi celui-ci pour une raison évidente.

— Le coup du mec qui cherche son chien, annonça Ludivine d'une voix distante, ça n'était pas un hasard, c'est sa technique. Quoi de plus anodin qu'un homme qui se promène avec une laisse à la main en regardant tout autour de lui ? C'est peut-être même comme ça qu'il les aborde, qu'il les met en confiance. Pour qu'elles l'aident à chercher son chien... Et lorsqu'elles ne se méfient plus, il frappe.

Pièce après pièce, tout doucement, le puzzle s'assemblait.

Pour l'heure commençait à se dessiner une silhouette trouble. Sans visage.

Rien qu'un sourire carnassier qui luisait dans l'ombre. Le grincement d'une laisse en cuir à la main, des serflex dans le dos, prêts à se resserrer d'un coup sur leur proie. Cran par cran, jusqu'à la soumission.

Jusqu'au néant.

21.

Toute la science de la gendarmerie nationale, ses expertises les plus pointues, ses techniciens de laboratoire les plus chevronnés et compétents, avait été centralisée pendant plusieurs décennies dans un petit fort militaire en banlieue nord de Paris, dans des préfabriqués de plus en plus miteux au fil du temps. Un improbable contraste entre la précision scientifique de ces experts et l'environnement dans lequel ils évoluaient au quotidien, très loin des images véhiculées par la fiction selon laquelle ils œuvraient au sein d'unités à la pointe du design dans des bâtiments modernes remplis d'écrans plats projetant les résultats d'analyses automatiques.

Tout venait de changer. Le PJGN[1] comprenant le Service central de renseignement criminel et le fameux IRCGN[2] venait d'entrer dans le XXIe siècle jusque dans son écrin.

Sur le chemin du retour, Ludivine avait décidé de faire un léger crochet par Pontoise et son véhicule

---

1. Pôle judiciaire de la Gendarmerie nationale.
2. Institut de recherche criminelle de la Gendarmerie nationale.

s'arrêta devant le poste d'entrée flambant neuf du nouveau cœur scientifique de la gendarmerie. Plusieurs hectares d'infrastructures rutilantes, de vastes complexes aux façades de zinc, reliés par des passerelles en verre, brillaient sous le soleil pourtant anémique de cette fin de journée de novembre. Pour la première fois, la réalité dépassait même la fiction. L'écrin était enfin à la hauteur des corps de métiers qu'il abritait. Du matériel de pointe dans des locaux parfaitement pensés pour respecter les protocoles nécessaires à des résultats objectifs et utiles. Qu'ils semblaient désormais loin les préfabriqués de Rosny-sous-Bois !

Ludivine était déjà venue pour l'inauguration des lieux, mais elle fut surprise de se sentir à nouveau si excitée en passant le sas d'entrée, une fois qu'elle et Segnon eurent montré patte blanche. Marc Tallec avait décliné leur invitation et était rentré à Paris. Ludivine le suspectait de vouloir faire un rapport à ses supérieurs avant le week-end et si l'enquêtrice qu'elle était se sentait soulagée de ne plus sentir un œil attentif sur son épaule, la femme, elle, réalisa qu'elle était presque déçue qu'il ne reste pas encore un peu. Ce paradoxe l'agaçait. Elle détestait que la midinette en elle s'exprime autant, pourtant elle s'interdisait de l'enterrer comme elle l'avait si souvent fait par le passé. *Vivre ses émotions, accepter ce que je suis, la brute professionnelle comme la petite sensible ridicule qui a les sens en feu dès qu'un beau gosse se pavane… Pitoyable.*

Le capitaine Forsnot s'avança à la rencontre des deux gendarmes de la SR et Ludivine s'adoucit dès qu'elle le vit.

— Capitaine, le salua-t-elle, merci de nous recevoir à l'improviste.

Forsnot était un grand maigre aux tempes grisonnantes, toujours un sourire aux lèvres, et des yeux d'un bleu de glace déstabilisant.

— Avec plaisir, d'autant que vous m'avez dit au téléphone avoir une urgence à me soumettre. Vous savez quel vilain curieux je suis ! Je ne résiste pas. C'est une affaire en cours ?

— Enquête de flagrance, répondit Ludivine en constatant que Segnon admirait les lieux et n'était pas à la conversation.

Forsnot les fit descendre et leur indiqua une large porte en bois donnant sur un grand amphithéâtre, totalement désert, où il les invita à s'asseoir au premier rang tandis qu'il demeurait debout.

— Mon bureau est à l'autre bout, c'est l'inconvénient d'une plate-forme de cette taille, on ne peut pas tout avoir ! Et puis ça me change d'air.

La jeune femme savait qu'il y avait entre ces murs tous les services les plus performants à même de déceler le moindre indice s'il existait, que ce soit grâce à la physique chimie, la toxicologie, la balistique ou la microanalyse. Des ingénieurs disséquaient des ordinateurs, des téléphones et toutes sortes d'appareils, d'autres faisaient parler les véhicules ou retrouvaient un modèle précis de voiture en partant d'un fragment de peinture, de l'optique d'un phare cassé ou d'une simple trace de pneus ; il y avait aussi des analystes de documents écrits, de bandes-son ou d'images, sans compter les cadors de la flore et de la faune, les biologistes, les médecins légistes et autres pointures des départements génétique, anthropologique, odontologique, ou de l'identification humaine. Ludivine avait grandi avec les romans de Thomas Harris, découvrant le FBI à Quantico et ses laboratoires formidables. Désormais, ses souvenirs d'adolescente, elle les vivait au sein d'un sanctuaire digne de son siècle et de son institution. L'IRCGN de Pontoise devenait peu à peu cette référence dont elle avait toujours rêvé et plusieurs de ses collègues partageaient avec elle cette fascination, cette fierté, même si chacun était bien conscient qu'il ne fallait pas se reposer sur le tout-scientifique. Toutefois, se sentir épaulé par une telle force ne pouvait que les galvaniser.

— Qu'est-ce qui vous fait sourire ? s'étonna le capitaine Forsnot.

— Je suis comme une gamine, rigola la jeune femme. Cet endroit, c'est un peu... J'ai pas le mot. Disons que si je commençais ma formation maintenant, c'est ici que je voudrais être. Comme dans un film.

Le capitaine Forsnot était le contact privilégié de Ludivine à l'IRCGN, celui qu'elle harcelait pour connaître les nouveaux procédés et se tenir au courant en permanence de tout l'arsenal scientifique dont elle pouvait disposer pour ses enquêtes.

Forsnot éclata de rire, tout heureux.

— Au fait, je voulais vous l'annoncer de vive voix : ça y est, on a créé et breveté GendSAG ! Terminées les analyses ADN en urgence qui durent sept ou huit heures. Avec GendSAG, c'est moins de deux heures, et pour un coût divisé par trois ou quatre. Sur les scènes de crime de grande ampleur comme les crashs aériens par exemple, on envoie notre équipe mobile avec ce nouveau procédé et on parvient à une identification des corps et fragments directement sur place pour recomposer les victimes en un temps record.

Segnon acquiesça, un peu mal à l'aise à l'idée d'un sinistre pareil et du travail de fourmi macabre que cela représentait.

— C'est envisageable pour nous, pour tous les prélèvements autour de Laurent Brach, suggéra-t-il à Ludivine.

— M'étonnerait que le procureur valide un tel investissement, même à un coût inférieur. Vous bossez sur quoi désormais ?

— Oh, ça n'arrête jamais ! répondit Forsnot. Les deux grandes prochaines révolutions pour vous seront dans la génétique : nous sommes aptes à récupérer de l'ADN humain dans un moustique sur une scène de crime. Une affaire est sortie comme ça en Italie il y a peu. Le coupable s'était fait piquer sur le lieu du meurtre. Les techniciens en identification criminelle sur place ont pensé à prélever les moustiques trouvés non loin du corps et c'est ainsi que sa présence dans le secteur a été confirmée : grâce à son sang récolté dans le moustique et pas encore digéré !

— Charmant !

— Mais le vrai bouleversement c'est le portrait-robot génétique. Pour l'instant, comme vous le savez, nous pouvons vous dresser un portrait-robot plausible. Sexe, couleur des yeux, des cheveux avec leur morphologie – raides, frisés, calvitie possible –, la pigmentation de la peau également. Plus nos recherches avanceront, plus ce portrait se précisera. Forme des oreilles, du menton et du nez on sait faire, même si on manque encore un peu d'expérience pour être bien rodés, mais vont suivre bientôt la taille, les prédispositions génétiques à tel ou tel type de maladie, donc les conséquences sur l'apparence par exemple...

— Juste avec un peu d'ADN ? fit Segnon, abasourdi.

— Oui. Et en même temps nous travaillons sur les isotopes, donc au niveau des atomes. Il suffit d'un os, d'un ongle ou d'un morceau de cheveu – sachant qu'un centimètre de ces derniers correspond à environ un mois de vie du porteur – pour étudier les isotopes qu'ils contiennent. Chaque région du monde est différente, à cause de l'air qu'on respire, de l'impact des UV sur l'environnement, de l'eau qu'on boit... Prenons ce dernier point, par exemple. Chaque secteur dispose d'une eau qui est différente de celle du secteur d'à côté, même si ça se joue sur des détails minuscules, au niveau des atomes. Mais pour nous ces détails font toute la différence. De même les pollens, les écosystèmes, varient d'une terre à une autre. Si nous pouvions dresser une carte précise de toutes ces différences, secteur par secteur – et ça viendra –, nous serions en capacité de vous dire, en partant d'un cheveu, où la personne est passée avec une précision de deux semaines. Imaginez sur un cheveu de quinze centimètres, soit presque un an et demi de vie, nous pourrions établir une carte de tous les coins du monde où cette personne est passée, et dans quel ordre. C'est tellement précis que nous sommes déjà en mesure de faire la différence entre un mangeur de viande, un végétarien et un végétalien. Rien qu'avec l'étude de leurs cheveux ! Le problème c'est que ça coûte très cher. Trop cher. Mais à l'avenir, qui sait ? Avec un tout petit peu d'ADN, nous dresserons le portrait physique, et ensuite à vous de jouer, vous saurez à quoi l'individu ressemble, où il était et quand.

— Va bientôt falloir être un putain de génie pour devenir un criminel, railla Segnon.

— Ou bâtir des prisons plus grandes, ironisa Ludivine.

— Les isotopes peuvent bien entendu servir à plus encore. Pour analyser un explosif ou de la drogue et remonter toute la chaîne de distribution, voire de fabrication. Sinon, nous préparons également l'avenir avec une...

Cette technique est recevable devant la justice ? le coupa Ludivine.

— Il n'y a pas encore de précédent, nous n'en sommes qu'aux études, mais ça va vite.

— Si je vous confie des cheveux et des ongles, vous pouvez me dire d'où ils viennent ?

— Je vous le disais : nous allons nous heurter à un problème de coût. C'est très élevé. Et la cartographie extrêmement détaillée à l'échelle locale du territoire est ce qui nous manque pour être précis, mais à une échelle plus large, c'est possible, oui. Déjà je peux vous dire sans problème si un individu est allé dans tel ou tel pays du monde, et avec encore plus de temps, je serai apte à affiner, pour cibler des régions particulières et l'ordre de passage bien entendu.

Ludivine échangea un bref regard avec Segnon. Tous les deux pensaient aux ongles et aux cheveux que le tueur avait laissés sur ses victimes.

— Capitaine, il est temps que je vous explique la raison de notre présence, dit-elle.

Elle prit une profonde inspiration et lui raconta tout, de la découverte du cadavre de Laurent Brach jusqu'à ses propres conclusions concernant le tueur des rails, sans omettre le moindre détail à propos des deux filles assassinées. Segnon intervenait de temps en temps pour ajouter un élément ou nuancer les propos de sa partenaire lorsque celle-ci s'autorisait une conjecture un peu trop personnelle.

Le capitaine Forsnot écouta le long récit assis sur le bord de l'estrade en face des deux enquêteurs. Lorsque Ludivine eut terminé, il hocha lentement la tête.

— Faites-moi passer les différents rapports, je verrai si je tique, mais les labos de la PJ bossent bien, il n'y a aucune raison qu'ils aient laissé passer quelque chose.

— Sauf que les flics ne savaient pas que c'était un tueur en série. Dans les deux cas, les affaires ont été enterrées presque aussitôt à cause des circonstances. Segnon et moi sommes en train de tout regrouper et nous avons pour la première fois une vision d'ensemble. Les ongles et les cheveux que nous avons retrouvés, vous pourriez les analyser, par exemple pour étudier les fameux isotopes dont vous venez de nous parler ?

— Si le coût est validé par le procureur ou le juge... Par contre nous n'avons pas encore de protocole rodé, attendez-vous à des semaines de délai avant les premières conclusions. L'ADN reste encore aujourd'hui l'élément le plus probant et rapide désormais, avec les empreintes.

— Des semaines ? Rien de plus rapide ? demanda Segnon.

Forsnot plongea dans ses pensées, ses yeux d'un bleu intense fixant le vide.

— Lavés à la javel ? dit-il après un instant de réflexion.

— Intégralement, confirma Ludivine.

— Et des traces de viol...

— Oui, mais il les a nettoyées à la javel là aussi.

Forsnot leva l'index.

— Les autopsies datent de quand ?

— De la découverte des corps. Il y a presque trois ans pour la première fille et deux ans pour l'autre.

— Le tueur a gardé ses victimes avec lui long-temps ?

— Quelques heures tout au plus.

— Mmh... ça pourrait suffire.

Le capitaine acquiesça comme pour répondre à une voix intérieure.

— Les légistes qui pratiquent les autopsies ici ont modifié leur protocole, expliqua-t-il. Depuis l'année dernière, en cas de suspicion de viol, ils ne se contentent plus de chercher de l'ADN dans le vagin et l'utérus mais ils remontent jusque dans les trompes de Fallope. Figurez-vous qu'elles aspirent les spermatozoïdes, et s'il se passe un peu de temps entre le viol et la mort, il est envisageable de découvrir un peu d'ADN du violeur dans les trompes, qui sont plus loin dans l'organisme, protégées des mutilations par l'utérus et par leur fine taille. Même en cas de « lavage » intensif, il y a une forte chance qu'elles ne soient pas atteintes. Dans votre cas, il est très peu probable que les légistes de l'époque aient pensé à aller jusqu'à disséquer les trompes de Fallope des victimes, mais s'ils l'ont fait vous devriez vérifier s'il existe des prélèvements à analyser.

— Ça aurait été notifié si ça avait été le cas, maugréa Ludivine.

— Après si longtemps, on peut encore retrouver du matériel génétique exploitable directement sur les cadavres ? interrogea Segnon.

Forsnot fixa ses deux interlocuteurs.

— Entre nous ? Non, c'est quasi impossible. La vraie question est de savoir jusqu'où vous voulez aller pour explorer la moindre piste.

— Jusqu'à exhumer les deux corps, répliqua Ludivine sèchement.

22.

Une nuit de fixation.

Même position, mêmes idées obsédantes, même tache au plafond. Une nuit à fixer les heures pour tenter de les ralentir.

Ludivine avait mal dormi, et le jet brûlant de la douche peina à la réveiller complètement. Elle avala un fruit et un grand verre de jus lacté avant de filer en direction de la caserne, où Guilhem l'attendait déjà.

— Segnon vient de m'appeler, prévint-elle. Laëti a eu un souci de famille à régler, du coup c'est lui qui doit déposer les garçons à l'école, il ne sera pas là tout de suite.

— C'est dommage parce que le commandant Reynaut veut qu'on tape le pédo de Draveil aujourd'hui, annonça Guilhem. Il dit qu'on a déjà trop traîné. On a tout ce qu'il faut pour le choper, on ne le laisse pas dehors plus longtemps. Merrick est d'accord.

Le commandant Reynaut était le second de la SR. Ludivine ne l'aimait pas. C'était un carriériste bedonnant, toujours à surveiller chacun derrière ses épaisses lunettes, le regard de travers, et qui ne disait pas les choses franchement. Ludivine avait hâte qu'il prenne du galon et soit muté ailleurs. Elle respectait davantage Merrick, le capitaine de la division des atteintes aux personnes, qui était également leur DO, directeur des opérations. Il supervisait les enquêtes de la SR et, lorsqu'un groupe perdait de vue certains objectifs dans la tourmente du quotidien, il était là pour le recadrer. Elle lui faisait confiance. C'était le problème de ce métier, songea Ludivine, la collision des dossiers. Lorsqu'une nouvelle affaire démarrait, particulièrement au tout début, pendant l'enquête de flagrance, il était difficile de rester concentré sur toutes les autres en cours. La veille, en revenant de Pontoise, coincée dans les embouteillages, Ludivine avait exposé son cas au procureur de la République, pour qu'il comprenne bien les enjeux. Elle savait qu'obtenir une exhumation n'était pas aisé, a fortiori lorsqu'il n'y avait pas encore de juge attribué. Le proc risquait de faire traîner pour ne pas prendre la responsabilité. Par chance cette fois, c'était un homme qu'elle connaissait pour avoir déjà travaillé avec lui, du genre déterminé, pas frileux. Il était procédurier, mais cela lui servait pour mieux tenter des paris, pour accélérer au mieux les procédures administratives si nécessaire, conscient de l'importance d'aller vite au début d'une enquête, tant que les pistes demeuraient encore chaudes. Il avait promis de passer le week-end à tout étudier pour prendre une décision dans la foulée.

Ludivine avait eu la tête bien occupée et le cas du pédophile lui avait échappé.

— Tu as toujours ton rencard avec lui tout à l'heure ?

— Sophie est impatiente de le rejoindre pour goûter la glace qu'il lui a promise, répondit Guilhem avec la voix d'une gamine.

Ludivine grimaça de dégoût.

Elle prévint Marc Tallec qu'il était inutile de venir aujourd'hui, celui-ci protesta, en affirmant qu'ils avaient plus urgent à faire et qu'elle ne pouvait perdre son temps ailleurs. Ludivine lui raccrocha au nez.

Segnon arriva en milieu de matinée, de mauvaise humeur.

— On va serrer du pédo, ça va te calmer ! le prévint sa partenaire en lui lançant son gilet pare-balles.

Ils roulèrent un peu vite à travers la banlieue parisienne dans un véhicule banalisé, Segnon au volant, tandis que Guilhem vérifiait pour la troisième fois s'il n'avait pas de message du pédophile sur le forum ou dans la messagerie privée qu'il avait créée pour l'occasion au nom de la petite Sophie. Lorsqu'ils furent tout proches, Ludivine vit à travers la vitre arrière l'entrée d'un parc de loisirs nommé le Royaume des enfants et elle eut un pincement au cœur en songeant au monstre qui vivait si près. Pour elle comme pour ses collègues, en particulier Segnon qui avait lui-même des gosses, il faudrait se contenir, rester professionnels, même en cas de provocation, ce que certains pédophiles n'hésitaient pas à tenter, par défiance, par bêtise et parfois pour obtenir un vice de forme, ou au moins qu'on reconnaisse qu'ils avaient été frappés lors de leur interpellation. Ludivine avait vu une fois un prévenu déraper « malencontreusement » au moment de sortir de chez lui et se prendre le bord de la porte en pleine face, mais ce genre d'incident était rarissime.

L'homme qu'ils venaient interpeller n'en était pas à son coup d'essai. Un récidiviste qui avait déjà purgé une peine lourde pour avoir essayé de faire monter un jeune garçon dans sa camionnette. La perquisition avait mis au jour des tonnes de matériel pédopornographique. Le groupe conduit par Segnon sur cette nouvelle affaire avait piégé le suspect via un forum Internet où Guilhem s'était fait passer pour une pré-adolescente. L'homme avait initié le contact ainsi, dans un français déplorable, proche de l'analphabétisme, d'abord pour l'écouter et l'aider, puis en lui proposant de lui envoyer des photos de lui dénudé et qu'elle fasse de même, avant de lui parler ouvertement de sexe et de lui donner rendez-vous. Compte tenu du passif du suspect, il n'en fallait pas plus pour lui tomber dessus et Ludivine était convaincue qu'ils trouveraient quantité de documents accablants sur son ordinateur, comme bien souvent avec ce type de criminel.

Ils se garèrent sur le parking du McDonald's de Draveil, coincé entre deux grandes surfaces, et, d'un pas déterminé, entrèrent dans le fast-food. Ils étaient en retard.

L'homme, lui, était déjà là. La quarantaine, gras, mal rasé, l'œil libidineux et les lèvres retroussées, une caricature très éloignée des pères de famille respectables en apparence qu'ils appréhendaient parfois dans ce genre de procédure. Celui-ci, pas futé jusqu'au bout, ne les vit pas approcher.

Segnon allait se précipiter sur lui quand Guilhem l'en empêcha.

— T'es gentil mais c'est moi qui me suis fadé des heures de conversations dégueulasses avec ce tordu, alors laisse-moi au moins ce petit plaisir !

Guilhem s'assit en face de l'homme, qui fronça ses gros sourcils.

— T'es qui ? Tu veux quoi ? Dégage, chuis occupé.

Le gendarme se fendit d'un large sourire.

— Je suis Sophie, j'ai douze ans, et je voulais te dire que c'est pas bien de vouloir me donner ta glace à sucer.

L'homme tenta de se lever mais les bras immenses de Segnon le retinrent depuis la banquette de derrière.

Guilhem lui brandit sa carte de gendarmerie sous le nez.

— Maintenant on va aller faire un tour chez toi pour voir ce que tu caches pour les enfants.

Segnon pila devant l'entrée pour bloquer le passage.

L'homme vivait en bordure d'un étang, sur un terrain donné par les services sociaux de la commune. Une palissade branlante en bois décati, du gravier jonché de saletés, plusieurs épaves de voitures et de mobylettes, une vieille camionnette rouillée garée devant le mobil-home mal entretenu qui trônait au centre. Il était même surprenant qu'Internet arrive jusque dans un dépotoir pareil, songea Ludivine en approchant.

Les gilets pare-balles noirs des trois enquêteurs de la SR étaient bien visibles avec leurs lettres blanches « Gendarmerie » dans le dos pour éviter tout malentendu.

Ils entraient sur la propriété lorsqu'un adolescent blond et boutonneux aux traits grossiers surgit du mobil-home.

Ludivine jura intérieurement. Elle avait espéré que les deux garçons du suspect seraient à l'école, comme ils auraient dû l'être normalement. Ils étaient connus pour des faits de violence, de racket et de menace.

Segnon montra sa carte.

— Gendarmerie, écartez-vous.

— Hey, pourquoi vous serrez mon daron ? Mange tes morts, ma couille ! répliqua le garçon en adressant un doigt d'honneur aux gendarmes qui se précipitaient vers lui.

Il voulut se saisir d'un cric à levier qui traînait à proximité, mais Segnon fut plus rapide et l'empoigna par les aisselles, le soulevant et le plaquant contre la cloison fragile du mobil-home qui trembla sous le choc. La puissance du colosse noir ne laissa aucune chance à l'adolescent qui se retrouva bientôt des menottes dans le dos, tandis que Guilhem pénétrait dans la petite habitation.

— Gendarmerie ! s'écria-t-il, sur ses gardes.

L'intérieur sentait le renfermé, le tabac froid et la transpiration. Un couloir étroit, du lino éraflé au sol, des murs couverts de traces séchées : nourriture, graisse de moteur et autres substances qu'il était préférable de ne pas identifier.

Le deuxième fils apparut brusquement, sortant de ce qui devait être les toilettes, et se rua sur la porte opposée. Un molosse se mit à rugir juste derrière. Comprenant que le chien allait les charger, Guilhem se jeta sur la porte de tout son poids pour empêcher l'adolescent de l'ouvrir. La gueule écumante d'un rottweiler aboyant de toute sa rage et tentant de forcer le passage s'immisça dans l'entrebâillement.

L'adolescent voulut repousser Guilhem et Ludivine se précipita à l'intérieur. Tant pis pour le père qu'elle tenait par le bras, il avait des menottes et ne pourrait pas aller bien loin avec Segnon sur les talons. La priorité était de ne pas se faire dévorer. Elle se faufila derrière son collègue pour tenter d'attraper le garçon, mais celui-ci se dégagea avec une force surprenante. Il arma sa droite que Ludivine repoussa de l'avant-bras avant de lui expédier un coup de coude en pleine mâchoire. L'adolescent recula, sonné, et la jeune femme en profita pour le balayer d'un violent coup derrière le genou. À peine à terre, il se retrouva le visage écrasé contre le lino, du sang entre les lèvres, à brailler tandis que Ludivine appuyait de tout son poids entre ses omoplates et sortait ses menottes.

— Fonce, p'pa ! hurla le garçon.

Ludivine entendit alors le petit homme détaler sur le gravier.

— Merde ! lâcha-t-elle en hésitant.

Elle n'avait pas encore fini d'immobiliser le garçon qui cherchait à se relever et Guilhem retenait la porte prête à céder sous les assauts du chien.

Elle l'aperçut par la fenêtre crasseuse.

— Il file par-derrière ! s'écria-t-elle. Par-derrière !

Droit vers le fond du terrain, en direction de l'étang où flottait un canot à moteur. S'il s'échappait comme ça, ce serait un fiasco total, paniqua-t-elle avant de distinguer une ombre énorme et rapide qui se projetait sur le fuyard et le renversait dans un cri. Segnon terminait le boulot.

Lorsque les deux adolescents furent maîtrisés, assis de force sur le perron de leur mobil-home, et que le chien fut enfin renfermé dans son cagibi le temps que la brigade canine débarque, Ludivine contourna la maisonnette et vit le suspect face à Segnon qui finissait de l'informer de la procédure en cours.

— Vous avez compris ? insista-t-il.

L'homme hocha la tête, dépité. Il était sale, il avait des poches sous les yeux et conservait quelques marques violettes laissées par les graviers qui s'étaient enfoncés dans ses joues au moment de son arrestation. Segnon, lui, restait parfaitement calme.

— Nous allons procéder à la perquisition de votre domicile, ajouta-t-il. S'il y a des armes, de la drogue ou du matériel pédopornographique, nous allons les trouver, alors faites-nous gagner du temps en nous indiquant où vous les cachez.

L'homme haussa les épaules.

— C'est dans la chambre, dit-il sans honte. Et pis sur l'ordi là. Comme ça les fils peuvent voir aussi.

— Vous montrez ça à vos garçons ? releva Ludivine.

— Bin ouais, faut bien qu'ils s'y fassent.

Elle soupira de dégoût.

Segnon attrapa le type par le bras pour le guider vers l'intérieur du mobil-home.

— Vous êtes déjà tombé pour ça et vous recommencez. Ça ne vous a pas calmé la prison ? Avec tout ce qu'on fait aux gars comme vous là-bas ? Sérieusement, vous vouliez y retourner ?

— T'façon, je sais pas faire autrement.

206

— Quoi donc ? Avoir du désir pour les enfants ?

— Bin ouais. Chuis comme ça. J'vais pas m'changer. J'y arrive pas. S'arrêtera jamais t'façon.

Ludivine laissa son collègue emmener le suspect, et elle demeura ainsi, les mains sur les hanches, tandis que dans la rue des badauds se rapprochaient, alertés par l'altercation.

Les mots du pédophile résonnaient en elle.

Inlassablement.

Telle une conclusion irréfutable qui la renvoyait à son autre affaire, celle qui accaparait tout son esprit depuis une semaine.

Le déclic se fit naturellement, en une seconde.

Une évidence.

Puis une certitude.

23.

La voix de Morrissey envahissait le vaste salon d'une douceur enivrante, ricochant sur les colonnes d'acier brun, se répercutant sur le fer forgé de l'escalier, glissant sur le parquet avant d'être bue par les épais tapis.

Ludivine gisait au fond d'un canapé confortable, le roman *Pilgrim* de Timothy Findley au bout des doigts, des mots plein les yeux, et l'esprit curieusement ailleurs. Aussi passionnant que soit le livre, elle ne parvenait pas à s'y abandonner. Un lecteur est un esquif qui se livre au courant des phrases et aux tourbillons des pages. Ludivine, elle, se sentait arrimée à son corps, comme vissée à la réalité, étanche à toute immersion dans l'imaginaire.

La journée n'avait pas été de tout repos avec l'interpellation du pédophile, sa déposition pendant la garde à vue, celle de ses fils, et Ludivine n'avait qu'une obsession : avoir un peu de temps pour rebondir sur l'idée folle qui la tiraillait depuis le matin.

Lorsqu'elle avait enfin pu joindre Philippe Nicolas, ce dernier s'était montré particulièrement à l'écoute et, bien que ce ne soit pas son rôle, avait accepté de se charger de la mission qu'elle lui confiait. Il ne faisait aucun doute qu'il avait bien une conquête féminine en vue à Nanterre et que tous les prétextes étaient bons pour s'en rapprocher.

Le vendredi soir s'esquissait, et loin d'éprouver la lassitude d'une fin de semaine, Ludivine était au contraire surexcitée, le cerveau en ébullition, à l'affût de la moindre idée. Le pédophile était parti pour Fleury-Mérogis et Segnon ne s'était pas fait prier pour filer dans la foulée retrouver sa famille, tandis que Guilhem avait senti que Ludivine n'était pas satisfaite : elle rôdait tel un fauve en cage. Comprenant qu'elle était encore sur le tueur des rails, il était resté une heure de plus avec elle pour éplucher les dernières écoutes téléphoniques de la veuve de Laurent Brach, sans rien y déceler d'intéressant. Il l'avait ensuite entendue parler de demander au colonel Jihan de former une cellule entièrement dédiée à cette affaire, avant de lui rappeler que pour l'heure c'était encore une enquête de flagrance, sans juge, et qu'officiellement elle n'était pas rattachée aux crimes des deux filles.

Les mots de Guilhem avaient fait mouche, et elle avait réalisé qu'elle ne devait pas se noyer dans cette affaire. Ludivine lui avait ordonné de filer retrouver sa jeune épouse et de lui faire porter le chapeau pour cette semaine chargée qui les avait beaucoup séparés. Et elle fila de son côté retrouver sa maison de Pantin.

Elle était surprise de n'avoir aucune nouvelle de Marc Tallec car elle s'était attendue à ce qu'il veuille faire un point avant le week-end. Puis elle se souvint qu'elle l'avait envoyé paître en lui raccrochant au nez. Elle fut prise de remords. Pourquoi fallait-il toujours qu'elle soit à la limite de l'agressivité avec lui ? Il commençait à se livrer, en tout cas à partager ses informations avec elle, difficile de l'accuser de faire cavalier seul.

Ludivine soupira, agacée par elle-même. Elle sentait venir ce qui se profilait.

Évitant de s'embourber davantage dans ses réflexions, elle prit son portable et l'appela.

— Vous êtes de retour à nos moutons ? fit la voix légèrement éraillée de Marc en décrochant.

— Je voulais vous présenter mes excuses pour ce matin, ce n'était pas très élégant de ma part.

— Pas grave. Vous l'avez chopé au moins ?

— Il dort à l'ombre.

— C'est toujours ça de bien. Pourquoi vous m'appelez ? Pas juste pour vous excuser ?

— Si… fit Ludivine, un peu décontenancée, ne sachant pas elle-même où mènerait la conversation. En fait non, j'ai eu un flash aujourd'hui à propos de notre homme…

— Un flash ? Genre médium, comme dans un film ?

— Non, bien sûr que non ! Dans le genre évidence qui me saute aux yeux. Le tueur des rails ne s'est pas arrêté. C'est impossible. Il a tué deux fois en huit mois, il y a forcément pris goût, je ne l'imagine pas se raisonner tout seul et attendre ensuite pendant deux ans jusqu'à Laurent Brach.

— Il me semble vous avoir entendue dire que la deuxième victime marquait sa frustration, que « la réalité n'était pas à la hauteur du fantasme », ce sont vos mots. Peut-être que ça l'a calmé un temps.

— Non. Il a été frustré, son fantasme est si puissant qu'il l'a poussé à tuer deux fois, alors au contraire il a voulu repasser à l'acte rapidement justement pour corriger le tir, pour améliorer sa jouissance, ne pas rester sur un échec pareil. C'est un prudent, paranoïaque sur les bords, et le choix minutieux de sa proie fait assurément partie de ses rituels, donc il a eu besoin de trouver la bonne, de la surveiller, mais il ne s'est pas arrêté pendant si longtemps.

— Sauf s'il était en taule pendant cette période.

— C'est l'autre possibilité. Quoi qu'il en soit cela nous permet d'affiner son profil. Ses pulsions sont si fortes qu'il ne les a pas retenues pendant des décennies, donc il était assez jeune lors de son premier passage à l'acte, le premier viol j'entends. Il s'est fait pincer à cause du témoignage et de l'ADN, j'en suis convaincue, d'où la mise à mort par la suite. En supposant qu'il ait passé moins de dix ans en prison, ce qui serait plutôt logique avec les remises de peine, nous cherchons un homme qui a entre vingt-cinq et trente-cinq ans environ, élargissons à vingt-deux-quarante-cinq pour être sûrs. Il a un casier judiciaire pour viol. Il était forcément dehors au moment des assassinats de Georgiana Nistor et Hélène Trissot il y a deux ans, puis sans doute à l'ombre pendant presque deux ans avant de ressortir pour Laurent Brach. Et il habitait il y a environ trois ans dans la région d'Éragny, là où Georgiana vivait et travaillait la plupart du temps. Premier meurtre, besoin d'être rassuré par un environnement qu'il maîtrise. Compte tenu de son mode opératoire, je pense qu'il donne l'image de quelqu'un d'introverti en public, un solitaire qui n'a jamais réussi à exprimer ce qu'il contient autrement qu'à travers l'explosion, mais en réalité il a une haute opinion de lui-même. Sûr de lui lorsqu'il s'agit de traquer sa proie. Il mêle ces deux facettes. Il déteste tellement les femmes qu'il a des difficultés à établir des relations professionnelles normales, donc il a un métier solitaire, pour être tranquille. Il est adroit, il maîtrise vite et aisément les victimes, c'est un manuel. Peut-être un emploi technique.

— Vous avez lancé la recherche ?

— C'est notre prochaine tâche, éplucher tous les noms qui vont sortir. J'ai également effectué une nouvelle requête SALVAC, pour le cas où il ne se serait pas arrêté.

Marc parut sceptique à l'autre bout de la ligne.

— C'est à cause du pédophile de ce matin, insista Ludivine. Il m'a dit que c'était plus fort que lui, qu'il était comme ça, qu'il ne pouvait pas s'en empêcher. C'est la même chose pour le tueur des rails. Les pervers dans son genre ne peuvent pas changer. Ils ne guérissent pas. Impossible. On voudrait le croire mais c'est statistique : lorsqu'ils ont été si loin dans les ténèbres, ils ne peuvent plus revenir dans notre monde. Ceux qui ont basculé ne reviennent jamais. Je vous le dis : sa pulsion et sa frustration suite au meurtre d'Hélène Trissot l'ont forcément poussé à recommencer avant Laurent Brach. Mais comme la mort de ce dernier est particulièrement différente, ne serait-ce que parce qu'elle n'inclut pas de dimension sexuelle alors même que c'est la principale motivation du tueur, je suppose qu'il a muté dans ses fantasmes. Il a peut-être testé autre chose.

— Vous avez demandé quoi au SALVAC ?

— Moins de critères restrictifs. Suicides douteux sur des voies de chemin de fer, mélanges importants d'indices, d'ADN, et ainsi de suite. Ça va nous sortir une tonne de dossiers, probablement, mais je préfère ne pas passer à côté.

— Plus ça va et moins vous penchez vers une hypothèse djihadiste, n'est-ce pas ?

— Je ne sais pas quoi vous répondre. C'est un tueur en série, ça je le sais, quant à savoir si son lien avec Laurent Brach est celui du terrorisme... Franchement ? J'ai comme un doute.

— Ça marche. Merci pour votre appel, Ludivine.

— Attendez, vous n'allez pas raccrocher comme ça !

Tallec marqua une courte pause :

— Eh bien... j'oublie quelque chose ?

Ludivine s'empressa de meubler. Le garder au téléphone, c'était un peu de vie autour d'elle.

— Vous avez avancé aujourd'hui ? demanda-t-elle avec trop d'entrain pour paraître naturelle.

— Oui et non. En tout cas rien de probant. Vous êtes de service demain ?

— Non. Je reprends lundi.

— Bon. Moi j'ai du boulot. Je passerai lundi matin à la SR.

Ludivine se surprit elle-même lorsqu'elle s'aventura à demander :

— Vous faites quoi ce soir ?

— Il y a une urgence ?

— Non. Enfin sauf si vous considérez qu'une bière dans un bar en est une.

Marc émit un rire sec, sincère.

— On brise la glace ?

— Ce serait mieux, même si on n'est pas amenés à travailler ensemble très longtemps.

— Écoutez, ce soir je ne peux pas. Demain soir, si vous êtes libre, je vous invite à dîner.

Ludivine éprouva une contrariété de petite fille en essuyant ce refus. C'était maintenant qu'elle voulait le voir, elle n'avait pas envie d'une soirée seule. Demain serait un autre jour, une autre humeur.

— Je vais voir si je peux décaler, répondit-elle, vexée. On s'appelle demain.

Lorsqu'ils raccrochèrent, elle lui en voulut de ne pas être disponible pour elle alors qu'elle avait osé l'inviter. Il lui fallut plusieurs minutes pour se raisonner et faire taire cette frustration infantile qu'elle savait ridicule. Elle s'ouvrit une bouteille de vin chilien et tourna en rond dans son salon, un verre à la main, sans même le boire. Elle ne voulait pas embêter Segnon et Laëtitia, ils avaient besoin de se retrouver, tout comme Guilhem et Maud.

Je ne vais pas renouer avec mes vieux démons. Hors de question de traîner dans un bar, de picoler et de ramasser le premier type pas trop mal, juste parce que je ne suis pas fichue de dissiper mon vague à l'âme de trentenaire.

Elle n'était plus cette fille-là.

Mais la solitude lui pesait encore, parfois.

Ludivine reposa le verre sur la table basse sans y avoir trempé les lèvres. Elle craignait ce remède-là également. Une autre forme de fuite.

Elle faisait face à sa bibliothèque. Brusquement, les tableaux de Fazzino, l'immense drapeau américain usé qui recouvrait presque un mur entier à lui tout seul, les sofas, la méridienne, les tapis, la cheminée, la longue véranda… tout lui parut superficiel, totalement incongru. Pourquoi s'était-elle bâti un cocon aussi vaste, aussi matérialiste ?

Pour me construire une base, un sanctuaire. Pour me protéger, me ressourcer.

Elle se sentit privilégiée, pas à sa place, et culpabilisa.

Elle n'avait pas envie de monter dans sa chambre. Elle s'y sentait toute petite. Terriblement seule. Elle qui considérait que l'aménagement intérieur était un reflet de sa personnalité avait de quoi s'interroger sur son incapacité à s'attaquer à la décoration de cette pièce, qui lui semblait encore si froide.

Parfois elle se demandait si elle serait capable de tout abandonner et de partir loin, de refaire sa vie entièrement.

Puis elle songea à Mikelis qui avait tout plaqué pour fuir avec sa famille dans la montagne.

Lui saurait l'écouter sans la juger. Le temps était sa plus grande richesse, il pouvait lui en accorder un peu. Et dans sa générosité, il accepterait aussi qu'elle dérive, qu'elle lui raconte tout.

Les morts et le monstre dans leur sillage.

24.

À dix-sept ans, Djinn avait embrassé la mort bien plus souvent qu'il n'avait embrassé les lèvres d'une fille. À pleine bouche. Les mains rivées à son visage creux. Djinn flirtait avec la mort, une relation sérieuse, liée par le serment dû au décès sanglant de sa tendre mère.

L'AK-47 était son alliance. Quelques pistolets automatiques leurs témoins. Des explosions en guise de célébration.

Mais c'était une relation à sens unique. La mort ne voulait pas véritablement de lui et, maîtresse cruelle, elle se refusait depuis toujours, même si en la provoquant, en l'acculant dans ses retranchements, il lui était arrivé de sentir sa morsure félonne. Une présence vicieuse qui l'avait entaillé à l'épaule, une autre fois dans le dos ou en travers de la cuisse. À peine une étreinte fugitive, avant qu'elle ne se donne à d'autres amants plus séduisants à qui elle s'offrait sans concession.

La guerre civile laissa à Djinn deux impacts de balle et plusieurs cicatrices de shrapnel mais aucune séquelle grave.

Son père lui expliqua que tuer un homme ne faisait pas de lui un homme. Un pêcheur ne devient pas pêcheur en volant le poisson rapporté par un autre. Djinn ne faisait que prendre des vies, cela ne lui en procurait pas davantage ni ne rallongeait la sienne, répétait son père qui ne voyait pas d'un bon œil l'engagement suicidaire de son fils auprès du Hezbollah. Autoritaire, il se faisait respecter par les coups, mais son absence lui avait fait perdre de sa substance au fil des années. Djinn n'entendait plus laisser ce spectre, si glaciale soit sa poigne, décider de son avenir ou plutôt de son manque d'avenir. Il ne voyait pas plus loin que chaque jour, remerciant Allah de lui accorder un peu de sursis pour accomplir la tâche qu'Il lui commandait par le truchement du Parti de Dieu. Et si la mort le fuyait, c'était parce qu'elle obéissait dignement au souverain éternel, Djinn l'avait finalement compris.

Pour ses dix-sept ans, son père voulut qu'il devienne un homme véritable et, un matin, il lui annonça qu'il allait le marier.

Le spectre paternel y mit une telle conviction — cette fois sans user de la force physique — que le jeune garçon ne sut comment se dérober, ni même s'il était utile de le faire. Alors, plutôt que d'accepter, il se contenta d'attendre.

Il fit connaissance avec Nûrâ le jour de leur union. Elle n'était pas particulièrement belle ni très douce car elle était un peu effrayée, mais dès qu'il la vit, Djinn sut qu'elle serait la mère de ses enfants. Il se montra aussi maladroit que possible, ne fit certainement pas les choses comme elle l'espérait, mais il manifesta engagement et respect envers celle qui l'accompagnerait et fonderait leur foyer. Nûrâ et Djinn apprirent à se connaître, à se parler, à se toucher, à s'entendre. Et l'amour se tissa lentement, jour après jour, tandis qu'il poussait Djinn dans les bras de Nûrâ davantage que dans ceux de la mort.

Sans perdre de ses motivations, Djinn le calme prit peu à peu la place de Djinn le démon dans les rangs du Hezbollah, et celui qu'on préparait à devenir un martyr glissa de l'autre côté de la barrière, non plus parmi les candidats évidents au sacrifice ultime mais plutôt parmi ceux qui leur préparent le terrain. Stratégiquement les premières années, puis idéologiquement lorsqu'il fut prêt.

Durant toutes ces années, Nûrâ fut à ses côtés, baume salvateur sur son cœur meurtri. Contrairement à ce que le père de Djinn avait annoncé, Nûrâ ne fut pas le jalon nécessaire pour qu'il devienne un homme, mais l'unique sortilège pour que le djinn, l'esprit du désert, redevienne un homme et non l'être étrange qu'il pensait être depuis tout petit. Avec elle, il apprit qu'on ne tombe pas amoureux mais que l'amour est un sentiment en mouvement qu'on apprivoise peu à peu, à travers les liens du mariage, grâce au temps, dans l'épreuve du quotidien. La présence de Nûrâ, chaque soir, se révélait rassurante. Elle était la raison de rentrer, de ne pas faire n'importe quoi. Et sa magie passait entre autres par ses talents de cuisinière. En ce domaine, Nûrâ accomplissait de véritables miracles. Une déesse. Capable de tout avec peu. Alchimiste des fourneaux, elle savait changer les émotions de son mari rien qu'avec ses plats, et ce dernier s'arrangeait presque toujours pour ne manquer aucun repas à la maison.

Djinn n'était pas matérialiste, une vieille radio ayant appartenu à sa mère était tout ce qu'il chérissait, mais Nûrâ meubla leur petit nid un minimum, et c'était déjà beaucoup pour le jeune homme qui savourait le confort d'une banquette mais n'attachait aucune importance à son esthétique et encore moins à son emplacement dans la minuscule pièce principale qui leur servait de salon et de cuisine. Nûrâ était la reine entre ses murs et elle savait se faire comprendre. Djinn avait du mal à lui refuser quelque chose. Même lorsqu'elle l'irritait, il finissait toujours par regretter son absence et rentrer à l'appartement où ils se réconciliaient autour de la nourriture ensorcelée préparée par la petite magicienne.

Dans cet appartement de Beyrouth où elle fut rongée par la maladie en quelques semaines seulement. Jusqu'à la trame. Un squelette à peine vivant les derniers jours.

Djinn, qui n'avait plus beaucoup de contacts avec son père, se réfugia dans ce qu'il savait faire de mieux : servir le Hezbollah sans retenue.

C'est ainsi que, petit à petit, il prit une importance majeure dans le Parti de Dieu.

Pour fuir ses morts.

Le sac vert que lui avait remis le garçon au blouson de l'université américaine contenait tout ce dont Djinn avait besoin pour passer à la suite de son plan, et disparaître une bonne fois pour toutes. Mais avant cela, il avait une dernière tâche à effectuer.

Il acheta un téléphone portable ainsi qu'une carte prépayée pour composer le numéro qui se trouvait dans le sac vert, au milieu d'autres choses.

Djinn se contenta de donner rendez-vous à l'homme au bout du fil, de lui indiquer un signe de reconnaissance, puis il brisa la carte SIM et jeta le téléphone dans un canal.

Ils se virent le soir même dans le hall principal de la gare Saint-Lazare à Paris. À l'heure de pointe, ils se retrouvèrent là où Djinn l'avait exigé et ils serpentèrent parmi la foule en parlant tout bas. Djinn dissimulait son visage sous une casquette, le col de son manteau relevé pour échapper aux caméras. Même un logiciel performant de reconnaissance faciale ne pourrait rien pour le détecter, bien qu'il doutât fortement qu'on puisse en utiliser un contre lui. Pas maintenant. Ses ennemis actuels n'agissaient pas ainsi, pas si loin de leur base, et ses ennemis de demain ignoraient jusqu'à son existence.

Djinn fut concis et formel et l'homme s'immobilisa, saisi de stupeur.

— Mais… je ne peux pas faire ça… murmura-t-il, à peine audible dans le brouhaha.

— C'est la seule et unique fois que nous nous rencontrons, mon ami, lui dit Djinn. Je ne reviendrai pas te le demander à nouveau. Mais laisse-moi t'expliquer pourquoi tu vas le faire.

Djinn se pencha vers l'homme et lui parla doucement, pendant plusieurs minutes.

Lorsqu'il eut terminé, l'homme resta un moment figé, à encaisser, bousculé par les centaines de silhouettes qui s'empressaient tout autour sans se soucier un instant de lui. La tête lui tournait.

Djinn avait disparu.

Mais pas ses mots.

Qui, au milieu de l'indifférence générale, résonnaient plus fort qu'une armée de tambours en furie.

25.

Frénésie de vie.

Envie de tout faire. En même temps.

Ludivine se leva en pleine forme. Elle avait dormi d'un sommeil de plomb et, contre toute attente, plutôt longtemps. La veille au soir elle avait discuté avec Mikelis au téléphone, le criminologue dans sa montagne, comme on se confie à un psy, ou à un meilleur ami discipliné et patient. Ils avaient échangé pendant près de deux heures sur ce que représentait la notion de culpabilité, le luxe de pouvoir se l'offrir dans un monde partagé entre ceux qui avaient trop et ceux qui n'avaient pas assez, sur ses propres failles à elle, et en définitive sur son besoin de vivre. Finalement elle n'avait pas évoqué l'enquête. Une fois dans sa chambre, elle était enfin parvenue à s'immerger dans son roman, enveloppée dans son épaisse couette de plumes d'oie.

Elle démarra son samedi matin par du ménage à travers le vaste rez-de-chaussée, vidant la bouteille de vin qu'elle n'avait pas touchée dans l'évier, faisant ses poussières avec David Bowie à fond, à en faire vibrer la véranda. Puis, débordant d'énergie, elle enfila toute sa panoplie de joggeuse pour aller dévorer le bitume pendant une heure et demie intense, avant de se dissoudre dans un bain parfumé.

Marc Tallec appela en milieu d'après-midi, tandis qu'elle errait dans le Marais entre boutiques de vêtements et galeries d'art, fascinée par des pièces qu'elle ne pourrait jamais se payer ou contrariée par des chemisiers trop chers. Elle se féminisait à nouveau, rarement dans les circonstances particulières de sa profession, mais lors de soirées entre amis ou le week-end, parfois sans raison, juste pour se sentir belle et femme chez elle. Elle accepta le dîner proposé par Marc sans se faire prier et rentra tôt pour paresser devant la télé avant de se préparer beaucoup trop longuement pour une simple sortie.

Elle savait que flirter avec un homme de la DGSI n'était pas une bonne idée, d'autant moins s'ils travaillaient ensemble encore quelque temps. Mais Ludivine était lasse de tout calculer, de s'interdire de s'abandonner à ce qu'elle ressentait.

Et elle en avait marre de son célibat.

Elle avait envie d'une présence à ses côtés, d'un peu de peau contre laquelle se reposer, se rassurer, se réconforter. Et tant pis si elle mélangeait le boulot et le privé. Elle ne parlait pas de tomber amoureuse, juste de s'offrir du bon temps, quelques heures volées à la solitude.

Elle essaya dix tenues différentes, changeant d'avis à chaque fois – et lorsqu'elle identifia enfin la bonne, c'est sa lingerie qui posa problème –, jusqu'à trouver la combinaison presque parfaite. Elle se maquilla trop, puis pas assez, s'énerva du temps qui filait. Elle était parvenue à se mettre en retard.

Lorsque le chauffeur d'Uber la déposa devant le restaurant réservé par Marc, elle éprouva une petite pointe de nervosité et parvint à s'en moquer. Elle n'était plus du tout rodée à ce genre d'exercice.

Il avait choisi un lieu reposant, tout en velours, en jeux de miroirs et lumières indirectes, dans les tons pourpres et aux bois exotiques brun foncé.

Marc était déjà assis, dans une alcôve festonnée de pompons violets.

Ludivine remarqua dans son regard qu'il était surpris par son apparence. Elle lut une éphémère perte de flegme tandis qu'il la découvrait apprêtée, ses yeux glissant sur ses formes sculptées par la robe noire à paillettes qu'elle arborait, ses jambes galbées mises en valeur et par ses collants à couture sur l'arrière, ses talons qui lui donnaient un aplomb et une sensualité qui contrastaient avec la petite fonceuse qu'elle était à la SR de la gendarmerie. Ses cheveux ramassés négligemment en chignon révélaient ses traits doux, malgré une torsade blonde rebelle qui tanguait sur son front. Elle s'était même fait des yeux de biche, allongeant son regard d'un trait de khôl.

— Vous êtes magnifique, avoua-t-il en guise de bienvenue.

— Merci. Il y a donc bien une vie après le service, plaisanta-t-elle.

Marc avait joué la carte du classicisme efficace : veste sombre sur une chemise blanche col inversé. Avec sa barbe de quelques jours, ses épis travaillés, ses sourcils dessinés soulignant ses iris presque noirs et son menton un peu trop carré, Marc Tallec donnait presque dans la caricature, mais était de bon goût, estima Ludivine tandis qu'il se levait pour lui céder la place sur la banquette de l'alcôve.

— J'ai pris la liberté de vous commander un kir, annonça-t-il en lui désignant une coupe. J'ai hésité sur le goût, j'ai choisi mûre.

— Parce que je suis une femme qui l'est ?

— Pardon ? Oh… OK. Après huit heures passées sur des écrans et des rapports, j'avoue qu'un peu de vie n'est pas pour me déplaire, même s'il me faut un temps d'adaptation. Laissez-moi atterrir avant de trop solliciter mes neurones.

— Vous me préparez psychologiquement pour que je vous fasse la conversation ? s'amusa Ludivine.

— Non, je peux être bavard si vous me lancez. La journée a été longue, frustrante, je n'ai rien déniché de concret, même si j'ai eu l'occasion de repenser à toutes vos théories.

— Et si nous ne parlions pas de boulot ce soir ? Juste de vous, de moi, de l'existence loin des psychopathes et des terroristes ?

— Y a-t-il réellement une différence entre les deux ?

— Vous voyez, vous ne lâchez pas prise.

Marc sourit puis capitula d'un signe de tête.

— OK. Expliquez-moi tout : pourquoi une si jolie femme est-elle célibataire ?

Ludivine écarquilla les yeux, faussement choquée :

— Directement ? On passe au cœur de ma vie ?

— Vous venez de proposer que nous soyons les sujets de conversation, autant commencer par l'essentiel, se donner les clés pour mieux se comprendre.

— Tout est probablement déjà dans votre dossier sur moi, non ? demanda-t-elle, cette fois sans agressivité.

— En fait non. Sur ce point, il n'y a rien que les grandes lignes, écrites par quelqu'un d'autre que vous, qui ne donnent pas le même sens aux faits. Tout ce que je sais c'est que vous êtes célibataire, jamais mariée, pas d'enfant. Il n'y a rien de plus au sujet de votre vie amoureuse dans les archives de la DGSI. Pourtant je doute qu'il n'y ait rien à en dire.

Ludivine porta son verre à ses lèvres en haussant les épaules.

— Je suis l'incarnation de la trentenaire libre et des maux de notre génération, admit-elle en avalant sa gorgée. Deux déroutes amoureuses lourdes, je suis devenue méfiante, dans un environnement où nous avons le choix, trop de choix, alors même que celui-ci nous incite implicitement à devenir exigeants, trop exigeants du coup. Quête de la perfection illusoire. Incapable de vaincre les déceptions après le mirage de la séduction, de bâtir sur les contrariétés, je partais dès que la relation commençait à battre de l'aile, estimant qu'il y avait certainement mieux ailleurs. Rien de bien original à vrai dire. Je suis de la génération qui veut la facilité… et qui se complique la vie.

Ludivine choisit de taire l'épisode avec Alexis, son collègue de la SR. Ils ne s'étaient pas aimés, pas au sens des sentiments profonds, juste une brève rencontre brutalement interrompue par la mort, et cette bulle n'appartenait qu'à eux.

— Vous êtes une nomade, pas une sédentaire…

Ludivine ignorait s'il s'agissait d'une question ou d'une affirmation mais elle décida d'y répondre :

— Je suis un cœur sédentaire avec un esprit nomade. Vous ne trouvez pas que notre génération, et probablement celles qui vont nous suivre, se comporte comme si elle était trop gâtée, trop habituée à avoir ce qu'elle veut ? Nous préférons quitter la fête au moindre mot de travers plutôt que de nous asseoir sur nos contrariétés et rester, pour construire avec les autres, trouver des arrangements, bref, nous donner du mal.

— Ne sommes-nous pas, tout simplement, plus à l'écoute de nos fibres que ne l'étaient nos parents ? s'amusa Marc, toujours un léger rictus à la bouche. L'homme et la femme sont-ils vraiment faits pour vivre ensemble toute une vie ? Vous cherchez l'homme de votre vie et ça coince parce que en fait il y a plusieurs hommes de votre vie. Non ?

— Donc la question derrière tout ça est de savoir ce que je préfère : plusieurs histoires d'amour fortes mais précaires ou une longue relation qui nécessite des ajustements durant toute une existence en couple. Tellement cliché tout ça...

— Nous avons le luxe du choix, vous l'avez dit.

Ludivine reposa sa coupe vide et réalisa qu'elle avait déjà un peu la tête qui lui tournait. Elle devait faire attention à ce qu'elle buvait si elle voulait terminer cette soirée en toute dignité.

— Et vous alors ? s'enquit-elle. Breton, études de droit avant de partir de travers en entrant dans la police, et... divorcé ! C'est ce que vous m'avez raconté. C'était un mariage rapide ? Genre Las Vegas ?

— Pas vraiment, non. Ma première vraie copine de lycée. Huit ans de relation avant de nous marier. Nous avons tenu deux ans de plus avant d'exploser en vol.

— Vous voyez, la génération qui ne sait pas affronter le quotidien sentimental !

— Mon job à la DGSI est probablement plus responsable que je ne le suis – enfin, sans vouloir me planquer derrière des prétextes bidon. Absences à répétition, la tête tout le temps ailleurs, parfois trop contrarié, inquiet… bref, elle finissait par appréhender les jours où j'allais être là. Elle a claqué la porte. Elle vit désormais avec un guichetier de la préfecture, adepte de la joie de vivre et du positivisme.

— Vous avez fait un choix, celui de votre boulot.

— Vous savez très bien comment c'est. Nous ne faisons pas des métiers ordinaires. Une fois qu'on y est plongé, ça vous rentre dedans, c'est comme une seconde peau, impossible de renoncer, et encore moins d'y être à moitié.

— La DGSI est aussi… (Ludivine chercha ses mots, ne voulant pas le froisser) secrète et autant à la lisière de la légalité que ce qu'on raconte ?

— Je croyais qu'on ne parlait pas de boulot ce soir ?

— Votre « seconde peau » comme vous l'avez dit, je veux juste savoir de quoi elle est faite.

— D'un genre de cuir qui ne rompt pas, si près du corps qu'il ne peut se retirer, encore moins se prêter.

— Le fameux culte du secret. Vous savez tout sur tout le monde ? Il y a une sorte de département immense avec des fiches sur chaque individu ou c'est juste un fantasme ?

— Non, ça ne fonctionne pas ainsi. Et puis vous savez, avec le digital désormais, il est facile, dès qu'on en a besoin, de tout savoir sur quelqu'un. La plupart des gens sont sur Facebook, Twitter, Instagram et autres réseaux sociaux. Ils racontent leur vie, ils envoient des e-mails, des SMS, sont connectés à travers leurs objets, parfois même à travers leur maison, ils se servent d'Internet pour tout, commander à manger, acheter des fringues, faire des courses, partir en vacances, se renseigner sur Untel ou sur telle chose, chercher du boulot, remplir des formulaires administratifs, même les voitures sont connectées ! À la longue, il suffit de tout surveiller, de tout interconnecter via des superordinateurs qui établissent des profils complets, et on peut absolument tout savoir de quelqu'un. Tout.

— La DGSI opère ainsi ? s'étonna Ludivine qui ne pensait pas un instant que ça pouvait aller si loin.

Marc lui rendit un large sourire.

— Non, pas nous. Mais les services de renseignements qui le voudraient, bien sûr.

— Allez, vous me charriez ! Ils n'ont pas accès à toutes ces données.

— Vous êtes bien naïve.

— Je me souviens, il n'y a pas si longtemps, dans une affaire de terrorisme, que le FBI ou la CIA, je ne sais plus, avait demandé l'aide d'Apple pour accéder aux données de l'iPhone du principal suspect, c'est bien la preuve qu'ils ne peuvent pas tout faire !

Marc secoua la tête d'un air de dépit amusé.

— Parce que vous croyez sincèrement que les services de renseignements les plus puissants du monde, ceux-là mêmes qui travaillent conjointement avec la NSA, l'organisme technophile le plus avancé de notre civilisation, ne sauraient pas cracker un iPhone ? Sérieusement ? Et quand bien même ils n'y parviendraient pas, ce qui serait ridicule, vous imaginez une seconde qu'ils demanderaient publiquement de l'aide à une entreprise ? Devant tous ? Ludivine, enfin... Ça s'appelle de la com ! C'est justement destiné à des gens comme vous, pour les rassurer, pour que tout le monde se dise que tout va bien, que notre vie privée est préservée et nos libertés individuelles respectées. De la com pour les entreprises qui se donnent le beau rôle, et de la com pour les renseignements qui, l'air de rien, font passer l'info qu'ils ne nous contrôlent pas.

— Mais pas la DGSI ? insista Ludivine, mutine.

— Non, ce n'est pas dans nos prérogatives, je dis juste que ça existe. Les services secrets tels qu'on les imagine ont muté, ils sont à la fois sur le terrain, mais aussi largement à travers le virtuel. Et l'interconnexion de chaque individu est un bonheur pour eux. Plus besoin de fiches, tout est déjà numérisé par les citoyens eux-mêmes !

— OK, imaginons que ça se passe ainsi. DGSI pour le renseignement intérieur, DGSE[1] pour l'espionnage, DRSD[2] pour le militaire, et ainsi de suite... chacun a ses méthodes et elles sont redoutables. Mais à un moment les données se croisent, les services se parlent un minimum, alors pourquoi on n'arrive pas à choper tous les terroristes avant qu'ils n'agissent ?

Tallec fit une moue embarrassée.

— Parce qu'ils sont malins. Pas tous, heureusement, et on en arrête la plupart avant le drame. Mais on ne peut pas surveiller le monde entier. Nous détectons le

---

1. Direction générale de la Sécurité extérieure : services secrets français tournés vers l'étranger.
2. Direction du renseignement et de la sécurité de la Défense.

danger parfois avec un tout petit peu de retard, et ça implique parfois des conséquences tragiques. La sécurité totale est impossible dans un monde aussi rapide que le nôtre. Et non, tous les services n'échangent pas tout ce qu'ils savent, c'est le propre du renseignement, chacun veut s'assurer d'en garder un peu plus que l'autre, pour légitimer son existence, au cas où, pour briller davantage, hélas parfois même lorsque c'est trop tard.

— Compte tenu des enjeux, c'est accablant.

— C'est humain, Ludivine. À l'échelle du pays c'est mesquin, c'est de l'incompétence, mais à l'échelle de l'individu, c'est compréhensible. Chacun veut faire de son mieux. Chacun espère faire la différence. Chacun œuvre pour son propre avancement, pour satisfaire sa propre hiérarchie, et ainsi de suite...

— Avec tous les moyens à notre disposition, entendre qu'on ne peut pas faire mieux, et parfois que c'est à cause de notre incapacité à tout coordonner... c'est inaudible pour beaucoup.

— Je suis d'accord. Mais vous savez, les grosses cellules qui s'apprêtent à taper fort, elles ont besoin de repérer, de communiquer, de s'organiser, et ça les rend visibles, donc vulnérables pour nos services. Le vrai danger désormais ce sont tous les individus qui ciblent leur objectif tout seuls, avec un degré de préparation risible, ça les rend quasi indécelables jusqu'au passage à l'acte...

— Il n'y a plus de cellules importantes qui pourraient frapper massivement ?

— Bien sûr que si. Mais il faudrait qu'elles soient particulièrement malignes et chanceuses pour qu'on ne les identifie pas avant. Vous voyez, quand je vous disais que c'est plus fort que nous, nous n'avons pas tenu cinq minutes sans parler boulot !

Le serveur les interrompit pour prendre leur commande et, lorsqu'il s'éloigna, ils se tournèrent autour un peu maladroitement, passant d'une futilité à une autre avant d'aborder le sujet de la famille. Marc se confia sur ses relations distantes avec les siens, et lorsque Ludivine l'interrogea sur son enfance, il décrivit avec force détails le garçon intenable qu'il était, son besoin de bouger, d'explorer, de vivre de nouvelles expériences. Elle l'interrogea également sur sa vie amoureuse depuis sa séparation, plutôt chaotique, et elle se livra avec la même franchise.

Ils rirent. Ils s'écoutèrent mentionner le poids de leur profession, celui des affaires terribles qu'il leur arrivait d'affronter, et leur addiction à ce quotidien. Ils nouèrent les premières bribes d'une complicité.

Marc proposa de poursuivre la soirée dans un bar irlandais non loin et ils burent quelques bières dans une atmosphère autrement plus festive et bruyante, les obligeant à se rapprocher pour s'entendre.

Ludivine l'effleura à plusieurs reprises, la troisième fois elle fut saisie de frissons. L'alcool dissipait toute forme de raison.

Ils se cherchaient.

Et se trouvèrent lorsqu'une meute d'étudiants ivres bouscula involontairement Ludivine que Marc rattrapa au vol.

Un baiser doux. Lent. Caresse des lèvres. Langues qui se courtisent. Mains qui s'agrippent. Corps qui se rejoignent. Paupières qui se relèvent délicatement.

Lumières du bar qui semblent plus fortes. Sons comme ensevelis sous une ouate dense qui se déchire subitement.

Sourires gênés, regards taquins, puis sourires complices.

Cette fois Ludivine prit l'initiative d'un autre baiser. Elle s'était attendue à de la fougue, à de l'excitation, à jouer avec la perte de contrôle, mais elle aima cette tendresse, ce temps des bouches qui se parcourent pour ce qu'elles sont et pas seulement comme une antichambre de la sexualité. Un baiser suave, aux parfums d'alcool, dont chaque vague l'irradiait un peu plus, électrisant ses sens.

Soudain, l'énergie débordante du bar leur parut déplacée, hors contexte, et Marc posa une main sur la nuque de Ludivine et ses lèvres contre son oreille :

— Je vous raccompagne ?

Elle le prit par le bras et l'entraîna dehors.

En arrivant devant chez elle, elle lui indiqua où se garer, et le fit entrer sans un mot. Ils n'étaient plus à cela près, elle se sentait en confiance et savait exactement où cela les mènerait.

Une fois sur les marches conduisant au premier étage, elle lui demanda d'un air faussement provocateur :

— Le VICE que les services secrets utilisent pour recruter, il s'écrit avec un S pour « sexe » à la fin ?

— Je ne suis plus en service, répondit-il en l'embrassant.

Le tirant par la main, elle le guida jusqu'à la chambre où elle repoussa du pied toutes les fringues qu'elle avait abandonnées à la hâte plus tôt dans la soirée, au moment de se préparer. Elle alluma deux bougies parfumées et lui fit face.

Lui qui était tout en charme était beau dans la pénombre ambrée. D'une beauté animale. Sexuelle.

Ludivine se retint de lui arracher sa chemise, elle voulait encore de cette douce tendresse, de cette affection charnelle, et ils s'embrassèrent à nouveau délicieusement.

Ils s'effeuillèrent en gestes coulés tandis qu'ils se parcouraient de la langue, prenant leur temps, comme deux amoureux attentifs, parfois hésitants.

Ludivine le garda longuement entre ses seins, s'agrippant à ses cheveux, oubliant qui elle était, oubliant le monde, ne tenant à la réalité que par cette bouche gourmande qui jouait avec sa poitrine. Ils se retournèrent pour échanger les rôles, et elle savoura la plastique sportive de son amant, son torse profilé par la musculation, probablement le résultat d'un peu de boxe et de course également. Elle enfonça ses ongles dans le minuscule renflement qui naissait sur ses flancs pour mieux le plaquer contre elle, et se frotta jusqu'à sentir tout le désir de son partenaire s'interposer entre eux.

Elle l'accueillit avec prudence, puis avec les ondulations d'une mer paisible, animée de courants invisibles et puissants. La houle gagna en intensité, avant d'être contenue, pour savourer chaque instant. Il avait des fesses sublimes qu'elle ne pouvait s'empêcher de saisir, et leurs bassins s'arrimaient l'un à l'autre avec une facilité déconcertante.

Ludivine voguait entre deux océans, celui de son corps, de ses sensations euphorisantes, et celui plus étrange de l'oubli, du transport de l'âme vers une élévation grisante. Elle voulait avaler Marc tout entier, qu'il aille plus loin, plus fort, plus longtemps, qu'ils se fondent au point de ne plus savoir ce qui appartenait à chacun, intriqués dans le plaisir.

Elle n'alla pas jusqu'à l'orgasme cette nuit-là, mais elle se sentait agréablement comblée lorsque Marc la tint contre lui pour s'endormir.

Dans la faible clarté des bougies, sa chambre pourtant dépouillée de toute décoration lui parut enfin réconfortante.

26.

L'odeur du café flottait dans la cuisine.

Marc était assis sur un tabouret de bar, penché sur l'îlot central, Ludivine en face de lui, en train de couper des fruits en morceaux à l'aide d'un gros couteau à viande.

— Ils sont surgelés, précisa-t-elle, je n'ai pas le temps de faire les courses pour les produits frais, et quand je pense à en acheter, ils finissent souvent par pourrir...

— Ça ira très bien.

Elle termina de tout découper et transféra sa mixture dans deux bols qu'elle couvrit d'une poignée de muesli.

— Pas digne d'un palace, mais c'est mieux que rien.

Après avoir bu une gorgée de café elle demanda :

— Tout ce que tu m'as raconté sur ta vie hier soir, c'est vrai ?

Marc désigna le couteau à côté d'elle sur le plan de travail.

— Tu n'imagines pas que je pourrais te baratiner avec une arme pareille à portée de main, plaisanta-t-il.

Je te l'ai dit l'autre jour dans ta voiture : je ne te mentirai pas.

Ludivine haussa les épaules avant de replonger le nez dans sa tasse.

— C'est le mythe de l'agent secret, ça a la peau dure, avoua-t-elle.

Il ricana.

— Je travaille pour la DGSI, pour le renseignement intérieur, ce n'est pas tout à fait être un agent secret. Et comme tu le sais, ma spécialité à moi ce sont les djihadistes. On est plutôt loin de James Bond...

Son téléphone se mit à vibrer et lorsqu'il le consulta, son visage s'assombrit d'un coup. Il jeta un regard gêné vers Ludivine qui lui désigna la véranda et le jardin :

— Vas-y, décroche.

Il le fit et sortit dans la foulée.

Ludivine l'observait à travers les baies vitrées. Il écoutait d'un air grave, parlait peu.

À quel point était-il franc avec elle ? Vivait-il une double vie avec une femme inquiète quelque part ?

Non, arrête, tout ça c'est fini, maintenant tu fais confiance.

C'était la base de son nouveau deal avec elle-même. Ne plus se refermer comme une huître. Ne plus se blinder. Croire en l'autre. Et s'il y avait de la souffrance au bout, elle devrait faire avec. C'était ça la vie, la vraie. Des joies, des peines, des euphories, des partages, des trahisons, des confidences, des souffrances.

Ses vieux réflexes restaient pourtant difficiles à dissiper.

Elle ignorait si Marc et elle se reverraient, elle n'avait pas envie d'aborder le sujet, déjà profiter du matin, voir s'il tenait jusqu'au déjeuner, peut-être même l'après-midi, puis aviser tranquillement ensuite.

Lorsqu'il referma la porte coulissante, il la fixait avec un air mauvais.

— Qu'est-ce qui se passe ?

— Je dois partir, une urgence.

Ludivine acquiesça d'un signe. Sans un mot elle encaissa la déception tandis qu'il terminait de boutonner sa chemise et cherchait ses chaussures.

Il attrapa sa veste, plongé dans ses pensées, puis se retourna vers la jeune femme.

— À vrai dire, je sais que tu n'es pas de service, mais ce serait bien que tu viennes avec moi, dit-il sur un ton neutre.

— C'est lié au boulot ?

Il ne cilla pas.

Ludivine se jeta sur une paire de baskets qui traînait non loin.

— On va où ?

— Essayer de comprendre comment un des hommes les plus dangereux de France a pu nous filer entre les pattes.

Marc avait conduit à toute vitesse, gyrophare en action sur sa voiture banalisée, traversant le périphérique comme une roquette. Il se gara en toute hâte dans une ruelle de Gennevilliers où un homme en combinaison siglée du nom d'une compagnie d'ambulances les attendait. À peine un salut. L'homme ne demanda pas à Ludivine qui elle était ni ne se présenta, il les fit grimper dans une ambulance dont il prit le volant.

— Quand est-ce que ça s'est produit ? interrogea Marc.

— Hier, pendant la prière du soir, la dernière.

— Putain... comment c'est possible ?

— Il nous a eus à l'habitude...

Ludivine, totalement perdue, demanda :

— De qui parle-t-on ? Je peux savoir ?

Le conducteur fronça les sourcils et la regarda entre deux accélérations. Marc se chargea de répondre :

— Tu te rappelles Abdelmalek Fissoum ?

— Le gros bonnet, plaque tournante des radicaux. Celui que Laurent Brach a fréquenté pendant une courte période.

— C'est un imam que nous avions sous surveillance rapprochée...

— Et malgré ça il s'est fait la malle... comprit la jeune enquêtrice.

— Tous les jours il filait à la mosquée, reprit le conducteur. Et tous les jours il ressortait après la dernière prière du soir, pour rentrer chez lui généralement. Son téléphone portable est géolocalisé en permanence et il est filé par une équipe H24.

— Alors comment il s'est tiré ? insista Marc.

— Nos gars étaient dehors à l'attendre, mais deux heures après la prière il n'était toujours pas sorti. Ils ont contacté notre source qui a confirmé la présence de l'imam dans la mosquée pendant la prière mais il ne l'a plus revu ensuite.

— Ils dormaient, nos mecs dans la bagnole, ou quoi ? s'énerva Marc.

— Non, je les connais, ce sont des bons. On pense qu'il s'est taillé en profitant de la sortie des fidèles. Je te fiche mon billet qu'il s'était déguisé pour pas qu'on le reconnaisse au milieu de l'attroupement, dans ces conditions qu'est-ce que tu veux faire ? Il s'est taillé volontairement, ça ne fait aucun doute, il a laissé son téléphone dans la mosquée, l'équipe l'a retrouvé quand ils sont entrés.

— Et chez lui ?

— On est en planque. Rien.

— Ses comptes bancaires ?

— Pas d'opération depuis, et il n'a effectué aucun retrait important au préalable, sinon on aurait tiré la sonnette d'alarme.

— Pourquoi je ne suis au courant que ce matin ?

— Fallait que ça transite par le DP.

— Directeur départemental, précisa Marc à l'intention de Ludivine. Tous les contacts de Fissoum sont encore sous surveillance ?

— Oui, personne n'a disparu, en tout cas parmi ceux qu'on a dans le collimateur.

— J'y crois pas… Fissoum, pesta Marc. De tous, il fallait qu'on perde celui-là ! La pièce centrale !

Le conducteur poursuivit :

— Tout le monde est en train de se déployer, on ratisse large mais lentement, faut pas que ça se remarque. J'ai fait comme tu m'as demandé, notre source nous attend, il sait que c'est toi qui veux lui parler. Mais… vas-y mollo, hein ? Nous le fais pas claquer entre les doigts celui-là, c'est un convaincu, mais sensible.

L'ambulance traversait un paysage gris de barres interminables qui masquaient le soleil. L'herbe des bordures était remplacée par des bandes de terre jonchées de mégots, le moindre mur était couvert de tags ; de temps à autre une voiture sans pneus végétait sur ses cales ; ici et là s'agglutinaient des grappes de jeunes dont la moitié s'abritaient sous leur casquette ou dans la capuche de leur sweat. La Dalle d'Argenteuil dressait de toutes parts sa masse colossale. Une tristesse fuligineuse, déprimante. Des enfants jouaient au foot dans la rue, obligeant l'ambulance à ralentir, tandis que deux scooters en pleine course se donnaient en spectacle dans une rue parallèle.

Après s'être garé au pied d'un immeuble à la façade usée, le conducteur attrapa des blousons identiques au sien et les tendit à ses passagers pour qu'ils les enfilent.

— Tu vas nous attendre là, ordonna Marc à Ludivine. Ce sera rapide.

Il ne lui laissa pas le temps de répondre, et elle jura en silence lorsqu'ils disparurent dans le hall, sous les regards méfiants d'une poignée d'adolescents. À quoi bon l'emmener si c'était pour qu'elle garde la voiture ?

Les deux policiers ne tardèrent pas à réapparaître en compagnie d'un garçon d'une vingtaine d'années qui se déplaçait à l'aide d'une béquille et que Marc tenait par le bras. Ils le firent monter à l'arrière comme un simple patient et l'ambulance repartit aussi vite qu'elle était arrivée.

Dès qu'ils furent à bonne distance de la Dalle, l'ambulance s'arrêta sur le bas-côté, Marc et Ludivine passèrent derrière et ils reprirent la route.

L'homme était assis sur le brancard, nerveux. Il arborait une petite barbe clairsemée – la faute à un système pileux manifestement peu développé – et ses mains moites laissaient une trace humide sur le jogging où il les posait sans cesse.

— Hicham, je vais être direct avec toi, commença Marc, toute cette histoire pue l'embrouille, pour nous tous, toi compris.

Le garçon secoua la tête, un début de peur marquait son faciès.

— Moi j'y suis pour rien, j'ai fait comme vous m'avez demandé. L'imam, c'est pas de ma faute !

Marc désigna le garçon de l'index et se pencha vers Ludivine :

— Hicham que tu vois là est une source pour nous. Il va à la mosquée de Fissoum, et il connaît plusieurs des mauvaises fréquentations de l'imam. Jusqu'à présent, il a toujours été franc avec nous, c'est pour ça que tout va bien pour lui.

— Non mais je vous jure ! Je savais rien !

— Hicham, moi je sais que tu t'es rendu compte que tu glissais sur la mauvaise pente, je sais que tu es revenu du bon côté. Mais si un juge tombe sur tout ce qu'on a déterré te concernant...

— C'est fini, vous le savez bien ! Je suis plus comme ça. J'aime ma religion, mon Dieu, mais je sais que je m'égarais.

— Par les temps qui courent, Hicham, y a pas beaucoup de juges qui te laisseraient dehors, trop risqué. Et tu sais ce que tes frères en taule font aux types comme toi qui jouent double jeu...

Hicham secoua la tête, accablé.

— Puisque je vous dis...

Marc haussa le ton d'un coup :

— Arrête ! Arrête de te payer notre gueule, putain ! Un coup pareil, il l'a préparé ! Me dis pas que tu l'as pas senti ! Qu'est-ce qu'il a fait ? Il a parlé de quelque chose ? Tu l'as vu avec qui récemment ?

— Personne ! Je vous jure ! J'ai rien remarqué de chelou, il faisait comme d'hab ! Sur la vie de ma mère je sais rien !

— Il était là pendant la prière du soir ?

— Oui, je vous dis : il était normal !

— Qui est venu lui parler à la fin ?

— Des fidèles, comme souvent. Il les a écoutés, puis il a donné ses conseils et tout le monde est reparti.

— Lui aussi ? Tu l'as vu quitter la mosquée ?

Hicham leva les épaules, penaud :

— J'ai pas fait gaffe.

La main de Marc claqua contre le brancard, de dépit plus que de colère.

— Bordel… On te demande de le tracer et toi tu fais pas gaffe ?

— Je peux pas être tout le temps sur son dos, il va me choper ! C'est un prudent l'imam, il connaît tous ceux qui viennent à la mosquée par leur prénom, y a pas un visage qu'il sait pas qui c'est ! Il mate partout avec ses petits yeux. La prière était finie, je suis sorti et puis voilà…

Marc soupira.

— Il est proche de qui en ce moment ?

— Bah… toujours la même bande.

— Ils étaient là hier soir ?

— Oui.

— Ils se sont parlé avant ou après ?

— Non, je crois pas.

— Réfléchis, Hicham ! Fouille dans ton crâne ! Tu es sûr ?

— Bin… en fait, je me demande s'il les a pas évités même.

— Pourquoi tu dis ça ?

— Je sais pas, une impression. Quand j'y repense, on dirait bien qu'il voulait pas trop les voir hier.

— Il t'a paru nerveux ?

— Peut-être un peu… En tout cas il avait pas l'air trop concentré. Comme s'il pensait à autre chose.

— Et ce matin, tu as été à la mosquée pour la prière de l'aube ?

— Bien sûr. Ils étaient là aussi, sa bande… mais comme l'imam était absent, ça a beaucoup discuté pour savoir qui désigner pour faire la prière à sa place.

— Ils ont paru surpris de ne pas le voir ce matin ?

— Oui. Ils n'étaient pas contents. Je crois qu'ils accusaient la police.

Marc renversa la tête contre la paroi du véhicule, pensif.

— C'est bon, vous allez me ramener ? demanda Hicham, inquiet.

Le ton de Marc était bien plus posé, presque grave lorsqu'il répondit :

— Une ambulance qui te prend et te redépose presque dans la foulée ? Et puis quoi encore ? Il faut que ça ait l'air crédible. On va te garder encore une heure et on te lâche.

— Personne ne me surveille.

— Ouais… ça c'est ce que tu penses. Crois-moi, ces mecs sont des paranos de première, tu es déjà dans leur collimateur depuis un moment, s'ils ont le moindre doute… Je ne prends pas de risque. On aura peut-être encore besoin de toi.

— Justement, en parlant de ça, vous avez vu pour la carte de séjour de mon beau-frère ?

— Hey, tu crois pas que tu pousses un peu là, après ce qui vient de se passer ? Retrouve-moi Fissoum et je t'arrange le coup.

— Mais…

Marc profita d'un arrêt à un feu pour ouvrir la porte latérale de l'ambulance, sortir avec Ludivine et remonter devant.

Fissoum prépare un coup tordu, annonça-t-il après avoir vérifié que la vitre de séparation était bien remontée et qu'Hicham ne pouvait pas les entendre. Si ses plus fidèles troupes pensent que nous l'avons arrêté, c'est qu'il n'avait prévenu personne.

— Tu penses qu'il va passer à l'acte ? s'angoissa Ludivine. Commettre un attentat ?

— Non, pas lui. C'est pas le genre, à moins d'une attaque de vaste envergure qui ne lui laisserait pas le choix, ce qui n'est pas le cas puisqu'il n'a pas embarqué ses lieutenants. Fissoum est un idéologue, il recrute, il endoctrine, il organise et tisse les rencontres, ce n'est pas un opérationnel, c'est précisément ce qui cloche. S'il disparaît ce n'est pas anodin. C'est une pièce importante de la propagande djihadiste en France, ils ne peuvent se permettre de le perdre sans une excellente raison.

— Départ pour le Califat ? proposa le chauffeur.

— Pourquoi ? Ils ne lâcheraient pas un atout aussi précieux ici ? Non, il y a un truc que je ne pige pas.

Marc jeta un coup d'œil à Ludivine.

— Tu penses à Laurent Brach ? devina-t-elle.

— C'est trop gros pour être une coïncidence. Brach et lui se rencontrent régulièrement pendant un mois, au même moment ça buzze de partout dans la sphère radicale, puis plus rien, ils coupent les ponts. Brach se fait assassiner, et Fissoum disparaît moins de dix jours plus tard. Trop gros je te dis.

— Moi, mon boulot c'est de retrouver le tueur de Laurent Brach, je te laisse volontiers ton imam passe-muraille.

Marc Tallec tapota nerveusement des doigts sur le tableau de bord. Il secoua la tête, résolu :

— Si Fissoum a disparu si facilement c'est qu'il avait un plan parfaitement rodé. Il avait compris qu'on l'avait dans le viseur. Il s'est préparé. Il a donc non seulement une longueur d'avance, mais il sait exactement comment faire pour rester sous les radars à présent. Alors s'il ne veut pas réapparaître, à moins d'un énorme coup de bol, nous ne l'attraperons pas. C'est mort. Quoi qu'il veuille faire, il a les mains libres.

— Donc tu abandonnes Fissoum ?

Marc la fixa avec intensité. Il n'avait plus rien de l'amant doux et attentionné, il faisait presque peur.

— On met le paquet sur le seul qu'on peut choper, le tueur des rails. Parce que, je te le dis, il y a forcément un lien entre eux, même si j'ignore lequel.

27.

Le poids de la responsabilité était énorme.

Les enquêteurs de la SR avaient l'habitude de gérer la pression lors de grosses affaires, y compris celle exercée par les médias qui n'hésitaient pas à se montrer omniprésents, au point que le bureau du colonel avait été déplacé de l'autre côté du couloir pour ne plus donner sur le boulevard d'où les caméras tentaient parfois de zoomer pour lire à travers la fenêtre ce qui était écrit sur le tableau de son mur.

Mais cette fois la pression était tout autre.

La SR œuvrait en sachant que chaque journée qui passait pouvait être celle de trop. Ils appréhendaient d'allumer la télé ou la radio, même d'aller sur Internet de peur de voir s'afficher en gros les mots « attentat », « terroriste », « victimes ».

La temporalité de l'enquête était totalement remise en question.

Sur les dossiers les plus morbides, Ludivine se battait contre les fantasmes d'un tueur en série dont il fallait cerner l'identité avant qu'il ne repasse à l'acte, mais ce genre de pervers ne tuaient que rarement à toute vitesse, il leur fallait un peu de temps entre chaque crime pour ressentir le manque, pour repartir en chasse. Des mois, au pire des semaines.

Cette fois chaque heure se faisait sentir.

Ils ne savaient pas quelle menace concrète les guettait, et c'était le pire. Ce pouvait n'être qu'un épouvantail, un pétard mouillé. Mais au fond d'eux-mêmes ils craignaient la bombe monstrueuse.

En accord avec les gendarmes et les policiers qui coordonnaient le SALVAC depuis Nanterre, et avec l'aide du cocrim Philippe Nicolas, Ludivine avait obtenu que sa demande soit prioritaire et qu'on lui envoie une copie de toutes les affaires que les analystes allaient traiter pour que son groupe de travail s'y attelle en même temps. Elle voulait qu'ils fassent vite, mais sans passer à côté de quoi que ce soit, ne pas rater le moindre indice, aussi subtil soit-il, et l'expérience lui avait montré que dans ce cas le nombre de paires d'yeux pouvait faire la différence.

Le lundi matin, la jeune femme alla chercher une chaise dans la salle de réunion et la disposa en face d'elle avant de faire de la place sur son bureau pour y installer Marc. Lorsqu'elle réalisa qu'un nouveau jouet Kinder avait fait son apparition sur son étagère elle manqua s'étouffer, mais face à son amant elle préféra ne rien dire et se contenta de fusiller du regard Segnon et Guilhem qui ne comprirent pas.

Les fichiers arrivèrent par e-mail pendant toute la journée.

Segnon, Guilhem, Marc et Ludivine se les répartissaient dès qu'une nouvelle fournée s'affichait. La jeune femme avait écrit en gros sur le tableau Velleda les mots-clés qui les intéressaient, chacune des particularités qui faisaient la signature du tueur des rails. Cette fois, ils ne cherchaient plus à les retrouver toutes en même temps, mais à en identifier au moins une qui soit probante, pour ensuite étudier le crime dans le détail afin d'estimer s'il pouvait être imputé à leur cible, auquel cas le dossier atterrissait sur la pile de Ludivine qui, en sa qualité d'anacrim[1], se plongeait dedans pour disséquer chaque élément et prendre la décision finale.

Des femmes torturées, mutilées. Des hommes démembrés. Parfois à peine adolescents. Viols post mortem. Éviscérations. Étranglements sophistiqués à l'aide d'instruments ou de techniques absurdes de perversité. Tout ce qui touchait aux ongles, aux cheveux coupés, au nettoyage de cadavre, à la présence de détergent, de ligne de chemin de fer à proximité, de suicide douteux et sans témoin sous un train, de viol sauvage avec étranglement… La liste était longue mais Ludivine ne voulait prendre aucun risque. Elle sentait dans l'attitude de Guilhem qu'il était sceptique. Même Marc penchait davantage pour l'hypothèse de la prison afin d'expliquer la période de calme trop longue dans la carrière du tueur. Mais il ne fallait rien omettre. Tout explorer. Et s'ils ne trouvaient rien, ce serait en soi une indication précieuse.

Pendant une pause dans l'après-midi, Segnon profita que Ludivine était seule dans la minuscule pièce qui leur tenait lieu de cuisine où elle se servait du café pour lui demander :

---

1. Analyste criminel.

— Dis donc, il s'est passé quoi avec Marc ?

Ludivine avait redouté cet instant toute la journée. Segnon la connaissait trop bien, il ne pouvait passer à côté.

— Comment ça ? tenta-t-elle ingénument d'éluder.

— Tu l'installes à ton bureau, vous vous tutoyez, ne me raconte pas de bobards, j'ai capté vos regards de lapin, là ! Merde, Lulu, vous avez couché ensemble ?

— Chuuuut… moins fort. Je t'en prie, me fais pas la morale, je suis une grande fille.

— Ouais mais la DGSI quoi… en plus il bosse avec nous. Dans le genre je vais faire compliqué, t'es douée, toi !

— Relax, c'est pas le mariage, on a juste passé la nuit ensemble.

Segnon haussa les sourcils.

— Ça fait des mois qu'avec Laëti on attend que tu te rebranches sur un mec, des mois qu'on se dit qu'on fera péter le champagne ce jour-là, et finalement tu trouves le moyen de me faire stresser le jour où ça arrive.

— Oh ça va, je suis quand même pas à ce point désespérante. Le raconte pas à Laëtitia s'il te plaît, sinon elle va te missionner pour m'enlever et m'obliger à dîner chez vous pour tout lui raconter.

— Hey, tu me connais, je suis incapable de lui cacher un truc et elle a un détecteur d'embrouilles, elle sait dès que je dis rien. T'es fichue, ma pauvre. Oh la vache… le mec de la DGSI. T'en rates pas une !

Segnon gloussait.

Le soir même Ludivine reçut un appel de Laëtitia qui voulut tout savoir, dans les moindres détails, et qui insista lourdement pour qu'elle vienne dîner chez eux. La femme de Segnon n'avait pas sa pareille pour tirer les vers du nez et c'était devenu un sujet de plaisanterie dans l'équipe : lorsqu'un suspect se murait dans le silence pendant une garde à vue, tout le monde demandait à Segnon d'appeler sa femme. Ludivine passa donc sur le gril et, n'ayant plus aucun tabou ni aucune gêne avec ses deux amis, elle balança tous les détails de sa soirée de séduction, ce qui lui fit du bien. Laëtitia attendit que Segnon soit en train de débarrasser la vaisselle dans la cuisine pour exiger des détails plus intimes, et lorsqu'elle rentra chez elle, Ludivine éprouva un sentiment de bien-être qu'elle n'avait plus éprouvé depuis longtemps. Sa vie privée était enfin équilibrée, épanouissante.

Alors même que sa vie professionnelle était en plein rush, aux prises avec l'horreur.

Ce soir-là elle hésita à retourner à la caserne pour poursuivre les analyses, avant de se l'interdire. Tous les autres enquêteurs savaient faire la part des choses, immergés dans leurs fonctions jusqu'à la dévotion au bureau, et seulement préoccupés une fois endossés leurs vêtements de père de famille ou de mère aimante. Il y avait un moment pour tout, elle ne devait plus se laisser envahir au point de ne plus exister. Elle ne pouvait songer tout le temps aux éventuelles victimes.

Sa vie à elle aussi comptait.

Le lendemain soir, Marc proposa de passer chez elle et de cuisiner, ce qu'elle accepta un large sourire aux lèvres. Ils firent l'amour avant d'en arriver au dessert et il resta dormir à ses côtés.

Ludivine était d'une humeur radieuse le mercredi.

251

Malgré les visages déformés par la souffrance, les yeux rivés sur la mort, le sang.

Dossier après dossier ils ne trouvaient rien de concluant.

Jusqu'en fin d'après-midi où Guilhem leva le bras en l'air tout en terminant de lire les pages qu'il avait devant lui.

— Je crois bien que j'en ai une, annonça-t-il.

À ces mots, tous se raidirent sur leurs chaises et les regards glissèrent dans sa direction.

— Anne Tourberie, trente-deux ans, exposa Guilhem, retrouvée morte dans l'étang de Saint-Quentin il y a tout juste un an. Viol probable.

— Pourquoi tu tiques sur elle ? voulut savoir Ludivine.

— Il y a un centre technique de la SNCF juste à côté, à Trappes, se souvint Segnon.

— Non, rien à voir avec les trains sur ce coup, pas d'embrouilles avec les ongles ni les cheveux non plus, rien de tout ça... Mais la cause de sa mort : asphyxie provoquée par un collier de serrage de type serflex retrouvé sur le cadavre. Elle a été jetée à la flotte pendant qu'elle étouffait, il y avait de l'eau dans ses poumons.

Ludivine bascula en arrière dans son fauteuil, mordillant son stylo pour réfléchir.

— Le timing pourrait être bon, admit-elle, le viol en moteur de l'agression aussi, et le serflex pour la tuer. Mais pour le reste c'est assez éloigné de la signature de notre tueur.

— Secteur géographique, rappela Segnon. C'est au sud-ouest de Paris mais ça reste l'ouest, pas très loin de là où vivaient les deux premières victimes. Si c'est un territorial ça colle d'autant plus.

Ludivine approuva.

— Je vais récupérer le dossier complet, d'ici là on continue. Il y en a peut-être d'autres. On met le paquet sur tous les viols avec asphyxie, même manuelle, on ne sait jamais, il a pu vouloir tester le contact physique au moment de la mise à mort pour voir si ça lui plaisait, même si j'en doute.

Le lendemain matin, Ludivine était en train d'accrocher des photos de la scène de crime sur le tableau Velleda à l'aide d'aimants lorsque Marc entra dans la petite pièce qui sentait l'ambre de la bougie parfumée.

— C'est son œuvre tu penses ? demanda-t-il en venant l'embrasser.

Ce baiser spontané surprit Ludivine mais elle le reçut volontiers.

— Je n'arrive pas à me décider, avoua-t-elle en se reconcentrant. D'après l'enquête c'est un crime d'opportuniste. Anne Tourberie se promenait en fin de journée, les abords de l'étang étaient quasi déserts dans ce secteur. C'est un endroit boisé, immense, où il est facile de passer inaperçu. Elle a été agressée sur place, très certainement violée, même si le séjour dans l'eau ne permet pas d'être catégorique, avant qu'on l'étrangle avec un serflex et qu'on la pousse pour qu'elle se noie en même temps. Les diatomées retrouvées dans ses poumons correspondent à celles de l'étang où elle a été repêchée, ce qui prouve que c'est bien là qu'elle a été attaquée.

— Beaucoup de changements par rapport au deux précédents meurtres.

— Oui. Il ne l'enlève pas, aucun « rituel de protection » comme je les appelle, c'est-à-dire rien pour laver toute trace éventuelle, lieu et scène de crime identiques, bref, rien ne colle avec le tueur des rails. Sauf la méthode du serflex. Et encore, il l'a laissé autour de la gorge de sa victime cette fois, ce qu'il ne fait jamais !

— L'enquête n'a rien donné ?

— Serflex classique, on peut en acheter partout, y compris à l'étranger via Internet, que dalle de ce côté. Pas d'empreintes exploitables, y compris au sol : il avait plu pendant la nuit avant qu'on ne la retrouve. Bien sûr aucun ADN, ou plutôt les flics en ont trouvé un, sur un fragment de cordage, mais il ne correspond à personne de fiché. L'accès à l'étang s'effectue via un parking payant, donc les flics ont passé au crible toutes les entrées et sorties du jour de la mort et même celles de la veille et du lendemain. Ils ont été jusqu'à comparer les noms associés à chaque plaque d'immatriculation avec le fichier des délinquants sexuels. Chou blanc.

Marc se rapprocha du tableau pour étudier les photos.

Anne Tourberie gisait sur le dos au milieu des herbes après avoir été repêchée de l'étang, son T-shirt sombre arborant une immense ancre blanche, le bas du corps entièrement dénudé. Elle paraissait d'une pâleur surnaturelle. La crudité de la mort lui enlevait toute beauté. Elle n'était déjà plus tout à fait une femme, simplement un cadavre avec ce que cela impliquait d'effrayant. Ses lèvres entrouvertes, ses paupières en partie relevées, comme saisies au moment de parler. Un mince trait sombre lui cisaillait la gorge si profondément qu'il était impossible sur ce cliché de distinguer ce dont il s'agissait précisément. D'autres photos en gros plan permettaient de se faire un avis sur le collier de serrage en plastique qui avait transpercé la peau jusqu'à se ficher dans la chair.

Des dizaines d'écorchures, parfois très marquées, encadraient le collier.

— Elle s'est arraché plusieurs ongles en essayant de passer les doigts en dessous, expliqua Ludivine d'un air lugubre. Ces merdes sont redoutables : une fois qu'un cran de serrage est passé, impossible de le défaire, il faut couper le lien, c'est l'unique moyen de s'en débarrasser. Et ils sont solides. Sans ciseaux et un peu de force, inutile d'espérer.

— Cette ordure serre aussi fort qu'il peut.

— Il doit s'appuyer sur leur dos pour y parvenir, la boucle est systématiquement du côté de la nuque, ça aussi ça correspond à notre tueur. Il les emprisonne comme une bête avec un lasso, et dès que la prise est bonne, il tire de toutes ses forces, un genou entre les omoplates.

Ludivine serra les mâchoires en imaginant le calvaire imposé à ces femmes.

— Ton avis ? demanda Marc. Lui ou pas ?

— Chronologiquement on est bons, c'est un an après Hélène Trissot et un an avant Laurent Brach, pile le crime intermédiaire qui nous manquait pour considérer qu'il ne s'est pas arrêté, même si je suis surprise qu'il ait autant attendu. Guilhem a raison sur la méthode qui lui ressemble tout de même étrangement. Il y a bien le viol comme motif du passage à l'acte. Mais pour le reste… Pas de séquestration, alors que je pensais que ça faisait partie de son fantasme, avoir sa

255

victime pour lui, tranquillement, isolée, pouvoir faire ce qu'il veut, probablement des viols multiples en peu de temps avant qu'il soit repu et qu'il tue. Là c'est une attaque éclair. Il voit, il viole, il tue, il abandonne le corps. Pour un grand prudent, c'est étonnant. Où sont passés tous ses rituels de protection ?

— L'eau ?

— Oui, il doit penser que ça va la nettoyer, mais on passe de l'obsessionnel au pas grand-chose. Il se donnait un mal de chien et soudain il deviendrait fainéant ? Bizarre. Surtout qu'il a laissé de l'ADN cette fois…

— Ah oui, sur le cordage… Ça non plus ce n'est pas dans ses habitudes. Normalement il les attache uniquement au serflex. Pourquoi il changerait ça également ? Fais voir.

Marc s'empara du dossier et le parcourut en vitesse pour sélectionner le procès-verbal qui l'intéressait.

— Tu as lu le rapport sur ce morceau de corde ? demanda-t-il.

— Non, pas encore, juste vu que ça n'avait débouché sur rien.

Il agita la feuille devant Ludivine.

— Il y a des poils de chien dessus !

Ludivine se redressa.

— Parce qu'il ne s'en est pas servi comme d'un lien… C'est la laisse qu'il trimballe avec lui ! J'avais raison ! C'est sa méthode pour les approcher !

Marc, concentré, continuait de dérouler les hypothèses :

— Est-ce qu'il a pu la repérer au préalable ? Tu disais que c'est un chasseur, peut-être qu'il a suivi

Anne pendant plusieurs jours ou semaines, pour se faire une idée de ses habitudes.

— Possible. D'après les flics elle allait régulièrement se balader par là, en général après le boulot.

— Elle faisait quoi ?

— Assistante de direction dans une PME d'accessoires automobiles. Aucun lien avec les précédentes.

Ludivine et Marc étaient scotchés aux photos, entre horreur et réflexion. Segnon était absent pour la matinée, accaparé par les suites procédurales de l'arrestation du pédophile, et Guilhem était en mission auprès du procureur, à la demande de Ludivine, pour insister et accélérer la demande d'exhumation des deux premières victimes, lettre du capitaine Forsnot confirmant les progrès des protocoles médico-légaux à l'appui, dans l'espoir de pouvoir trouver des traces ADN du violeur.

— Il y a un tel changement dans la méthode, répéta Ludivine, que j'ai peine à comprendre par quel cheminement nauséabond ses fantasmes ont pu se modifier à ce point en seulement un an. Et s'il y avait plus de victimes ? Une évolution progressive ?

— Nous avons tout épluché, tu sais bien qu'il n'y en a pas d'autres. Et il ne les a pas planquées au fond de son jardin, il ne fait pas ça, il s'en débarrasse... On les aurait retrouvées.

— Alors pourquoi un an sans tuer et brusquement un changement radical ? s'agaça Ludivine qui détestait être à ce point larguée.

À ces mots Marc fit un pas en arrière et inclina la tête pour mieux regarder les photos, en particulier celle où le corps d'Anne était visible dans son ensemble.

Il se rapprocha.

— Oh bon sang, murmura-t-il dans sa barbe.

— Quoi ? Qu'est-ce que tu as vu ?

Il désigna le T-shirt de la victime et son ancre géante.

— Et s'il ne l'avait pas repérée ? dit-il tout bas. S'il l'avait prise pour cible sur un coup de tête, parce qu'il a vu quelque chose qui a tout déclenché ?

— Comme quoi ?

Marc posa son doigt sur la partie inférieure de l'ancre, ne laissant apparaître que le montant principal barré sur le haut par un trait perpendiculaire, la verge et le jas.

— Si elle avait les bras croisés sous la poitrine et que ça masquait ce que je cache, que verrais-tu ?

— Eh bien... une croix, fit Ludivine.

Marc acquiesça.

— Tu as employé le bon mot tout à l'heure. Le tueur a changé parce qu'il s'est *radicalisé*, annonça-t-il gravement.

28.

Marc faisait les cent pas dans le bureau.

— C'est pour ça qu'il n'a pas tué pendant un an ! triomphait-il. Il était en train de muter psychologiquement. Il était contraint par une force plus importante que ses fantasmes, celle de la religion.

— Je ne suis pas sûre qu'une conversion puisse suffire à remettre un tel individu sur le droit chemin, s'opposa Ludivine. Ce qui le pousse à tuer est monstrueusement puissant, ça le dépasse, c'est une pulsion qui est au cœur de son système mental, et lorsqu'elle explose, il ne peut se contenir, c'est au-dessus des notions de bien et de mal, au delà des lois.

— Qu'il se soit converti ou qu'il ait eu une révélation sur ses croyances lointaines, peu importe, mais il a décidé de confier sa vie à Allah. Bien sûr qu'il a dû lutter contre lui-même, qu'il s'est peut-être même enfermé, abruti avec des cachets ou mutilé pour s'apaiser, mais il a tenu bon. Pendant un an. Il a suivi la voie de Dieu, probablement avec le même extrémisme que celui dont il témoigne à travers ses crimes. C'est un obsessionnel, tu as raison, et lorsqu'il est convaincu, il y va jusqu'au déraisonnable. Il a découvert l'islam, et sa foi l'a aidé à se contenir.

Ludivine s'assit sur un coin de bureau.

— Tout ça à cause d'une ancre qui pourrait être prise pour une croix chrétienne ?

— Non, à cause de l'ensemble, ça fait sens ! Regarde : il se donne à Dieu, peu importe comment et pourquoi, ça arrive tous les jours, et à partir de là, il comprend que la force supérieure qui le commande lui interdit de violer et de tuer comme il l'a fait, alors il essaye d'obéir. Sauf qu'il le fait avec la même passion qu'il met dans ses meurtres. Sa déviance s'est déplacée, elle n'est plus focalisée sur le viol, maintenant elle l'est sur son service à Dieu.

— Sa déviance est le résultat d'une construction personnelle erratique et perverse, il est cette déviance, elle incarne ce qui ne va pas chez lui, il ne peut pas choisir de la faire basculer comme il veut, ça ne fonctionne pas ainsi.

— En effet, il reste le pervers qu'il est, mais toute l'énergie malsaine qui l'anime normalement pour ressasser ses fantasmes, il l'utilise au service de sa dévotion. C'est ce qui le rend de plus en plus radical, y compris dans sa foi ! Bien sûr, il n'est pas guéri de ses pulsions sexuelles et Anne est la preuve de cette dualité ! Il n'avait certainement pas prévu de la tuer, pourtant il la croise, elle a les mains sous la poitrine et il prend l'ancre pour une croix chrétienne, alors les deux radicalités en lui s'entrechoquent : le religieux voit en elle une mécréante qui mérite la punition ultime, le pervers voit le signe que Dieu lui envoie pour qu'ils soient tous les deux servis. Du coup il la viole pour lui et la tue pour Dieu.

— Il avait un serflex sur lui ?

— Pourquoi pas ? Ça devait le hanter depuis trop longtemps, ça montait progressivement, la pulsion le taraudait, il sentait au fond qu'il n'allait pas tarder à craquer, il s'autorisait de plus en plus de liberté. Rôder à l'affût pour commencer. Puis il a pris un serflex dans sa poche, juste comme ça, sans s'autoriser à en faire usage, mais ça l'excitait. Il sentait que la connerie approchait. Il a suffi d'un signe. D'une interprétation.

Ludivine observait Marc, fascinée.

— Tu aurais fait un bon profileur.

— Mon métier est aussi de savoir me glisser dans les pompes des radicaux, pour comprendre leur mode de pensée, pour essayer d'avoir une longueur d'avance.

— Alors il la viole, se rend compte qu'il vient d'aller trop loin, et il panique ? C'est pas son genre…

— Non, il la tue et l'assume pleinement. Mais désormais, il s'en remet à Dieu. Il lui fait confiance. Alors il n'a plus besoin de laver le corps, de brouiller les pistes avec tous ses artifices. Et tu sais ce que représente l'eau dans la tradition musulmane ? La purification. Il purifie sa victime, et par là même il se purifie lui aussi. Il a certainement prié après son crime, directement sur place.

Ludivine hocha la tête. Cette fois elle glissait sur le terrain de son interlocuteur.

— Il se radicalise, admit-elle, et c'est comme ça qu'il se met à fréquenter des gens qui connaissent Laurent Brach. Mais pourquoi reprend-il ses rituels de

261

protection avec Brach ? Pourquoi revenir aux vieilles méthodes puisqu'il a évolué ?

— Parce que les flics ne sont pas passés loin de lui après le meurtre d'Anne Tourberie. Dieu l'a protégé mais il a eu chaud aux fesses, il le sait. Alors s'il recommence, il faut que ce soit parce que Dieu lui donnera le signe de le faire, mais il faudra qu'il se montre prudent, comme avant. Il n'est pas sur terre par hasard, il n'a pas rencontré la foi inutilement, tout fait sens pour lui.

Ludivine approuva et poursuivit, réfléchissant à voix haute :

— Il rencontre des fanatiques dans son genre, et vient un jour où... Laurent Brach est une commande. C'est pour ça qu'il tue un homme, que le viol n'est pas le moteur. Ses nouveaux amis le lui ont ordonné.

— Le trafic de drogue sert parfois à financer le terrorisme, on a pas mal d'exemples de petites cellules qui sont alimentées ainsi. Si c'est le cas ici ils n'auront eu aucun mal à lui fournir le sac de came retrouvé sur place, juste pour nous orienter vers une fausse piste.

Ludivine souffla longuement, les mains jointes derrière le crâne.

— Tout ça serait donc une affaire liée au terrorisme, lâcha-t-elle du bout des lèvres.

— Un psychopathe qui se met au service de fanatiques religieux, résuma Marc.

Soudain Ludivine sembla percuter ce que ça impliquait pour elle :

— Hors de question que tu me mettes sur la touche. La DGSI ne reprend pas le bébé. Brach c'est *mon* macchabée, les deux filles c'est *moi* qui ai fait le lien. Je ne dégage pas. La SR reste aux commandes !

Marc hocha la tête.

— Je travaillerai mieux et plus vite avec vous, mais pour l'instant tu gardes ces conclusions pour toi. Sinon la section Cl, la section antiterroriste du parquet de Paris va s'en mêler, et la SDAT[1] va rafler la mise.

En réalisant à quel point le pays était un maillage complexe de services, DGSI, SDAT, Section antiterroriste de la préfecture de Paris, DRSD de l'armée, le BLAT, sans même parler de la DGSE, Ludivine se demanda comment il était possible de travailler avec autant d'attributions spécifiques, de petites rivalités et de jalousies de territoires et de compétences. La coordination ministérielle existait, mais dans les faits, sur le terrain, elle savait bien que la coopération n'était pas totale. Ludivine se rendit compte qu'elle en était en ce moment l'illustration. Était-elle la plus compétente pour conduire la suite de cette enquête ? Elle le pensait. Sa connaissance du dossier dans son ensemble et la synergie avec Marc pouvaient faire la différence.

— Tu crois qu'il se prépare quelque chose ? demanda-t-elle d'une petite voix où perçait le doute.

Marc la fixa.

— J'espère que non, mais la disparition de Fissoum n'est pas normale. Il vaudrait mieux qu'on en sache davantage très vite, ajouta-t-il avant d'avaler sa salive.

Ludivine le vit douter lui aussi.

---

1. Sous-direction antiterroriste, service de police judiciaire.

29.

Pôle judiciaire de la Gendarmerie nationale, Pontoise. Ludivine salua l'homme qui venait d'entrer dans la longue salle. Le général de Juillast était une copie du capitaine Forsnot en plus marqué : plus grand encore, plus sec, les yeux presque transparents, le sourire plus franc, et un accent chantant du Sud-Ouest. Il était le patron du PJGN, mais au-delà de son titre, Ludivine l'appréciait pour sa réputation. Formé au célèbre institut de criminologie de Lausanne, passé par presque tous les départements de l'IRCGN, de Juillast était de ces gradés ultracompétents qui connaissent le terrain, loin des prototypes carriéristes qui commandaient sans avoir jamais mis les mains dans le cambouis. Il était réputé et apprécié.

Sa bonhomie légendaire rassura Ludivine, un peu intimidée.

— Forsnot m'a prévenu de votre arrivée, soyez les bienvenus ! J'ai suivi vos exploits, lieutenant, et je dois dire que je suis impressionné.

La jeune femme sentit le rouge lui monter aux oreilles.

— Mon général…

— Si, si, je vous assure. Vous auriez toute votre place ici au troisième étage du SCRC, aux sciences du comportement. Vous n'y avez jamais pensé ? Ils travaillent en binôme, un OPJ et un psy, compétence nationale. Réfléchissez-y pour l'avenir !

De Juillast riait presque en parlant, son accent ajoutant une note de bonne humeur à chacune de ses phrases. Le contraste entre sa joie de vivre affichée et les responsabilités qui pesaient sur ses épaules était énorme. Pendant un instant Ludivine fut soufflée par cette proposition directe d'intégrer ses services et elle se surprit à s'interroger. Son avenir serait-il entre ces murs un jour ? Elle aimait assez cette idée.

Tout autour d'elle, une rangée d'opérateurs saisissaient des données sur leurs claviers dans le silence feutré des unités centrales. Les locaux étaient modernes, presque futuristes.

Le général se tourna vers l'immense télévision à laquelle était connecté un ordinateur portable.

— En attendant l'arrivée du procureur pour votre affaire, je voulais vous montrer notre nouvel outil, annonça-t-il fièrement. Analyse décisionnelle, c'est son nom.

D'un geste de la main il indiqua au gendarme en tenue qui pianotait sur l'ordinateur de poursuivre. Une carte de France s'afficha sur l'écran face à Ludivine et Segnon. Des taches vertes, bleues, jaunes et rouges apparurent.

— L'ensemble des faits criminels des six dernières années ont été répertoriés et enregistrés dans la base de données du logiciel. Tous classés par type :

cambriolage, agression sexuelle, vol de véhicule et ainsi de suite. À partir de là, et à l'aide d'algorithmes spécifiquement créés pour l'occasion, notre Analyse décisionnelle nous affiche une courbe des faits dans le temps mais surtout une prédiction des faits à venir par secteur.

— Prédictif ? souligna Segnon.

— Tout à fait ! s'enjoua le général. Le logiciel étudie les dynamiques criminelles et dresse une carte des probabilités que des faits se produisent selon les zones. Pour la criminalité saisonnière c'est assez évident, mais pour le quotidien, là, c'est une véritable aide pour gérer le personnel des brigades. Si, par exemple, ils se rendent compte que le logiciel anticipe un pic de cambriolages dans tel secteur à tel moment de l'année, ils pourront multiplier les patrouilles préventivement.

Le gendarme fit un zoom sur la carte jusqu'à atteindre l'échelle d'un ensemble de petites communes rurales. Des auréoles vertes entouraient plusieurs noms, mais une flaque jaune soulignait l'activité criminelle d'un lieu en particulier.

— Bientôt nous ajouterons les données météorologiques, il est évident que les fortes chaleurs par exemple ont une incidence sur le crime, de même que l'heure à laquelle se couche le soleil, et petit à petit nous entrerons un maximum de facteurs pour rendre cet outil encore plus pointu.

— De la science-fiction, murmura Segnon.

De Juillast souriait à pleines dents, fier de la création de ses équipes.

— Non, la gendarmerie du XXIᵉ siècle !

Ludivine songeait à ce qu'elle venait de voir et à tout ce que le capitaine Forsnot lui avait déjà raconté des prochaines étapes de l'investigation scientifique, portrait-robot génétique, isotopes... Leur métier allait évoluer à grande vitesse en l'espace d'une décennie seulement. Ils vivraient bientôt dans un monde où les ordinateurs tiendraient compte de tellement de paramètres qu'on saurait à l'avance où se produiraient une partie des infractions, un monde où les criminels devraient entièrement se raser pour ne laisser aucun cheveu ou poil, et où la moindre perle de sueur ou de salive suffirait à tout savoir, jusqu'à recréer le visage du coupable sur un ordinateur. Quelle serait la place des enquêteurs là-dedans ? C'était un sentiment paradoxal que de craindre de ne plus être utiles au cœur du processus, alors même que réduire le crime était le cœur de leur métier.

Une secrétaire apparut pour annoncer que le procureur était arrivé. Ludivine, Segnon et Forsnot prirent congé du général pour traverser la passerelle de verre afin de rejoindre le bâtiment adjacent, l'IRCGN, et de descendre au niveau le plus bas. En chemin ils croisèrent trois ouvriers en train de démonter le faux plafond d'où pendaient plusieurs câbles.

— Désolé pour le désordre, s'excusa le capitaine, la modernité a ce prix qu'il faut s'ajuster tout le temps, nous ajoutons du câblage informatique.

Un des ouvriers se releva pour les laisser passer, il les salua.

Crâne rasé, comme les futurs tueurs, réalisa Ludivine en le voyant. Voilà, on y était : elle projetait déjà sur les bases de sa réflexion précédente. N'était-ce pas là les limites de la science ? Ne pas condamner un individu seulement sur des caractéristiques évidentes, mais sur des faits. Il serait toujours là le métier d'enquêteur, pour plonger dans l'humain.

— Vous avez déjà assisté à une autopsie chez nous ? demanda le capitaine.

— Pas ici, non, répondit Ludivine.

— Vous allez apprécier.

— Pas sûr... lâcha Segnon en circulant dans un couloir assez large pour faire passer un brancard roulant.

Les portes s'ouvraient presque sans un bruit, automatiquement, dès que l'officier badgeait avec sa carte d'accès. Succession de laboratoires dernier cri. Les installations avaient été conçues pour traiter tout type d'urgence, y compris les pires catastrophes.

— Nous pouvons accueillir jusqu'à six cents corps si besoin, confirma Forsnot, nous disposons de containers réfrigérés. Notre référence ça a été l'A380. Nous nous sommes dit qu'il fallait pouvoir faire face aux conséquences dramatiques d'un crash du plus gros appareil au monde transportant des passagers.

— J'y penserai la prochaine fois que je prendrai l'avion, ironisa Segnon.

Ils pénétrèrent dans une salle occupée par une grande table ovale encadrée de sièges imposants. Deux consoles bardées de boutons et de molettes clignotaient au centre et plusieurs écrans remplaçaient les fenêtres sur les murs.

Un petit homme à lunettes entra par une autre porte, costume strict et mèche soigneusement rabattue sur le côté du crâne. Le procureur Bellocq.

— Je ne vous remercie pas d'être la raison de ma présence ici, dit-il sans qu'ils sachent bien s'il s'agissait d'un vrai reproche ou d'une pique amicale.

— Merci d'avoir rendu l'exhumation possible, répondit Ludivine.

— Vous m'avez un peu forcé la main ! De toute façon l'enquête de flagrance se termine ce soir, ce sera juge et commission rogatoire pour la suite. Vous m'avez bien tenu à l'écart sur ce coup. Si, si, je ne suis pas dupe. Vos états de service m'ont fait céder à votre requête mais, lieutenant, si je peux me permettre un conseil : n'en faites pas trop, restez à votre place, si vous mettez le juge de côté ça risque de mal se passer.

Ludivine lui adressa un sourire poli mais n'en pensait pas moins, et lorsqu'elle croisa le regard de Segnon, elle vit qu'il était du même avis que le procureur. Il n'aimait pas la manière dont les choses se passaient.

Le capitaine Forsnot prit place face aux consoles et les invita tous à s'asseoir avant de leur distribuer un casque avec micro intégré qu'ils enfilèrent.

— Mais... on n'assiste pas à l'autopsie ? s'étonna Ludivine dont la voix passait à présent par les écouteurs de chacun.

Les écrans s'allumèrent comme on ouvre des volets. La scène affichée était la même, selon différents angles : une salle blanche où l'inox scintillait sous l'éclat des scialytiques. Deux tables d'autopsie presque côte à côte.

— Si, d'ici, expliqua le capitaine. La salle est équipée de plusieurs caméras que je peux contrôler. Zoom et micros bien entendu. Notre légiste va faire son compte rendu devant nous, et tout sera enregistré.

Vous aurez un CD avec l'ensemble de la procédure gravé dessus, images comprises.

Ludivine écarquillait les yeux.

— Jamais vu ça.

— Nous sommes les seuls en France à être équipés ainsi. Attention : une fois qu'on y a goûté, difficile de revenir en arrière !

Le médecin apparut à l'image, suivi par un assistant qui disparut dans une pièce mitoyenne où il récupéra les corps qu'il fit rouler jusqu'aux tables d'autopsie.

— Ils ont procédé à un scanner complet de chaque cadavre, expliqua Forsnot. C'est aussi un protocole que nous appliquons ici systématiquement. Vous savez comme à la fin d'une dissection on peut se retrouver avec une bouillie sanglante, eh bien avec le scanner cela permet de savoir à l'avance ce qu'on va trouver de spécial. Par exemple lorsqu'on recherche des fragments de projectiles dans les organes. Au moins, avec les images, le légiste sait où les trouver sans tout mettre en pièces inutilement.

Un des moniteurs sur le côté s'alluma et les images d'un cadavre apparurent. Un corps rouge sur fond noir. Plusieurs clichés se succédaient, de plus en plus précis, de plus en plus profonds, et le squelette apparut rapidement. On aurait dit des négatifs d'une œuvre de Francis Bacon. Le scanner déshabillait l'écorce de peau, les couches de chair, effeuillait les organes un par un, jusqu'à révéler le tronc même de l'être, plus nu que nu. Un substrat glacé de la mort.

— Je crois que nous allons au-devant d'une belle surprise, fit une voix dans leurs écouteurs.

Le légiste les salua face caméra.

— Vous avez vu les scanners ? demanda-t-il.

— Bonjour, docteur, fit Ludivine. Pourriez-vous nous les expliquer ?

— J'ai comme un doute, se contenta-t-il de répondre. Nous allons les ouvrir, mais j'ai comme un doute.

Les deux femmes apparurent hors de leurs housses, posées dans leur plus simple appareil sur les tables d'inox, et Ludivine fut soudain contente d'être protégée par la distance des images. L'odeur devait être épouvantable. L'une était tout atrophiée, rabougrie, presque repliée sur elle-même, les tendons secs et saillants, desséchée, une momie bouche ouverte criant pour l'éternité dans le silence transi de la mort. L'autre au contraire se tenait bien droite, jambes encore roses, haut du corps noir de putréfaction, des auréoles mousseuses blanches indiquaient des champignons au niveau du torse et la couture de sa première autopsie bien visible, à l'image d'une fermeture Éclair macabre.

— Ah, nous ne sommes pas tous égaux face à la pourriture, résuma le légiste. Je vais procéder à l'ouverture des corps à présent, expliqua-t-il.

Dans la crudité des scialytiques, ces mots résonnèrent cruellement. Pourtant les scalpels creusèrent leurs sillons avec délicatesse, le légiste s'attardant avec précision tel un peintre calculant le moindre coup de pinceau pour que son œuvre se rapproche de la perfection. Il avait décidé de commencer par le corps entre rose et noir, celui aux champignons. Hélène Trissot. C'était le cadavre le plus « frais », celui où il y avait le plus de chances de collecter du matériel biologique exogène, même s'il avait d'emblée annoncé qu'il ne fallait pas attendre de miracle.

Coup d'œil du procureur à Ludivine.

La morte ne saigna pas.

L'essentiel de ses fluides ne lui appartenaient plus depuis longtemps déjà, une partie s'était répandue dans le siphon en inox lors de la première autopsie et le reste avait été bu par la terre.

Le légiste était penché sur son bas-ventre lorsqu'il sortit avec application plusieurs petits corps bruns et leur cohorte de filaments encore visqueux malgré les années passées dans la tombe. Des reflets vaguement carmin brillaient sous la lumière. La matrice du monde, réalisa Ludivine. *Si fragile, si frêle, si... repoussante.* Le légiste déposa son offrande à la science sur le plateau brillant à côté de lui dans un silence pesant, seulement perturbé par le feulement de la ventilation.

— Il ne s'agit pas de l'appareil génital, précisa-t-il, je dégage l'accès. La précédente opération a laissé les entrailles dans un état... difficile, et avec le temps tout a bougé. Mais...

D'une main il tenait une pince et de l'autre il fourrageait à l'intérieur, écartant ce qui le gênait.

Il secoua la tête.

— Absence du tractus génital, affirma-t-il. C'est bien ce que je pensais d'après les scanners.

— C'est-à-dire ? interrogea Ludivine.

— On lui a prélevé tout l'appareil génital. Ça se fait de plus en plus dans les affaires d'agression sexuelle, notamment pour des contre-expertises, fit la voix du légiste à travers son micro.

— Où est-il alors ?

— Si tout a été bien fait ? Sous scellés pardi !

Le cœur de Ludivine se calma. Elle allait demander au procureur s'il pouvait accélérer la récupération des scellés en question lorsqu'elle sentit le poids du regard de Bellocq sur elle. Il avait ordonné une double exhumation pour une expertise qui n'en avait pas besoin. Ce serait à lui de rendre compte aux familles.

Ludivine venait de se griller à vie avec un procureur qu'elle considérait parmi les plus compétents. Mauvaise décision. Trop de précipitation. Elle s'en voulut. Non pas d'imposer ce moment à toute l'équipe mais de la faire subir aux deux corps qui gisaient sous l'œil avide des caméras.

— Un beau gâchis, insista Bellocq.

Ludivine ferma les paupières. Heureusement le dossier partait entre les mains d'un juge. Tout n'était pas encore fichu pour elle.

— Maintenant occupons-nous de recoudre dignement cette pauvre femme, annonça le médecin.

En réalisant qu'il y avait un second cadavre à ouvrir par acquit de conscience, Segnon soupira et posa sa tête sur celle de sa collègue, accablé.

— Je t'en veux d'avoir des idées aussi tordues, dit-il tout bas. C'est tellement glauque…

Elle lui tapota la main amicalement.

Le légiste était en pleine incision lorsque le téléphone de Ludivine se mit à vibrer. Elle consulta d'un rapide coup d'œil l'identité de l'appelant et décrocha en voyant le nom de Marc s'afficher.

— On a retrouvé Fissoum, annonça-t-il tout de go.

— Enfin une bonne nouvelle…

— Pas vraiment, non. Il est mort, Ludivine. Assassiné.

30.

La fascination pour le morbide.

Chercher à en voir toujours plus, ne rien manquer des détails les plus scabreux. Comme un moyen de se rassurer.

L'attroupement se pressait aux premières loges, ne manquait que le vendeur de glaces et de pop-corn avec son petit chariot pour parachever le grotesque tableau.

Ludivine s'était frayé un passage en jouant des coudes, puis elle avait brandi sa carte officielle pour franchir le cordon établi par la police, entre les pompiers, l'ambulance et les véhicules des autorités locales qui protestaient parce qu'on les tenait à l'écart.

Ludivine se rapprocha du fleuve, dépassant un second cordon de sécurité pour traverser la rue bouclée et descendre le mince coteau herbeux vers le rivage.

Quatre hommes et une femme discutaient âprement au sommet de la pente, des flics à n'en pas douter, mais ils ne semblaient pas d'accord et l'un d'entre eux interdisait le passage aux autres.

Marc se tenait plus bas, presque les pieds dans l'eau, dans le dernier cercle, celui qui serait bientôt exploré minutieusement par les agents spécialisés de la police technique et scientifique en blouse blanche. Il était debout, les mains dans les poches de sa parka kaki, l'air perdu en contemplant la silhouette allongée recouverte d'une couverture de survie dorée. Lorsqu'il vit Ludivine, il lui fit signe d'approcher et l'homme qui servait de cerbère la laissa descendre.

— Lui c'est Lucien, il bosse avec nous, expliqua Marc d'une voix blanche. Les autres ce sont les flics qui vont conduire l'enquête.

— Ils n'ont pas l'air très heureux de vous voir.

— Dans dix minutes ils reprennent la main, le temps qu'on dégage.

Il désigna la petite masse d'or qui bruissait dans la brise.

— Fissoum a été aperçu par des promeneurs ce midi, relata-t-il. Il était là, le visage dans l'eau, comme en train de prier, partiellement recouvert par des branchages, ce qui explique que personne ne l'ait remarqué avant. C'est l'odeur qui a alerté les témoins. Probablement mort depuis un moment, possiblement depuis qu'il a disparu en fait.

— Comment l'a-t-on identifié ?

— Il avait ses papiers sur lui. Les pompiers ont appelé les flics qui ont entré le nom dans les fichiers et ça a sonné chez nous. Sauf qu'entre-temps des gamins du secteur ont tout vu, et l'un d'eux qui allait à la mosquée de Fissoum l'a reconnu. Tout le monde est au courant. La foule qui se rassemble derrière, c'est pour moitié des fidèles.

— Il faut craindre des débordements ?

— On va surtout pas rester trop longtemps, c'est déjà pas bon qu'ils aient vu mon visage. La suite, c'est le problème des flics, pas le nôtre.

Ludivine ne voyait rien du mort sinon une main molle qui dépassait de sous la couverture de survie et cela lui suffisait. Elle commençait à avoir sa dose de cadavres en gros plan pour la journée. Pourtant son instinct la titillait, lui commandait de jeter un coup d'œil.

— Tu as pu l'examiner, c'est bien lui ?

— Aucun doute.

— Comment sais-tu que c'est un assassinat et pas un suicide ?

— Il avait la tête dans l'eau mais deux serflex autour de la gorge, serrés par-derrière et au plus fort, au-delà c'était la décapitation.

— Merde…

— Comme tu dis. C'est à devenir dingue. Pour qui travaille l'enfoiré qui fait ça ? Il bute Laurent Brach puis Fissoum ? Je pensais qu'un groupe d'apprentis djihadistes le commandait pour faire leur sale besogne, qu'ils préparaient leur plan, et en définitive je ne sais plus rien.

À contrecœur, Ludivine se rapprocha du corps en prenant soin de ne pas marcher dans d'éventuelles empreintes, mais elle s'aperçut que le sol était déjà complètement saccagé par les hordes qui s'étaient succédé, promeneurs, pompiers, flics, médecin… Elle prit un stylo dans la poche de sa veste en cuir et souleva doucement la couverture.

Abdelmalek Fissoum ressemblait à l'homme qu'elle s'était imaginé mais il était d'une pâleur qui en disait long sur la quantité de sang qu'il avait perdue. Barbe noire, un peu d'embonpoint, djellaba blanche et gorge cisaillée jusqu'à l'os. Ses joues, ses lèvres et ses paupières étaient partiellement dévorées, la peau effacée, la chair morcelée : son séjour dans la Seine lui avait littéralement fait perdre la face. Ludivine grimaça de dégoût.

— J'ai interrogé le couple qui l'a trouvé, ils sont sûrs de la position du corps, précisa Marc.

— C'est important ?

— Il était orienté par ici. Vers La Mecque. Il priait je te dis.

Il y avait du sang sur le haut de la djellaba mais pas en grande quantité, moins que ce qui aurait dû gicler s'il avait été maintenu debout ou assis pendant que les serflex lui découpaient la carotide. Il s'était donc vidé la tête renversée en avant, peut-être même déjà dans l'eau.

— Il priait pendant qu'il mourait, confirma-t-elle.

Le tueur l'avait-il obligé à se prosterner ? Ludivine inspecta les poignets et ne releva aucune trace suspecte.

— Pas de lien, dit-elle.

— Je sais, c'est bizarre.

La jeune femme se redressa. Le ciel était gris, le soleil dissous quelque part derrière le rideau de nuages menaçants. Un début d'après-midi qui ressemblait à un crépuscule.

Ou à l'apocalypse.

Son cerveau tressait des connexions entre chaque élément, tout ce qu'elle avait entendu, lu et vu. Réfléchir à voix haute était ce qui l'aidait le plus, alors elle se lança :

— Fissoum vous a faussé compagnie de sa propre initiative. Personne n'est venu l'enlever, vous l'auriez remarqué. Et votre indic, Hicham, a dit qu'il était comme absent pendant la prière du soir et qu'il cherchait à éviter ses amis habituels. Il se préparait.

Elle acquiesça vivement et se tourna vers Marc.

— Il voulait mourir, insista-t-elle. Il s'est offert au tueur.

— Pourquoi se sacrifier ? C'était un rouage important dans l'idéologie et le recrutement de Daech sur notre territoire !

— Ça, c'est ce qu'il faut découvrir. Mais ça ne remet pas en cause notre hypothèse sur le tueur. C'est un fanatique. Et il n'a pas tué Laurent Brach, pas plus qu'Abdelmalek Fissoum, pour assouvir ses propres fantasmes, pas du tout. Il les a exécutés sur demande. Et compte tenu de sa nouvelle fascination, c'est au nom d'Allah qu'il agit.

— Comme un illuminé qui obéirait à des voix ? fit Marc avec scepticisme.

— Non, comme un dévot qui satisfait son clergé.

— Il n'y a pas de hiérarchie cléricale à proprement parler chez les sunnites.

— Tu m'as comprise. Il fait ce qu'on lui demande. Quelqu'un qu'il prend pour la voix de Dieu ou pour son intermédiaire.

— Tu l'as à tes pieds, celui qui avait ce rôle.

— Dans la hiérarchie de ces types, qui est au-dessus ?

— En France ? Personne… C'est une nébuleuse, chaque groupe est plus ou moins dans son coin, leur point commun c'est l'idéologie extrémiste et Daech, là-bas, au « pays de Cham », comme ils l'appellent. Leur unique maître c'est Dieu.

— Ils n'ont pas une organisation pyramidale, avec de véritables leaders ?

— Si, là-bas, en Irak et en Syrie, ils ont un calife, des gouverneurs et tout un tas de décideurs opérationnels, mais ces titres ne veulent rien dire ici. Et les quelques figures de proue de Daech qui paradent sur Internet ne pourraient pas revenir en France comme ça.

— Impossible ?

— Non, ils peuvent passer à travers les mailles du filet, mais soyons réalistes : ces types sont doués devant une caméra pour haranguer, pour recruter en retournant le cerveau des gamins paumés, certainement pas pour mener une guerre larvée ici.

— Alors il faut envisager qu'il y ait encore autre chose. Quelqu'un qui puisse en imposer, un homme de l'ombre qui sait passer inaperçu auprès de vos services mais qui est écouté lorsqu'il parle.

Marc secoua la tête, pas convaincu.

— C'est quoi la suite ? demanda Ludivine.

— Je dois foncer à Levallois, mes supérieurs attendent un topo complet. Ils ne vont pas être déçus… Rentre à Paris, je t'appelle ce week-end.

Marc avait la mine des mauvais jours. Le regard noir

Le vent s'était levé lorsque Ludivine sortit de sa voiture sur le parking derrière la caserne. La lumière du jour était encore plus anémique que sur les bords de Seine.

Une tempête approche.

Elle ne partageait pas l'accablement de Marc. Lui venait de perdre une précieuse tête de file qui lui aurait permis de remonter tout un réseau, il se sentait malmené par la complexité du tueur, mais pour Ludivine tout cela avait un sens. Elle n'était pas tout à fait sûre de bien savoir lequel, mais il ne faisait plus aucun doute désormais que le tueur était piloté à distance par quelqu'un. C'était l'unique explication rationnelle à son comportement et, en la matière, Ludivine le savait par expérience, même les tueurs en série obéissaient à une certaine logique.

Elle allait choper ce vicelard. Ce violeur. Ce fanatique. C'était son objectif à elle. Le reste concernait la DGSI.

La seule bonne nouvelle de cette journée vint, contre toute attente, du procureur Bellocq qui l'appela. Il avait fait saisir les scellés des tractus génitaux qui étaient bel et bien conservés au frais depuis tout ce temps, les dossiers n'étant pas clos. En revanche, par égard pour les deux juges qui étaient en charge des meurtres, et par souci de cohérence dans le traitement et l'interprétation des résultats par l'expert, Bellocq avait envoyé les prélèvements aux laboratoires déjà saisis à l'époque des faits. Il s'agissait de laboratoires privés, compétents mais plus longs, même s'il avait insisté sur l'urgence. Ludivine ne pouvait pas tout avoir et elle remercia Bellocq longuement tout en s'excusant platement.

Lorsqu'elle pénétra dans la caserne, elle vit un homme sur un scooter, casque vissé sur la tête et qui regardait dans sa direction depuis le boulevard, alors elle s'arrêta sur le perron. La grille de sécurité les séparait. Elle se demanda si elle l'avait déjà vu quelque part, son visage lui paraissait familier.

L'homme rabaissa la visière et mit les gaz pour disparaître dans la circulation.

Elle pensa à un journaliste ou à un autre gendarme qui serait passé par la SR, sans parvenir à trouver un nom.

Ce n'était pas un ancien amant, ça au moins elle en était certaine.

Une pointe d'inquiétude lui serra l'estomac sans qu'elle sache bien pourquoi mais elle la repoussa aussitôt.

C'était idiot de s'en faire pour un visage.

Mais son regard. Il était... dur. Presque vide.

Elle se faisait un film. La journée avait été éprouvante, elle sortait de deux semaines d'enquête intensive. Il était temps de respirer un peu, le week-end lui ferait du bien.

Le tonnerre gronda au-dessus de Paris.

La tempête approche, se répéta la jeune femme en entrant dans la caserne.

Elle éclaterait en début de soirée.

31.

Les grattements et la voix s'étaient arrêtés. Ne laissant à Ludivine que les ténèbres pour compagnes. Ce qui n'était guère mieux.

Où était-il ? Combien de temps avant qu'il se manifeste à nouveau ? Serait-ce la dernière fois ? Celle où il l'attraperait. Plusieurs coups de taser pour la rendre docile. Le premier serflex passerait autour de sa gorge en un instant. Le temps du viol, elle sentirait le collier se refermer peu à peu, à chaque coup de reins. Puis un deuxième, pour ne lui laisser aucune chance. Le troisième, elle ne le sentirait même pas, et cette ordure tirerait dessus avec une brutalité inhumaine avant de quitter la pièce, la laissant étouffer seule, dans cet endroit miteux.

Ludivine regrettait d'avoir tant appris sur les détails de la médecine légale. Elle savait qu'une asphyxie pouvait durer longtemps. Plusieurs minutes. Tout dépendrait de la pression sur sa gorge. S'il faisait bien le boulot, elle partirait vite. Sinon cela pourrait prendre un quart d'heure. Pas loin de mille interminables secondes à se sentir glisser vers le néant. Sans aucune alternative.

Rien que la certitude de la mort. Pas loin de mille secondes de terreur, de regrets, d'espoirs brûlés.

Elle savait qu'elle ferait comme toutes ces filles, elle s'arracherait les ongles à vouloir se frayer un passage à travers ses propres chairs pour tenter d'attraper les colliers de serrage. Et puis quoi ensuite ? Elle serait incapable de les déchirer à mains nues. Elle connaissait tout ça, pourtant elle ne pourrait pas s'en empêcher. Ce serait plus fort que la raison. Vivre plus que tout, même à travers la souffrance.

Un jet d'acide lui remonta le long de l'œsophage et des crampes d'estomac commencèrent à la plier en deux.

Pas un ulcère maintenant !

Elle avait autre chose à penser mais le stress affectait son organisme, la rongeait de l'intérieur.

Ludivine ne put retenir un gémissement en cherchant à changer de position dans le minuscule réduit. Elle ne supportait plus d'être enfermée, de ne pouvoir bouger, pas plus que ses entraves trop serrées sur ses poignets où perlaient les premières gouttes de sang.

Il m'a parlé.

Les mots avaient surgi d'un coup. Ludivine s'accrocha à cette idée. Oui, il lui avait parlé.

Comme à un être humain. Il y a un contact possible.

Non, en réalité il ne s'était pas adressé à une femme mais à quelque chose qu'il voulait faire mûrir, pour son propre plaisir. En semant la peur chez elle, c'était lui qu'il excitait.

Il se parlait à lui-même en fait.

Le plaisir.

C'était la porte d'entrée. Lui donner du plaisir. Avec les bons mots. Toucher les zones érogènes de son cerveau malade pour qu'il ne veuille pas la tuer tout de suite, que le stimulus se poursuive encore un peu...

Ludivine se remémora tout ce qu'elle venait de synthétiser sur lui, ses comportements, ses obsessions, sa foi nouvelle et les probables contradictions que cela devait engendrer.

Elle devait jouer le jeu. Choisir les intonations parfaites. Un travail de funambule au-dessus du vide. Si elle trébuchait, un serflex la rattraperait par la gorge.

Elle utilisa chaque minute qui suivit pour envisager différentes entrées en matière, pour s'imaginer une conversation, se préparant à contourner les pièges, à le retenir et à faire durer, avant de comprendre progressivement que tout cela ne servirait à rien. Il y avait tant de possibilités. Elle devrait improviser. Se faire confiance.

Mais surtout ne pas commettre la moindre erreur.

Un grattement contre la paroi de pierre froide la fit sursauter.

Déjà de retour !

— Es-tu sèche ? demanda la voix aiguë, malsaine. Es-tu bien sèche ? Je vais t'inonder, petit sac à foutre !

Son estomac se contracta douloureusement, sa gorge la brûla.

Ludivine expira longuement pour se contenir, ne pas se laisser envahir par la terreur. Il lui parlait encore. C'était un premier bon point. Il n'avait pas surgi pour la frapper, sans lui laisser une chance, elle devait saisir l'opportunité.

Pourquoi l'avait-il enfermée au lieu de la violer directement ?

Parce qu'il doute ? Non... Pour posséder sa victime. Il fait monter la sauce. La phase de recherche, celle d'observation, puis l'enlèvement, tout ça est terminé. Maintenant c'est une autre étape du plaisir.

Ludivine se souvint de ses propres déductions sur le corps d'Hélène Trissot, la deuxième victime. Il l'avait battue, post mortem.

Ce n'était pas à la hauteur. La jouissance n'était pas aussi enivrante que ce qu'il s'était imaginé et il l'a frappée de frustration, de colère...

Il fantasmait beaucoup. Énormément. Cependant, une fois en action, ça ne ressemblait pas à ce dont il rêvait.

C'est pour ça qu'il me garde au frais. Il sait qu'il peut me violer à tout instant, mais il patiente encore un peu. Ce sont les derniers instants d'euphorie si jamais ça ne se révèle pas aussi puissant que ce qu'il espère. Alors il jouit de cette conviction : il va me prendre, il veut que ce soit incroyable, comme dans ses fantasmes, il y croit encore et sa satisfaction est presque plus intense dans cet instant de certitude qu'elle ne le sera ensuite.

— Vous allez me violer ? demanda Ludivine en s'appliquant à prendre une voix tremblante. Me faire mal ?

Pas de réponse.

— Je sais que vous allez me... *remplir*, insista-t-elle. C'est vous qui l'avez dit. Vous allez me prendre.

Elle attendit une réaction, terrifiée à l'idée qu'elle ne faisait peut-être qu'accélérer sa mise à mort.

Silence.

Ludivine se mit à craindre qu'il soit déjà reparti mais un frottement lui indiqua le contraire. Il venait de bouger. Se coller contre le mur pour mieux l'entendre ? Il ne fallait pas qu'il soit excité au point de ne plus se contenir. Elle devait trouver le bon dosage. Alors elle avala sa salive avec difficulté et tenta de prendre le ton parfait, une pointe de défiance au milieu de la crainte. Prouver qu'elle résistait encore mais que le travail de sape fonctionnait et qu'elle commençait à vaciller :

— Je vais me débattre, vous savez ? Je ne me laisserai pas faire.

Elle voulait influer sur son fantasme, qu'il se projette dans une version altérée, salie de ses pulsions et que cela l'incite à attendre encore qu'elle s'assujettisse, pour ne surtout pas tout gâcher.

— Redis-le ! fit la voix désagréable. Redis que je vais te remplir.

En un instant Ludivine dut évaluer l'état de son ravisseur. Lui obéir et ouvrir la porte à une frénésie qui se conclurait par la mort ? Se refuser et le mettre en rage au risque qu'il se défoule sur elle ? Elle avait besoin de plus d'informations. Elle tenta en marquant le mot :

— Je sais que vous allez me *remplir*. C'est pour ça que vous attendez que je sois bien sèche. Pour *m'inonder*.

Utiliser son vocabulaire, pénétrer ses fantasmes, pour mieux les manipuler.

— Encore, ordonna-t-il comme un enfant.

Ludivine serra les dents. Il ne livrait rien. Ses intonations étaient en partie absorbées par l'épaisseur du mur. Mais elle ne voulait surtout pas qu'il la sorte de là. S'il la voyait, s'il la touchait, s'il n'y avait plus aucune séparation entre eux, ce serait fini, il ne se contiendrait plus.

— Encore ! aboya-t-il, cette fois avec fureur.

— Je... je... je suis un sac à foutre, bafouilla-t-elle aussitôt pour maintenir le dialogue. Je suis *votre* sac à foutre. Une petite pute. Que vous allez perforer à coups de reins.

Elle essayait de paraître domptée cette fois tout en maniant le chaud et le froid. Elle ajouta, sans omettre quelques trémolos dans la voix :

— Mais je ne vous laisserai pas me tuer. Je n'aurai peut-être plus la force de crier, par contre je vais me débattre, une vraie furie !

Qu'il sente qu'elle n'était pas encore mûre, pas encore épuisée, mais qu'il devine déjà qu'elle faiblissait, qu'il ait envie de la garder dans son trou plus longtemps, pour qu'elle se fatigue, qu'elle devienne plus facile. Ce n'était pas un nécrophile, il ne voulait pas violer une morte, donc il appréciait la vie, il jouissait de son contrôle sur l'autre, de sa brutalité et de ce que ça générait sur sa proie. Il voulait la dominer, totalement, et qu'elle lui renvoie sa pleine puissance à travers sa terreur soumise.

— Encore, redis les mots, dis que je te remplirai, encore ! s'énerva-t-il.

Il y avait de la fébrilité dans ce que Ludivine percevait, et... le souffle était plus court.

Il s'excite.

Fallait-il poursuivre ?

Le raclement se répéta, il se levait ?

— J'ai compris que mon cul serait votre déversoir, répliqua Ludivine dans la foulée, effrayée qu'il puisse passer à l'acte, frustré de ne pas obtenir ce qu'il voulait. Vous allez m'écraser les seins, enfoncer vos doigts dans mon ventre et me prendre comme une chienne.

Une partie de son cerveau étudiait le risque, tranchait sur le choix du ton, tandis qu'une autre puisait dans son expérience auprès des plus grands pervers pour choisir les bons mots. Elle se souvenait de toutes ces gardes à vue, tous ces messages sur le web que ces tordus s'échangeaient ou envoyaient à des femmes, à des petites filles... Les malades dans ce genre usaient d'un vocabulaire précis, cru, celui de leur déviance sexuelle.

— Continue, dit-il plus calmement.

Flot de bile dans la gorge que Ludivine ravala avec peine.

— Je sais que vous allez fourrager en moi, m'écarter les cuisses pour vous enfoncer plus loin encore pendant que je pleurerai. Je l'ai deviné.

Elle gardait les paupières fermées. Serrait les poings.

— Oui, encore.

— Vous allez me cracher dessus pendant que vous vous écraserez de tout votre poids sur moi, mes seins bougeront à chaque saillie, vous me ferez mal en allant tout au fond de ma chatte... Je serai sèche au départ, tellement sèche, mais vous allez m'*inonder*, à chaque coup, me faire éclater, mes lèvres grandes ouvertes de force, me traverser...

Elle allait changer brusquement d'attitude pour lui rappeler qu'elle n'était pas prête, que la rebelle allait ruiner son désir de possession totale, lorsqu'elle perçut un souffle rauque et qu'elle comprit.

Il se branle. Ce tordu se caresse !

Si elle parvenait à le faire jouir, elle gagnerait un peu de temps avant qu'il soit à nouveau hanté par sa libido obscène.

Toute l'abjection de la scène lui sauta soudain aux yeux : enfermée dans l'obscurité, percluse et courbaturée, l'estomac vrillé d'angoisse, elle se vit tentant de gagner une dérisoire rallonge de vie en jouant à un jeu de malade.

Sa vie valait au moins ça. Même pour une seule heure de plus.

— Vous allez me fourrer devant et derrière, reprit-elle, bien profondément, et moi j'aurai mal, très mal, et vos doigts vont attraper mes fesses, je vais gémir sous vos mains, la terreur dans mon regard, mais mon corps soumis...

Elle s'interdisait d'imaginer ce qu'elle débitait, se focalisant sur le choix des mots. « Remplir » et « inonder » revenaient souvent depuis qu'elle avait compris qu'ils étaient importants et elle en déduisait qu'il voulait se répandre, la noyer de son sperme, donc de sa présence, de son pouvoir. Elle joua avec ces notions, débusquant des synonymes, prenant soin de les décrire tous les deux, elle toujours à sa merci. Elle truffa son descriptif d'insultes où elle n'était qu'une traînée. Il haïssait les femmes. Des situations humiliantes. Atroces. Elle n'était que sa poupée vivante, dont le regard soumis et apeuré se mêlait à des gémissements de douleur.

Son ventre la meurtrissait, des spasmes de plus en plus violents.

Il bougeait de l'autre côté. Encore et encore.

Un râle rauque indiqua à Ludivine que c'était terminé.

Elle se tut, attendant la suite, inquiète.

Il souffla et murmura quelque chose dans sa barbe.

Puis il s'en alla.

Le front de Ludivine retomba sur ses genoux.

Elle venait de s'offrir un maigre sursis.

32.

Un linceul cendré s'étendait sur Paris, menaçant de déverser à tout instant les torrents de larmes qu'il avait emmagasinés.

Dans leur bureau, Segnon, Guilhem et Ludivine bouclaient les derniers rapports avant de pouvoir rentrer chez eux pour le week-end, lorsque le choc les fit bondir de leur chaise. Un bruit sourd, métallique, auquel ils associèrent rétrospectivement celui d'un moteur qui monte dans les tours juste avant l'impact.

Ils se précipitèrent à la fenêtre, côté boulevard.

Une 208 était encastrée dans la grille d'entrée de la cour, l'avant surélevé par les montants partiellement renversés, de la fumée s'échappant du capot.

La portière s'ouvrit, un homme parvint à s'extraire des airbags, un objet long à la main, il attrapa les barreaux de sa main libre et franchit la grille presque affaissée.

Ludivine eut à peine le temps de comprendre que déjà les balles se mettaient à pleuvoir sur la façade dans leur direction. Ils se jetèrent en arrière tous les trois.

L'homme hurlait quelque chose mais dans le fracas des coups de feu la jeune femme ne comprenait pas quoi.

Le visage de leur assaillant s'imposa à elle.

L'individu sur le scooter plus tôt dans l'après-midi. Le regard dur, presque vide. Le stress suffit à son esprit survolté pour faire la connexion : elle l'avait vu parmi la foule amassée près du corps d'Abdelmalek Fissoum.

Un fidèle de l'imam !

Ils passaient à l'action. La cellule terroriste avait pris sa mort comme un signal. Était-ce *le* signal ?

Une rafale sèche hoqueta dans l'air. Les crépitements caractéristiques d'un AK-47, comprit Ludivine, qu'il tenait à la main en sortant de la voiture.

La SR de Paris ne disposait d'aucune protection spécialisée compte tenu de la configuration peu adaptée des lieux, une ancienne caserne d'octroi qui ne permettait pas beaucoup d'aménagements. À peine une grille de sécurité devant la cour, puis des digicodes pour chaque niveau. La protection était assurée par les gendarmes eux-mêmes qui, bien qu'en civil pour la plupart, se devaient d'être armés à tout instant de leur service.

Segnon braquait déjà son Sig Sauer devant lui, à l'abri sur le côté de la fenêtre. Ludivine dégaina et le rejoignit sur l'autre montant. Voyant Guilhem ramper dans leur direction, Segnon lui fit non de la tête :

— Va dans le couloir, sécurise l'entrée avec les autres !

Les carreaux éclatèrent en un bouquet tranchant tandis que le plafond se déchiquetait sous les impacts.

Segnon et Ludivine rentrèrent la tête dans les épaules.

— Ils sont combien ? demanda-t-il dès que le plâtre cessa de pleuvoir.

— J'en ai vu qu'un. Mais armé lourd.

— Le conducteur ?

Elle approuva.

— Gilet pare-balles, fit-il.

— Ils sont dans l'armoire, je vais pas me lever !

— Non, lui ! Il en a un je crois. Ses épaules sont renforcées. Genre gilet tactique lourd !

En voyant Segnon se redresser pour jeter un œil par la fenêtre, Ludivine fut prise d'un élan de panique. Elle imagina son front explosant dans une gerbe pourpre. Elle songea à Laëtitia, aux jumeaux, et elle l'attrapa par le col pour le remettre à couvert.

Trois balles claquèrent tout près dans la façade, un mur d'autrefois en pierres épaisses qui encaissaient le 7,62 sans faillir.

Ludivine regarda Segnon et lui fit non de la tête.

— Ce fils de pute va entrer ! protesta-t-il.

— Il n'a pas de badge pour ouvrir et les portes sont solides.

— Elles tiendront pas !

Ludivine jura. Segnon avait raison. Les camarades de la DCO au rez-de-chaussée n'étaient pas du genre facile à intimider mais tout le monde devait être sous le choc, à l'abri espéra-t-elle. Sans protection corporelle, face à un fusil d'assaut, la logique voulait qu'ils cherchent d'abord à s'abriter avant de jouer aux héros. Surtout si l'assaillant portait un gilet lourd, capable de stopper le 9 mm de leurs armes de service. La sienne tirait un calibre redoutable qui traversait les murs de placo à une cadence qui lui permettrait d'exécuter tout le service en vidant son chargeur de trente cartouches.

Si l'homme parvenait à entrer, il pourrait faire un carnage.

La jeune femme poussa trois courtes expirations pour se donner du courage et se mit à la fenêtre, SP 2022 devant elle dans le prolongement de son regard, index sur la queue de détente, parée à tuer dans son corps et dans son esprit.

La silhouette vêtue de noir approchait de la porte donnant sur les étages.

Les fenêtres de la Division criminalité organisée étaient juste derrière, dans la ligne de visée de Ludivine. Si elle ratait sa cible, ses collègues pourraient prendre une balle perdue.

Durant son hésitation, l'homme leva la tête et l'aperçut.

Elle n'eut que le temps de s'agenouiller avant de recevoir des éclats minéraux dans les cheveux tandis que les balles fusaient tout autour.

Elle rouvrit les yeux au milieu de la poussière et cracha le bout de verre qu'elle avait sur les lèvres.

— Il va entrer ! alerta la jeune femme.

Détonation sèche. Il venait de tirer une seule balle.

La serrure. Il veut la faire sauter !

C'était le moment.

Elle bondit, le repéra en contrebas, ajusta sa trajectoire et devina son regard qui glissait vers elle en même temps que le canon du fusil d'assaut. Avant qu'il ne réplique, elle ouvrit le feu. Trois fois.

Depuis la vague d'attentats islamistes qui avaient saisi la France, beaucoup de mentalités avaient changé, s'étaient adaptées. À commencer par celle de la gendarmerie. Pour être plus efficace. Question de survie. Et cela s'était traduit à tous les niveaux, dont le plus troublant pour les anciens était celui des entraînements au tir. Des générations de gendarmes avaient appris à viser le bassin. Tir paralysant. Il n'y avait que dans les mauvais films qu'on les voyait cribler la cible au niveau du cœur ou du crâne. La gendarmerie se devait de répliquer en cas d'agression, de neutraliser, certainement pas de dispenser la mort. Depuis les attentats, les choses avaient bougé : désormais chaque séance d'entraînement s'achevait par des balles parfaitement localisées dans la tête des panneaux cartonnés. Les nouvelles menaces pouvaient porter des ceintures d'explosifs ou se dissimuler derrière un otage et chacun sur le terrain devait être apte à répondre, même au plus tragique, pour éviter un drame encore plus terrible.

Les gendarmes apprenaient à tuer.

Ludivine n'hésita pas une seconde. Elle avait remarqué ce que Segnon avait noté aussi, le renflement général au niveau du torse. Gilet pare-balles lourd. Dans la foulée elle ajusta le guidon et le cran de mire sur la chevelure sombre de l'assaillant.

Trois balles en tout. La première claqua contre le pavé, la suivante se ficha dans la plaque de céramique qui protégeait ses organes vitaux, et la dernière se logea sous le col du gilet, en plein torse. Pourtant l'homme ne broncha pas et sa rafale partit en même temps, arrosant toute la façade, un projectile rasant l'oreille de Ludivine et perforant le chambranle à moins de cinq centimètres d'elle.

Aussitôt deux silhouettes apparurent dans l'encadrement des fenêtres du rez-de-chaussée, et les coups partirent. Les gars de la DCO répliquaient. Avec fureur. Le tonnerre et les flammes envahirent l'autre côté de la cour presque en même temps, tandis que les équipes de la division des atteintes aux biens frappaient à leur tour. Puis ce fut depuis les étages que le chaos gronda.

Avec le stress, la précipitation et les mouvements incessants du terroriste, plus de la moitié des tirs passèrent à côté de lui. Le reste ricocha contre l'AK-47, se planta dans la céramique, dans son aine, son genou, ses bras, sa gorge, lui arrachèrent des doigts et trois balles pénétrèrent son crâne.

En dix secondes l'odeur de poudre avait rendu l'air irrespirable.

Ludivine haletait.

Vivante. Indemne.

Plaquée au sol par Segnon.

Ils se regardèrent, déboussolés.

— Ça va ? lui demanda-t-il.

Elle acquiesça.

Ils se relevèrent et elle voulut descendre immédiatement pour prêter assistance à ses collègues. Segnon l'arrêta pour lui désigner l'armoire.

— Les gilets, cette fois on va les mettre, au cas où il y aurait d'autres candidats au suicide ! C'est peut-être pas terminé.

Segnon avait raison, il gardait son sang-froid. Il fallait penser plus large. Sécuriser le bâtiment en urgence au cas où un autre individu aurait profité de la confusion pour entrer par-derrière.

Guilhem était déjà dans les escaliers.

— Marco a pris deux balles dans la jambe, s'écria-t-il, livide. Et Louis une dans l'épaule, probablement une balle perdue.

— Personne d'autre n'est touché ? se rassura Ludivine qui s'était attendue à pire.

— Je crois pas.

— C'est clean en haut ! hurla un homme.

— Premier étage aussi ! lui répondit Magali qui jaillit à son tour, en sueur, arme au poing.

Tout le monde avait pensé à la même chose. La SR avait assuré.

Sur les marches du perron, le corps de l'homme était tourné face au ciel, bouche ouverte. La pluie se mit à tomber d'un coup, une avalanche de grosses gouttes lourdes qui se mêlèrent à son sang. La cadence s'accentua, furieuse, comme obsédée par l'idée d'effacer ce rouge à jamais.

33.

Le personnel de la SR devint un bloc étanche. Une masse compacte constituée d'éléments humains et cimentée par une solidarité morale implacable.

Vivant pour la plupart sur place, logés dans les bâtiments adjacents à la caserne, tous retrouvèrent leurs familles pour les rassurer, et se rassurer. On se serrait dans les bras sur les paliers, on respirait les cheveux de ses enfants, on pleurait en silence avec sa femme ou son mari, on consolait, on riait, on s'affranchissait de la peur en parlant, et dans les deux immeubles, rarement autant de vie s'était exprimée en même temps.

Tout le quartier avait été bouclé et grouillait d'une armada de policiers, de militaires, de pompiers, de politiques, de journalistes, de curieux qui étaient passés entre les mailles du filet, ou de simples riverains affolés.

Ludivine était avec Segnon, Laëtitia et les jumeaux, qui ne décollaient pas de leur père. Lorsque Marc Tallec apparut dans le vestibule, le regard inquiet, la jeune femme lui fit un signe de tête pour signifier que ça allait. À sa grande surprise, il vint sans un mot la prendre dans ses bras et il la serra contre lui longuement. D'abord un peu raide, Ludivine s'abandonna doucement à cette chaleur. Cela lui fit du bien. Segnon avait fait pareil avec elle, Laëtitia également, mais ce qu'elle ressentait à cet instant était différent. Le sentiment de pouvoir se reposer totalement, de se recharger, comme sur une batterie. Elle réalisa soudain qu'elle était vidée, qu'elle avait besoin de ce contact, de ce soutien.

Elle l'agrippa.

Le lendemain le colonel Jihan avait rassemblé ses troupes dans une grande salle de la caserne de gendarmerie de Maisons-Alfort pendant que la SR demeurait fermée le temps des constatations. Il fit ce qu'on attend d'un officier commandant dans un moment pareil, il commença par les rassurer sur l'état de santé de leurs deux camarades hospitalisés, puis il leur donna un cadre, les fédéra et expliqua ce qui allait se passer. La caserne ne pouvait rester sous scellés, ils réintégreraient les lieux rapidement. Il y aurait des travaux, des fantômes à affronter, plus ou moins présents pour les uns et les autres, un peu de stress post-traumatique qu'il faudrait gérer tous ensemble. Mais la SR devait poursuivre sa tâche. Il était temps de terminer les dépositions de chacun, de répondre à l'Inspection générale de la Gendarmerie nationale, l'IGGN, et de garder la tête sur les épaules. Surtout, il les félicita pour leur réactivité et leur sang-froid durant l'attaque.

— La mort a toujours fait partie de notre vie professionnelle, expliqua-t-il avec une pointe de rondeur.

Cette fois, vous avez dû la donner, pour vous protéger, pour sauver vos camarades, pour l'écarter de vos familles. À titre collectif, votre action a été la seule possible au regard des circonstances exceptionnelles, à titre individuel votre responsabilité est engagée mais diluée dans l'action du groupe. Ne vous sentez pas responsables, ne vous accablez pas, n'oubliez pas que cet individu vous a contraints à ouvrir le feu. C'était sa décision, son suicide, et de par sa dangerosité extrême, la légitime défense s'imposait. Il vous a forcé la main et en gendarmes compétents vous avez répliqué comme il se devait. Je ne veux pas de culpabilité déplacée. Intégrez votre geste, assumez-le pour ce qu'il est : juste, légitime et nécessaire. Une aide psychologique est mise en place, j'invite toutes celles et tous ceux qui pourraient en avoir besoin à la solliciter. Ne vous laissez pas perturber par le choix d'un extrémiste.

Jihan avait raison d'insister sur ce point, considéra Ludivine. Donner la mort était d'autant moins anecdotique pour les forces de l'ordre que la plupart de leurs éléments vivaient leur engagement comme une vocation à protéger autrui et non à le tuer. Les images, les sons et les odeurs de ce début de soirée resteraient gravés à jamais dans leur mémoire comme un moment particulièrement dramatique de leur carrière.

Le colonel changea subitement de ton, reprenant tout son aplomb, sa détermination et son autorité caractéristiques :

— L'assaillant est un islamiste, radicalisé depuis un an, rapporta-t-il. La DGSI pense qu'il a appris la mort de l'imam Abdelmalek Fissoum dont il était un des protégés, et qu'il a interprété son meurtre comme un coup de l'État français. Il a suivi l'un des nôtres depuis le lieu où a été retrouvé le corps de l'imam jusqu'à la caserne et a décidé de nous faire payer.

À ces mots, Ludivine baissa les yeux. Elle savait qu'elle n'y était pour rien, mais c'était elle qu'il avait suivie. Elle qui l'avait conduit jusqu'à la SR sans même s'en rendre compte. Elle avala sa salive.

— La DGSI a procédé à l'interpellation de tous les suspects fichés dans l'entourage de l'imam, poursuivit Jihan.

Enfin, songea Ludivine. Là encore, il s'en était fallu de peu qu'un ou plusieurs gendarmes perdent la vie pour une question de timing. Elle comprenait les enjeux, la nécessité de garder en liberté et sous surveillance les pièces importantes de l'échiquier, pour espérer remonter encore plus loin, plus haut, mais c'était un jeu extrêmement dangereux.

Jihan conclut :

— Aucun autre attentat n'a été rapporté, c'était un acte isolé. Les arrestations auront peut-être permis d'éviter que le reste du groupe ne s'organise. Il semblerait que celui qui nous a attaqués se soit décidé sous le coup de la colère, seul. Par mesure de sécurité, l'armée de terre dépêche néanmoins quelques effectifs sur notre caserne pour en assurer la surveillance, prévenez vos familles.

Il ajouta ses consignes pour le reste du week-end – que tous restent joignables, dans le secteur jusqu'au lundi et à la disposition de l'IGGN – puis il les libéra.

Le colonel Jihan s'approcha de Ludivine, Segnon et Guilhem, qui s'étaient installés côte à côte, et il fit signe à Magali de rassembler ses camarades autour de lui. Il attendit que la salle se vide suffisamment pour être tranquille et fit face aux sept militaires qui le guettaient. Ludivine la fonceuse, Segnon le colosse, Guilhem le geek, Magali et sa frange brune, le grand Franck et sa moustache grise, Benjamin le quadra dégarni et le capitaine Merrick commandant leur division.

— Je viens de parler avec notre direction. La DGGN m'a informé que nous étions mobilisés sur l'enquête, conjointement avec la DGSI.

Les regards se croisèrent. Ce n'était pas commun. Habituellement ce genre d'affaire échappait systématiquement aux gendarmes, gérée par la SDAT principalement, ou la police, et pilotée par la section Cl, la cellule antiterroriste du parquet de Paris, des protagonistes spécialisés.

— Cadeau de compensation ? devina Magali.

— Non, du monde à la DGSI a estimé que nous disposions d'une bonne connaissance du dossier et qu'il ne fallait pas perdre de temps et de compétences appropriées.

Ludivine songea à Marc. Dans quelle mesure était-il impliqué dans cette décision ? Le faisait-il réellement par conviction professionnelle ou par affection ?

Tu t'emballes, ma belle... Ce n'est pas un crétin. S'il y est pour quoi que ce soit, c'est parce qu'il est convaincu que ce sera le plus efficace. Tes beaux yeux n'y sont pour rien.

— Nous travaillons conjointement avec le BLAT[1] ? demanda Franck.

---

1. Bureau de la lutte antiterroriste de la Gendarmerie nationale.

— Non, sous mon autorité exclusivement. Pas de fausse joie, la DGSI a la main, nous sommes en renfort. Ils conduisent l'enquête. Je crois que la plupart d'entre vous ont déjà croisé le commissaire Tallec, c'est lui qui fera le lien. Puisqu'elle est déjà sur le coup, le lieutenant Vancker sera directrice d'enquête.

Ludivine remercia le colonel d'un signe de tête.

— Et pour travailler, où s'installe-t-on, mon colonel ? demanda Merrick.

— Nous réintégrons nos bureaux mardi ou mercredi j'espère, et si c'est impossible nous viendrons ici le temps que tout soit réglé. Nous sommes pris de court pour aujourd'hui et demain, donc d'ici là nous improvisons.

— Comment ça se passe pour les auditions de tous les suspects interpellés ? insista Merrick.

— C'est la DGSI qui gère. S'ils veulent bien partager, très bien, sinon vous ferez sans.

— En gros on est à leur service, lâcha Franck, l'air mauvais. On va récupérer les miettes.

— Estimez-vous déjà heureux de ne pas être écartés purement et simplement, le tança Jihan. Capitaine, je veux un rapport quotidien.

— Oui, mon colonel, répliqua Merrick tandis que Jihan s'éloignait, happé par d'autres officiers de la SR qui attendaient plus loin.

Merrick était un costaud, plutôt séduisant, davantage le charisme d'un voyou que celui d'un militaire, il était surnommé Elephant Man dans son dos par la majorité du personnel à cause de son nom de famille. Passé par le Groupe d'observation et de surveillance, le fameux GOS, unité d'élite capable des infiltrations les plus spectaculaires, il portait sur ses traits un vécu qu'on devinait immense. Il pivota vers Ludivine :

— Vous êtes déjà en contact avec le commissaire Tallec, je vous laisse l'appeler et voir ce qu'on peut récupérer. Pendant ce temps je vais organiser l'intendance avec les autres. Nous allons nous installer dans les parties communes de notre caserne, dans la salle vide du rez-de-chaussée de l'immeuble A, celle qui sert pour les fêtes. Je vous rappelle que vous êtes tous de service ; les circonstances sont particulières, donc vous pouvez utiliser vos lignes perso pour les appels, mais on reste carrés sur les procédures. Je vais me débrouiller pour récupérer un peu de matériel ici avant de rentrer à la caserne. Lieutenants Dabo et Capelle, vous venez avec moi. Trinh et les autres, vous vous chargez de nous trouver de quoi faire des bureaux.

L'heure n'était pas à la convalescence.

Ludivine ne parvint pas à joindre Marc avant le samedi soir. Il resta laconique sur ce qui se passait du côté de la DGSI et se préoccupa davantage de savoir comment elle se sentait.

— Donne-nous du boulot, le supplia-t-elle. On est parvenus à récupérer l'identité de l'assaillant, Karim, on travaille sur son profil, sa téléphonie et son entourage. Nous n'avons plus de matériel, la moindre vérification prend un temps fou, on s'arrache les cheveux, alors si on fait le travail en double, ça ne sert à rien !

— On croisera nos données, on ne sait jamais, des fois que nous ayons laissé passer quelque chose. Continuez comme ça.

— Les interpellés parlent ?

— Non, pas vraiment le genre bavard.

— Vous avez pu déterminer si c'était un loup solitaire ou s'ils se préparaient à taper en bande ?

— Les loups solitaires ça n'existe pas en matière d'islamisme, c'est un raccourci journalistique. Un loup solitaire a sa propre idéologie, ce n'est pas le cas des djihadistes qui partagent la même. Lorsqu'ils agissent seuls, nous préférons parler d'« opérateurs isolés ».

— Très bien, mais lui c'en est un ou il s'est juste précipité en lâchant ses potes ? Vous avez serré tout le monde ?

— Difficile à dire pour l'instant. L'entourage de Fissoum qu'on avait à l'œil est au chaud, ça c'est sûr. Reste à savoir jusqu'où ça s'étend et si nous avions bien identifié toutes les brebis galeuses. Les perquisitions sont en cours, on verra ce que ça donne, s'il y avait un plan commun.

— Tu veux que notre cellule se focalise sur une cible en particulier ?

— Non, laisse tes renforts sur Karim. Mais toi et ton groupe, j'aimerais que vous ne perdiez pas de vue l'assassin de Laurent Brach et de Fissoum. Il doit rester votre priorité.

Il n'avait pas tort. Les circonstances faisaient bouger les curseurs, déplaçaient les obsessions dans le chaos, mais il ne fallait pas oublier le plus important : un tueur en série était en liberté.

— Tu penses qu'il pourrait être parmi les suspects en garde à vue ? demanda Ludivine.

— J'en doute. Il y a une logique derrière ce qu'il a fait à Brach et Fissoum, et ce n'est pas celle des mecs qu'on cuisine.

— Je vais mettre le paquet.

Marc demeura silencieux un instant. Elle pouvait entendre sa respiration dans l'écouteur.

— Ludivine ? Je le sens pas. Tout ça est tordu. On est en train de se faire manipuler.

— On va le trouver, crois-moi.

Marc soupira dans le téléphone, il semblait épuisé.

— Je l'espère. J'ai comme une boule au ventre. Un sentiment d'urgence.

34.

Djinn avait su se montrer indispensable.
Nul ne l'est jamais. Seul Djinn l'était.
Les deux femmes qu'il avait aimées plus que tout dans son existence étaient mortes. Ses deux repères, les uniques passerelles entre lui et l'humanité, lui et l'amour. Une fois ces connexions disparues, Djinn n'eut plus aucune retenue. Rien ne lui semblait trop dur, trop impitoyable, trop violent. Car il savait au fond de lui que si la mort frappait, même cruellement, c'était parce que Dieu avait un plan pour eux tous. Un plan divin, hors de portée de la compréhension des hommes. Il fallait faire confiance, ne pas douter, et effectuer des choix chaque jour en sachant qu'en définitive ne se produirait que ce que Dieu voulait vraiment.

Inch'Allah.

Sa foi, initialement à peine une flammèche, s'intensifia lentement, sûrement. Elle l'aida à franchir cette étape désespérée de sa trajectoire terrestre. Accepter l'intolérable, l'injustice, l'arbitraire s'avérait impossible, trop douloureux. Mais considérer que sa tendre mère et Nûrâ étaient mortes parce qu'elles faisaient partie du plan de Dieu, là ça devenait acceptable. Douloureux mais possible. Cela signifiait que le chaos n'était pas le régisseur de l'éternité. Qu'il y avait un sens, même imperceptible pour la bêtise humaine. Et qu'un jour, Djinn les retrouverait, protégé par l'amour de Dieu.

Il n'était pas, loin de là, de ces radicaux qu'il considérait comme des extrémistes difficilement fréquentables. Il se contentait de croire, tout simplement, avec la ferveur de celui qui a été illuminé de l'intérieur, sans la connaissance théorique. Dieu était partout, cela lui suffisait amplement.

Dans le même temps, le Hezbollah comprit que leur élément avait muté. Ils en avaient fait un guerrier, un artiste des armes qu'ils pouvaient utiliser indistinctement avec la même adresse, créatif jusque dans les sous-sols mal éclairés où il parvenait à des assemblages chimiques délicats, fabriquant des bombes comme d'autres peignent des tableaux. Djinn aurait dû finir sous les balles des combats de rue, il survécut par la grâce de Dieu. Il fut un temps désigné pour accéder au panthéon des martyrs qui se font sauter au milieu des ennemis, mais son intelligence et sa capacité à s'adapter très vite à ses différents environnements donnèrent de nouvelles idées à ses supérieurs.

Ils lui apprirent l'anglais pour le tester.

Il ne sut jamais que sa vie s'était jouée en quelques semaines. Si Djinn n'avait pas manifesté une réelle facilité pour la langue de Shakespeare, il serait entré dans le programme de conditionnement mental destiné aux « volontaires » au suicide.

Mais Djinn assimilait vite.

Si vite que le Hezbollah le soumit à une nouvelle forme d'entraînement, d'apprentissage. Celui du monde. De sa culture, de sa géographie, de sa géopolitique. De ses pièges. De ses failles. Qu'il apprit à contourner. Ils voulurent savoir s'il pouvait être un bon menteur, Djinn se révéla le meilleur. Il ne mentait pas, il était ce qu'il racontait. Une fois son discours intégré, il n'allait pas chercher dans les zones cérébrales de la créativité celles qui servaient au mensonge, mais dans celles du souvenir, comme s'il avait véritablement vécu ce qu'il devait simuler. La PNL, programmation neurolinguistique, n'avait plus aucun secret pour lui. Il savait ce que son corps trahissait naturellement de ses émotions selon ses postures, ses attitudes et il s'efforça de reprogrammer toute sa carte mère pour que chaque geste soit étudié, que plus rien ne trahisse ses pensées sans qu'il le veuille. Lorsqu'il discutait avec quelqu'un, Djinn analysait les mouvements de ses yeux selon ce qu'il déclarait, pour savoir si inconsciemment son interlocuteur allait puiser dans la zone créatrice du cerveau ou dans celle de la mémoire, et il devint un synergologue hors pair. Il ne prenait rien pour argent comptant, mais décryptait l'ensemble de ce qu'un individu lui présentait, l'attitude, le choix des mots, le moindre geste ou regard, il repérait s'il s'agissait d'un droitier ou d'un gaucher pour déterminer son hémisphère dominant et ainsi structurer son analyse. Mentir à Djinn devint impossible ou presque. Savoir s'il disait la vérité encore plus difficile.

Lorsque le Hezbollah estima qu'il était apte à berner le fameux polygraphe américain, le « détecteur de mensonges » de la CIA et du FBI, ils l'envoyèrent en mission à l'étranger.

Pendant des années, le Hezbollah avait œuvré pour placer des chiites acquis à sa cause aux postes déterminants des douanes, pour contrôler une grande partie des frontières du Liban. Tant et si bien que fabriquer de véritables faux papiers était devenu assez aisé.

Djinn voyagea ainsi pendant plusieurs années sous différentes identités, toutes plus vraies les unes que les autres, du moins dans sa bouche. Il en profita pour apprendre le français et perfectionner sa maîtrise de l'arabe littéraire. Lui, l'enfant issu d'un milieu modeste, devint expert dans l'art de se fondre dans le tissu économique international.

Au fil des années, il devint un rouage crucial du Parti de Dieu.

Le Hezbollah avait vécu avec l'argent iranien. Des chiites aidant des chiites dans un univers largement dominé par les sunnites. Quasiment une obligation stratégique pour survivre. L'Iran rêvait d'un croissant chiite dans tout le Proche-Orient, et il finançait le Hezbollah depuis toujours. Mais ce dernier, inquiet d'être à la merci d'un pays étranger, inquiet de voir cette source vitale se tarir un jour, inquiet de cette dépendance à l'égard de la Syrie, nation voisine et intermédiaire avec l'Iran par laquelle transitait une large partie des subsides et des armes, était obsédé par l'idée de diversifier ses sources de revenus, avec l'espoir fou d'une réelle indépendance financière. Alors le Hezbollah fit ce qu'il put avec ce qu'il avait. La tentation de l'argent facile.

La plaine de la Bekaa, déjà connue pour abriter plusieurs camps d'entraînement du Hezbollah, devint l'un des plus gros territoires producteurs de cannabis. Le deal était simple : les fermiers cultivaient inlassablement, indépendamment, en toute responsabilité individuelle en cas de descente policière, mais la revente passait forcément par l'entonnoir du Hezbollah. Celui-ci, contrôlant les douanes, n'éprouvait aucune difficulté à expédier de gigantesques quantités de drogue chaque année pour inonder l'Europe. Le pire vint par l'Amérique du Sud. Le Hezbollah et les cartels colombiens et mexicains ne tardèrent pas à saisir l'opportunité commune d'expédier leur cocaïne directement en Afrique, continent bien plus facile d'accès que les États-Unis ou l'Europe, sans toute la surveillance de la DEA, voire de l'armée américaine. Afrique à travers laquelle il était possible de remonter jusqu'au Liban, où les frontières poreuses détenues par le Hezbollah lui-même s'ouvraient comme par magie, où il bénéficiait, là encore, de toute la logistique des ports libanais sous l'influence, sinon le contrôle, du Parti de Dieu, afin de gagner l'Europe presque en toute tranquillité.

L'addiction des consommateurs mécréants procurait chaque année des millions et des millions de dollars au Hezbollah.

Et Djinn servait d'intermédiaire pour toutes les discussions avec chaque intervenant majeur. Il les connaissait tous, de tous bords. Ses passeports se noircissaient de tampons de tous les pays africains et sud-américains, plus ceux de la France, de l'Italie et de l'Allemagne où il rencontrait la diaspora chiite sympathisante du Hezbollah, prête à rendre service et à s'enrichir au passage pour fournir des débouchés locaux.

Mais les chefs de Djinn, trop malins, savaient qu'une unique source de revenu n'était pas suffisante pour garantir leur survie à long terme. Alors ils se diversifièrent en créant à travers l'Afrique des réseaux de commercialisation parallèles aux marchés officiels, notamment de diamants. Là encore, Djinn servit à établir les connexions puis à en garantir la pérennité. Il mentait si bien, savait mettre à l'aise avec une facilité si déconcertante, repérait si facilement les taupes, presque au premier coup d'œil, que bien vite tous ne voulurent plus négocier qu'avec lui.

Ainsi Djinn vivait une large partie de son existence dans des hôtels anonymes, dans les cabines pressurisées des avions, et suivait à travers le globe la route des « mosquées du Hezbollah », nom donné aux lieux de culte chiites financés en partie par le Parti de Dieu ou sous son influence dans les pays utilisés pour ses trafics. Le reste du temps, il se partageait entre son Liban natal et la Sierra Leone, plaque stratégique de toutes ses activités.

Djinn avait été un bon génie et un démon, il était à présent un spectre.

Glacial et indétectable.

Comme tous les fantômes, il évoluait entre deux mondes, incapable de trouver sa place. Celui d'où il venait, cette culture arabe influencée par les écoles du Hezbollah où le monde était un piège, et celui de tous les excès déversés par la culture occidentale : drogue, sexe, profusion, gâchis, sous l'influence de *l'omnipotent dieu dollar. Déraciné, ballotté par la solitude, phagocyté par la paranoïa du secret, soumis à la tentation permanente, Djinn ne fut plus qu'une souffrance dont il tira une armure plus épaisse encore.*

Les années passant, il devint un être sur lequel plus rien ni personne n'avait de prise. Toute forme d'empathie glissait sur lui comme de l'eau entre les doigts.

Formé pour être une machine à tuer, il s'était mué en un espion insaisissable et insensible. Une créature effroyable à laquelle ne manquait que l'idéologie pour devenir la menace la plus redoutable que le monde occidental ait jamais connue.

Une idéologie qui rôdait autour de lui, à l'instar du feu qui tourne autour d'une mare de combustible, crépitant, menaçant, fascinant.

Elle prit la forme d'une rencontre.

Une rencontre qui allait changer le destin d'un homme.

Et celui de beaucoup d'autres qui n'avaient rien demandé.

35

L'odeur du café envahissait la pièce tout en longueur, sans fenêtre, presque une cave. Ordinateurs, lampes de bureau et imprimantes étaient branchés sur des multiprises et rallonges en cascade, au mépris de toute sécurité, de grandes feuilles de paperboard avaient été collées aux murs, des dizaines et des dizaines de notes rédigées dessus presque à trois cent soixante degrés autour des enquêteurs. Toute l'enquête sous leurs yeux.

À commencer par le profil établi par Ludivine.

« Homme. 22-45 ans (25-40 privilégié). Introverti en apparence mais sûr de lui au fond, gros ego. Métier technique ou solitaire. Casier judiciaire pour viol/ mœurs. En liberté aux dates des quatre meurtres rattachés : Georgiana, Hélène, Anne, Laurent. Devenu profondément religieux (musulman). Vivait dans la région d'Éragny il y a trois ans. »

La petite cellule s'était partagé le travail en deux groupes. Magali, Franck et Ben continuaient de creuser la piste de Karim, celui qui avait attaqué la SR dans des conditions vouées à l'échec. La DGSI ne partageait rien. Ni les perquisitions ni les éventuels renseignements sur son entourage. C'était aux gendarmes de faire le boulot dans leur coin, juste pour s'assurer que rien n'était mis de côté, que tout se recoupait entre les deux services. L'autre groupe, qui rassemblait Ludivine, Segnon et Guilhem, poursuivait la traque du tueur des rails. Le capitaine Merrick supervisait l'ensemble, la plupart du temps à l'extérieur ou vissé à son téléphone pour essayer de faire accélérer les procédures des uns et des autres en jouant de ses contacts, laissant Ludivine à ses responsabilités de directrice d'enquête.

L'improvisation du lieu ne leur facilitait pas la tâche, il fallait constamment perdre un temps fou sur des détails, par manque de support : accéder aux fichiers, retrouver les coordonnées d'un contact ou d'un procès-verbal de référence restés dans le bâtiment principal de la caserne pour vérifier un point précis ou récupérer un nom... Tout était plus fastidieux.

Pour autant, une ambiance étrange s'était installée au fil du week-end, studieuse mais aussi presque familiale. Leur salle se situait au pied d'un immeuble abritant les logements de fonction, dans l'enceinte militaire, si bien que les conjoints des enquêteurs se relayaient pour leur apporter une tarte, une tourte, des gâteaux ou les alimenter en café chaud en permanence. Discrets, épouses et maris livraient leur ravitaillement sur la table à l'entrée et disparaissaient sans un mot la plupart du temps, devinant le degré d'application de la cellule, mais dès qu'un des gendarmes tournait la tête et découvrait la pile d'offrandes, un peu de chaleur se propageait, un sourire tendre, parfois un trait d'humour pour faire retomber la pression un court instant.

La liste des violeurs s'amoncelait sur les bureaux de Ludivine, Segnon et Guilhem. Et il fallait éplucher les cas un par un. Ne conserver que ceux qui pouvaient correspondre. Un travail minutieux auquel ils consacrèrent tout leur dimanche, jusque tard, avant de se retrouver à la première heure le lundi matin.

L'assaut sur la SR demeurait dans tous les esprits, et lorsqu'un pot d'échappement claquait au loin, tous ou presque redressaient le menton, prêts à jaillir, arme à la main. Ils savaient que des patrouilles de l'armée de terre sillonnaient désormais toute la caserne par mesure de sécurité, mais c'était un réflexe, leur cœur battait la chamade. Les images, les sons et les odeurs de l'assaut tournaient en boucle dans les têtes, parasitant leur concentration.

Le capitaine de l'IRCGN appela en personne pour prévenir Ludivine, en milieu de matinée : les résultats des prélèvements venaient d'arriver. Bien que l'institut de recherche de la gendarmerie ne les ait pas traités, l'enquête de flagrance était terminée, le procureur Bellocq n'était plus en charge mais les résultats lui avaient été adressés et il avait fait suivre à l'IRCGN.

Ils étaient positifs. ADN masculin trouvé dans les trompes de Fallope chez les deux victimes. Le nettoyage des corps avait montré ses limites face à la science.

— Dites-moi que l'ADN correspond à un individu dans le FNAEG[1]... On l'a ?

---

1. Fichier national automatisé des empreintes génétiques.

Forsnot souffla dans le combiné avant de répondre, choisissant bien ses mots.

— Vous risquez d'être surprise, dit-il. Hélas, pas de correspondance, mais en revanche je peux vous dire que nous avons deux ADN différents.

— Pardon ?

— Oui, celui retrouvé dans la victime numéro un est différent de celui prélevé dans la victime numéro deux.

— Vous êtes sûr ?

— J'ai le rapport du laboratoire sous les yeux.

— Il ne peut pas y avoir d'erreur ?

— C'est un labo privé fiable, nous travaillons avec eux depuis des années, leur contrôle qualité est un des meilleurs.

Ludivine était sous le choc.

Deux ADN masculins. Deux violeurs.

Toute sa théorie tombait à l'eau. Tout le profil sur lequel ils venaient de passer des heures était devenu caduc en une phrase.

C'était incompréhensible.

Ou plutôt il n'y avait qu'une chose à comprendre : une erreur humaine. *Son* erreur. Elle avait été incapable de voir au-delà des évidences. Ludivine était abasourdie. Dévastée.

Elle raccrocha sans un mot et se prit le visage entre les mains.

Ils n'avaient plus rien.

Aucun des deux ADN ne ressortant du fichier, comment chercher deux hommes dans un pays de plus de soixante millions d'habitants ?

Ludivine prit le temps de digérer la nouvelle avant de la partager avec ses deux camarades.

Guilhem désigna la pile de feuilles devant lui :

— On laisse tout tomber ? Si c'est le cas on est fanny. Retour à la case départ.

— Non, s'opposa Segnon. Tout n'est pas faux. Il y a forcément quelque chose qui nous a échappé, mais ça reste valable dans les grandes lignes. Lulu, je suis d'accord avec toi : c'est un violeur qui s'est déjà fait serrer.

— *Deux* violeurs, insista Ludivine, encore groggy de s'être à ce point plantée.

— Avec le même mode opératoire pour Georgiana Nistor comme pour Hélène Trissot ? Dans les moindres détails ?

— Ils agissent ensemble.

— Tu pensais que c'était un solitaire, un introverti, c'est pas un peu bizarre ?

— Les duos de tueurs en série sont normalement constitués d'un dominant et d'un dominé, précisa Ludivine sans conviction.

— Ils auraient violé chacun à leur tour... devina Guilhem. Et par la suite, le dominé a pu prendre l'ascendant sur l'autre pour qu'ils évoluent, d'où la différence de mode opératoire entre les deux premières et Anne Tourberie.

— L'hypothèse du tueur qui se convertit, qui devient un fervent religieux tomberait à l'eau... fit remarquer Ludivine.

Guilhem haussa les épaules. Segnon se mordillait les lèvres, en plein doute.

— Il y a pas mal d'éléments qui me dérangent dans un duo de tueurs, avoua-t-il. D'abord je suis d'accord avec Lulu, ce genre de criminel-là, avec des fantasmes à ce point développés et ciblés, frappe seul. Un tel degré de personnalisation du meurtre ne se partage pas.

— Sauf si le dominé ne fait rien ou presque, contre-attaqua Guilhem. Totalement soumis, il a violé une des deux filles mais son rôle reste secondaire dans le mode opératoire.

— C'est le contraire, dit Ludivine. Tout dans ces crimes indique un garçon sûr de lui quand il s'agit de frapper, mais probablement introverti dans la vie. Ce n'est pas un dominé ni un dominant, il est les deux selon les circonstances de son existence. Je ne le vois pas avec quelqu'un. Ça ne marche pas.

— Alors pourquoi deux ADN masculins ?

La lumière se fit brusquement dans l'esprit de Ludivine.

— Mais que je suis conne !

Elle focalisait sur le tueur. Enfermée depuis deux jours à trier des profils à la chaîne, elle n'avait vu que ce qu'elle cherchait, sans penser à l'évidence, au plus simple, ce qui était la preuve de son aveuglement, de sa fatigue.

— Qui dit que les deux sont des tueurs ? expliqua-t-elle. L'un des deux ADN est celui du violeur, peut-être, mais pas sûr. L'autre celui d'un amant.

Ils se regardèrent en silence pendant un instant, honteux, conscients que c'était l'hypothèse de travail de base qu'ils auraient suivie dans n'importe quelle affaire de ce type. Personne n'y avait pensé. Ils tournaient en boucle, épuisés, ne voyant avant tout que le Mal et plus la vie.

— Hélène avait un mec, reprit Ludivine. Il sera facile de lui demander un prélèvement pour comparer son ADN. Et pareil pour Mirko qui fréquentait Georgiana.

— Si c'est eux, le proc sera fumasse d'avoir cédé à nos exigences d'exhumation pour ça, gémit Guilhem.

— C'est eux, trancha Segnon d'un air sombre. Sinon l'un des deux ADN serait sorti au FNAEG. Je suis à cent pour cent pour l'hypothèse que c'est un violeur qui est déjà tombé.

— Et si c'est un étranger ? proposa Ludivine d'un coup. Il n'est pas dans nos bases de données. Il a déjà sévi mais nous n'en savons rien.

— Je m'occupe de faire la demande de consultation des fichiers génétiques européens, approuva Guilhem. Plus qu'à espérer qu'il ait fait ses conneries dans un des pays avec qui on bosse, sinon c'est fichu.

— On aura une réponse quand ? demanda Ludivine.

— La procédure est quasi automatisée avec la plupart des pays voisins, ça sera rapide. Réponse complète dans la semaine.

— Explique l'urgence, fais accélérer les choses. Elephant Man t'appuiera, il connaît du monde. Moi je vais rappeler les directeurs d'enquête des deux SRPJ pour les tenir au jus et leur demander de faire en urgence les prélèvements ADN de Mirko au camp de Roms et de l'ancien petit ami d'Hélène Trissot.

Lorsque la fin de journée se profila, Ludivine donna congé à tous. Ils étaient à saturation. Au point de risquer de passer à côté de quelque chose d'important ou de partir dans toutes les directions comme ils avaient failli le faire le matin même.

Elle rentra chez elle en consultant son téléphone deux fois en cinq minutes. Pas de nouvelles de Marc.

La DGSI avait demandé de maintenir la SR sur le coup, mais elle ne se montrait pas très coopérative elle-même. Ludivine les imagina sur les dents, à enchaîner les perquisitions, à détailler ce qu'ils y trouvaient en urgence, à conduire des auditions de garde à vue avec des « clients » loin d'être faciles à faire parler, une ruche bourdonnante en suractivité sans aucune place pour le reste.

Marc lui manquait. Elle rêvait d'un message. Juste un SMS pour dire que tout allait bien, une marque d'attention, preuve qu'il pensait à elle.

Il a autre chose à foutre ! Arrête d'être aussi mièvre...

Elle s'en voulut aussitôt de sa dureté à son égard. Elle ressentait quelque chose dans cette relation étrange. Elle était heureuse de le voir, de découvrir son nom sur l'écran de son portable, de se réveiller à ses côtés. Pas de l'amour, bien sûr, mais cette pincée de bien être qui rend léger, qui donne un surplus de couleur à chaque journée. Et ce n'était même pas sa faute. Elle n'avait rien demandé, rien essayé, Marc était revenu vers elle aussitôt. Il se comportait depuis la première nuit comme s'ils entamaient une vraie relation. Comme si c'était *sérieux*.

Un type comme lui. Qui se projetait avec elle.

Il semblait sain. Dans la mesure de ce que « sain d'esprit » pouvait encore signifier aujourd'hui : cabossé par la vie, avec ses failles et ses défauts... Bref, un mec dans l'éventail de la normalité. Un truc rare.

Et Ludivine avait l'impression que chacun à sa manière comblait plutôt bien les failles de l'autre. La clé d'une relation possible sur le long terme.

Détends-toi. On n'en est pas là encore.

Mais une étincelle d'espoir brillait. Elle était là, minuscule mais là. Et sa présence, aussi diaphane soit-elle, lui faisait du bien, Ludivine voulait la chérir, veiller sur elle pour qu'elle ne s'éteigne pas. Qui sait ce qu'une étincelle pouvait provoquer à terme ? Un feu de joie sans fin ?

Ou un incendie dramatique.

Ludivine était presque arrivée chez elle et pesta contre celui qui avait garé sa camionnette devant son portail. Elle ne comptait pas sortir sa voiture de la soirée, mais en cas de nécessité il lui faudrait rameuter tout le quartier en klaxonnant.

Elle entra dans le jardin qu'elle trouvait triste en hiver. Il lui faudrait travailler là-dessus au printemps prochain, lorsqu'elle aurait le temps, trouver des plantes et des arbustes à même d'apporter une touche de vie pendant la morte saison. Là elle avait le sentiment de traverser un cimetière, encadrée par des squelettes végétaux qui sortaient de leur tombe.

Elle en était là de ses pensées, complètement absorbée dans ses petites préoccupations, lorsque la silhouette surgit de derrière le mur, venant de l'escalier conduisant à la cave. Surprise, Ludivine ne vit que la laisse que l'homme tenait devant lui.

— Je suis désolé, j'ai perdu mon chien, lui annonça-t-il avant qu'elle ne réagisse.

Dès qu'elle entendit ces mots, et sans même pouvoir lever les yeux vers le visage dissimulé par une casquette, elle sut.

Son bras pivota vers son flanc, vers son Sig Sauer.

La laisse de l'homme s'abattit comme un fouet et claqua sur le poignet de la gendarme, détournant son attention de l'autre main.

Un coup de taser.

Tous les muscles de Ludivine se crispèrent, son système nerveux convulsa et son esprit fut saturé par un flash blanc.

Dans la foulée, quelque chose tomba, un tissu capiteux s'abattit sur sa bouche et le paysage bascula avec violence.

L'odeur la pénétra jusqu'au fond de la gorge. Elle voulut bloquer sa respiration mais elle étouffa. Elle voulut se débattre mais ses membres étaient rigides, comme pris dans du plâtre. Alors, dans un réflexe de survie, elle inspira à pleins poumons.

Toutes ses certitudes vacillèrent et les ténèbres l'avalèrent.

36.

Segnon s'aspergea le visage au-dessus du lavabo de la salle de bains, puis il observa les gouttes rouler sur sa peau. Il avait les yeux chassieux. Mauvaise nuit.

Laëtitia lui menait la vie dure.

Après l'attaque de la caserne sa femme l'avait supplié de quitter la gendarmerie. De tout plaquer et de partir vivre dans le Sud, au soleil. « Et pour quoi faire ? lui avait-il demandé. Vigile de supermarché ? De bijouterie ? Pour finir par me manger une balle tirée par un gamin débile qui se sera pris pour Robert De Niro dans un film de gangsters ? Sérieux, réfléchis, Laëti, tu veux vraiment que j'abandonne ma vie ici, ma carrière, ma passion… ? »

Ils avaient déjà eu cette conversation lorsque Laëtitia avait survécu au bus de l'horreur, six mois plus tôt. Et cette fois Segnon craignait que ce soit le drame de trop.

Il se cogna contre l'armoire à pharmacie et s'énerva contre cette salle de bains trop petite pour une masse comme la sienne.

Laëtitia l'attendait dans le couloir, elle tenait un sweat-shirt chiné gris avec écrit « SALE GOSSE » en gros dessus.

— Tiens, celui que tu as ne va pas avec ton pantalon.

Elle voulait faire la paix. Segnon la connaissait mieux que personne, c'était sa manière à elle de dire : « Regarde, je viens vers toi, je m'occupe de toi, alors ne m'en veux pas, et fais un effort toi aussi », quelque chose d'au moins aussi long. Laëtitia ne faisait jamais les choses rapidement, pas en matière de réconciliation.

— Je trouvais que le rouge avec le vert ça détonnait, avoua Segnon d'un ton qu'il espérait tout doux.

Sa femme secoua la tête.

— Tu as raison, reste enquêteur, là au moins tu brilles.

Ils se fixèrent dans la pénombre du couloir et Segnon lui caressa le visage de sa grosse main. Elle le prit dans ses bras.

Il aimait tant sa femme qu'il espérait de tout son cœur qu'elle n'insisterait pas car il savait qu'à terme, il finirait par faire ce qu'il faudrait pour préserver leur bonheur.

Segnon arriva le dernier, comme souvent depuis qu'il prenait le temps de déposer les jumeaux à l'école un jour sur deux. Du moins il pensait l'être jusqu'à ce qu'il s'aperçoive que Ludivine manquait à l'appel.

— Lulunator n'est pas là ? s'étonna-t-il.

C'était le surnom dont ils l'affublaient en son absence, mélange de Terminator et de son diminutif.

Elle le détestait, estimant que ça donnait une fausse image d'elle, et les suppliait de lui en inventer un autre, plus féminin au moins.

— *Nope*. Les souris peuvent danser… lança Guilhem en train de surfer sur Internet, sa cigarette électronique à la main.

— Tu as fini de trier tous tes profils ?

— Non, je me prépare mentalement aux dix heures qui vont suivre. Je suis déjà rincé.

— Tu en as combien pour l'instant ?

— Une dizaine, tous peuvent plus ou moins coller. En tout cas, ils vivaient en région parisienne, dans le Vexin ou dans l'Eure au moment du premier crime, donc pas non plus à l'autre bout du pays. Et toi ?

— Pareil, douze ou treize, mais j'ai pas fini.

Segnon jeta un coup d'œil sur le bureau de sa collègue pour constater qu'elle avait sélectionné seulement huit personnes et que sa pile demeurait épaisse. Elle avançait lentement, obsédée par l'idée de passer à côté du détail essentiel.

Un quart d'heure plus tard, Marc Tallec apparut, un peu déboussolé par la salle de travail provisoire.

— Pas facile de vous dénicher, dit-il en lançant un paquet de croissants à Segnon pour qu'il l'attrape au vol.

— On se réinstalle cet après-midi, l'informa Guilhem en se penchant pour se servir une viennoiserie. C'est sympa ça, merci.

— Les autres sont à la caserne pour faire l'état des lieux, ajouta Segnon.

Marc avait l'air à bout. Deux lunes noires se dessinaient sous ses yeux rougis et l'effet mal rasé devenait barbe naissante mal taillée.

— Une pensée pour me faire pardonner de pas avoir donné de nouvelles plus tôt. Je suis repassé chez moi prendre une douche et changer de fringues pour la première fois depuis samedi matin. Ludivine est à la caserne ?

— Pas encore arrivée.

— Elle ne répond pas à son téléphone, elle fait la gueule ?

Segnon secoua la tête.

— Panne de réveil probablement. Vous en êtes où à Levallois ?

Ça grouille de partout, ça se confie peu, par contre on a fait parler plusieurs portables et ordinateurs. Pour l'instant, on relie trois suspects à Karim, des petites frappes, pas très malins. Ils gravitaient autour de Fissoum et tout porte à croire qu'ils envisageaient de franchir la ligne jaune.

— Devenir des radicaux ?

— Ça c'était déjà fait ! Non, je parlais de passer à l'action. Ils se renseignaient pour fabriquer une bombe.

— Vous ne les aviez pas repérés ? s'étonna Guilhem.

Si, on les gardait à l'œil à cause de leur relation avec Fissoum, et ils faisaient partie des prochains à se retrouver sous surveillance intensive. Il faut croire qu'on a eu du bol que Karim fasse cavalier seul.

— Il les a plantés ? demanda Segnon.

— Apparemment. C'était l'émotif et le plus parano de la bande, mais aussi le plus déterminé. Il a pas supporté la mort de son imam chéri, accusant l'État d'avoir fait le coup. D'après ce qu'on a pour l'instant, c'était le seul à disposer d'une arme. Il l'a piquée à

327

son grand frère, mouillé dans le trafic de drogue du Val d'Argenteuil.

— Donc vous avez démantelé toute la cellule ? On est... en sécurité ? fit Segnon en songeant à sa femme.

Marc se pinça les lèvres, regardant Segnon puis Guilhem l'air préoccupé.

— Ceux-là sont des crétins, finit-il par lâcher.

— Des crétins qui auraient pu faire un carnage, répliqua Guilhem, la bouche pleine de croissant.

— Oui, mais il y a quelque chose de bizarre. On a récupéré des échanges de SMS et apparemment Fissoum jouait avec eux. Discours salafiste des plus extrêmes, et en même temps il leur disait de ne surtout rien faire, de faire profil bas.

— Souffler le chaud et le froid c'est pas une technique pour mieux les manipuler ?

— Pas de cette manière. Là, Fissoum semblait presque embarrassé par leur présence, d'après ce qu'on est en train de mettre au jour. Celui qui fait office de leader de leur petit groupe était même partisan de ne rien lui dire de ce qu'ils voulaient faire pour éviter qu'il cherche à les dissuader.

— Fissoum était un visionnaire, un organisateur, non ? se souvint Segnon. Il attendait peut-être le bon moment, la bonne cible ? Et eux étaient des chiens fous... incontrôlables.

Marc ouvrit les mains devant lui en signe d'incertitude.

— C'est ce qu'il va falloir établir. Bon. Vous direz à Ludivine que je suis passé et que je l'embrasse. Je retourne au purgatoire.

— Tallec ! l'interpella Segnon avant qu'il ne sorte. Vous craignez une autre attaque ?

Marc inspira profondément puis haussa les sourcils.

— Nous n'avons pas tout le monde, ça j'en suis convaincu. Fissoum n'était pas le véritable cerveau, et les crétins pas des opérateurs d'un niveau acceptable pour l'imam. Il y a autre chose, mais je n'arrive pas à voir quoi et c'est ça qui me fait flipper. Je suis sûr que le tueur que vous traquez est le lien entre tout ça, que lui pourrait nous dire ce qu'il en est.

Sur ces paroles, il disparut.

Mais son nom s'afficha sur le portable de Segnon quinze minutes plus tard.

— Elle ne répond pas à son téléphone, et elle n'est pas chez elle, annonça Tallec. Est-ce que c'est dans ses habitudes de laisser son portail ouvert ?

Pris de court par le ton sérieux de Marc, Segnon balbutia :

— Euh… j'en sais rien. Vous êtes sûr qu'elle n'est pas à la maison ?

— J'y suis, personne.

Le cœur de Segnon s'accéléra. Il était plutôt d'un naturel cool, pas du genre à s'inventer des histoires facilement, mais les circonstances les rendaient tous un peu paranoïaques sur les bords depuis quatre jours. Il chercha quoi faire, quoi répondre, avant que son instinct ne parle pour lui :

— OK, bougez pas, j'arrive.

37.

Elle avait redouté ce moment. Elle l'avait repoussé le plus longtemps possible, prête à toutes les compromissions pour qu'il ne survienne jamais, tout en sachant qu'il était inévitable.

Elle se sentait telle une bête en route pour l'abattoir et qui rêve que le trajet dure éternellement.

Mais le camion était en train de se garer, les portes du hangar s'ouvraient et elle pouvait entendre les bouchers mettre leur tablier et affûter leurs couteaux.

La tombe s'ouvrit par le dessus.

— Sors, commanda la voix sans vie.

Ludivine était à moitié sonnée par l'enfermement et les privations, aveuglée par la lumière soudain trop vive, l'esprit engourdi. Elle eut le plus grand mal à se déplier, ses jambes la portaient à peine, ses genoux étaient douloureux, ses fesses endolories, son dos courbaturé. Elle essaya lentement de se relever mais les entraves de ses poignets rajoutaient une difficulté.

L'homme l'agrippa par le bras et la tira sans ménagement, témoignant d'une certaine force physique.

Une reptation et elle s'effondra sur le sol de béton froid.

Elle n'était plus dans la tombe et pourtant jamais elle n'avait été si proche de la mort.

Les douleurs de son estomac se réveillèrent telle une broche ardente lui fouraillant l'intérieur, et cela eut le mérite de la ressusciter complètement.

Cave. Elle était dans une cave qui sentait l'humidité.

Ses sens s'habituaient à toute vitesse à ce changement de perception. Elle commençait à y voir malgré la clarté trop vive après tant de temps dans l'obscurité. Combien d'heures avait-elle passées là-dessous ? Quinze ? Vingt ?

Elle vit une petite pièce aux murs piquetés de taches noires, d'où la peinture s'effritait, un soupirail comblé par des serpillières et une épaisseur de laine de roche.

Pour étouffer les sons... les cris.

Aucun meuble. Sa prison consistait en une minuscule fosse creusée sous la dalle, accessible par une trappe renforcée. Combien de temps pouvait-on survivre dans un trou pareil ?

Alors Ludivine tourna la tête et vit le matelas sale dans le coin opposé, à même le sol. Recouvert d'une bâche plastique transparente.

Son cœur s'emballa. Elle sut que c'était ici. La bâche était neuve.

C'est pour moi...

Les larmes montèrent.

Sa gorge se serra lorsqu'elle aperçut une boîte en plastique semblable à celles utilisées par les pêcheurs, disposée à côté de trois bouteilles d'eau de Javel.

Un flot acide et brûlant remonta de sa gorge.

331

Elle venait de voir les serflex accrochés à un clou dans le mur au-dessus du matelas – leur boucle grande ouverte –, prêts à l'emploi.

L'homme sursauta pour éviter le jet de bile et poussa un cri de dégoût. Ludivine roula sur elle-même, terrassée, luttant pour ne pas perdre connaissance.

La silhouette tout en peau faisait le tour au-dessus d'elle, cherchant comment se positionner. Il était nu, comprit-elle, et cela provoqua une autre giclée acide contre les parois fragiles de son estomac qui la fit gémir.

— Rampe, ordonna-t-il en désignant le matelas.

Ludivine secoua la tête comme un chien qui refuse d'obéir à son maître, plus effrayé par ce qu'on lui demande que par les coups qu'il risque de recevoir.

L'homme brandit son taser et l'agita.

— Rampe ou je te grille la chatte.

Ces mots lui firent l'effet d'un électrochoc. Se projetant, anticipant les souffrances qu'il s'apprêtait à lui infliger, le viol à venir et les serflex qui jailliraient brusquement autour de sa gorge pour l'étrangler, la faire convulser jusqu'à la mort, Ludivine reprit le contrôle, écartant l'épuisement et la terreur.

Prendre un maximum d'infos.

Elle ne pouvait faire que ça.

Pour gagner une poignée de secondes, elle roula encore une fois et se mit à genoux avec toutes les difficultés du monde, ce qui n'était en soi pas de la simulation, même si elle commençait à retrouver ses sensations, des fourmis dans les membres.

La pièce était la première d'une enfilade.

Banc de musculation dans la suivante et bourdonnement d'une chaudière dans la dernière.

L'accès vers le rez-de-chaussée est sûrement là-bas, tout au bout.

Cela lui semblait être aux confins de l'univers. Une éternité à ramper, à rouler, à trébucher pour espérer entr'apercevoir un escalier. Impossible. Il serait sur elle avant même qu'elle dépasse le banc de muscu. Ses années d'arts martiaux ne lui seraient d'aucune utilité. Elle pouvait à peine se lever, pas même sûre de pouvoir tenir debout tandis que lui était remonté comme un fauve s'apprêtant à bondir sur sa proie.

Elle leva les yeux vers lui, vers ce corps à la nudité effrayante.

Le choc manqua lui faire vomir un autre jet de bile.

Elle connaissait ce type.

Ou plutôt elle avait déjà aperçu ce visage quelque part, mais elle ne parvenait pas à se remémorer dans quelles circonstances.

Il était sec. Les joues creuses, d'épais sourcils bruns accentuant son regard de faucon, sans pitié. Crâne rasé. Pas de lèvres ou presque. Son austérité lui donnait environ trente-cinq ans mais Ludivine estima qu'il devait être un tout petit peu plus jeune. Des bras longs, nerveux, des rubans de muscles fins tendus sur tout son squelette tels des élastiques puissants. Il n'était pas à proprement parler costaud, plutôt enserré d'une carapace pour l'aider dans ses missions, un uniforme qu'il taillait inlassablement sur le banc dans la pièce d'à côté, dans le but de prendre le contrôle, de terrasser, de dominer.

Une machine à tuer.

— Allez ! aboya-t-il. Rampe ! Tu vas me redire les mots de cette nuit. Je veux les entendre encore.

Cette nuit.

Elle devinait un filet de clarté sur les bords de la laine de roche du soupirail, il faisait jour. Elle n'était pas là depuis plus de vingt-quatre heures, aucun doute, cela signifiait qu'elle avait joué sa vie dès la nuit suivant son enlèvement.

Il a voulu s'occuper de moi presque dans la foulée... l'excitation était trop grande pour résister malgré la fatigue... mais avec ce que je lui ai dit... ça lui a suffi... jusqu'à maintenant.

Le matin suivant son kidnapping. Midi tout au plus, estima-t-elle.

Ce n'était pas suffisant pour espérer le moindre secours extérieur. Ses amis ne s'étaient probablement pas encore inquiétés de sa disparition.

Il n'y avait aucun espoir de ce côté-là.

Elle mourrait dans cette cave sordide.

À moins d'agir. Elle-même était son seul espoir.

— Je... vais... vous parler, parvint-elle à dire malgré sa gorge parcheminée par la soif et le stress.

— Ta gueule ! Quand je te le dirai ! Pour l'instant va sur le matelas.

Ludivine savait qu'à l'instant où elle poserait les genoux dessus, sa vie serait jouée. Il serait dans sa zone de confort, son fantasme commencerait et compte tenu de son intensité, elle serait balayée et engloutie comme un fétu dans un tsunami, quoi qu'elle puisse essayer.

Gagne du temps !

Elle singea une faiblesse physique pour s'aplatir contre le béton froid.

Porte d'entrée. Trouve une porte pour entrer dans son esprit ! Établis la communication.

Ça ne devait pas être sur le terrain de son désir : maintenant qu'il la voyait, elle serait morte si elle réutilisait la même stratégie que cette nuit.

Ses autres failles ! Où sont-elles ? Repense à tout ce que tu sais ! Trouve une putain de porte !

Il lui donna un coup de pied dans les côtes. Ludivine encaissa en ravalant son cri. Ne pas lui donner ce plaisir.

— Allez ! s'agaça-t-il.

Elle s'appuya lentement sur un coude, puis sur le second. Chaque geste lui donnait un sursis, lui offrait une chance supplémentaire de débusquer la fêlure dont elle avait besoin.

— Je veux juste faire une dernière prière, dit-elle subitement. Rien qu'une dernière…

Il fit claquer sa langue contre son palais plusieurs fois pour lui signifier que ce n'était pas envisageable et désigna le matelas du pied.

— Je vous en supplie… dites-moi… où est le sud est. Pour prier…

Il y eut un blanc. Une absence totale de son. Pas la moindre respiration entre eux.

— T'es musulmane ? lui demanda-t-il.

Le ton n'était plus tout à fait le même. Un soupçon de doute.

Ludivine ne répondit pas.

La faille était là, entre ses convictions religieuses récentes mais puissantes et ses fantasmes morbides, interdits.

— Je veux juste prier... ensuite tu feras ce que tu veux, Dieu veillera sur moi.

Elle était passée au tutoiement pour effacer la distance entre eux.

Lui ne réagissait pas. Cherchant à repositionner Dieu de son côté, devina Ludivine. Pour justifier son acte.

Elle songea aussitôt à son enlèvement. Ce n'était pas un hasard. Il s'en était pris à elle parce qu'il savait qu'elle remontait sa piste.

Où est-ce que j'ai vu son visage ?

Ce n'était pas en triant les dossiers des violeurs condamnés, il n'y avait pas de photos dans les documents qu'ils avaient imprimés.

S'il s'en prend à moi c'est parce que je suis arrivée trop près de lui.

Comment l'avait-il su ?

Il ne tue plus pour satisfaire ses désirs ! Désormais il tue pour servir...

Il était au service d'une cause, Brach et Fissoum en témoignaient. Il n'était pas engagé dans une guerre de religion, un extrémiste chrétien contre des musulmans radicaux, non, Fissoum l'avait suivi volontairement, et le tueur l'avait laissé mourir en priant vers La Mecque. Pour Brach c'était différent, un coup monté visant à détourner l'attention des enquêteurs. Il partageait leur foi.

En voyant la bâche qui l'attendait trois mètres plus loin, Ludivine ne se fit aucune illusion. Il justifiait son meurtre au nom de Dieu mais il en profiterait pour se répandre, pour combler ses fantasmes pervers... ils demeuraient la source de ce qu'il était devenu. Comment interprétait-il son viol et son exécution pour les justifier en un acte nécessaire ? Il n'avait aucune raison… sauf se protéger d'elle. Mais ce n'était pas un acte de dévotion, c'était de l'égoïsme, pour sa propre survie. Toute l'ambiguïté de sa position.

— Arrête de parler et va là-bas ! reprit-il, cette fois sans colère.

Depuis qu'il croyait profondément, il tuait pour obéir. Il y avait eu Anne Tourberie au milieu, comme une sorte d'étape, sa dernière pulsion incontrôlée. Mais depuis, il servait une cause plus grande que lui.

Il obéit parce que ça correspond à ses convictions spirituelles et à ses besoins personnels.

Ludivine avait elle été désignée par son commanditaire ou l'avait-il enlevée parce qu'il s'était rendu compte qu'elle approchait de lui ? Dans le premier cas, il allait la broyer. Il n'avait pas le choix et son acte était justifié par l'ordre supérieur. Mais s'il agissait de sa propre initiative…

L'arc électrique du taser crépita au-dessus d'elle.

— Je vais te flamber la chatte ! s'énerva-t-il.

Il est impatient, il est venu me chercher parce que l'excitation est réapparue, et je suis en train de tout foutre en l'air.

Elle comprit qu'il se déchaînerait. Des coups, de la rage, avec une chance sur deux : soit il se laissait embarquer et allait jusqu'au bout, soit ça finissait par le fatiguer et, ne voulant pas gâcher le grand moment, il la remettrait au fond de sa tombe pour quelques heures de plus.

Trop risqué.

Il fallait aller sur un autre terrain, le faire douter. Questionner ses contradictions entre le dévot et le tueur. Le noyer dans ses propres tourments entre bien et mal, que cela prenne plus de place dans son crâne que son désir de viol.

— Dieu me protégera, Il accueillera mon âme, dit-elle d'une voix horriblement pâteuse.

— Ta gueule.

— Il m'ouvrira Ses portes parce qu'Il sait que je suis la victime du Mal.

Puisant dans sa mémoire galvanisée par le stress, Ludivine se souvint du mot qu'employait un ancien collègue musulman pour qualifier ce qui était interdit par sa religion.

— Me tuer est *haram*, ajouta-t-elle. Tu répondras de tes actes devant Lui.

— Silence !

— Violer et tuer une fidèle t'attirera Sa colère et...

Il lui posa le taser sur le bras et l'électrocuta. Ludivine se cabra, le corps traversé par la foudre, les dents serrées à en exploser.

— Ferme ta putain de bouche ! hurla-t-il.

Ludivine haletait, recroquevillée. Elle l'avait provoqué, il avait répondu, ce qui signifiait qu'elle touchait une corde sensible, elle le faisait sortir des rails de son fantasme. Elle était sur le bon terrain, mais un terrain dangereux, où le moindre faux pas serait sanctionné par un serflex autour de la gorge...

— Si tu me pénètres, parvint-elle à murmurer, tu violes Dieu.

Nouvelle salve de coups de pied, violents, en pleines côtes.

— Il est partout, geignit-elle, Il sait tout, Il voit t...

— Rampe, putain de chienne !

Le talon de l'homme s'abattit sur les lèvres de Ludivine qui fut rejetée en arrière. Son crâne heurta le sol et elle crut un instant qu'elle allait perdre conscience. Elle lutta. De toutes ses forces, avec la conviction de celle qui sait qu'elle meurt si elle échoue. Le goût de son sang dans sa bouche l'aida à ne pas sombrer.

— Je sais ce qui se passe en toi, se lança-t-elle en grimaçant. La bataille entre tes désirs obscènes et ta foi. Je sais tout. Dieu me le transmet.

Le taser la fit de nouveau convulser. Une décharge sans fin.

Puis l'homme se redressa et s'éloigna pour hurler Un cri de bête sauvage, entre fureur et agonie.

Ludivine, à moitié emportée par son châtiment, mobilisait chaque particule d'énergie encore en elle pour garder les paupières ouvertes, au moins à moitié… Elle bavait du sang, les ongles enfoncés dans ses paumes. Mais un rictus cruel lui déformait les traits.

Il était sorti de ses gonds. Il n'était plus dans son état d'excitation. Désormais, soit il la tuait directement, soit il patientait le temps que sa colère faiblisse, qu'il retrouve tout le piment du contrôle, de la domination… et que son désir sexuel soit plus fort que le doute, que la culpabilité vis-à-vis de Dieu.

Lorsqu'il se rapprocha, il l'attrapa par les chevilles et la tira brutalement jusqu'à ce qu'elle retombe dans la fosse obscure.

— Le grand djihad, je dois faire le grand djihad ! déclara l'homme pour lui-même comme s'il essayait de se convaincre. Oui, oui, pour parvenir au petit djihad. Il m'a dit de faire la *dogma* ! Il m'a dit d'en emporter un maximum avec moi ! Cette *kâfir* en est une ! C'en est une !

La trappe se verrouilla et Ludivine se blottit dans les ténèbres devenues réconfortantes.

Elle venait de gagner quelques heures.

La prochaine fois, il trouverait un moyen de la museler une bonne fois pour toutes.

Elle inspira longuement pour reprendre possession de son corps. Elle était vivante. Même provisoirement c'était déjà une petite victoire sur le temps.

Ne pas paniquer...

Elle devait mobiliser son esprit sur autre chose pour fuir la peur.

Cet homme... où est-ce que je l'ai déjà vu ?

Ludivine avait mal partout, elle frissonnait, elle pleurait, même si elle ne voulait pas l'admettre, mais elle refusait de céder à ce monstre.

Alors elle plongea en elle-même, aussi loin que possible, en quête d'un visage.

38.

La vieille Porsche Boxster de Ludivine dormait à l'abri dans le garage.

Segnon décolla son nez du carreau poussiéreux. Il ne la voyait presque jamais au volant. À quoi bon s'offrir un joujou pareil si c'était pour ne le sortir qu'une fois de temps en temps ?

— Alors ? fit Marc Tallec en haut de la pente.

— Non, la voiture est là.

Segnon le rejoignit et ils firent quelques pas dans le jardin, en observant la maison.

— Elle fait souvent ça ? Disparaître sans prévenir ?... demanda Marc.

— Il lui arrive de filer en douce quand elle a une idée en tête mais elle prévient, et depuis la dernière grosse affaire qu'on a eue ensemble, elle ne jouera plus à ça, non.

— Possible qu'elle dorme encore ?

Segnon regarda sa montre.

— À 11 heures passées ? Pas elle.

— Une urgence familiale ?

— Non, on est sur les dents au bureau, elle se tirerait pas en plein milieu d'une enquête de cette importance sans une bonne raison et sans passer au moins un coup de fil.

— Peut-être qu'elle a perdu son portable ou plus de batterie...

Marc tentait de se convaincre.

— Vous pouvez entrer ? lui demanda Segnon.

— Comment ça ?

— Genre DGSI, avec un appareil pour ouvrir la serrure sans tout casser ?

Marc soupira.

— Non, bien sûr que non. Faut arrêter avec ces clichés à la con. Elle ne laissait pas le double de ses clés à quelqu'un ?

— À la caserne je crois, dans un tiroir.

Marc scruta le gendarme.

— Rassurez-moi : vous aussi ça vous inquiète ?

— Dans des circonstances normales je m'interrogerais, alors avec ce qui s'est passé vendredi soir...

— Ce serait bien d'aller récupérer les clés.

Segnon secoua la tête.

— Si elle a fait un malaise, je vais pas perdre une demi-heure de plus, annonça-t-il en se dirigeant vers la longue véranda.

Il sortit un couteau pliant de sa poche de jean et l'inséra dans la serrure de la porte coulissante qui céda d'un coup.

— Je lui ai dit de mettre autre chose, pesta-t-il de dépit. Et au moins une alarme !

Ils s'avancèrent pour inspecter la maison et se retrouvèrent au pied du grand escalier en fer forgé moins de cinq minutes plus tard.

— Elle n'est pas rentrée de la nuit, déclara Segnon, livide.

— Comment vous le savez ?

— Pas trouvé les fringues qu'elle portait hier dans le panier de linge sale, ni ailleurs dans la chambre ou la salle de bains.

Marc fronça les sourcils.

— Segnon, je vais être direct : est-il possible qu'elle ait un mec ?

Le colosse avala sa salive, alors Marc insista :

— OK, vous l'avez pigé si elle ne vous l'a pas déjà dit : nous avons couché ensemble, mais on n'a pas signé un contrat de fidélité, et je suis un grand garçon, je peux entendre qu'elle fréquente plusieurs jules en même temps !

— Plus maintenant. Elle ne ferait pas ça. Elle a eu sa période de déconne, c'est passé. Au contraire, plutôt du genre carré à présent. Et aucun mec depuis plusieurs mois.

Marc se passa la main dans les cheveux en serrant les dents.

— J'aurais presque préféré entendre le contraire, avoua-t-il. Bon, où est-ce qu'elle est susceptible d'être allée hier après le boulot ?

— Ici même. Elle devait rentrer. Elle est partie en disant qu'elle irait sûrement courir.

— Ce qu'elle n'a pas fait puisque vous dites que ses fringues ne sont pas là. Elle est abonnée à un club de gym quelque part ?

— Non, elle rentre chez elle se changer et repart d'ici. Une fille d'habitudes.

— Putain…

Segnon appela Guilhem pour savoir s'il avait des nouvelles de Ludivine ou si quelqu'un l'avait vue depuis la veille au soir. Sans résultat.

— Je vais poser des questions aux voisins et commerçants sur le parcours entre la caserne et ici, vous m'accompagnez ? proposa-t-il.

Marc approuva sans se faire prier.

Ils sonnèrent chez les voisins pour commencer. À chaque fois qu'ils en trouvaient un chez lui, ils lui demandaient s'il connaissait Ludivine, et s'il l'avait vue récemment, et à chaque fois Segnon se mettait à douter. N'en faisaient-ils pas trop ? Elle allait surgir d'un instant à l'autre avec une bonne explication…

Personne ne leur apporta rien dans l'environnement le plus proche de Ludivine, et Segnon envisageait d'y passer la journée s'ils devaient poursuivre ainsi sur tout le trajet, lorsqu'une adolescente qui écoutait en retrait la conversation entre sa mère et Marc fit remarquer :

— C'est la jolie voisine dont vous parlez ? Oui, celle qui était passée aux news là, au printemps ! La flic qu'avait fait je sais pas quoi, tout ça… Je la vois des fois dans la rue ou dans son jardin.

— Tu l'as remarquée par là hier soir ? insista Segnon.

— Bah je sais pas, mais j'ai vu un mec dans son jardin, le pauvre, je crois qu'il avait perdu son chien…

À ces mots Segnon attrapa le bras de Marc et serra. De toutes ses forces.

L'ensemble des divisions de la SR de Paris apportaient leur soutien à Segnon et Guilhem pour retrouver

Ludivine. Magali, Franck et Ben se partageaient les dernières fiches de violeurs pour isoler ceux qui se rapprochaient au mieux du profil établi. Yves et la DCO se chargeaient de la téléphonie de leur collègue, pour tenter de la géolocaliser. La division des atteintes aux biens et celle de la délinquance économique étaient sur le terrain pour interroger tout le monde sur le trajet emprunté la veille par la disparue, dans l'espoir de glaner des informations. L'adolescente qui avait vu l'homme entrer dans le jardin de Ludivine était incapable d'en dresser un portrait-robot, à peine se souvenait-elle d'un individu de taille moyenne, habillé de couleurs sombres, casquette sur la tête, probablement des cheveux courts ou pas de cheveux, et une laisse à la main. Il semblait chercher quelque chose, avait regardé partout autour de lui avant de pousser la barrière, comme s'il avait vu son chien chez la gendarme.

Pour Segnon il n'y avait aucun doute, c'était *lui*. Le mode opératoire était bien trop proche. Le coup du clebs qu'on recherche était parfait pour passer inaperçu, en tout cas pour ne pas éveiller les soupçons tandis qu'il scrutait les alentours pour s'assurer que personne ne le voyait, du moins le croyait-il, et s'aventurer un peu partout.

Personne n'évoquait le danger qui planait sur Ludivine s'il s'avérait qu'elle était bel et bien sa victime. Personne ne voulait songer, ne serait-ce qu'un seul instant, à ce qu'elle pouvait subir. Et pour y parvenir, ils devaient redoubler d'efforts, de concentration, d'efficacité. De temps à autre, les regards se croisaient, anxieux, on s'échangeait une tape réconfortante dans le dos, on s'offrait un café, et Franck prit Magali dans ses bras lorsque celle-ci eut un coup de fatigue, de blues, en songeant à son amie. L'annonce de son enlèvement avait recouvert la SR d'une chape de plomb si dense qu'elle ensevelissait son personnel, les engourdissant tous de stupeur et d'effroi, jusqu'au cœur.

Marc avait quitté Segnon pour filer à Levallois voir ce qu'il pouvait faire de son côté. Ils n'eurent plus de nouvelles de lui avant la fin de l'après-midi, quand il les appela pour savoir s'ils avançaient.

Entre-temps les résultats des comparaisons ADN exigées en urgence tombèrent : ni l'ex-petit ami d'Hélène Trissot ni Mirko ne correspondaient à l'ADN trouvé dans les organes génitaux des deux victimes.

— C'est pas possible ! s'indigna Segnon. C'est forcément au moins un des deux !

— Non, répéta Guilhem, résultats négatifs.

— Tous les témoignages confirment qu'Hélène Trissot n'était pas du genre à batifoler. Et parmi les Roms, si Georgiana Nistor avait eu une autre relation que Mirko ça se serait su !

— On retombe sur l'hypothèse de deux violeurs, conclut son camarade de bureau.

— Mais non, on l'a déjà démontée… s'énerva Segnon en tapant du poing sur la table.

Ils ne voyaient plus rien, un voyage nocturne au milieu d'une poisse sans fin, dense à noyer les phares, à aspirer tout espoir d'avenir. Celui de Ludivine en l'occurrence.

Ils avaient réintégré leurs locaux historiques avec une pointe au cœur. Façade abîmée par les balles, fenêtres en cours de réfection, même le plafond du bureau où ils travaillaient affichait encore les stigmates de l'attaque avec plusieurs impacts bien visibles. Une bâche bleue recouvrait la grille dans la cour, surveillée en permanence par deux militaires en tenue.

Le capitaine Merrick était dans la pièce avec eux, il étudiait les résultats des analyses d'un air préoccupé.

— Et une erreur au moment du prélèvement ? demanda-t-il. Ou au labo ? Ça serait pas la première fois.

Segnon se jeta sur le téléphone devant lui pour appeler l'IRCGN. Au bout d'un moment, il parvint à joindre Forsnot pour lui demander :

— Capitaine, j'ai besoin d'une nouvelle expertise ADN.

— C'est validé par le proc ?

— Ça le sera, c'est plus qu'urgent.

— Oui, bien sûr, si vous m'expliquez on doit pouvoir vous faire ça rapidement, avant demain soir.

— Non, aujourd'hui, tout de suite en fait.

— Ah mais c'est imposs…

— Le procédé créé par vos services pour obtenir un ADN en moins de deux heures, celui dont vous avez parlé l'autre jour, il fonctionne vous disiez ?

— GendSAG ? Oui mais nous l'utilisons dans le cas de configurations spécifiques, avec de très nombreux échantillons à trier, de type crash d'avion ou…

— Disparition d'une camarade. Pour sauver la peau d'une gendarme, capitaine. J'ai besoin du résultat immédiatement.

Forsnot respira dans le combiné.

— Dites-moi ce que je peux faire et ce sera effectué aussitôt, dit-il.

347

— Vous avez toujours les scellés avec les tractus génitaux ? Je veux une contre-expertise.

Segnon avait préféré ne pas lui dire pour Ludivine, de peur de perturber le capitaine, mais surtout parce qu'il n'avait pas le courage de le formuler à voix haute une fois de plus sans craquer. Il ne pouvait imaginer ce qu'elle affrontait en ce moment même sans devenir fou.

L'enquête sur le terrain ne donnait rien. Pas de témoins en dehors de l'adolescente qui ne savait pas grand-chose, pas de caméras de surveillance à proximité, aucun indice probant relevé par les experts de la CIC dépêchés sur place, même le téléphone portable de Ludivine avait cessé de borner en tout début de soirée la veille, peu de temps après son départ de la caserne.

Segnon était un fauve en cage. Il parvenait à peine à lire les fiches de violeurs qu'il faisait défiler sous ses yeux. Se pouvait-il que l'un d'entre eux soit le ravisseur de sa collègue et amie ?

Les heures défilaient, lourdes, terrifiantes. Chaque fois que l'aiguille bougeait sur le cadran de l'horloge vissée au mur, Segnon se sentait mourir un petit peu plus. Il hésita à appeler sa femme pour lui parler, se confier, ouvrir les vannes, rien qu'un bref moment...

L'après-midi s'étiolait progressivement.

Ils avaient isolé vingt-quatre individus libres aux dates des assassinats, dans la tranche d'âge élargie, et résidant à moins d'une heure du camp de Roms à l'époque des premiers faits.

Le colonel Jihan faisait des allers-retours entre les deux pièces où le groupe de Magali et celui de Segnon et Guilhem s'étaient partagé le travail sur les suspects.

— Vingt-quatre, se plaignit-il, resserrez encore !
Le GIGN et les PSIG[1] peuvent tous les appréhender en même temps, mais nous, nous ne pourrons
pas en traiter autant. Pas vingt-quatre gardes à vue
simultanées, et nous n'avons pas le temps de recruter
des renforts et de les briefer sur tout le dossier si le
ravisseur a dissimulé le lieutenant Vancker... Je ne
prends pas ce risque. Pas encore. Il en faut moins.
Alors débrouillez-vous !

Segnon et Guilhem reprirent les profils des suspects
et les passèrent un par un dans chaque fichier informatique à la disposition de la SR. Plus d'une trentaine
de bases de données à consulter en entrant l'identité
complète du suspect à chaque fois.

Les minutes défilaient et se transformaient en heures.
Ludivine était-elle encore en vie ?

Segnon ne voulait pas y songer. D'aucune manière.
L'hypothèse la plus sinistre était intolérable.

En affinant les recherches, six hommes se déga-
gèrent enfin, qui vivaient à proximité immédiate de
la première victime. Tous avaient entre vingt-cinq et
quarante ans, la tranche privilégiée. Des professions
techniques et/ou solitaires dans l'ensemble.

Segnon craignait de passer à côté du coupable en
dégraissant à ce point. Le profil psychologique n'était
pas une méthode infaillible, loin de là, et les critères
retenus sur la fin devenaient trop restrictifs, sans compter que les fichiers informatiques sur lesquels reposait
tout le travail présentaient des risques d'erreurs – tous
n'étaient pas à jour.

---

1. Pelotons de surveillance et d'intervention de la Gendarmerie.

— On va dans le mur, murmura-t-il pour lui-même, angoissé.

Guilhem agita une feuille devant lui.

— Celui-là me plaît pas mal, il est au chômage, il a du temps, et il en faut à notre bonhomme.

— Le représentant en appareils de cuisine peut aménager son emploi du temps comme il l'entend, fit remarquer Segnon. Le plombier aussi, l'informaticien indépendant pareil, et même l'éboueur finit son boulot assez tôt pour agir ensuite.

Le colonel Jihan glissa une tête dans le bureau :

— Vous avancez ? J'ai déjà mobilisé le GIGN. Ils sont à Satory, prêts à intervenir dès qu'on donne le signal.

— On avance, on avance, répéta Segnon énervé.

— Je n'attendrai pas qu'une autre nuit passe, pas avec ce qu'on sait de ce tordu. Il faut essayer quelque chose. Prévenez-moi dès que vous êtes prêts. Je veux identités et adresses et un topo rapide sur ce qui vous fait pencher pour eux.

Ils jouaient un jeu dangereux, estimait Segnon. S'ils brûlaient leurs forces et le peu de temps dont ils disposaient pour tenter de sauver Ludivine sur de fausses pistes, jamais il ne se le pardonnerait. Risquer la vie de son amie sur des déductions, sans aucun élément probant, sans la moindre piste concrète, autant d'aléatoire le rendait malade. Il s'obligea à revenir au concret pour avancer, pour ne pas penser au pire.

Il tenait le profil d'un comédien de trente et un ans entre les doigts et le reposa. Il ne le sentait pas. Incapable d'expliquer pourquoi. Son instinct lui disait que ce n'était pas lui. Divorcé deux fois, deux enfants, il avait des antécédents judiciaires graves, atteintes à la pudeur, puis viol, pourtant son passif familial prouvait qu'il pouvait s'installer avec une femme. Il vivait néanmoins à Grisy-les-Plâtres, à moins d'un quart d'heure du camp des Roms. Segnon hésitait à l'extraire de la liste.

— La vache, lâcha Guilhem devant son ordinateur. Checke ta boîte mail, on vient de recevoir le résultat de Forsnot à l'IRCGN. Il a tout fait lui-même sur place avec le truc dont vous parliez, le GendSAG.

Segnon se raccrocha à ces quelques mots comme un funambule à son filin tandis qu'il glisse, happé par le vide. Il écoutait, incapable de demander la suite, trop tétanisé par la peur qu'il n'y ait rien derrière.

— Il écrit que son résultat est différent de celui du labo privé, ajouta Guilhem. Pour lui il s'agit du même ADN dans les deux cas ! T'entends ça ? Le même ! Merrick avait raison, c'était une erreur du labo…

Le téléphone se mit à sonner. Le numéro de l'IR-CGN. Assurément Forsnot qui appelait pour indiquer qu'il venait de tout leur envoyer, qu'il avait du lourd à leur annoncer.

Ignorant le combiné, Segnon agita la main frénétiquement devant lui .

— Continue !

C'était presque trop gros pour être vrai. Une erreur d'un laboratoire d'expertise ? Sur deux prélèvements ? Segnon avait du mal à y croire.

Guilhem se replongea dans la lecture de l'e-mail tandis que la sonnerie continuait.

— Il a effectué la recherche FNAEG et… ça matche ! Le fichier des empreintes génétiques lui a sorti un nom !

Guilhem se pencha pour mieux relire son écran et hocha vivement la tête avant de fouiller dans la paperasse de son bureau et de brandir une fiche.

— Il est dans notre liste ! On le tient, Segnon, on le tient !

Cette fois le colosse fut forcé d'y croire, et il se leva en trombe.

39.

Le monde s'accélérait. Le paysage s'effaçait plus vite qu'il ne s'affichait, impalpable, flou, jusqu'aux lumières des autres voitures, des lampadaires et des façades d'immeubles qui bavaient et coulaient jusqu'au bord du cadre, la fenêtre de la camionnette de gendarmerie où se tenait Segnon.

Gyrophares et sirène en action pour ouvrir la voie, ils fusaient à travers la circulation tel un coup de cutter à la monotonie des sorties de bureau. La moindre trajectoire qui se dégageait et le moteur grondait, précédé par les motards de la brigade motorisée, le trafic se refermant aussitôt dans leur sillage.

— Nous mettons tous nos œufs dans le même panier, intervint le colonel Jihan à l'arrière, vous êtes sûrs de vous ?

— À cent pour cent, mon colonel, répondit Segnon. Anthony Brisson a le casier judiciaire qu'on cherchait, et il vit dans le secteur des deux premières victimes. C'est un informaticien.

— Ce serait comme ça qu'il nous a bernés avec l'erreur d'ADN ? Ne me dites pas qu'il est parvenu à pirater le FNAEG, c'est un coffre-fort !

— Non, mon colonel, en effet il n'aurait pas pu. Mais écoutez la suite. Guilhem vient de m'envoyer ses dernières découvertes : Anthony Brisson a fait partie d'une entreprise informatique qui était prestataire de services pour l'IRCGN lors de l'installation dans les nouveaux locaux de Pontoise. Cette entreprise a configuré une partie du réseau. Depuis il a été licencié, mais à l'époque il est possible qu'il ait accédé aux noms des laboratoires privés qui sont capables de faire des analyses ADN. Forsnot dit que durant l'emménagement c'était envisageable, il y avait des cartons partout, des dossiers accessibles, et les listes des labos n'étaient pas difficiles à trouver.

— Et ensuite ? Il ne s'est tout de même pas fait engager par tous les labos en même temps ?

— Non, mais Guilhem pense que c'est eux qu'il a hackés. Leurs sites ne sont pas aussi bien protégés que les nôtres, ce ne sont que des labos, pas des institutions militaires ou judiciaires, leur collaboration avec nous sur le plan de l'expertise génétique est finalement très secondaire dans leur activité, ce qui n'exige pas un degré de protection informatique exceptionnel. Tout passe par les secrétariats qui collectent les données que leurs techniciens leur remontent, puis il y a un envoi hebdomadaire vers le FNAEG, plus rarement du flux constant. Guilhem a jeté un coup d'œil rapide, sans être un hacker lui-même il s'y connaît. Il pense que c'est possible, un logiciel bien placé dans les ordinateurs des secrétariats et c'est plié.

— Tous les labos ? fit Jihan en sifflant entre ses dents.

— Il n'y en a que cinq gros en France. Brisson les a piratés pour implanter un mini-logiciel de sa création qui surveille le réseau interne et qui doit le prévenir automatiquement si jamais un profil génétique sort avec la même séquence d'allèles que le sien – qu'il doit connaître, ce n'est pas compliqué. Dès lors il fonce, rentre dans la base de données, modifie quatre allèles avant que le profil soit transmis au FNAEG, et ainsi aucun rapprochement entre ses crimes et son profil n'est possible.

— Même chez nous à l'IRCGN il peut nous pirater ?

— Non, certainement pas, il a peut-être essayé mais nos protections en la matière sont militaires. Le problème c'est que nous n'avons pas effectué les analyses nous-mêmes, c'est parti dans le privé sur décision du procureur qui voulait rester cohérent avec ce qui avait été fait auparavant. Les trois quarts des profils génétiques sont réalisés dans le privé.

— Brisson peut être aussi efficace ?

— Guilhem affirme que s'il dispose de sa *backdoor*, sa porte dérobée si vous préférez, il peut entrer dans le système informatique du labo concerné, c'est un jeu d'enfant pour lui, il peut même le faire de son smartphone en quelques minutes.

Le colonel Jihan secoua la tête.

— Machiavélique à ce point ?

— Ce Brisson est un grand pervers, je vous l'assure. Il est capable de se donner encore plus de mal pour repérer, traquer et enlever ses victimes. Et je ne vous parle même pas de ce qu'il leur fait ensuite pour nous embrouiller. Ce type cultive une véritable psychose autour de l'ADN. C'est lui, mon colonel, aucun doute.

Segnon repensa aux ongles ajoutés, aux cheveux, à l'odeur de javel et aux serflex enfoncés dans la chair.

L'image de Ludivine agonisante jaillit devant ses yeux.

Il la repoussa d'un souffle.

— Le GIGN est en route ? s'enquit-il, nauséeux.

— Nous devrions arriver en même temps. Par contre, je ne veux pas de connerie sur le terrain : Ludivine ou pas, nous restons en retrait, c'est le GIGN qui fait le boulot, clair ?

Segnon approuva en regardant par la fenêtre.

Le paysage ne défilait pas encore assez vite à son goût.

La nuit était tombée et sous l'éclairage orangé de la rue une troupe d'hommes en noir lourdement armés et protégés investit le hall du petit immeuble de la banlieue ouest. La porte du rez-de-chaussée fut forcée à l'aide d'un vérin pneumatique et la grappe se déploya en quelques secondes, pistolets-mitrailleurs HK MP5 A5 en avant, fusils à pompe d'appui Remington sur le flanc, deux snipers équipés de FR-F1 à lunette Schmitt & Bender couvrant la façade et ses trois fenêtres depuis l'extérieur.

Segnon se tenait plus loin, avec les autres gendarmes qui bouclaient la rue, attendant les nouvelles dans le talkie-walkie que tenait le colonel Jihan.

Il n'y eut aucun coup de feu. Pas même un flash aveuglant ou le coup de tonnerre des grenades assourdissantes. Rien que le silence insoutenable.

Puis soudain le grésillement de la radio :

— Négatif, personne dans l'appartement.

Le cœur de Segnon fit un bond douloureux.

40.

Ils s'étaient précipités. La vie de Ludivine ne tenant qu'à une poignée d'heures, ils étaient entrés sans même établir une surveillance préalable, sans interroger le voisinage. Ils avaient foncé à l'adresse du suspect, aveuglés par la nécessité de tirer l'une des leurs de son enfer.

Si le tueur suivait ses habitudes, alors Ludivine était déjà morte, Segnon le savait bien. Mais il refusait de l'admettre.

Il écrasa ses doigts sur l'écran de son portable bien plus qu'il ne le fallait.

— Guilhem ? C'est moi.

— Vous l'avez ?

— Non, c'est vide ici. T'en es où ?

— J'arrête pas, Mag et les autres sont avec moi, on épluche tout ce qu'on trouve, on creuse toute sa vie, ses relations, il ne loue pas de garage, pas de maison de campagne, je ne note aucun retrait régulier de cash qui indiquerait un paiement au black, ses...

— Pas d'autre adresse, tu es sûr ?

— J'ai rien en ce sens.

— Il est à son compte, il n'a pas un local quelque part ?

— Tu penses bien qu'on a déjà vérifié, sa boîte est domiciliée chez lui.

Segnon ne put retenir un râle de désespoir.

— On fait son entourage pour voir s'il ne pourrait pas s'être fait prêter une baraque ou un box quelque part, mais c'est chaud, avoua Guilhem, il fréquente pas grand monde, plutôt du genre solitaire…

Segnon posa son front sur le téléphone. Il désespérait.

Vingt-quatre heures qu'elle avait disparu.

— Il ne les garde jamais vivantes si longtemps, murmura-t-il.

— Quoi ? Qu'est-ce que tu racontes ?

Segnon se ressaisit.

— Rien, continue, sans vous on est aveugles, insista-t-il en raccrochant.

Le GIGN ressortait de l'immeuble sous les regards des occupants qui pointaient leurs têtes aux fenêtres et sur les balcons, petit à petit alertés.

— On interroge tout le monde ! ordonna Jihan. En commençant par les voisins directs. Fouille du sous-sol. Segnon, vous prenez en charge l'appartement, la CIC va débarquer pour le passer au tamis. Je veux tout savoir !

Segnon craignait le complice. Pas forcément le compère de crime mais l'âme bienveillante, du genre « À mort les flics, je sais pas ce que tu manigances, mon pote, mais je voulais te prévenir qu'ils sont partout chez toi ». Son téléphone sonna. C'était Marc Tallec. Le gendarme n'avait pas la force de lui parler, pas maintenant, pas sans rien de plus à lui dire. Les véhicules se rapprochaient, gyrophares allumés projetant des myriades bleues qui se réfléchissaient dans les pupilles des curieux. Les hommes cagoulés du GIGN disparaissaient déjà dans leurs monospaces aux vitres opaques et une horde de gendarmes en civil investissait les lieux.

Le téléphone de Segnon vibra à nouveau.

— Tallec, c'est pas le mom… s'agaça-t-il avant de lire le nom qui s'affichait.

— Sa mère est morte il y a quatre ans, débita Guilhem à toute vitesse, sans reprendre son souffle. Aucune trace de vente de la maison qui n'est plus occupée, c'est à moins de trois kilomètres de vous dans une zone plutôt isolée, je t'envoie l'adresse par SMS tout de suite.

Segnon siffla de toutes ses forces.

41.

Un musée branlant et poussiéreux à la gloire du temps passé. De la table en formica au réfrigérateur des années 1980, de la télé cathodique au napperon au crochet, du linoléum écorché au papier peint démodé, rien n'avait bougé depuis une éternité dans la meulière au bout de l'impasse bordée de bois.

Les canons des armes du GIGN balayaient chaque recoin, les deux groupes se déplaçant rapidement, explorant la petite maison avec la célérité d'un commando surentraîné.

Le groupe de tête descendait les marches menant à la cave lorsqu'ils le virent tout au bout d'une enfilade de minuscules pièces : un homme nu, sous l'éclairage cru d'une ampoule pendante.

Il les repéra en même temps.

À ses pieds gisait un corps. Un corps qu'il avait laissé mariner quelques heures supplémentaires dans sa tombe, autant pour reprendre le contrôle, regagner son assurance et que son désir revienne, que pour l'épuiser, qu'elle ne puisse plus opposer une trop grande résistance. Lorsqu'il avait ouvert la trappe, d'un coup, sans s'annoncer, elle avait pourtant crié.

Ludivine avait hurlé comme un être humain qui comprend que la mort se présente pour lui, que son dernier instant est venu et qu'il sera effroyable. Le taser avait crépité, son arc électrique bleu illuminant la fosse, plusieurs fois, jusqu'à ce qu'elle ne bouge plus. Ainsi le diable dans sa gorge s'était tu une bonne fois pour toutes. Il allait pouvoir la casser. Définitivement.

Alors il l'avait hissée, difficilement, pour l'allonger sur le béton.

La bâche en plastique recouvrait le matelas tacheté. Et aucun son n'était plus aphrodisiaque pour l'homme nu que celui de la bâche qui crisse sous le poids des corps, à chaque coup de reins, à chaque saillie. Un son cassant, sec et creux, celui de l'artificiel qui heurte le naturel, le plastique contre l'air, le dominant contre le dominé, celui, associé, des chairs humides qui se heurtent, du liquide effluent, des peaux qui claquent, de son souffle rauque, de leurs gémissements plaintifs. Le son du remplissage. De l'inondation. De la possession ultime.

Tout ce qu'il avait prévu pour Ludivine.

À l'instant où l'homme nu aperçut les silhouettes noires effrayantes, il se précipita vers la boîte de pêche juste à côté des bouteilles d'eau de Javel.

Trois coups de feu seulement claquèrent des HK MP5. Deux lui pénétrèrent les entrailles, fracassant son bassin et perforant ses intestins. Il tomba à genoux, la main dans la boîte où le chrome de son revolver scintilla. La douleur était un message plus qu'une sensation, il était encore trop habité par ses fantasmes, cela allait prendre quelques secondes encore pour qu'il sente les décharges effroyables provoquées par ses os brisés, ses flancs criblés. Et l'homme nu ne gâcha pas ces précieuses secondes. Il resserra sa prise autour de la crosse.

Pointa le canon en direction du corps à ses pieds.

Faire la *dogma*, emporter cette *kâfir* avant que...

Son visage explosa, sa cervelle se répandit sur les murs avec ses dernières pensées, dessinant les arabesques pourpres de la mort tandis qu'il s'affaissait sur Ludivine.

42.

Ludivine s'était battue par deux fois pour gagner un sursis.

Quelques heures à peine.

Quelques heures qui l'avaient fait survivre plus long-temps que toutes les autres. Quelques heures qui avaient permis au GIGN de pénétrer dans la cave cinq minutes à peine après que l'homme nu fut redescendu pour la taser longuement avant de l'extirper de sa tombe.

Tout s'était joué en très peu de temps.

Les décharges électriques infligées à répétition avaient presque fait disjoncter son cœur, mais Ludivine était une coriace, une sportive, endurcie par déjà tant d'épreuves. Elle avait survécu à celle-là, certainement la pire de toutes. Elle n'était presque plus consciente, à peine entendait-elle au loin l'assaut, comme une télé trop forte chez le voisin, sans même réaliser que c'était vrai, que c'était pour elle.

Lorsque l'homme nu avait brandi son arme pour viser Ludivine, le GIGN avait ouvert le feu sur lui, visant la tête cette fois, ne pouvant plus s'autoriser à le capturer vivant. Il y allait de la vie de leur camarade.

Le crâne de l'homme nu avait laissé s'écouler tout ce qu'il était, son corps rejeté en arrière, puis, par d'étranges réactions biomécaniques, il était revenu en avant pour tomber sur sa proie.

Mais le coup était parti. Une dernière impulsion nerveuse. Une pression de l'index sur la queue de détente. Un ultime réflexe du corps qui accomplit ce que l'homme nu n'était déjà plus en mesure de vouloir.

Le revolver chromé rebondit sur le sol plusieurs fois avant de glisser, le canon fumant.

Un gros calibre.

La marée rouge avait noyé la chevelure blonde de Ludivine d'une coulée abondante. Son front brisé. Ses yeux brûlés et écrasés sur la dalle au milieu des fragments de sa matière grise sanguinolente.

L'amour d'un couple, le nourrisson minuscule à la maternité, le bébé gazouillant, la petite fille craquante avec ses nattes, l'adolescente caractérielle mais jolie, la jeune femme affirmée, amoureuse, trahie, passionnée, professionnelle, en plein doute, aimante... chaque minute de ces trente années de vie dissoute d'une balle à travers la tête. Celle qui avait été, et même tant été, se résumait désormais à des souvenirs et une masse de chairs qui tiédissait déjà. Bientôt la nature viendrait la dévorer, l'engloutir pour la diluer dans les cycles terrestres. À peine privée de vie, et déjà elle pourrissait de l'intérieur.

Les hommes du GIGN pataugèrent dans son sang, s'assurèrent que son ravisseur était mort et permirent au médecin d'arriver en courant. Il s'agenouilla dans les fluides qui gouttaient dans la fosse.

Ludivine Vancker.

Décédée.

Il ne lui fallut qu'un coup d'œil pour en être sûr. Aucun espoir. Dès que le coup était parti, elle était morte. Pas une seconde de répit supplémentaire. Elle avait eu ses quelques heures déjà et c'était beaucoup avec un pervers pareil. C'était tout ce qu'elle avait gagné.

Pas une seconde de plus.

Pas. Une. Seconde. De. Plus.

Ludivine.

Son front brisé. Ses yeux brûlés et écrasés sur la dalle. Et qui souriait.

Morte mais souriante. Un pied de nez à l'horreur.

Ou un dernier geste pour ceux qu'elle aimait.

Pas. Une. Seconde. De. Plus.

Ludivine.

Décédée.

Dans une bouillie abominable.

En souriant.

43.

Segnon sursauta.

Couloir aseptisé. Pénombre. Ambiance feutrée, clinique. À peine l'écho d'une conversation murmurée un peu plus loin. Odeur de produits ménagers. Bips distants des machines.

Il se redressa des deux chaises sur lesquelles il s'était allongé pour somnoler, recroquevillé.

Un cauchemar atroce.

La porte de la chambre était ouverte, à l'opposé la fenêtre sur la nuit, et au centre le lit d'hôpital.

Ludivine dessus, paupières closes.

Ses yeux intacts à l'abri dessous, son front immaculé, ses boucles blondes exemptes de tout sang.

Un cauchemar. Rien qu'un putain de cauchemar.

Ils étaient arrivés à temps. Ludivine avait guerroyé contre l'homme nu pas seulement pour quelques heures de sursis, mais bien pour toute sa vie. À trois minutes près. Le GIGN avait abattu le tueur en série tandis que celui-ci tirait, la balle avait ricoché à dix centimètres de Ludivine. Mais elle était bien là, vivante. Physiquement indemne.

Segnon se frotta le visage pour évacuer ces images odieuses, pour fuir les reliquats de l'épouvante, se raccrocher vite à la réalité. Pour une fois qu'elle était plus douce et merveilleuse que le sommeil.

Il se leva pour poser la main sur la joue de son amie.

Cette fois c'était lui qui souriait.

Et qui pleurait en même temps.

La chambre était remplie de vie, de joie. Segnon, Laëtitia, Guilhem, Magali, et même Marc se bousculaient dans le petit espace. Le colonel Jihan, le commandant Reynaut et le capitaine Merrick venaient à peine de sortir, rassurés par l'état de leur enquêtrice.

Une commotion cérébrale, deux côtes fêlées, de nombreuses ecchymoses, quelques écorchures, rien d'irrémédiable. Psychologiquement Ludivine semblait ne pas réaliser. Elle avait d'abord serré Segnon contre elle en sanglotant dès son réveil, tout comme elle l'avait fait la veille au soir dans le camion de pompiers qui l'évacuait. Mais une fois vidée de toutes ses larmes, elle avait retrouvé un aplomb étrangement déstabilisant.

Guilhem venait de tout lui raconter, comment ils étaient remontés jusqu'à Anthony Brisson en seulement quelques heures.

Les quelques heures qu'elle-même avait gagnées.

Laëtitia lui expliquait comment ils allaient s'arranger avec la chambre des jumeaux pour qu'elle s'installe chez eux pour la semaine, le temps de se remettre, malgré les protestations de Ludivine.

Tout le monde lui parlait, voulait la rassurer, la cajoler.

Segnon profita que sa femme attirait l'attention des autres sur la tarte aux pommes qu'elle avait apportée pour se pencher vers sa collègue :

— Comment tu te sens ?

— Je m'en sors plutôt bien.

— Je veux dire : dans ta tête ?

Elle haussa les épaules et grimaça.

— On l'avait croisé, dit-elle.

— Qui ?

— Anthony Brisson, le tueur. J'avais déjà vu son visage. Il m'a fallu du temps pour me le rappeler. Un des ouvriers à l'IRCGN qui posaient des câbles, tu te souviens ? Il s'est relevé pour que nous puissions passer, je l'ai regardé droit dans les yeux ce jour-là.

— Apparemment il était prestataire de services dans le secteur en effet, notamment pour nous. Il était doué en informatique, surtout tout ce qui touchait à l'illégal. Le hacking. Guilhem a trouvé un logiciel de sa création implanté dans cinq laboratoires privés qui traitent l'analyse génétique, les cinq plus gros en fait, ainsi il couvrait les deux tiers des profils ADN envoyés au FNAEG. À chaque fois son logiciel le prévenait si son ADN sortait après un de ses crimes, et il se servait de son invention pour modifier le profil juste ce qu'il fallait pour que ça ne soit plus le sien. Quand nous avons lancé l'expertise sur les trompes de Fallope, la première fois, il a été alerté et c'est pour ça que nous n'avons rien trouvé sinon deux ADN différents qui ne correspondaient à personne. Mais lorsque j'ai demandé au capitaine Forsnot, alors c'est l'IRCGN directement

369

qui a piloté la manœuvre, et là ce salopard n'avait aucun moyen d'intervenir, et son nom est tombé.

— Son profil était dans le FNAEG pour un viol ?

— Commis il y a dix ans, tu avais vu juste. Apparemment, il guettait la moindre occasion d'intervenir professionnellement dans les institutions judiciaires et partout où la justice était rendue, pour essayer d'y coller son logiciel. C'est dingue qu'il soit passé au travers des vérifications de casiers judiciaires…

— L'administration, tu sais comment ça se passe, de la paperasse, des tonnes de paperasse, un faux passe facilement, si ça n'est pas une erreur humaine. Revenir à l'IRCGN, même pour poser un câble, ça devait être le pied pour cet enfoiré. Un obsédé du contrôle jouissant de se sentir si près de ceux qui le pourchassaient.

Segnon se faisait du souci pour son amie.

— Te blinde pas.

— T'inquiète, lui sourit-elle.

— Je blague pas. Souviens-toi de ce que tu as déjà affronté, comment tu t'es ensevelie sous des couches de protection, la difficulté pour en ressortir…

— Je ne le ferai pas. Pourquoi tu crois que j'ai chialé comme une pucelle dans tes bras ? Et je vais le refaire, sois rassuré…

— Je suis toujours là pour toi. Tu as toutes les raisons du monde de pas te sentir bien. Sache qu'on le comprend tous. Et personne ne sera choqué si tu prends quelques semaines pour…

— Segnon, laisse tomber, j'ai exigé de sortir ce midi pour reprendre du service. Le colonel est prévenu, il a écouté mes motivations et si je réponds à l'IGGN comme il faut et que je file droit, il me soutiendra.

Je suis trop impliquée, j'ai besoin de finir ce qu'on a commencé, les vérifs, la paperasse, aller au bout. Ça va m'aider. Je m'enfermerai pas dans un bunker, je te le promets.

— Vois un psy au moins.

— Promis.

Segnon lui prit la main.

— La vache, Lulu… tu les attires, quand même…

La jeune femme lui renvoya un sourire fatigué.

— Justement, je commence à avoir une certaine expérience. Tu crois que les grands malades font une carte de fidélité pour les filles dans mon genre qui leur échappent de justesse à chaque fois ?

Segnon s'autorisa à rire.

Lorsque tout le monde sortit de la chambre pour que Ludivine puisse se rhabiller, celle-ci fit signe à Marc de rester.

— Ça te dérange pas de me raccompagner chez moi ?

— Je suis là pour ça.

— C'est gentil d'avoir pensé à m'apporter des fringues propres. Tu es entré comment chez moi ?

— Tu verras ça avec le géant dans le couloir…

Ludivine lui fit signe de se tourner pour qu'elle retire la chemise d'hôpital et passe ses vêtements.

— Il m'a parlé, annonça-t-elle dans son dos. Ce salaud, avant d'essayer de me tuer, je suis parvenue à le faire sortir de sa pulsion de violeur.

— Il t'a dit quoi ? demanda Marc avec intérêt, s'empêchant de se retourner.

— Il a parlé de faire le « grand djihad » pour parvenir à faire le « petit djihad ». Une idée de ce que ça peut vouloir dire ?

— Le grand djihad c'est la lutte intérieure de l'individu contre les vices, un combat spirituel pour se purifier, pour être sur le bon chemin en quelque sorte, prêt à faire le petit djihad, celui que nous connaissons tous à travers les médias : la guerre sacrée contre les infidèles. La plupart des djihadistes doivent passer par là, affronter leurs démons pour être aptes à servir correctement leur cause.

— Je comprends mieux. Je l'ai mis devant ses contradictions entre sa nature perverse et sa foi, c'est pour ça qu'il m'a rejetée dans la fosse, pour pouvoir lutter contre lui-même…

— Il a dit autre chose ?

— Je… je pense qu'il a mentionné quelqu'un.

— Qui ça ? fit Marc, encore plus attentif.

— « Il ». C'est le terme qu'il a employé, comme pour parler de Dieu, qui lui a dit de faire la « dogma », sauf que ça ressemblait davantage à un individu.

— Le sacrifice de soi.

— Un suicide ?

— Non. Dans les dialectes des pays du Golfe, *dogma* signifie « bouton ». Comme celui qu'on actionne pour faire sauter la ceinture d'explosifs ou le véhicule piégé. Les djihadistes ont repris ce mot pour en faire l'expression du sacrifice de soi, faire le kamikaze et tuer un maximum de *kuffâr* en même temps.

— Ah oui, il m'a traité d'un mot semblable…

— *Kâfir* ? C'est le singulier. Ça signifie « mécréant ». Pour eux, un *kâfir* mérite la mort.

— On avait vu juste, Marc. Il s'était converti à un islam dur.

372

Cette fois, Marc ne put se retenir et il pivota vers Ludivine, en jean et soutien-gorge.

— J'ai commencé mon investigation sur cet Anthony Brisson, dit-il en baissant le ton, nous sommes quasiment sûrs qu'il a fréquenté Fissoum. C'est encore trop tôt pour le prouver mais nous avons localisé la mosquée où il se rendait. Dans nos organigrammes, elle est connectée à celle où officiait Abdelmalek Fissoum.

— Connectée comment ?

— Par l'intermédiaire d'un homme fiché comme radical, un salafiste quiétiste, la version plutôt pacifique, qu'on soupçonne d'avoir basculé dans l'alternative révolutionnaire, celle qui prône l'usage des armes. Celui-là a été repéré dans plusieurs mosquées, dont celle de Fissoum et celle où allait Brisson. Il pourrait les avoir présentés. Nous sommes en train d'étudier toute la téléphonie de Brisson, on regarde là où il a borné et on remonte dans le temps, aussi loin que possible, pour voir s'il y a des correspondances avec les géolocalisations de Fissoum.

Ludivine enfila le pull en mohair que Marc lui avait apporté.

— Ce serait quoi le tableau complet ? questionnat-elle. Fissoum est au centre, il a la connaissance et le charisme, il fascine, il recrute, il formate les esprits fragiles. Il fait connaissance avec Anthony Brisson, tueur en série de son état, et au mal-être évident. Est-ce que Brisson est venu tout raconter de ses démons ? Implorer l'aide divine ? Ou est-ce Fissoum qui a compris qu'il cachait de sombres fantasmes ? Quoi qu'il en soit, Fissoum a découvert sa vraie nature. L'imam parvient à le canaliser en le radicalisant.

Ensuite Fissoum et Laurent Brach se rencontrent au moment où les communications de la galaxie des islamistes s'intensifient puis ils se séparent à jamais. On ne sait pas pourquoi. Après quoi Brisson tue Brach et Fissoum. Le tueur en série a pété un plomb et s'est retourné contre sa nouvelle famille ?

Le regard de Marc était sombre. Il secoua la tête.

— Non. La mort de Brach était bien une mise en scène visant à nous attirer du côté des dealers pour éviter qu'on creuse sur la victime elle-même. C'est juste qu'un tueur en série ne change pas ses méthodes du jour au lendemain et qu'il a donc tué comme il sait le faire. Fissoum, avec ses contacts, aura fourni la drogue à Anthony Brisson pour nous berner. Brach a joué un rôle important dans quelque chose et ils ne veulent pas qu'on sache quoi.

Ludivine approuva, se souvenant de leurs conclusions. Marc enchaîna :

— Fissoum s'est livré volontairement à son bourreau, il ne s'est pas défendu et Brisson l'a laissé prier avant de mourir, il le respectait. Fissoum a sacrifié sa propre vie pour protéger un secret capital. Et je te parie que c'est lui le « il » dont parlait Anthony. C'est Fissoum qui lui a dit de faire la *dogma*. Devenir kamikaze pour que lui non plus ne laisse aucune trace. Tu ne vois donc pas ?

— Ils protègent quelqu'un.

— Oui, quelqu'un qui s'apprête à commettre de grandes choses selon eux. Ce n'était pas un hasard si les communications des djihadistes se sont intensifiées pendant que Brach et Fissoum faisaient connaissance. L'imam l'a chargé d'une mission, et une fois qu'elle a été accomplie, il l'a fait tuer avant d'exiger sa propre mort puis le sacrifice de leur bourreau. Quelle était la fonction de chacun ?

— Fissoum le recruteur, Brisson le tueur et Brach…

Ludivine fit signe qu'elle séchait.

— L'intermédiaire ! compléta Marc. Fissoum avait du monde à sa disposition, mais par excès de paranoïa et de prudence ou parce qu'il avait grillé sa surveillance, impossible pour lui d'approcher ses meilleurs éléments sans qu'on les identifie. Alors il est passé par un intermédiaire pour les prévenir : Laurent Brach.

— Oh bon sang… souffla la jeune femme qui voyait se profiler le pire.

— C'est une cellule, Ludivine. Ils ont mis en place une cellule et ensuite ils ont coupé tous les ponts pour qu'on ne puisse plus remonter jusqu'à elle. Tu comprends ce que ça implique ?

— Qu'ils sont entrés dans la dernière phase de leur plan.

Marc acquiesça, l'air lugubre.

— Ils vont bientôt passer à l'action.

44.

Abdallah Awad al-Qasim.

Ce nom était en soi poésie.

Si le père de Djinn lui avait appris à penser et sa mère inculqué l'amour, Abdallah Awad al-Qasim lui apprit à haïr.

Les deux hommes se rencontrèrent dans une madrasa, une école coranique, en Égypte, où Djinn venait pour un rendez-vous professionnel. Al-Qasim perçut immédiatement l'intelligence et le potentiel de ce voyageur étrange aux fréquentations douteuses et il l'invita à partager un thé et des gâteaux dans une petite salle en retrait. Al-Qasim était un ouléma, un théologien qui avait étudié à la prestigieuse université islamique Al-Azhar du Caire. Il parlait lentement, de longues phrases complexes mais enivrantes, des calligraphies sonores qui se resserraient petit à petit autour de son interlocuteur comme le feraient les anneaux d'un boa, jusqu'à le tenir à la merci de ses mots. Sa barbe imposait le respect, son regard franc et aiguisé à travers ses petites lunettes rondes la soumission.

Dès les premières minutes, Djinn fut fasciné. Par l'homme, par le discours. Al-Qasim connaissait le monde et le Coran, et nul n'expliquait mieux l'un sous l'éclairage de l'autre que le vieil ouléma. À cette époque Djinn commençait à être usé par ses périples, par la routine, et il aspirait à changer. Son corps était occupé, son esprit suivait des rails, mais son cœur et sa passion s'étaient atrophiés. Dès les premières rencontres, al-Qasim les réveilla. Il parla à sa fibre. À ce qu'il était tout au fond, bien au-delà de l'homme, de ses convictions, il s'adressa à ce qui définissait toute sa trajectoire, tout son être : son origine arabo-musulmane.

Pour al-Qasim, il ne faisait aucun doute que si le père de Djinn avait fait de lui un chiite, sa mère sunnite avait eu bien plus d'influence sur son esprit. Plutôt que d'être déstabilisé par cette dualité, il devait en tirer richesse et fierté. Djinn s'était raccroché à l'existence de Dieu pour admettre les disparitions de sa tendre mère et de sa défunte épouse, mais avec al-Qasim Dieu devint le sens même de son existence. Le vieil homme le faisait parler avec une facilité déconcertante et concluait par des exemples tirés du Coran et des hadiths qui l'interpellaient sur son cheminement intérieur.

Au fil des mois, Djinn multiplia les prétextes pour passer par l'Égypte et aller écouter le vieil homme, auquel il se confiait et qui lui répondait toujours sur le ton juste.

Petit à petit, al-Qasim se mua en père spirituel.

Et sans même s'en rendre compte, Djinn bascula sur le chemin de la conversion. Il renia la confession paternelle, celle de cet homme froid, dur, pour se rapprocher de celle de sa mère, unir son âme et son cœur sous l'influence de l'ouléma.

Djinn devint sunnite presque à son insu.

La rupture idéologique avec les chiites du Parti de Dieu se fit au même rythme, sans que Djinn se trahisse. Il continuait son œuvre au service du Hezbollah mais sa dévotion n'était plus la même. Il se détachait de leur lutte comme on quitte une femme à laquelle on ne fait plus l'amour depuis trop longtemps.

À chaque visite, Abdallah Awad al-Qasim semait quelques graines de haine, d'un geste souple, presque imperceptible, à peine une remarque sur l'Occident, sur la décadence, sur l'hérésie, et il arrosait tout cela d'une douce pluie religieuse, parfois historique, il ancrait toujours plus profondément les racines de sa théorie, préparant le terrain pour de futures moissons malignes.

La cible privilégiée du vieil homme était la fibre profonde de Djinn, sa nature arabe islamique, la fierté des fiertés, l'origine de son sang, la quintessence de sa culture, et il évoquait longuement l'époque faste ou l'oumma, la communauté musulmane dans son ensemble, au-delà des nations, qui rayonnait de sa civilisation dominante. Et al-Qasim se plaisait à répéter toujours la même conclusion : le grand empire millénaire musulman avait périclité au XIXe siècle avec l'apogée de la colonisation occidentale, et cette subordination avait été rendue possible par la dégradation des valeurs profondes du monde musulman. Ce dernier était puissant à l'époque où il était un empire arabo-musulman strict, reposant sur un islam pur, pour ne *pas dire dur. Tout avait décliné lorsque les musulmans s'étaient éloignés de ces valeurs traditionnelles, l'oumma s'était affaiblie, et l'Occident avait pu la mettre sous tutelle.*

Al-Qasim terminait en répétant la nécessité d'un retour à l'islam des traditions, d'une islamisation de la pensée musulmane, d'un système politique et social fondé uniquement sur la charia. Ainsi l'oumma se souderait, unifiée sous la bannière d'une religion aux préceptes clairs, guidée par des règles précises, le monde arabe serait à nouveau solide par le nombre et par la cohésion, et il se relèverait et redeviendrait maître de son destin, apte à propager sa croyance et à éliminer les mécréants avant qu'ils ne finissent de corrompre la planète.

Au fur et à mesure, Djinn se mit à partager chaque aspect, chaque idée d'ul-Qasim, jusqu'à ses espoirs nourris. Établir de nouveau un ordre fort, au nom de Dieu, pour son peuple opprimé, manipulé, déchu.

De l'idéologie implémentée dans la machine de guerre.

Deux années d'allers-retours en Égypte suffirent pour combler Djinn spirituellement comme rien ni personne n'y était parvenu jusque-là. Il s'était mis à croire pour supporter la mort, il adula pour comprendre la vie, ce qui ne fit que rendre la première encore plus respectable et merveilleuse. Il avait vu souffrir sa communauté de par le monde, le peuple arabe inféodé aux valeurs modernes de l'Occident, à sa corruption, à ses vices, dépendant de son argent, spolié de ses richesses et bien souvent de son indépendance, les musulmans exterminés dans l'ancienne Yougoslavie, en guerre dans le Caucase, humiliés dans le Golfe par les Européens et les Américains.

Et tandis que l'amour de Dieu s'imposait à lui, sa colère grandissait. Une chrysalide vouée à se transformer pour survivre, à déployer ses ailes de haine.

À chaque fois que Djinn se sentait mal, il se débrouillait pour venir voir son mentor, et les deux hommes discouraient sans fin sur l'amour de Dieu, sur la faiblesse des musulmans qu'il fallait impérativement réveiller, sur les méthodes pour y parvenir, sur l'influence permissive de l'Occident qui agissait telle une télévision sur un enfant, hypnotisant de ses messages saturés ces esprits candides, les déviant de leur véritable nature, les abrutissant pour mieux leur vendre sa dépravation, ses produits, et les soumettre à la consommation plutôt qu'à la société de Dieu.

Deux chocs terminèrent de façonner Djinn.

La présence américaine sur le sol sacré de La Mecque et de Médine, une force armée de surcroît, des croisés autorisés par l'Arabie saoudite à poser leur base militaire sur la terre du Prophète. Un sacrilège. Cette installation si près des sanctuaires de l'islam, en dépit de toute considération et de tout respect, fut interprétée comme une véritable déclaration de guerre. Djinn sut alors que toute sa trajectoire personnelle venait de trouver un sens. Son endurcissement, sa formation de combattant, de guérilla, d'infiltration, tout cela Dieu l'avait voulu dans un but bien précis. Il n'y avait aucun hasard, et Djinn devrait désormais mener une lutte sans merci contre les mécréants qui salissaient le nom sacré d'Allah, il devait se muer en un soldat impitoyable, mener le djihad.

Al-Qasim lui avait permis de faire son grand djihad, de savoir qui il était, de faire la paix avec lui-même et de considérer la vie comme un chemin vers la mort paradisiaque qui l'attendrait lorsque Dieu le voudrait. Inch'Allah.

Désormais il était paré pour le petit djihad, celui des chairs, des bombes et de la terreur.

Mais al-Qasim une fois encore le tempéra. Djinn avait bien plus à apporter à leur cause qu'un sacrifice brutal sur le terrain. Chaque moudjahid, combattant de la foi, se devait de servir Dieu du mieux qu'il pouvait, selon ses compétences. Et celles de Djinn étaient immenses.

Il devait user de ses contacts pour créer une nébuleuse de sympathisants, recruter, organiser. Il était invisible pour l'ennemi, un atout unique. Un jour, lorsqu'il sentirait le temps venu, il déclencherait son piège et dévoilerait sa présence, une fois qu'il serait trop tard pour l'arrêter.

Djinn accepta, jouant le jeu du Hezbollah pour se couvrir, tandis qu'intérieurement il grandissait, fomentait son plan, tissait son réseau, sa base, al-qaïda en arabe.

Le 11 septembre 2001 fut un exemple pour lui.

Alors il redoubla d'efforts et d'application dans la construction de sa toile. Ne pas se mêler directement aux autres organisations djihadistes, non, ne surtout pas griller sa couverture. Attendre, observer leurs actions, déceler leurs qualités pour s'en inspirer, apprendre de leurs erreurs, mais ne pas se découvrir. Ben Laden, al-Zawahiri, al-Zarqaoui, puis plus tard encore al-Baghdadi, toutes ces figures lui imposaient le respect mais il ne les approcha jamais pour ne pas risquer d'être démasqué par l'ennemi. Aucun prédateur dans la nature ne dévoile sa présence à sa proie.

Les années filaient et la détermination de Djinn ne faiblissait pas, au contraire. Renforcée par l'occupation américaine de territoires musulmans comme l'Afghanistan ou l'Irak, et par sa présence influente ailleurs pour tenter de soumettre les fidèles d'Allah.

Il suivait tout ce qui se passait, étudiant la moindre position adverse, cherchant la faille. Non pas celle qui permettrait de faire sauter un convoi militaire de croisés ou exploser une ambassade, mais celle plus profonde encore qui rendrait possible une attaque au cœur même du monde des mécréants. Djinn ne voulait pas d'une escarmouche, ni porter une blessure d'ego à l'ennemi, il voulait un triomphe majeur. Provoquer le vacillement symbolique qui resterait gravé dans les mémoires, qui aurait des conséquences durables. Le 11-Septembre avait fait entrer le monde dans le XXIe siècle et dans l'ère du terrorisme, Djinn ambitionnait une déflagration du même acabit, à laquelle on ferait référence plus tard pour rappeler qu'elle avait été un tournant décisif dans cette guerre de religion. Et cela prenait du temps. Beaucoup de temps. Surtout qu'il perdit une partie de son réseau avec l'émergence de Daech. Certains de ses affidés furent traqués, arrêtés ou tués par la CIA et les services secrets étrangers, mais Djinn conservait une base solide, des contacts dans plusieurs pays.

Le second choc qui donna le signal de départ à Djinn fut la mort d'Abdallah Awad al-Qasim. L'ouléma avait rejoint le califat de l'État islamique pour poursuivre sa mission de guide spirituel. Le bombardement de ce que les Français avaient pris pour un dépôt de munitions tua six enfants, deux femmes et al-Qasim.

En tordant son cœur, Allah venait de pointer du doigt la cible pour Djinn. Les Français. Le message divin était clair. Au cœur de l'Europe, avec une population musulmane importante, en plein doute, une nation mécréante. Il parlait sa langue. Alors il resserra son attention sur elle.

Djinn avait amassé un petit pécule au fil des années, des commissions, des bakchichs, des paiements pour ses services, et, vivant de peu, il en avait économisé l'essentiel. Un trésor de guerre qui servirait sa stratégie.

Il se mit à étudier chaque fait et geste de son adversaire sur la scène internationale, chaque réaction, chaque déclaration, même ses intentions.

Et la faille se révéla lentement mais sûrement. Celle qui permettrait d'accomplir un acte sans précédent.

Qui transformerait les mentalités à jamais.

Il ne lui restait plus qu'à réveiller sa base pour trouver le bon élément sur place, le point d'entrée.

La clé de son plan.

45.

À l'image du sheitan, *le diable, l'ennemi pouvait tout savoir.*

Tout écouter. Tout voir.

Djinn connaissait ses capacités, il avait été formé pour cela. Les téléphones pouvaient facilement être sous surveillance, même les ordinateurs représentaient un danger réel, la connexion Internet se piratait aisément et tout le flux qui y transitait – sites, mots-clés et, bien entendu, e-mails reçus ou envoyés – devenait lisible par les services de renseignement.

Communiquer à distance était devenu un casse-tête pour tous ceux qui désiraient passer entre les mailles du filet. Le messager humain représentait un danger, établissant un lien physique entre deux personnes. S'il était suivi, alors il conduisait directement ses espions à son contact. C'était par ailleurs une méthode lente selon les distances, et impliquant une logistique bien lourde lorsqu'il s'agissait simplement de convenir d'un rendez-vous.

Il y avait bien sûr le Darknet, réseau parallèle impossible à contrôler, mais son utilisation, si elle était remarquée, était en soi la preuve d'une volonté d'être invisible qui risquait d'attirer d'autant plus l'attention. Et puis elle nécessitait des connaissances informatiques dont certains contacts de Djinn étaient dépourvus.

Au lieu de tout cela Djinn privilégiait la méthode du brouillon, simple et efficace.

Il se connectait à une messagerie Internet prédéterminée, coupait la connexion pour s'assurer qu'il ne pouvait plus être intercepté, et rédigeait un message qu'il archivait dans les brouillons sans l'avoir envoyé. Ainsi, aucune communication ne quittait son ordinateur. Il suffisait à son interlocuteur de se connecter à la même messagerie, d'aller dans les brouillons et de se déconnecter pour s'assurer qu'on ne pouvait lire en même temps que lui. Le message l'attendait là, sans jamais avoir été expédié d'aucune manière d'une boîte mail vers une autre. Rien qu'un brouillon patientant là, bien rangé loin des flux surveillés. Deux interlocuteurs disposant de la même messagerie et le tour était joué. Les opérateurs adverses qui analysaient tous les e-mails entrés ou sortis des ordinateurs n'y voyaient que du feu.

Et le dernier message en date était clair : Djinn voulait une nouvelle rencontre physique avec son contact. C'était une légère entorse aux règles qu'il s'était fixées : ne jamais revoir un même contact pour éviter d'être aperçu si celui-ci était surveillé entretemps. Mais cette fois Djinn estimait le risque très limité. L'opération n'avait pas vraiment débuté, et le contact avait été recruté par un intermédiaire afin de mettre un maximum de distance entre les protagonistes essentiels.

Le moment était trop important pour que Djinn se contente d'un brouillon dans une messagerie « morte ». Il voulait que chacun de ses mots marque l'âme de son contact. Il voulait également pouvoir le juger. Tester sa détermination.

Djinn gara sa voiture dans le parking souterrain du centre commercial, au dernier niveau, le plus profond, là où aucun téléphone portable ne capte plus le réseau. Se tenir à distance de la technologie. Juste par précaution. Les Américains savaient écouter une conversation depuis le téléphone d'une cible, même éteint. Ils en prenaient le contrôle à distance, sans que cela soit décelable, alors Djinn supposait que les Français en étaient capables aussi. Personne ne le surveillait, il en était certain, mais cela faisait partie de ses vieilles habitudes. Un excès de prudence qui l'avait maintenu en vie et invisible pendant si longtemps.

Le contact apparut au bout de l'allée, roulant lentement sur son scooter jusqu'à ce que Djinn fasse un signe par la fenêtre ouverte de sa voiture. Il réalisa au passage qu'il était temps d'en changer. Surtout après deux rendez-vous avec la même personne. Il se promit de s'en occuper le jour même.

L'homme en scooter s'arrêta à sa hauteur et coupa son moteur. Il souleva sa visière.

Un signe de tête suffit, l'homme se souvenait que Djinn refusait tout ce qui les rattachait à la religiosité, même un simple salut en arabe.

— Ils sont prêts ? demanda Djinn.

— Oui, et remontés.

— Très bien. Tu vas aller dans un quartier populaire de Paris pour acheter des téléphones portables. Va dans une boutique que tu te fais conseiller, une qui préfère le cash et qui ne tient pas de registre très à jour, tu comprends ? Utilise une fausse carte d'identité si tu ne peux pas faire autrement.

— Oui, facile.

— Achète un portable pour chacun, avec carte prépayée, ne laisse aucune trace.

— Les anciens modèles avec le moins de gadgets ?

— Non, prends des récents mais paye pour qu'ils soient jailbreakés, qu'on puisse en faire ce que l'on veut. Sur chacun tu installes l'application SnoopSnitch.

— C'est quoi ?

— Ça permet d'évaluer la sécurité des relais mobiles sur lesquels se connecte l'appareil. S'il y a un faux relais comme en utilisent les services de renseignement pour intercepter les communications, ils pourront le voir, alors interdit de se servir du téléphone !

— Entendu.

— Tu me transmets leurs numéros sur le brouillon, puis tu leur donnes les appareils mais ils ne devront les utiliser qu'au tout dernier moment, jamais pour eux avant cela, c'est bien compris ?

Le regard de Djinn était d'une intensité telle que l'homme ne parvint pas à répondre, seulement à faire un signe d'approbation.

— *C'est le moment ? demanda-t-il après avoir dégluti.*

Djinn l'hypnotisa de ses pupilles immenses.

— *Oui.*

L'homme au scooter avala une longue lampée d'air. Cet instant, il l'avait attendu avec impatience tout autant qu'une certaine appréhension.

— *Tu leur donnes les téléphones, continua Djinn, avec les instructions, puis tu leur dis qu'ils doivent rejoindre la planque qu'ils ont sélectionnée. Ton contact avec eux s'arrêtera là, tu ne dois pas les suivre, pas savoir où ils vont.*

— *Alors c'est parti... répéta l'homme pour lui-même.*

— *Ne conserve aucune trace des téléphones, pas même les numéros, tu n'en auras pas besoin. Tout lien entre toi et eux doit disparaître.*

— *C'est pour quand ?*

— *Je suis presque prêt, c'est moi qui leur donnerai le signal.*

— *Et moi ? Comment je saurai ? Qu'est-ce que je dois faire quand ça sera lancé ?*

Djinn posa sa main gantée sur le bras de son vis-à-vis.

— *Toi, tu as presque terminé ta mission. Toutefois, avant que nous agissions, tu devras encore nous aider.*

— *Bien sûr. Comment je fais ?*

— *Tu as toujours l'arme que tu m'avais proposée ?*

L'homme hésita avant d'avouer un peu honteusement :

— *Je ne m'en suis pas encore débarrassé...*

— *Alors garde-la, et écoute bien ce que je vais te dire.*

Djinn se pencha un peu plus et murmura ses instructions. L'homme parut plus fébrile encore. Il tremblait un peu et son cœur battait la chamade.

Mais après avoir expiré longuement, il finit par acquiescer.

— Je le promets, dit-il.

Il transpirait.

46.

Les coupes de champagne tintèrent en trinquant, babil cristallin de la célébration.

Le groupe d'industriels en costume sur mesure et cravate en soie se congratula et but, tout à sa joie, tandis qu'un peu plus loin des hommes et des femmes bavardaient calmement. Beaucoup se tournaient autour, se pavanaient dans ce cocon de luxe que représentait la terrasse de l'hôtel Barrière Le Fouquet's de l'avenue George-V. Tout en pierre et en verre, alliage de l'ancien monde et du nouveau, aux éclairages feutrés soignés, le lieu était en soi une caresse pour les sens, invitant à s'y complaire. La plupart s'y vautraient.

La consommation de l'amour dans toute sa splendeur. Parure, séduction, oui/non, et ils filaient ailleurs, vers la frustration de la nuit ou l'orgasme débusqué.

Cette parade sautait aux yeux de Ludivine. Elle se sentait presque mal à l'aise au milieu de ces filles apprêtées comme pour une soirée de bal mondain ou une boîte vulgaire, selon les goûts. Elle avait le sentiment qu'on la jugeait dès qu'elle se levait, qu'on scrutait ses courbes, son potentiel, avant de lui attribuer une note. C'était insupportable.

— Pourquoi ici ? demanda-t-elle à Marc.

— J'ai pensé qu'un peu de vie te ferait du bien.

— De vie ou de parodie de vie ?

Rictus de Marc, regard perçant.

L'après-midi avait été décevant pour Ludivine. Elle voulait retourner sur le terrain immédiatement mais elle avait été retenue par l'IGGN qui exigeait de tout savoir, dans les moindres détails. L'Inspection générale de la Gendarmerie nationale se devait de recueillir son témoignage conformément à la procédure mais également en vue d'une évaluation interne pour définir si elle était apte à poursuivre son travail dans ses fonctions. L'insistance de la DGSI pour qu'elle réintègre au plus vite, sinon dans l'urgence, la cellule d'enquête avait eu raison de tous les protocoles de prudence habituels et elle avait appris qu'elle était autorisée à reprendre du service dès le lendemain matin.

Entre-temps Segnon l'avait tenue au courant de la découverte chez Anthony Brisson. Dans le fond du jardin de la maison de sa défunte mère.

Un cadavre.

À première vue il ne devait pas être enterré depuis plus de quinze jours, peut-être une semaine.

On s'était acharné à le défigurer. L'autopsie révélerait à coup sûr que les os du crâne étaient complètement enfoncés. Plus encore : il avait été recouvert de chaux vive. Dans la plupart des meurtres, la chaux était employée en vue de dissoudre les tissus rapidement et d'atténuer au mieux les odeurs de décomposition pour ne pas attirer l'attention. Mais il arrivait qu'elle serve à corrompre le faciès pour qu'on ne puisse identifier un corps, ce qui semblait davantage être le cas ici compte tenu de l'acharnement sur le visage en particulier.

« Une idée de qui ça peut être ? avait demandé Ludivine au téléphone.

— Non, il était à poil et dans un état que je te laisse imaginer. Une horreur. Plus de peau, rien que de la chair bouffée de partout.

— Homme ?

— Oui, ça au moins c'est assez évident.

— Aucun indice retrouvé dans la maison, une carte d'identité, un permis ?...

— La perquisition est toujours en cours, on le saura vite. Il y a des flics de la DGSI qui sont venus en renfort. Ils jettent un œil sur tout ce qu'on fait, mais ne répondent à aucune question, c'est pas très agréable.

— Je dois voir Marc ce soir, je lui demanderai s'ils ont quelque chose de leur côté. »

Et elle se retrouvait face à lui dans cet endroit trop codifié pour elle.

— Tu vois le gros type moustachu qui préside la table derrière moi, juste dans ton axe ? demanda Marc. Costard gris. C'est Zineb Razaf. Ne le fixe pas, c'est un nerveux. Homme d'affaires tunisien, proche du pouvoir actuel à Tunis, il est la pierre angulaire de la démocratie naissante là-bas. Il connaît tout le monde, et je dis bien *tout le monde*, autant dans la majorité présidentielle que parmi les salafistes les plus politisés et hargneux. Si Razaf disparaît, c'est le dialogue officieux entre tous ces partis qui s'effondre. Même dans une nation qui a vu naître le printemps arabe, la fragilité est palpable, et il faut ménager tellement de susceptibilités que tous marchent sur des œufs.

— OK, donc ce Zineb est important. Pourquoi tu me parles de lui ?

— Parce que nous savons via nos amis de la DGSE que Zineb Razaf soutient également une « filière libyenne » en finançant discrètement un trafic de faux papiers et de visas entre son pays et son voisin instable. Il procure des passeports tunisiens à des réfugiés en Libye, parce que l'Europe scrute un peu moins dans le détail un Tunisien qu'un Libyen ou un Irakien, mais surtout il fournit en armes des groupuscules révolutionnaires islamistes du côté de Benghazi en jouant les intermédiaires avec des trafiquants peu scrupuleux et en payant les livraisons. Ce serait pour ça qu'il a toute l'attention des salafistes tunisiens, ils savent qu'il joue en douce pour leur cause.

— Pourquoi ne pas l'arrêter si on sait tout ça ?

— À cause du premier point exposé. Le rôle de Zineb dans l'échiquier tunisien est crucial. Sans lui la démocratie serait moins stable. Il est parfois préférable de connaître ses ennemis et de privilégier une vision d'ensemble plutôt que de démanteler un pion, avec des conséquences qui pourraient finir par nous échapper. Quoi qu'il en soit, la DGSE va mettre son nez au plus près des activités récentes de Zineb, ils ont probablement une taupe dans son organisation, je préfère ne pas le savoir. L'idée c'est de savoir s'il a particulièrement facilité l'entrée sur le territoire européen d'un ou plusieurs individus lors des douze derniers mois. Si une figure importante du terrorisme mondial est passée par lui pour se faire discret ou aurait fait appel à ses services pour introduire ses gars. Des Zineb Razaf il y en a un paquet. Tous ceux pour lesquels il est possible d'effectuer un contrôle en douce seront étudiés. J'y crois assez peu, mais il faut s'en assurer.

— Mais cette ordure donne des flingues à des terroristes, en fait peut-être entrer d'autres à l'intérieur de nos frontières et on ne dit rien ? Il va continuer de se promener tranquillement dans des hôtels de luxe ?

— Tout est une question d'évaluation globale. C'est pour ça que je voulais que tu viennes ici ce soir. Pour te rendre compte que tu mets les pieds dans un univers complexe, comme je te l'ai dit. Il faut parfois faire des compromis, avoir cette vision d'ensemble. Savoir profiter d'un verre à côté d'un homme dont on sait qu'il est responsable de nombreuses morts, et accepter de ne rien faire contre lui, en tout cas pas maintenant.

— La compromission, c'est pas trop ma qualité première, je dois être honnête.

— Justement, tu dois t'adapter. Si tu veux m'accompagner, il faut que je puisse compter sur toi. Que tu gardes en tête notre objectif. Nous devons être efficaces, aller tout au bout, quitte à ne pas nous embarrasser de détails.

— Tu parles de légalité ?

Nouveau rictus.

— Non. Je parle de te mélanger à des gens que tu ne vas pas aimer.

Ludivine comprenait où il voulait en venir. Ils n'allaient pas embarquer tous ceux qu'ils croiseraient. Elle n'allait pas apprécier toutes leurs manœuvres. La fin justifiait les moyens, en somme.

Elle approuva.

— Je peux survivre à ça compte tenu des enjeux.

— Tu es familière avec les termes de base ? Comme je te l'ai expliqué la première fois, le salafisme c'est la « voie des anciens ». Les salafistes sont des musulmans fondamentalistes qui prônent un retour à l'islam des traditions, un islam dur. La plupart sont des quiétistes donc, plutôt intransigeants mais pacifistes, qui ne mélangent pas la politique et la religion. Certains cependant politisent leur discours, ceux-là sont déjà un peu plus compliqués et ils ne sont jamais loin de franchir la ligne jaune, du moins dans leurs paroles, pour justifier tel ou tel acte. Enfin, les derniers, les plus minoritaires, sont ceux qui mettent leur discours politique en action : les djihadistes. Notre cœur de cible.

— J'ai intégré tout ça.

— Parfait. Les mots-clés sont simples : ne confonds pas « islamique » et « islamiste ». Le premier caractérise tout ce qui vient de la civilisation de l'Islam, l'art islamique par exemple, tandis que le second s'applique à tout ce qui relève du radicalisme religieux. L'un est cool, l'autre plutôt flippant. Enfin l'islamisme désigne la montée en puissance d'un islam fondamentaliste.

— Entendu.

Cet abrégé du « Terrorisme pour les nuls » en plein milieu d'un décor fastueux et face à un des financiers de la terreur déconcertait Ludivine. Elle supposa que c'était l'effet voulu, un moyen de tester sa motivation, ses capacités, et elle se concentra du mieux qu'elle put.

— Nos services sont aussi bardés de vulcanologues.

— Pardon ?

— Nous faisons une sorte de veille sismique, en quête de tous les petits mouvements et de leur accélération pour prévenir le séisme à venir. Concrètement, lorsque je t'ai parlé des grandes oreilles, je t'ai expliqué qu'il s'agissait d'un réseau de surveillance général. En gros on fait de la vigilance informatique : les forums douteux ou carrément propagandistes qui sont hébergés à l'étranger, les réseaux sociaux, les messageries d'éléments que nous gardons à l'œil, leurs e-mails ou leurs appels, mais on repère aussi les rassemblements physiques d'individus que nous suspectons d'être radicalisés. Cela va plus loin en fait. Même l'activité des faussaires nous intéresse, pareil pour celle des criminels en apparence plus traditionnels. Si par exemple des faussaires se mettent en quête de passeports vierges, ça peut être pour nous : ont-ils une filière de clandestins à faire entrer ? Des terroristes potentiels ? S'il y a une recrudescence de braquages de fourgons blindés, est-ce que ça veut dire qu'une cellule cherche à se constituer un butin en vue de préparer un acte terroriste ? Un trafic d'armes lourdes se met en place, ne serait-ce pas pour alimenter une cellule pour qu'elle « tape » ? C'est toute la difficulté du métier : déterminer ce qui relève de la délinquance générale et ce qui correspond aux signaux d'un séisme à venir. Nos vulcanologues sont là pour ça. Nous cherchons les pics parmi le bruit de fond. Le tout est recoupé avec l'activité générale des uns et des autres, forums ou profils Facebook soudainement bardés de messages obscurs, e-mails codés, SMS ou appels qui se multiplient sans qu'on comprenne la logique, bref, à un moment, lorsqu'il y a une suractivité, on parle de « tremblements » ou de « buzz ». Et chez nous, lorsque ça buzze, c'est pas bon signe.

— Ce qui s'est passé à l'époque où Fissoum et Brach se sont rencontrés.

— Exact. Sauf que depuis tout est extrêmement calme.

— Le calme avant la tempête ?

Il leva la main devant lui pour indiquer qu'elle avait raison.

— Une bonne raison d'être inquiet. Vraiment.

Marc trempa ses lèvres dans son verre de whisky, un Hibiki dix-sept ans d'âge qu'il ne savourait pas, trop accaparé par ses pensées.

— Le danger principal pour nous vient du terrorisme transversal, continua-t-il. Celui qui mélange les pays et en joue. Lorsqu'une cellule est activée depuis l'étranger pour aller frapper dans un pays voisin, là nous sommes dans la merde. La lenteur administrative des différents services concernés peut nous planter. Si par exemple un ordre provient de Syrie pour activer un groupe en Allemagne, même si les Américains l'interceptent, le temps qu'ils transmettent à l'Allemagne, avec la latence, les tergiversations, les hésitations au nom de la stratégie personnelle – ne pas dévoiler qu'on dispose de tel ou tel moyen d'écoute ou ne pas griller une source infiltrée –, l'information risque d'arriver trop tard. Pire : si l'ordre était d'aller attaquer en France, le temps que les agences américaines et/ou allemandes nous préviennent et partagent tout ce qu'elles savent, il est possible que les djihadistes soient déjà sur notre territoire, intraçables, ou que l'acte ait été commis. Il suffit souvent de quelques heures. Dans notre affaire, s'il s'agit de terrorisme transversal, tout peut prendre un temps fou pour que nous opérions les vérifications, que nous obtenions les autorisations et que les données nous soient transférées en retour.

— À défaut de connaître les exécutants, on ne pourrait pas partir du haut de la pyramide et tenter de redescendre ? Identifier les commanditaires n'est pas aisé je présume, mais ce n'est pas inenvisageable ?

— Si une attaque n'est pas revendiquée, c'est un labyrinthe, et tu penses bien que rien n'est annoncé clairement à l'avance. La nébuleuse terroriste porte bien son nom. Nous n'avons pas affaire à une organisation bien identifiée, non, ce serait trop facile. Il s'agit de dizaines et de dizaines de groupes, parfois totalement indépendants les uns des autres, qu'on peut associer uniquement par leur objectif commun : nous asservir ou nous détruire au nom de leur foi. Certains peuvent être ennemis entre eux, animés par des rivalités politiques ou partisanes. Il leur arrive de se former et de se dissoudre rapidement, et que leurs membres rejoignent d'autres organisations. Ils s'allient, se défont, s'opposent et se rabibochent selon d'autres conditions. Bref, c'est un maelström complexe. Al-Qaida et Daech par exemple, pour ne citer que les deux plus gros et les plus connus, sont très différents de par leur structure, leurs ambitions, leurs moyens, leurs méthodes, même si aujourd'hui leur objectif principal est à peu près le même : lutter contre les mécréants. Mais si demain ils parvenaient à leurs fins, je peux t'assurer qu'ils finiraient certainement par se battre entre eux. Et on parle là des deux pachydermes de la nébuleuse, en dessous gravitent tellement de satellites qu'il leur arrive d'entrer en collision, alors pour nous c'est un véritable enfer. Si ceux qu'on recherche proviennent d'un de ces satellites plus ou moins lointains, ça va être coton, parce que plus une organisation est petite, moins il y a de portes d'entrée et donc d'informations qui en sortent.

— Si la galaxie des islamistes s'est activée et que vos vulcanologues ont repéré du buzz, c'est forcément que ça n'est pas un satellite si minuscule…

— Ça ne veut rien dire. Il a suffi qu'un ou deux éléments disparaissent, que d'autres s'organisent et tous se sont mis à parler entre eux, un frémissement qui prend de l'ampleur, le téléphone arabe si tu préfères, pour retomber aussi sec, soit parce qu'il n'y avait finalement pas grand-chose à en dire, soit parce qu'on les a forcés à se taire.

— Sauf que nous savons qu'il se passe quelque chose chez nous.

Marc hocha la tête.

— Mettre le nez dans le monde des islamistes ce n'est pas une sinécure, rien n'est rarement tout noir ou tout blanc, il faut s'adapter, être flexible, parfois tolérer l'odieux pour atteindre l'insupportable au-dessus.

— Je suis prête.

Marc poursuivit avec quelques considérations géo-politiques qu'il estimait importantes pour comprendre le monde musulman, en particulier la forte opposition entre sunnites et chiites, et il entra progressivement dans le détail de la composition des différents pays du Golfe pour que Ludivine saisisse les enjeux et la complexité d'une situation dont les Européens semblaient si éloignés. Sunnites d'un côté, chiites de l'autre en compagnie des alaouites au pouvoir par la force en Syrie, ces derniers appuyés par l'Iran des ayatollahs. L'Irak, longtemps dirigée par la minorité sunnite de Saddam Hussein, voyait sa majorité chiite se révolter, poussant toute une frange de la commu-nauté sunnite des pays voisins à vouloir prendre les armes pour défendre leurs frères désormais victimes. L'influence majeure dans la région de l'Arabie saou-dite et sa position délicate en tant que terre sainte de La Mecque et de Médine, alliée économique et stratégique des Américains tout en étant le berceau du wahhabisme, un fondamentalisme islamique parmi les plus durs, ce qui rendait cette alliance particuliè-rement schizophrénique pour beaucoup. L'État isla-mique de Daech à cheval sur l'Irak et la Syrie. Les Kurdes persécutés, un peuple de trente à quarante millions d'individus sans terre cherchant à profiter de la situation pour conquérir les territoires qu'ils estimaient leurs, mais se heurtant à la réticence sinon l'opposition farouche des nations concernées. Et au milieu de cette poudrière, le Liban cosmopolite et instable, mais surtout la Palestine et Israël. Le tout sur une portion du globe pas plus grande que l'Europe elle-même et à moins de trois heures d'avion de Paris.

Une poudrière ? Non, plutôt un arsenal militaire entier prêt à exploser et à emporter la moitié de la planète dans sa déflagration. Sous cet éclairage, l'Europe avait tout intérêt à s'en mêler, comprit Ludivine. Question de survie.

Elle étouffa un bâillement. Impossible pour celles et ceux qui l'entouraient en cet instant d'imaginer que vingt-quatre heures plus tôt elle était enfermée dans une fosse à attendre la mort. Même pour elle cela semblait déjà lointain. Elle ne cherchait pas à mettre de la distance avec ce qu'elle avait vécu, c'était juste ainsi qu'elle le percevait. Une succession de terreurs ouatées par la mémoire.

La chair de poule sur ses bras lui prouva qu'au contraire, tout était encore très frais pour son corps. Sa vue se brouilla brusquement, des échos lointains de cris, de coups de feu et un sentiment de terreur lui retournèrent l'estomac. Ludivine crut qu'elle allait rendre son maigre dîner au beau milieu de la terrasse luxueuse, avant de se reprendre, sans rien montrer de son malaise fugace.

Elle se focalisa sur l'instant présent. Marc terminait ses explications. Elle avala le reste de son thé devenu tiède pour chasser le goût acide au fond de sa gorge.

— C'est très bien tout ça, j'entends la nécessité du cours et je t'en remercie, dit-elle en se penchant vers lui, mais après m'avoir montré des islamistes qui s'entraînent dans un parc, tu m'amènes face à un de leurs financiers. Quand est-ce qu'on va sur le terrain pour avancer concrètement ? J'en ai un peu ma claque de la théorie.

401

Marc lui tapota la main amicalement.

— C'est pour ça que nous avons cette conversation ce soir, répliqua-t-il. Demain nous serons dans le dur.

47.

Les officiers qui menèrent la perquisition étaient experts en « enculeries », comme ils nommaient l'art de dissimuler, de faire en sorte qu'on ne puisse rien trouver, de « baiser » les forces de l'ordre si besoin, et par-derrière pour bien faire les choses.

Sauf que la DGSI connaissait son Kamasutra du meilleur ennemi.

L'appartement de l'imam Fissoum fut retourné sens dessus dessous. Comme un lit après des ébats torrides. Mais il y avait plusieurs étapes pour en arriver là.

Tout d'abord la manière douce, les préliminaires. On observe, on caresse, on soulève à peine, on se projette, on commence à s'exciter en se mettant à la place de l'autre, en tâtant, en tirant lentement ici et là, debout, à genoux ou parfois la tête à l'envers. On photographie aussi, au début, lorsque le modèle est encore présentable, c'est toujours mieux qu'une fois les traits tirés et les cheveux en bataille.

Puis ça s'accélère, souvent parce que la frustration commence à poindre. On pénètre, on remue, de plus en plus fort. On retourne, on brusque.

Enfin vient le grand final, tout vole, s'arrache. On pilonne, on fracasse, jusqu'à la sauvagerie.

L'enculerie, la vraie, consistait à ne pas jouir à la fin.

Cette fois les officiers en charge de la fouille atteignirent le nirvana. Grâce à une plinthe pas tout à fait droite. Quelques éraflures sur le parquet témoignaient de mouvements réguliers à ce niveau. Derrière, dans un creux, un carnet noir.

Des lignes de chiffres. Des comptes. Quelques notes éparses.

Les deux dernières pages avaient été arrachées.

— On parie que ce qui était important était là ? gronda un des officiers présents sur place en tendant le carnet à son camarade.

Celui-ci posa son œil au ras de la dernière feuille pour vérifier s'il y avait une surimpression visible.

— Il en a arraché deux par sécurité, seule la première était utilisée je pense. Impossible de lire quoi que ce soit comme ça.

Le carnet disparut alors dans un sachet numéroté.

Laboratoire blanc, carrelé, éclairage puissant.

La main gantée posa le carnet sur une paillasse et découpa méticuleusement au cutter la dernière page. Le technicien l'attrapa avec une pince et la déposa sur la plaque de bronze poreuse de l'ESDA, une petite machine pas plus grande qu'une plancha ni très différente esthétiquement. Avec beaucoup d'application il la recouvrit d'un film polyester de quelques microns à peine avant de mettre la pompe en marche.

La ventilation se mit à bruire dans la pièce, résonnant contre les carreaux.

Page et film plastique furent aspirés, plaqués contre le bronze.

D'une main experte, le technicien commença à passer la lampe Corona sur l'ensemble afin de charger électriquement la feuille et le polyester, puis déposa une fine poudre grise, du toner d'imprimante polarisé, qui roula sur tout le document pour se figer un peu partout dans les incidents qui marquaient à peine la page.

Des lignes et des courbes grises apparurent au milieu du blanc.

Le technicien était plutôt sûr de lui, il savait par expérience que ce procédé de foulage pouvait dévoiler l'écriture d'un individu jusqu'à trois ou quatre pages sous celle qui avait servi initialement, juste par surimpression, la pointe de son stylo ayant marqué, parfois invisiblement, les documents en dessous.

La pompe s'arrêta et le technicien souleva la plaque pour observer le résultat à la lumière vive.

Ce qui était impossible à deviner à l'œil nu un instant plus tôt se lisait avec évidence désormais.

L'écriture était ample. Les lettres aisément reconnaissables.

Un nom et une somme d'argent.

48.

Aubervilliers. Un triangle de rues crénelées par les façades des boutiques, véritables canyons du commerce, toutes antichambres de hangars plus vastes couvrant plusieurs pâtés de maisons. Un monde de grossistes, essentiellement tenu par les Chinois, où un ballet incessant de camions et camionnettes encombraient le passage, des hordes de manutentionnaires chargeant et déchargeant sur des diables, des chariots et même des Fenwick, fourches en avant, surgissant sans prévenir d'entrepôts en retrait, à peine visibles.

Marc avait prévenu : il fallait marcher, il était illusoire de vouloir se garer dans le secteur.

Ludivine esquiva un tas de cartons portés par une silhouette titubante et se faufila parmi la foule du petit matin en prenant soin de protéger ses côtes encore endolories. Une grande partie des devantures proposaient du prêt-à-porter, des vêtements par millions, des intermédiaires directs entre la Chine et les vendeurs en France, mais il y avait de tout pour peu qu'on prenne le temps d'observer. Ludivine remarqua plusieurs grossistes de perruques, de maquillage, d'articles de décoration et de maroquinerie. Certaines ruelles s'ou-vraient sur des impasses aux succursales douteuses, aux enseignes d'import-export aux noms mystérieux, tout un univers fermé pour le quidam moyen. Et même avec une carte de la gendarmerie, Ludivine doutait que les portes s'ouvrent aisément.

Marc l'entraîna sous un porche jusque dans une cour colonisée par des montagnes de palettes siglées d'idéo-grammes chinois, puis sous une tonnelle abritant une armée de sacs en toile bien dodus. Ils longèrent un hangar avant d'y pénétrer sans que Ludivine ait vu la moindre pancarte annonçant ce qu'ils allaient y trouver.

L'endroit était beaucoup plus sombre et calme que l'extérieur. Vaste et parfumé.

La lumière n'y pénétrait que par la rangée de lucarnes faîtières crasseuses qui accompagnaient la poutre prin-cipale loin au-dessus d'eux. Les rayons obliques qui tombaient du plafond soulignaient de hautes étagères chargées de cageots, de caisses et de ballotins odorants. Au centre, l'espace était plus dégagé et des tonnes de sacs s'alignaient, dessinant des allées parallèles et dévoilant des dattes, des cacahuètes, pistaches et abri-cots secs, plus loin des piments, des épices de toutes les couleurs qui contribuaient largement à l'atmosphère orientale. Tout un côté servait à entreposer des milliers de babouches, de sacs en cuir de chameau – eux aussi forts en nez – et des montagnes de tapis.

Un jeune Maghrébin les regarda entrer, mais Marc l'ignora comme s'il connaissait parfaitement les lieux, Ludivine dans son sillage, pénétrant par un rideau de perles dans une pièce encore plus obscure où pen-daient des rouleaux d'attrape-mouches, plus d'une douzaine, couverts de grappes noires immobiles, flottant dans les courants d'air depuis probablement longtemps. Deux larges tapis recouvraient le sol, une chaise, une petite télévision avec une antenne portative rangée dans un coin et une gazinière constituaient l'ameublement.

Un moustachu quinquagénaire et un peu replet, affichant une forte ressemblance avec le jeune de l'entrepôt principal, apparut par une petite porte. Dès qu'il reconnut Marc il se renfrogna et murmura quelque chose entre ses lèvres.

— Bonjour, Farid, ça faisait longtemps, pas vrai ? commença Marc.

— Qu'est-ce que tu veux ?

— Te passer le bonjour.

— Non, tu ne viens que lorsque tu as quelque chose à me demander, je te connais.

Marc désigna Ludivine.

— Allons, Farid, devant ma nouvelle partenaire tu vas pas faire ton malpoli ?

Le commerçant dansait d'un pied sur l'autre, puis après une hésitation résolue il aboya plusieurs mots en arabe et les invita à s'asseoir.

— Farid, voudrais-tu expliquer à ma collègue, qui n'y connaît pas encore grand-chose, ce qu'est l'*hawala* ?

Ludivine nota que Marc prononçait correctement le mot arabe, ce n'était pas la première fois qu'elle s'en faisait la remarque et se demanda s'il parlait la langue.

Farid soupira bruyamment par les narines, jetant un regard noir à Marc.

— Il n'y a pas que nous qui la pratiquons ! s'indigna-t-il. Les Chinetoques à côté le font aussi, c'est *chop* chez eux !

— Pas pour moi, Farid, pour elle. Explique.

L'importateur avala sa salive et après une autre longue hésitation se tourna vers la gendarme en civil :

— *Hawala* ça veut dire « je promets ». C'est un moyen de faire transiter de l'argent entre deux personnes, d'un pays à l'autre, sans faire de transfert.

— Comment est-ce possible ? s'étonna Ludivine.

— Il faut deux commerçants qui travaillent ensemble. Par exemple moi ici et un autre à Alger.

— Ou à Bagdad, intervint Marc sarcastiquement, sous le regard encore plus irrité de Farid.

— Imaginons qu'un garçon à Alger veuille donner mille euros à sa mère malade ici en France, mais qu'il ne veuille pas passer par les banques parce que ça coûte trop cher et qu'il ne veut pas que sa mère paye des impôts dessus en France. Il va voir un des producteurs d'oranges qui me fournit, et il lui demande de lui rendre ce service, moyennant une petite commission. Il lui donne les mille euros, ensuite mon fournisseur m'appelle, me dit que sur ma prochaine facture, il me retire mille euros que je lui devais, en échange je donne ces mille euros à la personne qui viendra me voir avec un mot de passe. Pour mon producteur d'oranges, il s'en moque, de toute façon les mille euros que j'aurais dû lui verser c'est le garçon qui les lui donne, en plus il prend une commission. Pour moi ça ne change rien non plus, que je paye au producteur ce que je lui dois ou à une autre personne ici. C'est ça l'*hawala*. Se rendre service.

— Autrement dit, reprit Marc, c'est une solution pratique pour faire circuler pas mal de fric sans que nous puissions surveiller ces transferts. Tout s'effectue dans l'ombre, loin des banques et des alarmes informatiques. Impossible pour nous de savoir si de l'argent est arrivé et combien. Et, faut-il le préciser, c'est tout au bénéfice d'un réseau terroriste qui aurait besoin de se financer sans être repéré.

Le jeune homme entra dans la pièce, portant un plateau avec du thé à la menthe qu'il servit avant de s'éclipser.

— Tu as deviné pourquoi nous sommes là ? demanda Marc, tout sauf aimable.

— J'ai rien à te dire, répliqua Farid aussi sèchement.

Marc posa son verre devant lui sans y avoir touché. Il se pencha vers le commerçant et lui parla tout bas, d'un air menaçant :

— Si je décide de t'emmerder, je fais débarquer le fisc et toute une armada de comptables qui vont essorer ta société jusqu'à la dernière goutte. Dans même pas six mois toi, ta femme et tes cinq gamins, vous boufferez de la merde dans le caniveau. C'est ça que tu veux ?

Farid détestait l'officier de la DGSI. Cela transpirait du moindre de ses pores. Il se passa la langue sur les lèvres, baissa les yeux pour prendre son verre encore fumant.

— Qu'est-ce que tu veux savoir ?

— Tu me rencardes sur la moindre *hawala* effectuée depuis six mois. Pas les petites combines pour arranger la belle-sœur ou le cousin de ta nièce, ça je m'en fous. Je veux les transactions avec des inconnus, celles dont tu ne sais rien et dont tu ne voulais surtout rien savoir. Je te connais, Farid, tu as le nez creux, tu détectes les emmerdes à dix kilomètres à la ronde. C'est ça que je veux. Et crois-moi, à choisir entre me balancer quelques noms qui vont disparaître à jamais de ton champ de vision et me contrarier parce que je ne récupère rien d'intéressant, les vraies emmerdes, tu vas savoir les détecter.

— J'ai rien fait de mal...

— Farid.

Marc leva le menton, fixant son interlocuteur avec dureté.

— C'est pas ce que tu veux, je te le jure. Juste de l'argent pour la drogue, je l'ai senti.

— Dealers ?

— Certain.

— Tu vas me donner quand même les noms, les dates et les montants, ainsi que le fournisseur qui t'a demandé ce service.

— Mais...

— Si toi tu n'as pas transmis de pognon à des mecs louches, tes camarades à Houilles ou à Mantes-la-Jolie l'ont peut-être fait. Je veux que tu te renseignes.

— Mais je vais m'attirer des emm...

— Tu es déjà dans la merde, Farid. Pour l'instant tu peux encore respirer parce qu'elle t'arrive jusqu'au cou, mais si tu continues de jouer au con avec moi c'est toute ta famille que tu vas pousser dedans et vous l'avalerez.

Farid lâcha son verre et le thé brûlant se répandit devant lui.

Marc se releva.

— Je veux des noms avant la fin de la semaine. Après je ne pourrai plus rien pour retenir le fisc.

Ils marchaient sous le ciel gris de cette fin novembre pour regagner leur véhicule. Ludivine se sentait un peu honteuse. Avant la fin de la discussion avec Farid, elle avait dû foncer aux toilettes pour rendre le peu qu'elle avait mangé au réveil. Une sueur froide. Un sentiment de panique. Sensation d'étouffer, que le suaire oppressant de la mort remontait peu à peu sur elle. Ludivine s'était retenue aux murs pour ne pas vaciller, haletante. Peu à peu, elle avait repris le contrôle de son corps avant de s'effondrer, assise sur le couvercle des W-C, le visage enfoui dans ses mains. Tout se mélangeait. La terreur du souvenir de l'homme nu, l'euphorie d'avoir survécu à son enlèvement, les compromissions morales nécessaires. Il lui semblait qu'elle s'était presque prostituée pour survivre et, si elle l'assumait la plupart du temps, il lui arrivait d'être envahie par des élans de culpabilité. La confusion avait fini par s'estomper et Ludivine avait séché ses yeux qu'elle devinait rougis pour réapparaître, le regard fuyant.

Marc n'était pas dupe, il l'avait observée, surpris un court instant, avant de s'interposer entre elle et Farid pour qu'ils sortent. Il n'avait rien dit une fois dehors, comme s'il refusait de s'abandonner à ces considérations de faiblesse, ou qu'il estimait préférable de plonger Ludivine dans l'action, rien que l'action.

— Le fric c'est le nerf de la guerre, même pour les terroristes, expliqua-t-il. Un opérateur isolé peut taper avec pas grand-chose, en contractant un crédit à la consommation en cinq minutes, il dispose d'assez de réserve pour sa logistique personnelle, et c'est assez compliqué pour nous à détecter. En revanche une grosse opération nécessite des moyens à la hauteur. Achat de faux papiers, d'armes lourdes, de matériel pour les explosifs, tout ce qui sera nécessaire aux repérages, location des planques, des bagnoles, et cetera. Là, ils ne peuvent pas improviser, il faut un bon pactole et il n'y a pas mille manières de se le procurer. Soit il est acheminé par le biais d'un transporteur physique qui prend le risque de se faire choper aux douanes avec pas mal de liquide. Cela implique donc qu'un individu fasse le voyage, pas toujours simple. Ou autre option : le grand banditisme, qui a souvent été source d'autofinancement pour une cellule terroriste, mais ça multiplie les risques, peu privilégié, même si voler un mécréant n'est pas pécher puisque ça doit servir la cause de l'islam, il y a même eu des fatwas à ce sujet, petits arrangements dogmatiques pratiques. Par contre s'ils sont en contact avec un organisme comme Daech, qui dispose de milliards, alors là c'est plus simple, il suffit que leur intermédiaire là-bas se mette bien avec un exportateur local, Irak, Syrie, Turquie, ça ne manque pas, et l'*hawala* fait le reste.

— Je ne connaissais pas. Ça semble si facile…

— Et ça l'est. Nous essayons d'avoir nos sources pour suivre ces transactions, comme Farid, mais c'est peine perdue. Et même lorsqu'on détecte des mouvements louches ici, l'argent peut survenir d'ailleurs. Rien que chez les Pakistanais c'est une pratique permanente, leur communauté à Londres utilise ce qu'ils appellent l'*hundi*, mais c'est la même chose. Des échanges financiers arrivent de partout à longueur de semaines ; ingérable et impossible à contrôler. Et une fois que le fric est dans la nature, il peut débarquer par Eurostar jusqu'ici en un claquement de doigts. On se croit malins avec nos ordinateurs, nos transferts qui déclenchent des alertes, et tous nos outils modernes pour taxer ou surveiller, sauf que ces mecs-là ont inventé le commerce il y a des milliers d'années, c'est leur culture, ils trouveront toujours un moyen de nous contourner. Nous sommes des rigolos pour eux. Mais il fallait qu'on passe par là. Farid est un pilier dans le domaine.

— Tu étais obligé de lui crier dessus comme ça ?

— Il n'y a que la pression qui oblige les tauliers comme Farid à coopérer.

— Est-ce que tu lui as déjà demandé gentiment ? Juste une fois, pour essayer ?

Marc s'immobilisa devant la voiture, face à Ludivine :

— Deux abrutis ont voulu faire sauter une crèche il y a deux ans, sous prétexte que c'était celle d'une grosse entreprise américaine. On les a chopés tandis qu'ils achetaient du matériel. Tu sais comment ils avaient récupéré l'argent pour ça ?

— Farid ? Oui, mais il ne sait pas à quoi est réellement destiné le fric qu'il donne, il rend service comme il dit, c'est dans sa culture. Il est seulement coupable de passivité.

— Ne le prends pas pour un con non plus. Il sait très bien lorsqu'un fournisseur turc lui demande de refiler huit ou dix mille euros à deux jeunes qui portent la barbe et ne sourient jamais que c'est pas juste pour payer de nouvelles dents à mémé.

— Il n'a pas été impliqué par la justice ?

Marc haussa les épaules.

— Parfois la justice ne remonte pas aussi loin.

— Mais toi tu le savais donc... Oh, OK ! Tu as oublié de mentionner Farid dans tes rapports et maintenant tu le tiens par les couilles.

L'officier de la DGSI lui adressa un immense sourire.

— Tu piges vite.

Marc hésita. Il plongea ses pupilles dans celles de Ludivine.

— Comment te sens-tu ?

— Ça va.

— Sincèrement. Ce n'est pas l'homme de la DGSI qui te le demande, mais celui qui te prend dans ses bras le soir. Comment tu vas ?

Ludivine prit une profonde inspiration avant de se fendre d'un sourire factice.

— J'ai des moments où je flanche, tu le vois bien, mais je te jure que je tiens le coup.

Ludivine répondait, raide comme un ayatollah, et Marc l'attrapa sans ménagement et la serra contre lui, une main dans les cheveux. Elle eut du mal à s'abandonner mais après quelques luttes intérieures, elle se détendit et posa son front contre son épaule.

— J'ai eu peur, avoua-t-elle tout bas.

— Je sais.

— Je suis désolée pour ce matin... je me suis fait surprendre. Je t'assure que ça ne se reproduira plus. En tout cas pas tant qu'on sera sur le terrain.

Il la cajola un moment avant qu'elle ne le repousse doucement. Son attitude avait changé. Elle avait repris son aplomb. La détermination brillait dans ses yeux.

— Et maintenant ?

Marc la jaugea, avant d'acquiescer.

— On va causer avec un vrai méchant.

49.

Le téléphone de Marc ne cessait de vibrer. À chaque fois, il écoutait attentivement et raccrochait presque sans un mot. C'était ainsi depuis tôt le matin.

La veille au soir il avait raccompagné Ludivine chez elle mais elle avait préféré dormir seule, partagée entre l'envie de sentir une présence réconfortante à ses côtés et le sentiment qu'elle devait dès à présent affronter ses traumatismes sans s'abriter dans les bras d'un homme qu'elle ne connaissait finalement pas. À peine la tête sur l'oreiller, le visage creux de l'homme nu s'était imposé dans la pénombre. Lui et ses mots obscènes. À chaque fois que Ludivine s'efforçait de faire dévier ses pensées vers autre chose, elle entendait son cœur battre et cela la renvoyait à sa vie, et à la mort qu'elle avait frôlée.

Les pires pensées surviennent toujours la nuit, lorsqu'on ne peut plus se cacher, qu'on ne peut plus les esquiver, avait pesté Ludivine avant d'avaler un Lexomil entier. Voilà pour ce qui était d'affronter ses traumatismes.

Lorsque Marc était venu la prendre avec sa berline le lendemain matin, elle avait gardé un instant le nez enfoui dans son cou pour respirer son parfum sauvage et réalisé que sa peau lui avait manqué.

— Je te demande pas si tu as passé une mauvaise nuit ? lui avait-il dit.

— Non, pas la peine.

— J'aurais dû insister hier pour rester.

— J'ai souvent couché avec le premier venu, juste pour ne surtout pas être seule face à moi-même, avait-elle avoué de but en blanc. J'ai besoin de me prouver que je n'en suis plus là, surtout après ce qui vient de se passer.

— Je peux me déguiser en un type différent chaque soir si tu veux.

Elle avait ri. Un rire profond, sincère.

— Prends le temps dont tu as besoin, et lorsque tu auras envie de ma présence, même si c'est juste pour veiller sur tes cauchemars, tu me siffles.

— C'est gentil…

— C'est normal.

— Prendre le temps. Les garçons ne disent pas souvent ça.

— Le temps est la langue de Dieu dans le cosmos. Une parole infinie, hors de portée des hommes. Le souffle de la création.

— Je ne sais pas si je trouve ça beau, assez vrai, ou complètement cucul. Tu es croyant ?

— J'aurais pu.

— Tu as manqué le bus ?

— Presque. C'est mon ex-femme qui disait ça à propos du temps. Elle est presque parvenue à faire de

418

moi un croyant, mais au final il me manquait l'essentiel.

— La foi ?

— L'abandon.

— C'est-à-dire ?

— Abandonner le doute. S'abandonner soi-même
à la conviction, à Lui. S'il existe… Ah, tu vois…
À peine je parle de Dieu que je commence par douter.

— Elle était très pieuse ta femme ?

— Chez elle c'était culturel. Elle était franco-
marocaine. Musulmane. Élevée dans une famille où
la tradition et la foi s'intriquaient.

— Ah oui ?

Une révélation inattendue. Ludivine avait parfois
envisagé Marc comme un flic un peu aigri par son
métier à force de traquer des islamistes, le genre à
glisser lentement vers la pente du cynisme, de la géné-
ralité facile, et donc d'une forme de méfiance quasi
permanente pour tous ceux qui affichaient une origine
étrangère, maghrébine en particulier. Supposition qui
volait en éclats à présent. Cela la rassurait sur lui, sur
son ouverture d'esprit.

— Oui, c'est pour ça que je suis spécialisé dans le
terrorisme islamiste, j'ai baigné pendant dix ans dans
la culture musulmane, j'ai appris les bases de l'arabe,
disons qu'il ne restait plus qu'à me former sur le fondamentalisme en particulier, mais j'étais déjà intéressant
pour la DGSI.

— C'est ça qui vous a séparés elle et toi ? Ton travail sur les radicaux de sa religion ?

— Non, le ver était déjà dans le fruit. Au début
elle voyait même plutôt d'un bon œil que je fasse le

« ménage dans sa religion », comme elle disait. Que je dégage ceux qui salissaient l'islam. Mais c'est vrai que dans la pratique ça n'a pas toujours été simple. De toute façon nous n'avions plus grand-chose de commun avec les deux ados amoureux que nous étions lorsque nous nous sommes rencontrés. Ça ne pouvait pas tenir sur la durée.

— Tu crois qu'ils s'abandonnent totalement, ceux que l'on traque ?

— À Dieu ? Oui. Je pense que pour certains c'est plus facile de vivre ainsi, entièrement soumis, ça les débarrasse de toute responsabilité puisque tout est *sa* volonté. D'autres s'abandonnent à lui parce qu'ils ne supportent pas qui ils sont et c'est donc un moyen de se nier. Certains parce qu'ils ont peur, parce qu'ils sont terrifiés par la vie, et cela donne un sens à la mort qu'ils se mettent à chérir. Quelques-uns sont juste bêtes, et ils font ce qu'on leur dit. Et ainsi de suite...

— Il n'y a aucun terroriste qui s'abandonne à Dieu par amour ?

— Pour faire sauter quinze personnes ensuite, juste par amour ? Non. Ceux qui aiment uniquement sont ceux qui, à la rigueur, se contentent du fondamentalisme apolitique, sans action derrière. Si tu croises un djihadiste qui te parle de l'amour de Dieu, c'est le cocu qui cherche à se persuader qu'il aime encore sa femme qui lui a fait tant de mal, mais en réalité il la déteste déjà plus que tout au monde. Ceux qui brandissent l'amour sont en réalité des aveugles gorgés de haine. Des écorchés vifs de la vie qui deviennent adorateurs de la mort.

C'est à ce moment que la voiture ralentit. Ils étaient arrivés à destination, comprit-elle. Absente, loin dans ses souvenirs du début de matinée, elle n'avait pas prêté attention au trajet et ignorait où ils étaient, sinon quelque part dans la proche banlieue populaire parisienne, une rue grise au trafic important, jalonnée de commerces étroits, de bâtiments de deux ou trois étages à l'architecture disparate mais constante dans la laideur.

Marc la poussa en direction d'un kebab à la devanture vert et jaune criard. Elle commençait à avoir faim mais déjeuner dans cet endroit à l'odeur de graillon ne la tentait guère et elle s'apprêtait à le faire remarquer lorsque Marc la prévint, à l'arrêt sur les marches du perron :

— Quand je parlais de rencontrer un vrai méchant, les deux patrons sont des ex-braqueurs. Le plus vieux est suspecté d'avoir brûlé chez elle la famille du convoyeur de fonds qui refusait d'ouvrir son véhicule à ses camarades qui le menaçaient sur place. Vice de procédure et manque de preuves lui ont évité de prendre perpète. Il a rencontré la religion à Fresnes. Sorti il y a un an. L'autre n'est pas mieux, proxénétisme, deal, passages à tabac et braquage à main armée. Bref, ils te découperont et te feront bouffer par leurs clients si tu leur manques de respect.

— Tu les connais ?

— Jamais rencontrés mais j'ai eu un topo au téléphone tout à l'heure.

— Ils savent qu'on vient ?

— Non.

— Ils sont là au moins ?

— Oui, j'en ai eu confirmation sur le chemin.

— Bon, très bien. Pourquoi on est ici ?

Marc chercha quelque chose du regard dans la rue avant de sembler satisfait.

— Tu vas voir, laisse-moi mener la danse, interviens si tu le sens, mais le mieux c'est que tu restes en retrait, tu n'auras rien à te reprocher ainsi.

— Rien à me.. ? Tu me fais peur. Pourquoi on…

Marc lui tournait déjà le dos et poussait la porte du restaurant.

Trois clients se partageaient une barquette de frites et une assiette d'agneau rôti dans un box près du comptoir contre lequel s'appuyait un trentenaire trapu, crâne rasé, barbe noire bien fournie. Ses iris d'ébène glissèrent vers Ludivine et Marc dès qu'ils entrèrent, les détaillant de haut en bas avant que ses mâchoires roulent sous la fine peau de ses joues. Il avait clairement identifié leur appartenance aux forces de l'ordre.

Marc se posta devant lui :

— Nous voudrions voir Selim.

— Pas là.

— Il est dans l'arrière-boutique, sa voiture est garée derrière.

— Il est parti à pied pour faire une course.

— Nous allons l'attendre jusqu'à ce qu'il revienne alors, juste à l'entrée, carte de flic bien visible histoire de plaire à votre clientèle.

— Vous lui voulez quoi ?

— Quelques mots, c'est tout.

L'homme ne dissimula pas son exaspération et fit mollement le tour du comptoir pour disparaître par une petite porte. Le cuisinier, un grand maigre au regard vide, les observait, son long couteau à la main.

— Et s'il se tire en douce ? demanda Ludivine du bout des lèvres.

— Il le fera pas.

Marc semblait sûr de lui.

Un géant apparut. Même look barbu que son associé, mais arborant *qamis* blanc et *kufi* crocheté sur la tête. Il se planta face à Marc, ignorant Ludivine.

— Vous me voulez quoi ?

Marc désigna le box le plus éloigné :

— Viens.

Comme l'homme ne bougeait pas, il brandit sa carte de la DGSI.

— Tu nous accordes cinq minutes ou on passe aux choses sérieuses ? insista-t-il sur un ton plus menaçant.

— Je veux voir sa carte à elle aussi, exigea Selim sans un regard pour Ludivine.

— Vous pouvez me le demander directement, répliqua-t-elle en la lui montrant.

— DGSI et gendarmerie ? Vous êtes perdus ou quoi ?

— Pour qu'on s'associe, tu devrais commencer à te dire que tu es dans la merde, viens.

Marc l'entraîna jusque sur la banquette, un peu à l'écart, et Ludivine s'installa à côté de son partenaire.

Même assis, Selim les toisait de ses quasi deux mètres. On devinait des épaules carrées, un corps rodé à l'exercice, et Ludivine nota que ses mains calleuses étaient immenses. S'il s'énervait, il faudrait être extrêmement réactifs s'ils voulaient parvenir à le contenir.

— Ton rapport avec Abdelmalek Fissoum ? débuta Marc.

— Connais pas.

Il fixait l'officier droit dans les yeux, aucune hésitation, presque de la défiance.

— Te fous pas de moi.

— Je vois pas de qui vous voulez parler.

— L'imam Fissoum, je sais très bien que vous vous connaissiez tous les deux.

— Ça me dit rien.

— Alors pourquoi a-t-il écrit ton nom dans son précieux carnet avant d'en arracher la page ?

— Je sais pas, fallait lui demander quand il était encore vivant, que la paix et le salut d'Allah soient avec lui.

— Tiens donc, tu le connais pas mais tu sais qu'il est mort ?

— C'est dans tous les journaux.

Marc soupira et posa ses coudes sur la table qui les séparait.

— Je vais te dire : Fissoum planquait son carnet mais pas de bol, on a quand même réussi à mettre la main dessus pendant la perquisition de son domicile. Dedans, il y avait sa comptabilité personnelle, c'est-à-dire celle qu'il tenait parallèlement à la vraie pour la mosquée. Tu savais que l'imam détournait une partie des dons ? Pas pour lui, non, ça rien ne l'indique, mais probablement pour financer des activités moins... avouables. Et ton nom est associé à cet argent.

Selim secoua la tête.

— J'ai rien à voir avec ça.

— Eh bien, c'est justement le moment de le prouver. Avant qu'il ne soit trop tard. Tu as remarqué, nous sommes venus gentiment jusqu'à toi, sans foutre le bordel dans ton magasin, sans te coller les pinces, ni t'embarquer devant tout le monde. Nous te donnons une chance de t'expliquer, entre nous, pour qu'on gagne tous du temps. Maintenant si tu préfères qu'on passe à la méthode forte, moi je sais faire, et la jolie blonde qui est là et que tu t'efforces d'ignorer depuis le début se fera un plaisir de t'humilier en te tordant le bras devant tes camarades pour que tu bouges ton cul.

Selim ne cherchait plus du tout à masquer le dégoût que lui inspirait son interlocuteur, il serrait les poings devant lui de rage.

— L'imam avait déchiré la page mentionnant ton nom et la somme qu'il pensait te proposer : cinq cents balles, preuve qu'il ne voulait surtout pas qu'on remonte jusqu'à toi. Pas de bol, on sait lire ce qui est invisible. Ton nom et du fric dans les notes obscures de Fissoum ? Tu es dans la merde, Selim !

Celui-ci encaissait. Marc s'acharnait :

— Si tu m'obliges à te mettre en garde à vue, ton nom sera dans la procédure et alors là, compte tenu de ton passif et de tes convictions actuelles, tu imagines très bien ce qui t'attend. Par les temps qui courent, un salafiste, même quiétiste, avec un casier judiciaire comme le tien, dont le nom tombe dans un dossier de terrorisme, tu sais très bien ce qui va se passer. Le juge te lâchera pas.

— J'ai du respect pour mes frères là-bas, mais je ne partage pas leurs méthodes.

— Avec une défense pareille, j'ai hâte d'apprendre la durée de ta condamnation.

— J'ai rien à voir avec l'imam Fissoum. Il est venu me parler mais j'ai refusé.

— Quand ça ?

— Il y a deux mois environ.

— Il t'a demandé quoi ?

— De trouver quelqu'un.

— Qui ?

— Il m'a pas dit.

— Il te demande de trouver quelqu'un mais il te dit pas comment il s'appelle ? Tu te fous de moi ?

— Je vous l'ai dit : j'ai refusé. Je sais juste que c'était quelqu'un de bien particulier. Il a commencé à me dire sa taille, à quoi il ressemblait et il a voulu me montrer une photo, mais j'ai dit non. Je voulais pas être mêlé à ça. Par ici on sait très bien avec qui l'imam traînait. Je le respectais, mais je veux pas d'ennuis de ce genre.

— Tu deviens quelqu'un de fréquentable ? ironisa Marc.

— Tu veux savoir ? Très bien, s'énerva Selim. Il serait venu me voir avec fraternité, en me demandant de lui rendre un service, au nom de l'*oumma*, je l'aurais fait. Mais là, il a débarqué et il m'a mis cash la liasse sous les yeux en me disant ce que je devais faire. Je marche plus comme ça. On ne m'achète pas, encore moins avec la *zakat* pour la mosquée.

— Il faisait quoi le mec qu'il voulait trouver ?

— Aucune idée. Il m'a parlé d'un type qui serait seul ou qui vivrait isolé, mais je l'écoutais déjà plus.

— Un fugitif ? intervint Ludivine.

Selim l'ignora. Marc la désigna de la main :

— Bah alors ? Tu réponds pas à la dame ?

À contrecœur, Selim répliqua, sans quitter Marc des yeux :

— Je sais pas.

— Tu sais rien en fait ? s'agaça Marc.

— J'ai aucun autre rapport avec l'imam Fissoum.

— À qui il s'est adressé après toi ?

— Aucune idée, je l'ai jamais revu.

— Tu as *forcément* une idée, tu connais tout le monde dans la région. Donne-moi des graines à picorer ou je ne vais pas avoir d'autre choix que te faire mûrir en garde à vue pour mieux te bouffer.

— Je ne le *sais* pas. Mais si je devais deviner je dirais des mecs de la cité du Val, à côté de la mosquée. Il y a des tonnes de racailles là-bas, il suffit de se pencher pour en ramasser dix. L'imam connaissait tout le monde, les fils de, les frères de, il a dû finir par se tourner vers eux.

— Pourquoi toi d'abord alors ?

— Parce que je suis connu.

— Tu es une star ?

— À une époque je savais y faire pour mettre la main sur quelqu'un.

— Tu les faisais tous flamber ?

Lueur de haine dans les iris noirs.

Marc se leva.

— Fin de la confession. Si tu as quelque chose à ajouter tant qu'il en est encore temps, c'est maintenant.

Selim parla en arabe, sur un ton dur. Marc lui répliqua aussitôt, de la même manière, et pour la première fois Ludivine vit l'armure du gros dur se fissurer de surprise.

À peine sortaient-ils du restaurant qu'elle lui demanda :

— Vous vous êtes dit quoi là ?

— Des mots doux. Il commençait à perdre patience. Il n'était pas loin de nous mettre dehors, avec l'aide de ses camarades, je pense.

— Ce serait sympa de me tenir au courant de ce que vous avez trouvé en perquise chez Fissoum.

— Je suis désolé, Ludivine. Tout tombe en permanence, des dizaines de trucs, la plupart sans importance, ça va vite. Mais tu as raison. Je te promets de te faire un point complet pendant le déjeuner.

Deux voitures accélérèrent soudainement dans la rue et foncèrent dans leur direction. Ludivine s'apprêtait à dégainer son arme, lorsque Marc lui posa la main sur le bras pour l'arrêter.

Les deux véhicules pilèrent devant eux et cinq personnes en jaillirent, brassard orange « Police » autour du bras, pour se ruer dans le kebab.

— Des collègues à toi ? comprit-elle.

— Oui.

— Tu as menti à Selim ?

— Absolument. Cette fois c'est trop gros pour qu'on ferme les yeux. Il part en GAV[1]. Mais on a gagné du temps en lui soutirant ce qu'il savait en moins de cinq minutes. Aux camarades de judiciariser tout ça. Viens.

Ils rejoignirent la berline et Marc posa les mains sur le volant qu'il tapota nerveusement.

— Il faut qu'on en apprenne davantage sur ce mec que Fissoum cherchait. S'il était prêt à détourner de l'argent de ses dons pour lui, c'est qu'il nous intéresse. L'imam savait exactement qui il voulait, et il a précisé que c'était un solitaire, isolé. En planque ? Un traître

_____

1. Garde à vue.

qui serait prêt à les balancer ? C'est souvent le problème avec les jeunes radicalisés, même lorsqu'ils se rendent compte que ça va trop loin, ils ignorent comment faire demi-tour, qui contacter, ils sont pris dans une spirale et ne savent pas comment s'en sortir. Peut-être que celui-là a juste pris la fuite.

— Peut-être qu'on l'a déjà trouvé.

— Comment ça ? fit Marc, étonné.

— Et si Fissoum et sa bande l'avaient chopé depuis tout ce temps ?

— Tu penses à qui ?

— Au cadavre non identifié sur lequel Brisson a été obligé de s'acharner. Après tout, c'était lui l'homme de main de l'imam.

— Alors on va croiser les doigts pour que ton instinct fasse fausse route, sinon on perd notre unique piste sérieuse.

Marc passa la première et écrasa l'accélérateur.

50.

Un sandwich arrosé d'une bouteille de Coca Zero, assis à l'avant de la voiture tout en guettant un parking de supérette, c'était le déjeuner offert par Marc. Heureusement, ses explications sur les perquisitions conduites chez Fissoum furent plus copieuses. La DGSI avait lancé les grandes opérations de nettoyage. Marc avait su trouver les mots pour alerter sa direction et tous prenaient très au sérieux la menace détectée. Interpellations massives, auditions en pagaille, fouilles sans fin, montagnes de documents à décortiquer, le tout impliquant une paperasse à la hauteur des efforts engagés.

L'imam Fissoum dissimulait donc dans la plinthe de sa chambre un carnet noir, ses comptes occultes, toute la *zakat*, les dons qu'il recevait des fidèles. Une partie était détournée pour des fonds inconnus. Quelques notes ici et là, une poignée de noms tous sous investigation lourde mais sans rien donner, et la dernière page écrite arrachée. La suite demeurait tristement vide, comme si l'imam, pris d'un doute, s'était senti obligé de ne plus rien laisser par écrit sans toutefois être capable de détruire ce qui existait déjà. Marc, lui, pensait que c'était par colère qu'il avait détruit la page, celle qui mentionnait le nom de Selim et une somme de cinq cents euros avec un point d'interrogation, comme s'il hésitait sur le forfait à lui proposer.

La DGSI n'avait rien de plus concret pour l'instant, et Marc promit à Ludivine que dorénavant il la tiendrait informée en temps réel des infos qui lui parviendraient.

Elle avait déjà remarqué cette dualité chez lui. Capable de beaux sourires charmeurs et la minute d'après fermé et menaçant avec ceux qui lui résistaient. C'était assez déstabilisant cette facilité qu'il avait de passer de l'un à l'autre avec un aplomb naturel.

La porte de service qu'ils guettaient s'ouvrit enfin et Ludivine dédaigna le reste de son sandwich. Hicham, l'indic de la DGSI à la mosquée où œuvrait Fissoum, en sortit avant de défaire l'antivol d'un vélo.

— Il se remet vite, lâcha Marc, ironique.

— Pardon ?

Il n'a plus sa béquille. C'est con, c'était pratique pour nous.

Ludivine voulut sortir mais Marc la retint.

— Non, attends. Je voudrais m'assurer que nous ne sommes pas seuls à lui coller au train.

— Tu penses à qui ? Aux terroristes ?

— Avec les précautions qu'ils prennent pour couper tous les liens qui existent entre eux et le monde, j'en doute, mais un intermédiaire expédié là, on ne sait jamais. Peut-être qu'ils ont grillé Hicham.

Le voyant s'éloigner sur son vélo sans personne à sa suite, Marc finit par mettre le contact et s'engager derrière lui.

Hicham les repéra presque aussitôt, se retournant plusieurs fois pour vérifier.

— Allez, tu as vu que c'était nous, arrête-toi maintenant, maugréa Marc en accélérant pour essayer de se mettre au même niveau que le cycliste.

Tout à coup, ce dernier vira sur sa gauche et se mit à pédaler comme un forcené, filant entre deux plots en béton pour gagner un axe perpendiculaire qui donnait sur des arcades piétonnes inaccessibles en voiture.

— Merde, le con !

Marc pila, et Ludivine s'éjecta de la berline dans la foulée pour le prendre en chasse. Hicham venait d'éviter de justesse une poussette et reprenait de la vitesse en direction de l'autre bout de l'allée. Ludivine hésita un bref instant, elle savait que la consigne classique dans ce genre de quartier était de laisser partir le fuyard, ne surtout pas prendre le risque qu'il se tue par accident et que cela provoque dix jours d'émeutes, mais elle estima qu'un vélo n'était pas une moto et l'enjeu était trop important.

Sur la chaussée parallèle les pneus crissaient tandis que Marc fonçait pour retrouver l'axe principal.

Ludivine se précipita en direction d'une benne à ordures, sauta dessus et s'en servit pour se hisser sur les toits plats des boutiques, poussant un cri à cause de sa douleur aux côtes. Elle traversa les toits comme une flèche pour retomber de l'autre côté et sprinter en direction d'un talus. Si Hicham voulait fuir, il n'aurait que deux possibilités à l'autre bout du passage piéton :

retourner vers un parking, où Marc surgirait, ou passer de ce côté.

Le vélo apparut un peu plus loin. L'indic avait ralenti pour regarder derrière lui, Ludivine en profita pour fondre dans sa direction.

Dès qu'il l'aperçut il se dressa sur ses pédales pour reprendre de la vitesse et filer vers un chemin de terre.

Ludivine s'appliquait dans chacun de ses gestes, sur la pointe des pieds, maîtrisant son souffle, ses bras fusant pour accompagner chaque foulée, elle glissait dans son sillage avec la souplesse d'un félin. Au début c'était difficile, son corps portait encore les stigmates de son agression, mais à mesure qu'il montait en température, tout semblait se fluidifier et Ludivine s'habitua à la douleur au point de l'ignorer.

Hicham se retourna et fut pris de panique en découvrant qu'il était traqué, et il accéléra à fond.

Mais la lionne tenait bon.

Chaque seconde elle perdait un peu de terrain, pour autant elle calculait sa route avec un maximum d'anticipation et parvenait à ajuster sa trajectoire au mieux, ce qu'Hicham ne faisait pas, pédalant comme un dératé, guidant ses roues au fur et à mesure, contournant au dernier moment un obstacle, ralentissant à cause d'un groupe d'adolescentes rentrant du collège, ou dérapant dans une mare de boue.

Ludivine était toujours là. Un peu plus en retrait, mais le pourchassant sans faiblir, avec un halètement profond et parfaitement cadencé.

Il n'y avait plus de rue parallèle et elle se demanda si Marc parviendrait à les retrouver lorsque Hicham bifurqua brusquement pour retourner sur un autre parking étroit, longeant une haute et longue structure semblable à un entrepôt. Une porte s'ouvrit pour libérer une dizaine de personnes et Hicham dérapa juste à côté, les faisant sursauter, tomba à moitié de son vélo et se rattrapa sur elles. Il les bouscula puis s'enfonça dans le bâtiment sans fenêtres.

Ludivine fila entre le groupe pour déboucher sur des escaliers mal éclairés. Dans la pénombre, elle vit Hicham en haut des marches, lui-même à bout de souffle.

Elle pouvait entendre les battements frénétiques de son cœur. L'air commençait à devenir brûlant. Ses côtes flottantes la lançaient.

Ne rien lâcher. La douleur n'est qu'un message qu'il suffit d'ignorer.

Elle grimaçait et transpirait lorsqu'elle pénétra dans une vaste salle à la lumière tamisée. Une salle de cinéma. Le générique défilait et la moitié du public, heureusement peu nombreux, se levait pour descendre vers la sortie, vers elle.

Hicham grimpait les marches quatre à quatre.

Il avait repris un peu de terrain.

Ludivine s'élança à nouveau, concentrée sur ses mouvements. Tout était dans le rythme, elle le savait, violent mais constant, dans l'équilibre du souffle aussi. Elle était sportive, elle pouvait tenir la distance, se rassura-t-elle.

Un vigile avec un sac-poubelle se tenait tout en haut et fit signe à Hicham qu'il ne pouvait passer par là, mais il fut repoussé d'un geste et le fuyard disparut derrière la porte coupe-feu.

Ludivine déboucha sur le couloir principal du complexe, moquette bordeaux, affiches de films et numéros des salles s'entremêlant dans la perspective. L'effort réduisait son champ de vision, sa vision périphérique notamment était quasiment nulle, aussi prit-elle le soin de tourner la tête rapidement. Droite. Gauche.

La porte arborant un immense 6 juste à côté se refermait doucement sur ses charnières automatiques.

Là. Ça ne peut être que là.

Elle fonça pour découvrir une autre immense salle en pleine projection.

Dans la pénombre elle distinguait à peine les silhouettes assises, parfaitement immobiles, comme autant de mannequins.

Personne dans l'escalier. Il ne pouvait avoir déjà atteint l'autre extrémité, ni les sorties au pied de l'écran.

Était-il dans un recoin ?

Ludivine hésita à crier pour qu'on allume, pour solliciter l'aide des spectateurs, savoir si quelqu'un avait senti l'intrus se glisser à ses côtés, mais elle se ravisa aussitôt, ne voulant surtout pas créer de mouvement de panique.

Elle descendit les marches, lentement, sondant l'obscurité à la recherche de contours familiers. À quoi ressemblait-il déjà ?

Sa respiration plus que sa présence debout dérangeait les spectateurs les plus proches et elle entendait leurs plaintes.

Soudain elle eut une idée et retint son souffle quelques secondes en tendant l'oreille.

Rien.

Elle recommença un peu plus bas.

Son cœur battait contre ses tympans.

Soudain, au moment où elle allait déverrouiller ses poumons pour aspirer une profonde lampée d'air, elle perçut le souffle saccadé, étouffé, un peu plus loin dans la rangée.

Il devait avoir le bas du visage engoncé dans son sweat, pour se faire le plus discret possible.

Elle se rapprocha, cherchant à l'identifier rien qu'au son.

Une silhouette isolée, encore plus bas, assise face à l'écran. Un spectateur ?

Ludivine s'enfonça dans une travée en surplomb.

D'un bond, il se déplia et sauta sur le dossier des sièges devant lui. Et, dans un mouvement d'équilibriste improbable, il commença à les enjamber, rangée par rangée, en direction du bas, vers les sorties de secours.

Ludivine l'imita et fixa son regard sur les arêtes pour ne pas en manquer une et s'effondrer. Il était juste là, trois rangs plus loin.

Plus que deux.

Soudain il trébucha et disparut la tête la première.

Ludivine sauta et atterrit sur un corps ramassé qui essaya de la repousser.

Grosse erreur.

Elle attrapa le bras offert, verrouilla sa prise et d'un mouvement sec le fit tourner à rebours des articulations, forçant l'homme à se laisser faire pour ne pas que ses os se brisent du coude jusqu'à la clavicule.

Trois secondes plus tard, il était totalement pris au piège.

Des insultes et des cris retentissaient dans la salle.

— C'est fini ! prévint Ludivine, essoufflée. Ça fait partie d'une nouvelle expérience, le spectacle *dans* la salle. J'espère que vous avez apprécié…

À ses pieds, Hicham gémissait de douleur et de rage.

51.

La nuit en hiver le jardin de Ludivine ressemblait à un spectacle d'ombres chinoises.

Un spectacle maléfique. Fait de doigts crochus, de membres squelettiques qui dansaient dans les courants nocturnes, sous le projecteur blafard de la lune. Des êtres sans tête. Sans âme. Prisonniers de leur obsession.

Comme les fous de Dieu.

La jeune femme se tenait assise dans un fauteuil en cuir, plaid remonté jusque sur la poitrine, dans le noir. Elle se rendit compte qu'elle allait un peu loin dans la métaphore. *Pauvre jardin...*

Hicham avait eu la peur de sa vie.

Non pas avec Ludivine, mais deux jours plus tôt, lorsque trois salafistes étaient venus lui rendre visite pour lui dire qu'il ne fallait pas parler avec la police, que personne ne devait aider les flics. La mort de l'imam était de leur faute, avaient-ils expliqué. Après investigations, il s'était avéré que les trois en question faisaient partie des nombreux « invités » de la DGSI au siège, à Levallois. Des radicaux. Pas connus pour être dangereux, mais clairement pas des amis de l'État français. Marc doutait qu'ils aient à voir avec ce qui les intéressait car ils avaient servi le même petit discours d'intimidation à tous les fidèles qui fréquentaient la mosquée de l'imam mort. Mais les auditions étaient en cours.

Hicham avait fui parce qu'il avait peur. De tout et de tous.

Marc n'avait eu aucun mal à le faire parler. Il voulait connaître les noms de toutes les personnes ayant fréquenté Fissoum par le passé et ayant ensuite disparu, même récemment.

Hicham avait livré les noms dont sa petite mémoire s'était souvenue, une dizaine, des habitués, des purs et durs, mais qui s'étaient éloignés au fil des mois.

La journée touchait à sa fin. Marc avait déposé Ludivine à la caserne tandis qu'il communiquait la liste à ses collègues à Levallois. Cela avait été une étrange journée. Un sentiment désagréable de ne servir à rien, d'assister, impuissante, à l'investigation, bringuebalée par Marc, jusqu'à la fuite d'Hicham lorsqu'elle avait enfin pu reprendre un rôle actif. Elle avait aimé cette poursuite. L'adrénaline. Aucune peur. Rien que l'action. Chaque seconde restait gravée en elle. Fallait-il s'en inquiéter ? Non, elle ne le pensait pas. Elle avait toujours été une fille de terrain...

Marc lui faisait une drôle d'impression. Toujours cette dualité en lui. Elle aimait beaucoup sa prévenance envers elle, cette façon qu'il avait de se comporter comme s'ils s'engageaient dans une relation sérieuse alors qu'ils se découvraient à peine. Mais son animalité ressortait parfois avec une puissance qui n'était pas loin de l'effrayer, tout au moins de la perturber.

Le nounours cédait la place en un instant au reptile, froid et calculateur, et on devinait que le carnassier n'était pas loin, prêt à sortir les griffes et à mordre à la gorge à la première occasion s'il le fallait. Était-ce une déformation professionnelle ? Une pratique qu'il avait développée pour devenir compétent ? Elle l'ignorait et ne savait pas quoi en penser pour l'avenir.

Ludivine avait fait son rapport au colonel Jihan, édulcorant la majeure partie des méthodes peu orthodoxes utilisées par Marc, puis elle avait passé une tête au bureau, pour un rapide bilan avec Segnon et Guilhem.

Un nouveau jouet Kinder trônait, sur son bureau cette fois. « Je vous promets que si je chope le coupable avant qu'il ne se dénonce, je lui pourris la vie pendant le reste de l'année ! » avait-elle faussement tempêté.

Cela finissait par l'amuser. Elle voyait bien que ses deux collègues étaient complices de cette farce puérile.

Quelques confidences sur la journée, la promesse de déjeuner tous ensemble rapidement, et Ludivine était rentrée chez elle, assurant que ça allait, qu'elle préférait la solitude pour bien digérer son agression, ne pas se servir des autres pour fuir son mal-être.

Elle était à ce sujet étrangement sereine. Deux nuits seulement depuis sa libération, et pourtant elle encaissait. Pas de pleurs permanents. Pas de crises interminables de paranoïa, ni de terreurs nocturnes. De rares flashs de l'homme nu s'imposaient à elle, quelques larmes ponctuelles, de courts épisodes de stress mais rien d'anormal, il faudrait faire avec jusqu'à ce qu'elle l'ait assimilé.

Tout va bien. Oui. C'est pour ça que tu es seule chez toi, dans le noir, assise face à la véranda pour garder un œil sur ton jardin… mais tout va bien.

Songer à l'enquête occupait son esprit et lui donnait ce dont elle avait le plus besoin : du temps soustrait aux souvenirs dévorants du traumatisme.

Qui était le cadavre dans le jardin d'Anthony Brisson ? Au début Ludivine avait songé à un homme proche du tueur des rails. Un meurtre personnel. Une fois sa chasse sanglante lancée, il avait réglé ses comptes. Mais à présent elle ne croyait plus à cette hypothèse. L'autopsie avait été conduite dans la journée, tandis qu'elle arpentait le pavé avec Marc. Il avait reçu le rapport sur sa boîte mail et ils l'avaient lu ensemble dans la voiture, collés autour du téléphone. Pas grand-chose d'intéressant. Ludivine avait retenu les fibres retrouvées mêlées à la chair fracassée du visage. Le tueur avait massacré sa victime, l'avait défigurée à coups d'objet contondant, probablement une masse, et il l'avait fait en lui appliquant un linge sur le visage. Des fibres s'étaient incrustées au passage, avant que l'assassin ne le retire pour asperger le corps de chaux vive et l'enterrer.

Les tueurs qui n'assument pas leur geste couvrent les traits de leur victime. Ceux qui connaissent leur proie également, lorsqu'ils n'ont pas le courage de la regarder mourir. Anthony Brisson n'aimait pas tuer. Il le faisait parce qu'il le fallait, pour ne pas se faire dénoncer, pour se protéger. Lorsque ses nouveaux amis religieux l'ont utilisé pour devenir leur homme de main, ils lui ont désigné les victimes, mais il n'aimait pas assassiner pour autant. C'est la même chose avec le cadavre non identifié, M. X. C'est bien Brisson qui a fait ça. Il l'a tué parce qu'on le lui avait demandé, mais ça le dérangeait, alors il lui a caché la face. Il a agi par dévotion. Pour répondre à une force plus importante que lui.

Même chose pour Laurent Brach, l'intermédiaire, et Fissoum, le coordinateur de base. Sauf que pour M. X, tout avait été fait pour qu'on ne puisse savoir de qui il s'agissait.

Parce qu'il était une piste directe qui menait à la cellule terroriste ?

Son ADN parlerait s'il était fiché.

Non, il ne le sera pas. S'ils ont pris autant de précautions, ce n'est pas pour commettre une erreur aussi grossière.

Il y avait forcément autre chose.

Un mouvement dans la rue, devant chez elle, attira son attention. Une ombre. Humaine.

Juste devant.

Son cœur s'accéléra. Son arme de service ?

Pas au coffre, non, juste là, sous ma cuisse.

En fait, elle n'allait pas si bien.

Son téléphone portable se mit à sonner. Marc.

— Allô ?

— Je suis devant.

— Ah.

Ludivine soupira, rassurée et en même temps incapable de se réjouir.

— Un des noms balancés par Hicham manque à l'appel.

— C'est-à-dire ?

— Il ne fait partie d'aucune de nos interpellations, il est introuvable. Tu comprends ?

— Heu… oui, je crois.

— C'est notre terroriste numéro un, Ludivine. Je peux entrer ?

52.

Abel Frémont.

Vingt-cinq ans. Père picard, mère algérienne. Enfant de la cité, parcours scolaire sans saveur, pas de casier judiciaire, pas rattaché à la criminalité locale non plus, un garçon entre deux, discret, presque transparent. Il avait été repéré sur Internet, il posait des questions religieuses sur des forums dédiés, de plus en plus pointues, et sans en faire l'apologie il évoquait le terrorisme comme un acte qu'il ne pouvait condamner. Ses fréquentations à Paris avaient terminé de le faire ficher S avant qu'on perde sa trace, faute de présence sur le net et parce qu'il avait cessé de voir ses amis salafistes dans le XVIIIe arrondissement. Et pour cause, entre-temps il avait fait la connaissance de l'imam Fissoum, tout près de chez lui, et il avait adopté un profil plus discret que la DGSI ne découvrait que maintenant. Un des vingt mille fichés S qui ne pouvaient être traqués en permanence ressurgissait subitement.

— Je viens de recevoir le rapport fraîchement pondu, expliqua Marc en agitant un fin dossier devant lui et en posant une photo sur la table.

444

Ils buvaient un thé dans la cuisine de Ludivine, assis sur les hauts tabourets de son plan de travail. Elle se pencha pour observer les traits plutôt grossiers de ce jeune homme si banal qu'elle l'imaginait sans peine se fondre dans la masse des étudiants. Un être passe-partout, effacé par les coups de gomme de la vie avant que la religion ne vienne lui donner les couleurs dont il rêvait tant.

— Parents plutôt cool, exposa-t-il, du genre tellement cool qu'on est pas loin du « je-m'en-foutisme ». Abel n'est pas bon à l'école mais pas une catastrophe non plus, il n'est pas doué en sport sans abandonner pour autant, il essaye différentes formations sans s'impliquer plus que ça, il a quelques copains sans avoir de véritables amis dans la cité, bref, il fait tout à moitié et attend que la vie passe. Sauf qu'à un moment il découvre l'islam, au détour d'une discussion dans le quartier. C'est la religion de sa mère, de ses grands-parents qu'il aime bien, alors il écoute. Et le discours prend. Lui qui n'avait rien à faire de sa vie, soudain il découvre que l'islam lui explique quoi faire, lui donne une réponse pour presque toutes les situations du quotidien. Tout devient plus facile pour lui. Mieux encore : plus il s'implique, plus il est considéré, il rencontre des gens qui sont comme lui, et pour qui sa présence n'est plus celle d'un fantôme. Comment veux-tu qu'il résiste ? Et rapidement il glisse dans le courant de la pratique précise, rigoureuse, selon les textes, et ses camarades achèvent d'en faire un véritable salafiste.

— De là à basculer dans l'acte terroriste ? s'étonna Ludivine.

Marc jouait avec sa tasse. Il observait la jeune femme de son regard franc. Elle comprit qu'il allait entrer dans le vif du sujet :

— Tu crois que les terroristes se voient comme des monstres ? demanda-t-il. Ils acceptent le terme « terroriste » parce qu'on leur impose, mais dans leur esprit ils sont de véritables héros. Je vais te donner un exemple : tu connais *Star Wars*, non ?

— Les films ? Pas par cœur mais oui...

— C'est l'histoire de ces gentils rebelles qui luttent contre l'Empire qui a pris le pouvoir dans la galaxie et qui cherche à uniformiser le monde. Nos terroristes se voient comme ces rebelles : l'Empire c'est la civilisation occidentale qui pervertit l'homme et cherche à le soumettre, avec son système basé sur l'exploitation des vices. Tu te souviens dans les films comment les rebelles pulvérisent l'immense Étoile Noire, la base secrète des méchants, grande comme une planète ? C'est une analogie que les terroristes utilisent parfois pour recruter parce qu'ils savent que *Star Wars* est populaire auprès des jeunes. Tu noteras au passage que ça ne les dérange pas d'utiliser notre culture « impie » lorsque ça les arrange... Ils affirment que sur une base de cette taille, en pleine construction, il y a des milliers de civils qui travaillent et vivent, probablement avec leurs familles, et pourtant ça ne dérange pas les rebelles de tout faire sauter. C'est même un grand moment de célébration dans la saga. Parce que la cause est plus grande que le reste. Dommages collatéraux nécessaires. Le discours des terroristes est le même. Soit tu meurs parce que tu es un sale mécréant qui le mérite, soit tu es une victime innocente mais dans ce cas le paradis t'attend et Allah saura te choyer pour l'éternité.

Il but une gorgée de son thé avant d'enchaîner :

— De leur point de vue, ce sont eux les gentils, ils sont illuminés par la vérité, et nous sommes les oppresseurs. Ils sont les résistants face à l'impérialisme de nos valeurs qu'ils ne partagent pas ou plus. Quand on leur présente les choses ainsi, pas mal de jeunes s'enthousiasment à l'idée de devenir des héros défendant une juste cause. On va leur donner des armes, les entraîner dans la clandestinité. Ça devient excitant. Tout est fait pour jouer sur leurs codes, entre jeux vidéo, films, ludisme guerrier, imagerie valeureuse et épique, le tout largement saupoudré de spiritualité pour finir de les endoctriner car, cerise sur le gâteau, tout ce qu'ils feront sera une étape pour accéder à l'éternité des plaisirs divins.

— Sacré lavage de cerveau, soupira Ludivine.

— Pour certains oui, pour d'autres non, ce sont leurs convictions, c'est tout. Elles sont extrémistes certes, mais ils ne sont pas tous manipulés.

— Abel appartient à ces derniers, d'après ce que tu me dis.

— C'était le cas au départ en tout cas. Les recruteurs savent y faire, ils s'adressent à l'émotion, pas à la raison, pour que les cibles réagissent avec leurs tripes plutôt qu'avec leur cerveau. Ne pas analyser mais ressentir, c'est plus direct, plus profond et justement ça limite la capacité de recul, du moins dans un premier temps, mais pour certains, il est déjà trop tard ensuite. Ils racontent les horreurs que subissent leurs frères musulmans en Syrie ou en Irak, ils montrent des films de propagande très bien fichus qui saturent les sens, des femmes et des enfants qui souffrent, martyrisés par les vilains de la Coalition, bref, du grand classique qu'on mélange à la lecture du Coran pour prouver qu'il existe des solutions pour ceux qui suivent le chemin d'Allah.

— Quand je regardais les news au moment des différents attentats, je me rappelle m'être rendu compte que j'étais choquée d'apprendre que plusieurs coupables étaient français. Être français ne veut plus rien dire pour certains, ils sont musulmans avant tout, c'est la religion qui prime sur la nationalité. C'est la faillite de notre pays à se rendre essentiel, à créer une véritable identité en tant que telle, à fédérer autour de valeurs, la preuve que notre nation comme beaucoup d'autres a perdu la substance même de ce qui formait autrefois le patriotisme.

— Pire, ces extrémistes détestent ce pays dans lequel ils ont grandi et, même si les ultranationalistes ne veulent pas l'entendre, lorsque tu ressens une telle haine envers ta mère patrie, ça ne peut pas être uniquement de ta faute, il y a forcément quelque chose qu'elle a très mal fait. Nos États sont responsables aussi. Les jeunes paumés trouvent dans l'islam des réponses, c'est vrai, mais au-delà, les gouvernements ont trop pris les gens pour des crétins. Les mensonges répétés des USA pour aller en Irak, pour dissimuler les horreurs de la guerre sur place, les bavures… Les Anglais et tous les Européens sont leur soutien, la France intervient en Libye, au Mali, bref, sur des terres musulmanes. À la longue, ces jeunes se retrouvent coincés entre la propagande islamiste, leur mal-être et leur pays, qu'ils n'aiment pas. Ils combattent pour l'islam, pour sauver des musulmans, contre le mensonge, en définitive pour un monde meilleur.

Ludivine se sentait accablée. Démunie face à l'ampleur de ces dysfonctionnements. Elle préféra se recentrer sur ce qu'elle était à même de réaliser.

— La suite pour nous c'est quoi ? interrogea-t-elle.

— Nos services sont en train d'éplucher tout l'entourage de Fissoum, le plus large possible, et le plus loin dans le temps. Je voudrais mettre le paquet sur ses anciens adeptes qui lui ont tourné le dos, ceux qui ont retrouvé une vie plus « occidentale », après avoir rejeté le salafisme, en particulier ceux qui boivent de l'alcool, sortent faire la fête...

— C'est pas trop le genre d'image qu'on se fait d'un terroriste islamiste.

— Les opérateurs isolés non, en effet, ceux-là vivent leur religion à fond. Mais une cellule terroriste avec un objectif très précis agit différemment, surtout si elle est organisée depuis longtemps. Elle mettra tout en œuvre pour préparer son action, parfois pendant des années et, pour passer totalement inaperçus, ses membres pratiquent la *taqiya* – à l'origine l'art de dissimuler sa foi pour éviter les persécutions –, une stratégie guerrière pour noyauter l'ennemi, quitte à bafouer toutes les règles de l'islam, afin d'atteindre l'objectif ultime. Au nom de la *taqiya*, les terroristes peuvent fumer, boire de l'alcool, sortir avec des femmes et ainsi de suite, du moment qu'ils ne se font pas repérer et qu'ils servent une action plus grande encore. Je suis sûr que c'est ce qu'ils ont fait pour sortir de nos radars ou même pour ne jamais y apparaître.

— Tu penses qu'aucun de ceux que vous avez en garde à vue ne fait partie de la cellule ?

— J'en doute. Tout est trop calculé depuis un moment. Ils sont là, quelque part dehors, dans l'attente d'un signal.

— Une idée de leur cible ?

— Aucune. Noël dans moins d'un mois serait hautement symbolique mais ça me paraît loin, ils ont commencé à lancer le compte à rebours avec la mort de Laurent Brach, ça fait déjà trois semaines. Je crains qu'on ne dispose pas d'autant de temps devant nous.

Ludivine posa sa main sur celle de Marc.

La maison lui paraissait étrangement froide ce soir. Elle avait envie de sa présence. Elle pouvait se l'autoriser, ce n'était pas une forme de fuite, plus maintenant, c'était au contraire une base stable sur laquelle se reposer.

— Tu veux bien rester dormir ce soir ?

Son visage sévère lorsqu'il abordait des sujets aussi graves se transforma en un instant. Ses rides se radoucirent, presque un sourire, son regard se remit à pétiller et sa bouche se décrispa.

Il acquiesça avant de lui passer la main sur la joue.

Compte à rebours.

Ludivine chassa ces mots de son esprit. Pour le reste de la nuit, elle avait besoin de n'être là que pour elle et pas pour les morts à venir.

Les spectres de demain auraient l'éternité pour la hanter.

53.

La longère se situait au centre d'une immense zone de jachère. Vue dégagée à trois cent soixante degrés sur plusieurs centaines de mètres. Aucune approche discrète possible sans risquer de se transformer en cible vivante pour n'importe quel tireur un tant soit peu adroit et entraîné.

Djinn n'avait eu aucun mal à trouver la maison idéale. Les petites locations dans la campagne française, ça ne manquait pas. Il s'en était chargé lui-même, il ne pouvait se permettre de confier une tâche aussi sensible à un intermédiaire, personne ne devait connaître la position de sa base. Personne. Pas même le groupe de combattants qui attendaient ses ordres.

Le choix du lieu était vital.

Au-delà de son environnement sécurisant, Djinn voulait être loin de la ville, loin des regards. L'agence n'avait pas fait d'histoires, trop contente d'encaisser six mois de loyer d'un coup. Djinn savait se glisser dans une peau différente de la sienne, mentir, mettre en confiance, il avait été formé pour cela et il l'avait pratiqué pendant tant d'années... Nul ne pouvait deviner qui il était, ses intentions. La taqiya *dans toute sa splendeur. Il s'était fait passer pour le manager d'un groupe de rock désireux de s'installer au calme pendant six mois pour composer son prochain album.*

Mais la présence de terres agricoles tout autour de lui était fondamentale dans son plan, pour que les livraisons ne paraissent pas louches.

Il avait passé ses commandes par Internet, sans aucun problème. De l'engrais, de l'ammonitrate à haut dosage d'azote, une commande bien anodine au regard des millions de tonnes produites et consommées en France. L'essentiel était de ne pas stocker plus de mille deux cent cinquante tonnes pour ne pas avoir à les déclarer à la mairie, mais Djinn s'était fourni chez différents détaillants et il avait travaillé une semaine entière pour aménager la grange derrière la longère afin qu'on ne puisse pas voir de l'extérieur ce qu'il manigançait. Même si l'administration réussissait un jour à additionner tous ses bordereaux de commande, le temps qu'elle y parvienne il aurait quitté les lieux depuis longtemps.

La livraison de fuel arriva à son tour comme prévu, et Djinn fit remplir la cuve à son maximum, « pour être tranquille pour l'hiver », avait-il glissé au livreur.

Djinn avait acheté, sur Internet encore, des abreuvoirs à vaches qu'il avait disposés dans la grange pour y effectuer le mélange.

L'opération était à la portée de n'importe quel apprenti chimiste. Tout était dans le dosage pour imbiber sans noyer : les billes d'engrais devaient tremper dans le fuel jusqu'à former une pâte consistante.

Pas plus compliqué que ça.

Le résultat était un produit à la puissance explosive vingt-cinq pour cent supérieure à de la TNT, bien plus stable que de la nitroglycérine, et pour un coût relativement modeste.

Intentionnel ou non, ce mélange était déjà connu de tous. Un cargo français avait sauté en 1947 dans le port de Texas City, cinq cent soixante-seize morts et plus de quatre mille blessés. L'attentat contre le bâtiment fédéral d'Oklahoma City en 1995. L'explosion accidentelle de l'usine AZF en France. Et ainsi de suite…

C'était la bombe artisanale la plus accessible, et la plus dangereuse possible.

En sautant, elle déchiquetterait les corps et expédierait des fragments de membres à des centaines de mètres de haut. Des hommes, des femmes, des enfants s'il le fallait, sans aucune distinction, sans aucune hésitation. Le feu n'avait pas de pitié. C'était pour cela qu'il fascinait Djinn. Bon génie ou démon.

Lui non plus n'éprouvait aucune pitié. Aucune compassion. Aucune hésitation. Tel le feu de la mort.

Tous des kuffâr, des mécréants.

Ils détruisent le monde, ils pervertissent ses valeurs, sans aucun respect pour la création, pour l'humanité. La civilisation dominante – celle du non-respect, de la pornographie, de la duperie, des excès, du gâchis… Les musulmans avaient dominé la planète, répétait al-Qasim de son vivant. Ils avaient tant apporté avec leurs découvertes, grâce à Allah. Mais en s'éloignant de ses principes, en sortant de la charia, l'oumma s'était affaiblie, elle s'était morcelée jusqu'à ce que les Occidentaux la soumettent et prennent le contrôle,

453

ne vénérant que le dollar pour dieu. Et en un siècle ils avaient corrompu l'essentiel du globe avec leur décadence. L'univers était sur le point de basculer dans le chaos.

Chaque mot prononcé par al-Qasim était gravé à jamais dans la mémoire de Djinn. Il savait pourquoi il faisait tout cela.

Pour restaurer la loi islamique. Pour redonner à son peuple sa grandeur.

Mais avant tout parce que Dieu le lui commandait.

Al-Qasim le lui avait appris, c'était écrit, c'était le devoir sacré du fidèle de Dieu !

En tant que musulman, Djinn se devait d'instaurer la loi islamique, ce n'était pas un choix mais un devoir. Il n'y avait qu'une seule ligne dans l'islam, à prendre ou à laisser. Le fondamentalisme n'était pas une option, il fallait y adhérer. Croire en Dieu ou ne pas croire. Si la foi l'habitait, alors il se devait d'écouter Sa parole, toute Sa parole, et ne pas choisir ce qui l'arrangeait. La parole de Dieu n'était pas à la carte. Les modérés ne pouvaient exister, ils avaient tort, et méritaient la même punition que tous les autres infidèles. La mort.

De cela Djinn tirait une force renouvelée chaque jour. Il savait que Dieu guidait ses pas. Tout avait désormais un sens dans son existence, même ses pires tourments l'avaient façonné pour qu'il devienne celui qu'il était à présent.

Un moudjahid.

Qui avait fomenté son plan longuement pour qu'il soit imparable.

Djinn retira le masque de protection qui dissimulait son visage pour éviter de respirer les vapeurs toxiques. Il lui restait à fabriquer les détonateurs avec des téléphones portables basiques, en utilisant les vibreurs pour établir le courant électrique fatidique. Rien de compliqué. Juste un peu de concentration.

Il contemplait la grange et tous les abreuvoirs remplis de la pâte dangereuse. Un frisson de satisfaction le fit sourire.

Cinq à dix kilos suffisaient à faire sauter un immeuble. Lui venait d'en produire plus de deux tonnes.

54.

L'amphithéâtre se vidait rapidement par le bas, comme un siphon d'évier, aspirant tout le savoir de la matinée.

Le professeur Hassan rangeait ses affaires sur son bureau, sous l'écran du vidéoprojecteur, et il débrancha son ordinateur.

Marc et Ludivine se présentèrent et le prièrent de leur accorder quelques minutes. Le matin même Marc avait reçu une nouvelle notification de la DGSI concernant ses requêtes. Trois noms avaient été fournis, des anciens camarades de Fissoum connus pour être radicaux ou très stricts dans leur vision de l'islam mais qui avaient fini par prendre leurs distances avec l'imam. Le premier était en prison pour encore quelques mois. Le deuxième présentait tous les signes de la déradicalisation depuis qu'il avait rencontré une femme, reconstruisant sa vie en harmonie avec l'islam et son pays. Il vivait désormais sur l'île de La Réunion, aussi avait-il été désigné pour une surveillance améliorée s'il montait dans un avion pour la métropole. Le dernier était un garçon plutôt intéressant de trente ans, qui avait été bon élève mais avait sombré dans le salafisme parce que c'était l'idéologie de son temps, comme on avait vu fleurir les révolutionnaires d'extrême gauche dans les années 1970. Aux enquêteurs qui l'avaient interrogé un an et demi plus tôt, il avait répondu qu'il s'en était sorti par la culture. Il avait repris un cursus à l'université de Cergy-Pontoise, un master d'Études européennes et internationales, profitant du petit pécule hérité à la mort de ses parents.

Une voiture de la DGSI était partie en planque en bas de chez lui tandis que Marc avait entrepris d'interroger son entourage. Très vite il s'avéra qu'il ne fréquentait pas grand monde, même au sein de l'université, des élèves ici et là mais pas d'amis réels. La seule personne qui le connaissait un peu était semblait-il son professeur d'arabe, M. Hassan.

— Moussa Bakrani, c'est un nom qui vous dit quelque chose ? demanda Marc.

Le professeur hocha la tête, un peu inquiet.

— Bien sûr. Très bon élève. Il y a un problème avec lui ?

— Vous pensez qu'il peut être considéré comme « radical » dans ses convictions ?

— Lui ? s'étonna Hassan, souriant presque tant cela lui semblait inconcevable. Non. Un débateur, ça oui, un homme de convictions, c'est évident, mais pas un radical. À chaque fois qu'il s'agit de briser un stéréotype, il se mêle au débat, et c'est encore plus vrai lorsque nous dérivons vers des notions de fondamentalisme, quelles qu'elles soient. Je donne également un cours de civilisation orientale des pays du Golfe, il y assiste aussi. C'est un passionné, mais modéré, aucun doute.

— Il fait mention de la religion en classe ? demanda Ludivine.

— Oui, en effet. C'est un sujet qui l'intéresse, mais sans jamais qu'il se montre tranché.

— Donc pour vous, il semble difficile d'imaginer M. Bakrani du mauvais côté de la barrière idéologique ?

— Écoutez...

Soudain un nuage de pensées parasites passa dans le regard du professeur et il parut moins sûr de lui.

— À quoi pensez-vous ? réagit Ludivine.

— Eh bien... non c'est rien, juste un souvenir...

— Sur Bakrani ? insista Marc.

— Oui. Il y a quelques mois, nous discutions en cours des attentats et de l'islam dans tout ça.

— Et ? Il s'en est mêlé ?

— C'est, je crois, la seule fois où il a été un peu plus... comment dirais-je ? Fermé. Oui, voilà, c'est le mot.

— Pourriez-vous nous dire quel était le contexte ? fit Ludivine.

— Je ne me souviens plus très bien, c'était une longue digression suite aux derniers attentats. Je disais que l'islam ne pouvait pas se dédouaner de son propre état des lieux, de ses responsabilités en affirmant que ces attaques n'étaient pas le fait de l'islam, car ce n'est pas ça être musulman.

Marc s'appuya sur la table, très attentif.

— Bakrani n'était pas d'accord avec ça ? demanda Marc.

— Au début il n'a rien dit. J'ai continué d'expliquer. Les terroristes se revendiquant eux-mêmes de la foi musulmane, clamant leur amour et leur soumission à Allah avant de tuer, les prenant même comme prétexte pour tuer, sans oublier Daech ainsi que tous les autres, Al-Qaida, Aqmi, et ainsi de suite, qui basent leur action entière sur le Coran, la justifiant à l'aide de sourates décortiquées... Il me paraissait impossible que la communauté musulmane refuse de voir que c'était un problème islamique et qu'il devait donc y avoir une vaste prise de conscience du monde musulman pour l'admettre et proposer une réponse commune. Si je me remémore bien, Moussa s'est contenu pendant toute notre discussion. Lui qui d'habitude participe ardemment au moindre débat, là il s'est abstenu d'y prendre part. C'était étonnant venant de lui.

— Vous pensez que c'était le sujet ? La responsabilité de la communauté musulmane face aux attentats et à l'islamisme galopant ?

— Manifestement. Mais dites moi, pourquoi vous me demandez tout ça ? Il ne lui est rien arrivé de grave au moins ?

— Il a de bonnes notes ? voulut savoir Ludivine.

— Oui, excellentes. Je commence à m'inquiéter. Il a des ennuis ? C'est ça ?

Ludivine tiqua. Elle se pencha vers le professeur :

— Vous ne l'avez pas vu depuis quand ?

— Une semaine.

Marc se redressa :

— Ça lui est arrivé de manquer des cours ?

— Depuis un an, jamais.

Marc et Ludivine se regardèrent et pensèrent à la même chose.

Au fond d'eux, ils en étaient convaincus : ils venaient de mettre un nom et un visage sur le terroriste numéro deux.

Les étudiants circulaient dans les couloirs de l'université, la moitié l'œil rivé à leur portable comme s'il s'agissait d'un prolongement d'eux-mêmes, ce qui était le cas, réalisa Ludivine. Un appendice de communication. Tout ce qu'on ne se disait pas en face devenait plus simple, plus immédiat désormais avec les réseaux sociaux. Un like, un commentaire, un retweet, une photo... autant de rituels quotidiens qui traduisaient un langage parallèle à la réalité. Ludivine se demanda combien d'entre eux préféraient leur vie sur Internet à celle qu'ils menaient en vrai, avec la chair et les sens.

— Bon, on s'emballe pas et on vérifie d'abord qu'il n'est pas chez sa grand-mère malade je ne sais où, intervint Marc à ses côtés.

— Le timing est tout de même surprenant, répondit Ludivine.

— Je suis d'accord. On va mettre le paquet sur lui aussi, je le sens pas.

— Si je résume : Fissoum recrute, il formate les esprits, et lorsqu'il a des mecs solides, il les éloigne. Ça, c'était le plan initial, et il a commencé il y a un moment, avant que vous le repériez. Puis les choses s'accélèrent il y a cinq mois lorsque Fissoum est présenté à Laurent Brach, qui devient l'intermédiaire, celui que vous n'allez pas pouvoir pister puisque sa dangerosité n'est pas avérée. Dans le même temps, Fissoum rencontre Anthony Brisson qui va très mal dans sa tête, et l'imam décide de l'utiliser comme homme de main. Brisson lui a été probablement amené parce qu'il pétait un plomb, paumé entre spiritualité et désir de mort. Ils l'ont guidé, lui ont trouvé un rôle. Ce sera le nettoyeur. Il y a deux mois, Fissoum veut débusquer quelqu'un de précis, il cherche à recruter un détective discret. A-t-il mis la main dessus ? Le cadavre dans le jardin de Brisson pourrait le laisser croire. Puis on entre dans la dernière ligne droite : couper tous les ponts. Fissoum fait assassiner Brach – il a accompli sa mission quelle qu'elle soit – puis se sacrifie à la cause pour qu'on ne puisse surtout pas le faire parler si on remonte jusqu'à lui.

— Et nous avons a priori identifié deux membres de la cellule, Abel Frémont et Moussa Bakrani, deux individus qui se sont radicalisés auprès de Fissoum puis en apparence racheté une idéologie convenable et qui viennent de disparaître dans la nature.

— Tu as d'autres sources à bousculer ?

— On a fait le tour, répondit Marc avant de relever le mot et le ton de Ludivine. Tu trouves que je vais trop loin ?

— Je comprends les circonstances, les enjeux. Mais… Selim au kebab, Hicham, ta source, et même le grossiste d'Aubervilliers, tu n'utilises que la menace avec eux, tu n'as pas peur de contribuer au discours de persécution que les islamistes assènent pour faire basculer leurs ouailles ?

— C'est le risque quand on travaille dans l'urgence. Crois-moi, si j'avais une autre méthode tout aussi rapide, je l'appliquerais, mais on n'est pas dans un salon de thé pour discuter tranquillement.

— Justement, tu devrais peut-être leur parler en arabe, peut-être que ça nuancerait un peu ton attitude…

— Pour pas qu'ils pensent que je suis raciste ? Que je fais une obsession sur les musulmans ? C'est mon job, Ludivine. Je traque des intégristes *musulmans*. Pas des fachos hitlériens. Pas des gauchos des Brigades rouges. Pas des guignols de la Brigade juive ou d'autres mouvements extrémistes. Non ! Mon rôle c'est exclusivement de choper les islamistes qui manifestent l'intention de tuer au nom d'Allah. C'est pas ma faute si ce sont des musulmans eux-mêmes qui se servent des sourates du Coran pour justifier leur barbarie. Dans vingt ans, si les terroristes qui pullulent sur notre territoire tuent au nom de Bouddha, je pourchasserai les révolutionnaires bouddhistes, et tant pis s'ils pensent que je suis raciste et que j'en fais une affaire personnelle. Ça n'est pas le cas, et je ne fais pas toujours dans la douceur, c'est vrai, question de résultats. Je ne vais quand même pas débuter chaque interrogatoire en me justifiant, puis en précisant que j'ai vécu dix ans de ma vie avec une musulmane et que j'ai embrassé sa culture que je continue d'admirer et d'aimer ! Ce serait ridicule…

Ludivine n'insista pas. Elle comprenait ce choix, même si par moments elle était mal à l'aise. Tout ce qui touchait à la religion était problématique. Le sujet de l'islam en France était difficile à aborder correctement, sa communauté musulmane importante, le contexte historique colonial, l'intégration mal négociée par la France elle-même et le fossé qui s'était creusé entre les membres de la dernière génération et leur pays d'origine, leur perte de confiance et de repères.

Étaient-ils français puisque nés ici et parce qu'ils y avaient grandi ou étaient-ils davantage liés à la culture du pays d'origine de leurs parents, sans pourtant avoir jamais vraiment vécu ailleurs qu'en France ? Fallait-il privilégier une patrie qui leur donnait le sentiment de ne pas les considérer normalement ou une autre qu'ils ne connaissaient que par tradition ? Tant de gamins se posaient la question aujourd'hui. Un déracinement propice à l'identification par la religion. Ils ne se sentaient pas tout à fait de telle ou telle nationalité, en revanche ils étaient musulmans où qu'ils aillent dans le monde, d'où qu'ils viennent. Musulmans avant tout. Le sujet était brûlant, complexe, et donnait le sentiment à ceux qui ne l'étaient pas qu'il fallait avant tout commencer par s'excuser, préciser dix fois qu'on était évidemment curieux et respectueux, pour oser poser les prémisses d'une question sur le sujet, oser une remise en cause. Marcher sur des œufs en permanence pour ne pas passer pour un intolérant ou un raciste. Et dans le cadre d'une enquête, surtout s'il fallait faire vite, c'était un dilemme permanent.

Les terroristes islamistes s'enfonçaient dans cette brèche pour l'agrandir à chaque attentat, creuser une faille susceptible d'absorber tout le monde. Un plan bien préparé pour que l'islam soit pointé du doigt par les esprits moins subtils, un peu plus à chaque attentat, pour que les amalgames se fassent, pour opposer deux pans de la société, et qu'à terme les musulmans se sentent de plus en plus isolés et stigmatisés jusqu'à ne plus se sentir libres dans leur foi. Jusqu'à ce qu'ils choisissent l'exode ou la guerre sainte. C'était le plan des islamistes. Ils savaient au fond d'eux qu'ils ne gagneraient jamais la guerre en Irak et en Syrie, que leur fief de Daech ne pourrait tenir éternellement, mais si les pays eux-mêmes s'entre-déchiraient, alors l'*oumma* se rassemblerait et, bien guidée, elle pourrait prendre les armes pour instaurer le Califat un peu partout à travers le monde.

La responsabilité de chacun était engagée. Tant parmi les musulmans pour dénoncer cet extrémisme qui se revendiquait de leur religion que parmi tous les autres pour faire bloc autour d'un islam respectueux et respecté par tous.

Une belle utopie de vie en harmonie... ironisa Ludivine avec amertume.

Elle s'aperçut alors que Marc était au téléphone. Il raccrocha d'un mouvement sec et lui attrapa le bras. Le serrant fort. Trop fort.

Ses pupilles brillaient sous les néons du couloir.

— On a le commanditaire, dit-il tout bas.

55.

La salle de réunion dans les locaux de la DGSI à Levallois ne présentait aucune différence avec celle de n'importe quelle entreprise voisine, longue table, quelques écrans sur les murs, éclairage froid et absence de toute décoration.

Ludivine prit place aux côtés de Marc, face à deux hommes en bras de chemise, l'air fatigués comme s'ils n'avaient pas dormi depuis trois jours.

— Le process a été le suivant, expliqua d'emblée le premier, nous avons dressé une cartographie de tous les points où le téléphone portable d'Anthony Brisson a borné. Sa géolocalisation sous forme chronologique.

Le deuxième homme venait de brancher son ordinateur et l'image s'afficha sur les différents écrans de la salle. Le logiciel montrait une carte du territoire et zooma jusqu'à se centrer sur l'ouest de la région parisienne. Des points rouges se mirent à apparaître, suivis de flèches indiquant les déplacements, dates, heures et minutes défilant en même temps dans un coin.

— Vous constaterez qu'il reste la plupart du temps dans un secteur géographique restreint, poursuivit le premier agent, entre chez lui et les différents clients qu'il a pu avoir. Ce qui nous a le plus intéressés ce sont les déviations, lorsqu'il s'est rendu quelque part, en général pas longtemps, assez loin de sa zone de confort. On constate plusieurs « décrochages », comme nous les avons nommés. En poussant les recherches, la plupart se sont expliqués d'eux-mêmes. Sans intérêt pour nous. Mais il y en a un qui nous a paru significatif.

À ce moment-là, une série de traits se succédèrent de chez Brisson à Paris. Le point rouge pulsa sur place une heure à peine, d'après le timecode, avant de refaire le trajet en sens inverse.

— Il est allé à la gare Saint-Lazare. Jusque-là, pourquoi pas me direz-vous. Mais en décortiquant sa facture, nous avons constaté qu'il avait reçu un appel le midi même, soit six heures avant le déplacement, provenant d'un numéro rattaché à une carte prépayée qui n'a servi qu'à cet unique appel, passé depuis les environs du canal Saint-Martin à Paris.

À ces mots les quatre enquêteurs dans la pièce échangèrent un regard entendu. Ça ne pouvait pas être un hasard. Une procédure pareille était en effet digne d'un grand paranoïaque… ou d'un terroriste.

— Louis et moi avons fait saisir toutes les bandes vidéo de la gare Saint-Lazare où s'est rendu Anthony Brisson ce jour-là. Par mesure de sécurité les bandes sont conservées quinze jours par la SNCF, donc on a eu du bol de s'y intéresser aussi vite, à trois jours près on l'avait dans l'os. Nous avons pu les étudier et le repérer.

— Il y a rencontré quelqu'un ? demanda Marc.

L'informaticien acquiesça, contenant à peine sa fierté.

— Le voici, ici, lorsqu'il sort de son train.

Une image en couleur à la définition correcte s'afficha sur les écrans. Une foule compacte se pressait sur les quais et dans le hall rénové de la gare Saint-Lazare. L'image se figea et le pointeur de la souris désigna une silhouette longiligne.

Ludivine la reconnut aussitôt et son cœur s'accéléra. Elle serra les poings.

Une autre vidéo embraya, un peu plus loin dans la gare, du côté du centre commercial qui s'empilait sur trois niveaux reliés par un immense puits central. Anthony Brisson apparut à nouveau, dénoncé par la souris. Il marchait dans la foule, tournant la tête dans tous les sens, comme s'il cherchait quelqu'un, avant qu'un homme ne le rejoigne et le guide vers l'escalator puis directement sous les arcades d'une boutique. L'inconnu se tenait de dos. Trois angles différents dont un beaucoup trop éloigné pour qu'on distingue quoi que ce soit s'enchaînèrent. Sur aucun il n'était possible d'apercevoir les traits de l'homme, col du manteau relevé et casquette vissée sur le crâne au point de lui masquer toute la partie supérieure du visage.

— Cherchez pas, vous ne verrez jamais mieux. On peut estimer sa taille à environ un mètre quatre-vingts, pour soixante-dix kilos à peu près. C'est un Caucasien ou un Maghrébin, peut-être un Asiatique. Ils restent ici moins de douze minutes avant de se séparer. Brisson reprend un train pour chez lui, et l'autre sort dans la rue, où on perd sa trace. Mais c'est lui, c'est le chef de la cellule.

— Qu'est-ce qui vous fait dire que c'est le commanditaire ? s'interrogea Ludivine à voix haute.

— Anthony Brisson s'est déplacé juste pour le rencontrer, et dans la foulée il a tué Abdelmalek Fissoum. Ce dernier s'est laissé faire, probablement parce que Brisson lui a transmis les instructions qui venaient de tout en haut. Brisson a agi sur ordre, sinon jamais il ne s'en serait pris à un imam salafiste. De plus, vous enlever était un acte risqué, voire désespéré. Cela ressemble à une consigne pour tenter une attaque finale et fatale. Qui pourrait avoir assez d'influence sur un être aussi particulier qu'Anthony Brisson, tueur en série ? Celui qui est tout en haut de la cellule. Celui qui pilote, qui commande, qui se fait le messager de la parole de Dieu auprès de ses moudjahidin. Un être capable d'exiger votre sacrifice et à qui vous obéissez aussitôt.

Ludivine approuva. Le raisonnement tenait la route.

— De plus ce type est d'une habileté rare, enchaîna l'autre enquêteur. Il ne perd jamais ses repères vis-à-vis des caméras, il a étudié leur emplacement en amont. Pas un geste en trop, il ne touche à rien, ne laisse aucune trace, et même lorsque nous essayons de remonter sa piste avant qu'il n'arrive à la gare et ensuite lorsqu'il la quitte, il nous largue. Il passe par les angles morts, il choisit des itinéraires sans vidéo-surveillance, et le sac qu'il a sur l'épaule je vous parie que c'est une tenue de rechange pour qu'on ne puisse pas le reconnaître ailleurs. Un pro de ce niveau ? On en voit presque jamais. Même chez nous. Il a reçu une formation intense. Un ex des services de renseignement irakiens comme il en pullule chez Daech ? Peut-être, en tout cas certainement un étranger ou quelqu'un qui est parti en camp d'entraînement pendant longtemps. C'est un leader. C'est TZ.

— TZ ? releva Ludivine.

— Terroriste Zéro. Comme pour les virus, il y a un patient zéro d'où tout part, la souche de notre problème. Vous éliminez TZ, vous éliminez le cœur du problème et il sera plus facile ensuite de remonter ceux qu'il a contaminés, sa cellule.

Marc approuva :

— C'est lui. C'est cet enfoiré. La qualité n'est pas terrible, mais avec un algorithme de simulation de définition, vous ne pourriez pas tirer une photo de lui ?

— Nous n'avons aucun angle exploitable pour tenter un agrandissement, il se planque en permanence ! Et entre le col et la visière de la casquette, il se maintient toujours dans le schwarz. On est baisés.

— Donc aucun programme de reconnaissance faciale possible ?

— Que dalle. Désolé.

— C'est déjà une belle avancée, bravo, les gars.

— On connaît sa morphologie générale, résuma Ludivine, et on sait qu'il est passé par des camps d'entraînement perfectionnés, possiblement un ancien du renseignement. Vous vous entendez bien avec vos homologues des pays du Golfe ?

Marc voyait où Ludivine voulait en venir.

Nous allons transmettre à la DGSE, dit-il, mais ne rêvons pas, personne ne pourra le reconnaître sur les quelques plans où on ne le voit pas, et les services secrets de nos « alliés » dans le Golfe balancent rarement lorsqu'un de leurs anciens éléments leur a échappé. Mais ça coûte rien d'essayer.

— Je vais transmettre également à la DRSD, informa le premier informaticien, elle a des contacts sur le terrain là-bas.

Marc se leva.

— Ludivine, je vais retourner superviser les auditions de tous les suspects que nous détenons en bas, pour les plus gros c'est le dernier jour de garde à vue. Faut qu'ils se mettent à table s'ils savent quelque chose. Toi et ton équipe, vous connaissez le dossier Laurent Brach mieux que nous, je voudrais que vous mettiez le paquet dessus. Trouve quel rôle il avait, intermédiaire de quoi exactement, pourquoi on a tout fait pour nous éloigner de son assassin en nous envoyant sur la piste bidon de la drogue. Tu peux faire ça ? Sans vouloir te commander...

Ludivine lui décocha un rictus plein de sous-entendus.

— Profite de me commander tant que tu le peux.

Elle retournait à la maison. À la SR de Paris.

Son antre.

56.

Chaque objet était une brique de réconfort dans le mur professionnel qui soutenait Ludivine. Le mug des New York Giants, souvenir d'Alexis, ses livres de criminologie, sa bougie aux arômes ambrés, et même la collection de jouets Kinder qui s'amoncelaient dans son dos sur l'étagère. Tout cela lui faisait du bien, en particulier en ce moment. Elle se remettait assez vite de sa séquestration, mais elle savait que c'était en partie dû à l'adrénaline que le quotidien lui injectait. Dès que l'enquête d'urgence retomberait, les journées reprendraient leur ennuyeuse élasticité, ouvrant des boulevards à la pensée. À ce moment-là elle aurait besoin de soutien. Un psy ? Non, elle n'était pas trop pour. Parler avec Segnon peut-être… Ou retourner à la montagne auprès de Mikelis et sa famille, dans ce sanctuaire préservé de la folie des hommes.

En rentrant à la SR en début d'après-midi, Ludivine avait affronté le pire : les regards tour à tour accablés, fiers, mal à l'aise ou compatissants de ses collègues. Chacun y allait de son petit geste de réconfort, de son mot, son conseil, sa proposition, et ces attentions, plutôt que d'aider Ludivine, ne faisaient que la replonger dans l'horreur, la fragiliser, jusqu'à ce qu'elle les écarte un peu trop sèchement pour s'isoler et reprendre son souffle en refoulant les larmes qui montaient. Elle s'était reprise, affichant un air sûr d'elle, puis s'était lancée pour faire un point complet avec ses camarades et le colonel Jihan avant de retourner s'enfermer avec Segnon et Guilhem pour brainstormer. L'action, rien que l'action. Les photos d'Abel Frémont et Moussa Bakrani avaient été imprimées au format A3 et punaisées sur un des murs. Les regards froids, vide pour Abel, étaient difficiles à supporter tant il paraissait dérisoire d'espérer les raisonner un jour.

En évoquant le rôle que pouvait avoir tenu le cadavre dans le jardin d'Anthony Brisson, Ludivine saisit le téléphone sur son bureau et appela Forsnot à l'IRCGN :

— Capitaine, j'ai besoin de vos lumières.

— Les ténèbres que vous explorez sont-elles à ce point abyssales ?

— Tout va dépendre de vos capacités. J'ai un corps sans identité, son ADN n'est pas répertorié, et une partie de sa peau et de ses chairs a été rongée par la chaux. On a relevé plusieurs fractures du visage. J'ai besoin de savoir de qui il s'agit.

— Eh bien… Avec l'ADN le département biologie peut vous donner les éléments de base comme je vous l'avais expliqué : couleur de peau, des yeux, des cheveux ainsi que leur nature, confirmer le sexe, et si on pousse un peu plus loin je peux vous donner une estimation sur la forme du nez, du menton et des oreilles.

— Rien de plus ?

— Quel délai ?

— Aussi rapide que possible.

— Je peux disposer du corps ?

— J'aurai l'autorisation du juge.

— Dans ce cas, je récupère la tête et je la passe au bouillon Kub.

Ludivine se souvint alors de cette ignominie qu'une partie de sa conscience avait tenté d'oublier. Les services d'anthropologie prélevait la tête d'un corps inconnu et la mettaient à bouillir dans une grosse Cocotte-minute jusqu'à ce que toute la chair se décolle et libère totalement le crâne. Pour éviter que l'odeur de la mort ne se répande dans tout le département, il était généralement ajouté des cubes de bouillon dans l'eau. Ludivine avait découvert cette pratique un matin où elle était en visite au laboratoire en compagnie d'un magistrat qui s'était étonné de la bonne odeur flottant dans les couloirs. Un expert taquin avait alors invité le magistrat à soulever le couvercle pour se faire une idée du plat qu'ils préparaient. Il avait couru jusqu'aux toilettes plus vite qu'un guépard derrière son déjeuner.

— Ce sera efficace ? demanda Ludivine du bout des lèvres.

— Une fois le crâne bien propre, je le mets dans le scanner, une sorte de gros four à micro-ondes, et nous disposons d'un logiciel très détaillé pour étudier toutes les usures des attaches musculaires, cela permet de visualiser à peu près à quoi ressemblait l'individu de son vivant. Partant de là nous créons une modélisation 3D du visage.

— Fiable ?

— Oui plutôt. Nous ne forçons pas trop sur les détails exprès. Nous nous sommes rendu compte qu'un visage trop précis suscite moins de témoignages alors qu'un faciès juste ressemblant fonctionne mieux, il dit quelque chose, on se creuse les méninges et si on l'a véritablement connu, ça fait tilt.

— Le mien a pris des coups de masse en pleine face.

— Pas de souci, on va jouer au puzzle si besoin. Je mettrai le département biologie dessus aussi pour qu'avec l'étude de l'ADN ils fournissent les infos complémentaires. Nous vous adresserons alors une série de plusieurs portraits avec des looks différents. Laissez-nous une grosse semaine, dix jours maximum, à réception du corps.

Elle raccrocha avec un sentiment étrange, comme ce qu'elle avait éprouvé après l'exhumation des deux victimes alors que leur tractus se trouvait perdu parmi les scellés. N'allait-elle pas trop vite ? Fallait-il à ce point mutiler davantage encore ce pauvre malheureux au lieu de le laisser reposer enfin en paix ?

Mais sous quelle identité ? N'est-il parfois pas mieux de sacrifier une partie d'une dépouille si c'est le prix à payer pour lui redonner un nom ?

Ludivine reprit son téléphone et composa le numéro du juge.

Lorsqu'elle raccrocha, le juge avait validé. Elle se frotta les joues, se répétant qu'elle faisait bien. Puis elle revint à ce qui était leur priorité. Constatant que chacun avançait mollement dans son coin, elle prit les choses en main.

— Jusqu'à présent on a supposé que Laurent Brach jouait le rôle d'intermédiaire entre Fissoum et ses anciens adeptes, rappela-t-elle. Mais peut-être qu'il a eu davantage encore à faire. Qu'est-ce que l'imam aurait pu lui confier comme mission ?

— Récupérer des armes, proposa Segnon.

— Oui, ou fabriquer des explosifs, ajouta Guilhem.

— Il n'avait aucune formation scientifique.

— Aujourd'hui c'est Internet la formation, et Brach n'était pas maladroit d'après ce qu'on sait de lui. Plutôt bon bricoleur.

Ludivine joignit le bout de ses doigts devant elle pour former une cage. La cage de ses pensées.

— Est-ce que dans la perquisition chez lui on a relevé des factures de produits atypiques ? demanda-t-elle. Surtout des grandes quantités ?

— On n'a jamais perquisitionné chez lui, indiqua Guilhem.

— C'est une blague ?

— Non ! On y est allés, mais rappelle-toi, on ne voulait pas se mettre sa veuve à dos ! On a fait une perquise légère, ordi, paperasse. On n'a pas tout retourné, et des facturettes j'ai pas souvenir qu'on en ait récupéré, surtout si c'était dans les affaires de sa femme.

Ludivine soupira. Tout était allé trop vite. Ménager la chèvre et le chou, privilégier ce que la veuve en confiance pourrait révéler plutôt que procéder à une fouille intégrale, était-ce une si bonne idée ?

— De toute manière ça ne sert plus à grand-chose sinon à se donner bonne conscience, intervint Segnon. S'il y avait quoi que ce soit de planqué, ça aura sûrement disparu depuis, et de toute façon je doute que des types si bien préparés aient laissé des indices derrière eux.

— Si ça finit par péter dans Paris et que les médias apprennent qu'on n'a jamais perquisitionné dans le détail un des terros, s'alarma Guilhem, on va se faire pulvéris…

— À ce moment-là c'était la victime d'un meurtre, le coupa Ludivine, et nous avons témoigné un minimum de respect à sa veuve. De toute manière ce ne sont pas les médias qui conduisent l'enquête. Je vais demander à Merrick d'envoyer du monde pour se charger de la perquise, mieux vaut tard que jamais. Reprenons. Brach intermédiaire de Fissoum. Pour des armes ou de l'explosif, peut-être. Quoi d'autre ?

— S'il a été tué c'est qu'il connaissait trop de choses, déduisit Segnon, on peut supposer qu'il savait qui sont les terroristes et où est leur planque. C'est peut-être lui-même qui la leur a trouvée.

— Bon point. Il faut fouiller tous ses déplacements, décortiquer ses appels et le moindre paiement qui pourrait ressembler à une commission ou à un dépôt de garantie. Quoi d'autre ? Allez, les gars, on se creuse les méninges !

— Des repérages ? proposa Guilhem.

Ludivine pointa un index dans sa direction.

— Valable également. On répertorie tous ses déplacements *et* on regarde s'il y a des cibles intéressantes sur les trajets. Il y avait un téléphone portable à lui parmi les scellés, Guilhem, tu as pu accéder à son contenu ? Des photos ?

— J'ai rien vu qui m'ait fait tiquer mais je revérifierai.

Ludivine se leva et commença à faire les cent pas, ce qui compte tenu de la promiscuité de la salle revenait à tourner en rond entre les trois bureaux.

— À quoi tu penses là, comme une lionne ? demanda Segnon.

— À la cohérence.

— De quoi ?

— De leur mode opératoire.

Segnon et Guilhem échangèrent un bref regard, circonspects tous les deux.

— Ce qui veut dire ?

Ludivine s'immobilisa pour se lancer :

— C'est un groupe terroriste probablement piloté depuis l'étranger, en tout cas leur leader, TZ comme l'appelle la DGSI, semble venir d'ailleurs. Ils se préparent depuis longtemps, au moins un an. Entre-temps, Fissoum s'est fait repérer par le renseignement mais ça n'a pas compromis l'opération car tout est extrêmement bien cloisonné. Chacun a un rôle bien défini et tout ça reste parfaitement étanche. Brach a été recruté par la suite pour faire la passerelle mais...

Ludivine réfléchissait à voix haute, déroulant ses pensées comme elles venaient.

— Mais ? fit Guilhem.

Ludivine se braqua :

Un seul niveau de sécurité entre Fissoum qui est au centre du dispositif et les opérateurs sur le terrain !

— Comment ça ? Je pige pas où tu veux en venir...

— Ils font tout parfaitement dans les règles, avec des précautions maximales, s'y prenant avec patience, compartimentant chaque pion, le donneur d'ordres, le coordinateur, l'homme de main, l'intermédiaire et enfin la cellule qui va taper, mais au dernier moment ils ne mettent qu'une seule personne entre Fissoum et les terroristes ? Un seul sas de sécurité entre les deux bouts de la chaîne ?

— Ils ne sont pas non plus soixante-dix, ça se trouve pas comme ça un type prêt à trahir son pays et à faire massacrer des civils au nom d'une religion.

— Parmi plus de dix mille fichés S pour islamisme rien qu'en France ? Quand tu es aussi bien organisé que l'était Fissoum et que tu as le temps qu'il a pris, je suis sûre que tu peux recruter autant d'hommes que tu en as besoin. On ne parle pas non plus de remplir un bus, une petite dizaine tout au plus, sympathisants compris. Seuls trois ou quatre iront au bout – enfin j'espère qu'ils ne sont pas plus nombreux.

— Admettons, c'est quoi ton idée ? la relança Segnon.

— Et si Brach avait eu pour mission de recruter lui-même un autre intermédiaire ? Un qui n'aurait pas été vu en compagnie de Fissoum, un qui passerait totalement inaperçu. Celui-là pourrait transmettre les informations aux membres de la cellule pour l'activer. Une deuxième couche de protection, juste au cas où. Ils sont tellement prudents dans tout ce qu'ils font, je n'arrive pas à croire que Brach lui-même puisse avoir eu un rôle si crucial, alors que Fissoum devait se douter que la DGSI l'aurait à l'œil, même provisoirement. Pas un élément visible, non. C'est forcément un cercle plus éloigné encore. Quelqu'un qui n'a jamais eu de contact avec Fissoum.

— OK. Qui ? Brach n'avait presque pas d'amis, quand on a fait son entourage on s'est rendu compte qu'il ne voyait personne en dehors de sa femme.

— Brach avait des contacts avec d'autres fidèles de sa mosquée. Il y en a forcément au moins un qui l'a présenté à Fissoum.

— Justement, trop lié aux deux pour que ce soit prudent, fit remarquer Guilhem.

— La taule ! s'écria Ludivine. C'est là-bas qu'il s'est converti. Guilhem, tu peux me sortir la liste des détenus avec lesquels il était enfermé ? Dans sa cellule et dans son bloc. Je les veux tous. Ensuite tu appelles le centre pénitentiaire où il créchait et tu demandes au personnel qui l'a connu ce qu'ils en pensent, qui il fréquentait dans la cour. Ils doivent savoir auprès de qui il s'est radicalisé. Pendant ce temps Segnon et moi on va passer chaque nom que tu vas nous sortir aux fichiers pour voir ce qu'il en ressort.

— Il ne faut pas exclure ceux qui ne sont pas encore sortis, prévint Segnon. Au contraire, qui mieux qu'un prisonnier pour faire transiter des informations entre deux parloirs ?

Il fallut moins de trois heures pour dégager deux hommes de la liste. Deux codétenus qui avaient été proches de Laurent Brach, deux adeptes de la même religion, qui avaient eu une influence importante sur lui pendant sa détention. Les deux avaient purgé leur peine.

— J'ai retrouvé le premier, annonça Guilhem sans triomphalisme. Il a eu un accident de moto, grave, il y a quatre mois, il est paraplégique et dans un centre de rééducation en Normandie, ça paraît compliqué pour lui.

Ludivine secoua la tête.

— Et l'autre ?

— J'ai une adresse, fit Segnon en raccrochant son téléphone et en levant un post-it devant lui.

— Qu'est-ce qu'on a ?

— Rien depuis qu'il est sorti il y a dix mois, il n'a pas fait parler de lui auprès de la justice. J'ai appelé le SPIP[1] et les flics de son quartier, d'après l'adresse qu'il a déclarée, ni l'un ni les autres n'ont quoi que ce soit à déclarer à son sujet. À vrai dire, ils savent à peine de qui il s'agit.

— Pas de boulot ?

— Il s'est inscrit à Pôle emploi comme il devait le faire à sa sortie de prison, mais rien depuis. Il a entrepris les démarches auprès de la CAF pour toucher le RSA et c'est tout.

— Il l'encaisse ?

— Apparemment.

— Au moins il est vivant.

— Il est retourné dans son quartier d'origine ? demanda Guilhem.

— Non, répondit Segnon. L'adresse qu'il a déclarée est même plutôt éloignée.

Guilhem fit la moue :

— Si personne ne le voit jamais, qui dit que c'est lui qui prend le fric chaque mois ?

Ludivine attrapa son gilet pare-balles.

— On va prendre l'air, annonça-t-elle.

---

1. Service pénitentiaire d'insertion et de probation.

— Une planque un vendredi en fin de journée ? grimaça Segnon. T'es sûre de toi ?

— Pas une planque, mon grand, on n'a plus de temps à perdre pour ça. Une rencontre plutôt. La question est de savoir qui sera derrière la porte.

57.

Des enfants jouaient au foot sous l'éclairage chassieux des projecteurs sales du stade qui bordait la rue.
En face, une petite cité ouvrait ses paupières de lumière
pour veiller sur ses troupes.

Fin de journée, fin de semaine, fin d'énergie, les
passants se traînaient jusqu'à chez eux le regard bas,
les épaules voûtées, noyautés par quelques anomalies
souriantes, dynamiques.

Segnon se gara dans une allée grise, sombre, et les
trois gendarmes sortirent en refermant leurs vestes et
blousons pour dissimuler les gilets pare-balles en dessous. Ils avaient mis presque une heure dans la circulation difficile pour atteindre les faubourgs de Villejuif,
la nuit était tombée, le froid sourdait de la terre tel un
dernier soupir exhalé par une bête mourante, à glacer
les os.

Guilhem consulta son iPhone avant de désigner la
rue perpendiculaire :

— C'est là, à cent mètres.

Pavillons anciens et fissurés, terrains en friche,
garages sordides, barre d'immeubles récente, posée

là comme par accident, l'endroit existait par inter-mittence, les lampadaires trop espacés, plusieurs ampoules brisées, plongeant des portions entières dans le néant. Ce qui ne se voyait pas dans le monde moderne n'existait pas, c'était la règle depuis l'émergence d'Internet et du dieu télé, être dans la lumière ou ne pas être. Et Sid Azzela vivait dans ce nulle part contemporain.

Guilhem s'arrêta devant un portail branlant, à moitié ouvert sur un chemin d'herbes anémiques. Plus loin une maison aux volets tordus semblait se replier sur elle-même, en retrait de la rue, bloc compact tournant le dos à ce quartier qui lui faisait honte.

— Il vit ici ? Tu es sûr ? demanda Ludivine.

— C'est l'adresse qu'il a renseignée.

Aucune lumière malgré l'obscurité de l'extérieur.

Les trois gendarmes s'avancèrent prudemment, prêts à réagir, les mains ouvertes le long du corps, les sens en alerte.

L'endroit était abandonné, cela ne fit plus aucun doute lorsqu'ils se tinrent sur le seuil. Des guirlandes de graffitis ornaient la façade décatie, les persiennes de l'étage, fracassées, pendaient sur leurs montants, les fenêtres brisées ouvrant aux vents ce qui avait été une demeure bourgeoise.

Sans un bruit Ludivine grimpa les marches du perron et du bout du pied repoussa la porte qui n'avait plus de serrure depuis longtemps. Elle sortit sa mini-lampe-torche de sa poche et découpa un faisceau blanc dans un couloir dallé de carreaux de ciment fendus et aux murs moisis. Elle entra, suivie de près par Segnon et par Guilhem qui tenait également une lampe.

— C'est vide, souffla le premier tout bas.

Ludivine ne répondit pas et continua sa petite exploration. L'odeur d'humidité était forte mais il y avait autre chose...

Un relent parfumé... ça sent la bouffe !

Elle tapota son nez de son index pour indiquer à ses camarades ce qu'elle avait perçu. Quelqu'un vivait ici ou y était passé il y avait peu de temps.

Deux pièces à droite, encombrées de déchets et de gravats où le plastique de seringues accrocha les reflets de la lampe. Des piles de vêtements déchirés, usés jusqu'à la trame, jonchaient le sol parmi des canettes, des bouteilles et des cartons empilés en guise de matelas. Quelques préservatifs dépliés non loin, mues d'un serpent de vice, témoins du beau devenu sordide.

Personne.

Ludivine retourna dans l'entrée où un escalier abîmé desservait l'étage, une fine porte en son flanc ouvrait, elle, vers le sous-sol.

Après avoir désigné le plafond du doigt, elle fit comprendre qu'elle montait avec Guilhem et indiqua à Segnon de rester en place, mais ce dernier secoua vivement la tête.

— On ne se sépare pas ! chuchota-t-il, catégorique. Terminées les conneries !

Les marches grinçaient affreusement à chaque pas des enquêteurs, une succession de couinements sarcastiques qui bascula en un fou rire de sorcière lorsque Ludivine décida d'accélérer.

Trop tard pour la discrétion.

Le palier s'étirait sur plusieurs mètres, ponctué de cinq portes, fermées.

Ludivine pouvait sentir les battements de son cœur, constants mais plus rapides que la normale. Elle s'efforçait d'être réceptive à la moindre information, de rester sereine : tout voir mais ne pas perdre de vue l'essentiel, la sécurité de chacun. Il ne fallait pas qu'un toxico surgisse en hurlant et qu'ils perdent les pédales en croyant qu'un terroriste les attaquait.

Elle se rendit compte de son appréhension. Le souvenir de l'agression dans son jardin était encore très frais, le choc du taser, la facilité avec laquelle Anthony Brisson l'avait maîtrisée... Pour elle, il serait à jamais l'homme nu. Celui qui l'avait contrainte à de la prostitution mentale pour survivre. Celui qui l'avait tirée de son trou pour tenter de la violer et de la tuer. Une ordure et un monstre.

Une tape brusque de Segnon sur son épaule la projeta à nouveau dans le couloir. Il leur montrait le dessous d'une porte tout au bout, d'où émergeaient des lueurs vacillantes. Probablement des bougies.

D'un même geste, chacun posa la main sur la crosse de son arme de service, sans toutefois la dégainer, et ils s'approchèrent aussi silencieusement que possible pour encadrer la porte. Segnon à droite du chambranle, Ludivine à gauche et Guilhem en face. Elle s'apprêtait à crier leur identité lorsque son instinct lui commanda de repousser Guilhem sur le côté. Personne en face. Jamais. Juste au cas où...

— Gendarmerie ! Identifiez-vous et ouvrez la porte ! ordonna-t-elle d'une voix claire et puissante.

La réponse de poudre et de plomb fondu transperça la cloison moins de cinq secondes plus tard. Un déluge de mort explosant les moulures de plâtre, fracassant les montants de bois, projetant des esquilles et de la poussière dans toutes les directions en même temps que résonnaient les détonations comme autant de cris enragés.

Ludivine s'était recroquevillée, tête entre les épaules, le Sig Sauer sorti de son étui, tentant autant que possible de garder les yeux ouverts dans ce chaos. Segnon s'était plaqué contre la fenêtre derrière lui, son semi-automatique à hauteur du visage. Elle ne vit pas Guilhem mais réalisa que les trajectoires des balles étaient exactement dans l'axe où il se tenait juste avant qu'elle ne l'écarte.

Affolée, elle le vit allongé au sol, l'air paniqué. Il semblait indemne, plus effrayé que souffrant. Elle lui fit signe de ne pas bouger.

Les tirs s'arrêtèrent. Elle hésita. Fallait-il en profiter pour foncer ou se replier pour prévenir le GIGN ? Comment allaient-ils contenir le forcené d'ici là ? Et si l'unité d'élite mettait une heure à débarquer et que le tireur sortait avec une kalachnikov dont le 7,62 traverserait leurs gilets pare-balles comme un scalpel la chair ? Et s'il se faisait sauter ?

Segnon fit un signe du menton à sa collègue pour lui demander ce qu'elle voulait faire. Il désigna la porte.

Elle secoua la tête.

Trop risqué.

Seule, elle sentit qu'elle s'y serait aventurée, mais pas avec Segnon et Guilhem. C'était de la folie.

De toute manière elle ne pouvait plus se comporter en tête brûlée. Terminés les coups de sang.

Reculer et boucler le périmètre.

Elle entendit qu'on s'agitait dans la pièce, puis elle reconnut le cliquet caractéristique d'un zippo.

Il allume quelque chose !

L'image d'une mèche s'imposa à elle. Il allait tous les faire sauter.

— Dehors ! aboya-t-elle à ses deux partenaires.

Ils se déplièrent au moment où un coup de feu retentissait. Unique. Un choc lourd. Quelque chose venait de tomber.

Puis plus rien. Aucun impact nouveau n'était apparu à travers la porte.

Segnon et Ludivine se regardèrent. Ils pensaient à la même chose.

— Et merde… lâcha-t-elle avant de faire demi-tour et de revenir vers la planque.

D'un coup de pied féroce Segnon écarta le battant déjà abîmé, la gueule de son pistolet en avant.

L'enfer les accueillit d'un souffle carnassier qui les fit reculer brusquement.

Des flammes léchaient déjà les lambris à hauteur d'homme, dégageant une chaleur étouffante. Trois fûts renversés, de l'essence à en juger par l'odeur. Le combustible embrasé dévorait ce qui avait été une chambre et une cuisine.

Un corps gisait au centre, agrippé par les bras avides de l'incendie. Un œillet pourpre creusait un point d'entrée sous sa mâchoire, une larme de sang en perlait. Droit vers le cerveau. Son arme encore entre ses doigts.

Sid Azzela s'était suicidé après avoir mis le feu.

Ludivine voulut s'engager dans la pièce pour tenter de l'attraper et de l'extraire du brasier mais les flammes agissaient telle une maîtresse jalouse, menaçant de la fouetter au visage. Segnon la tira en arrière.

Il n'y avait plus rien à faire.

Sinon contempler l'œuvre du diable.

58.

Les gyrophares des camions de pompiers balayaient la rue et ses curieux. La demeure bourgeoise crépitait, incandescente, des rubans de flammes s'agitant frénétiquement vers les cieux par chaque ouverture comme pour vénérer une divinité étrange et oubliée.

Trop tard, avait rapidement déclaré le chef d'agrès. Ils arrosaient copieusement pour contenir l'incendie, mais le bâtiment et son contenu étaient perdus.

Ludivine se tenait dans la friche qui servait de jardin, un peu en retrait de l'activité des pompiers pour ne pas déranger. Segnon, mains sur les hanches, assistait au spectacle, fasciné. Guilhem était assis sur une souche, l'air paumé.

— Tu m'as sauvé la peau, dit-il du bout des lèvres. Si j'étais resté face à la porte, j'en prenais au moins cinq ou six.

— T'avais ton gilet, tenta de le rassurer Ludivine.

— Même… Une dans la gorge ou dans la fémorale et j'étais bon.

Ludivine lui posa la main sur les cheveux.

— On est quittes alors ?

Guilhem leva les yeux vers elle mais ne parvint pas à rire.

— Il nous attendait, dit Segnon presque trop bas.

— En tout cas il était prêt. Il savait que ça finirait par venir.

— Tu as vu juste. Laurent Brach avait été missionné pour recruter lui-même un homme de confiance qui a fait le sale boulot le plus important. Et cet homme est là, à partir en fumée.

— Il a obéi à un ordre, lui aussi, intervint Guilhem.

— Pourquoi tu dis ça ?

— Les coups de feu. Dès qu'il a su qu'on était des flics, il a tiré comme un dingue, puis il a renversé l'essence et a mis le feu avant de s'en tirer une en pleine caboche. L'enchaînement était rapide, sans hésitation, genre il s'y préparait depuis un moment. Il devait patienter jusqu'à ce que ça remonte à lui, l'ordre était clair : nous allumer à tout-va mais surtout, surtout il ne devait pas être pris vivant. Il a agi précipitamment.

— Un amateur, comprit Segnon. C'est vrai que s'il avait voulu, en s'organisant un peu mieux, il aurait pu nous flinguer tous les trois.

— Oui. Il a tout fait trop vite, dans l'obsession d'arriver à l'essentiel : se tuer. Qu'on ne puisse pas le faire parler quoi qu'il arrive.

Segnon expira bruyamment, agacé et accablé.

— C'est réussi...

— Je veux qu'on récupère le cadavre pour avoir son ADN, annonça Ludivine avec autorité. Faut trouver la famille de Sid Azzela et obtenir des échantillons de comparaison pour qu'on s'assure que c'est bien lui qui s'est tué là-dedans. On épluche toute sa vie. On retrace ses itinéraires, ses dépenses. C'est lui qui a mis la cellule en place sur ordre de Brach. C'est lui le dernier maillon jusqu'à eux. Et vu les enjeux on s'y colle dès demain, tant pis pour le week-end. Je suis désolée pour vos familles.

Au fond d'elle Ludivine avait peu d'espoir. Tout avait été si méticuleusement préparé qu'elle n'imaginait pas qu'il puisse y avoir des failles quelque part, mais il fallait vérifier. C'est tout ce qu'ils pouvaient faire.

Segnon acquiesça sombrement, ses yeux reflétant la fournaise.

Marc l'appela tard ce soir là pour savoir comment elle allait. Ludivine regardait des vidéos de propagande salafiste depuis deux heures pour tenter de mieux les cerner, et elle n'en pouvait plus, elle se sentait accablée. Elle lui proposa de passer et ils discutèrent un peu avant de monter dans la chambre où ils firent l'amour tendrement. Ludivine avait appréhendé ce moment. Même si elle n'avait pas été physiquement violée, les motivations de l'homme nu et la mort qui l'avait frôlée l'avaient verrouillée mentalement et elle craignait de ne pas supporter qu'on la touche sans frémir et pleurer. Ce ne fut pas le cas. Au contraire, elle se surprit à s'abandonner tout entière à l'extase, détachant ses pensées du monde, donnant son corps puis le reprenant pour en jouir secrètement une première fois, comme un galop d'essai, et avec Marc ensuite. Une nuit suave, réconfortante, qui passa de la touffeur sexuelle à la fraîcheur de l'hiver, les incitant à se serrer, à fusionner dans le sommeil, à se respirer, jusqu'à ressentir le manque l'un de l'autre, de sa peau, à peine levés.

Le lendemain matin, Marc préparait le café dans la cuisine ouverte sur le salon, et Segnon était là.

— Guilhem est parti à l'IML pour superviser les prélèvements d'ADN du macchabée, dit-il. Je crois qu'il voulait le voir. Pour digérer sa frayeur.

— Seul ? s'inquiéta Ludivine.

— Magali l'accompagne.

— Vous avez pu récupérer quelque chose sur place ? demanda Marc.

— Les TIC sont dans les décombres en ce moment même, Ben et Franck, des collègues de la SR, sont sur place. J'en saurai plus dans la matinée mais ça s'annonce mal, tout a cramé.

— Vous allez faire l'entourage du mort ?

— On attaque par ça. Il avait également signalé un numéro de téléphone au SPIP et à Pôle emploi, alors on va travailler sur les appels, SMS et connexions Internet pour voir si ça crache quelque chose, sans trop rêver.

— Vous avez le nom de l'opérateur téléphonique ?

— Pas encore regardé, répondit Segnon, pourquoi ?

— Ben, espérons qu'il est chez un de ceux qui nous permettent d'interroger les cellules pour savoir si un téléphone en particulier les a accrochés, comme ça même s'il n'a pas appelé on pourra le géolocaliser pour ces dernières semaines.

Ludivine approuva mais nuança :

— Tous les membres du groupe de Fissoum ont pris leurs précautions, je doute que celui-là ait fait une erreur.

— Il n'a pas été formé par Fissoum, c'était un contact de Brach. Son empressement hier soir témoigne de sa maladresse. De toute façon, si à un moment on a pas un peu de bol on y arrivera pas. Je m'occupe de la téléphonie pendant que vous êtes sur le terrain.

Ludivine et Segnon validèrent et ils avalèrent leur café avant de se lancer sous un ciel de plomb. L'automne avait pris son temps pour s'installer mais il semblait vouloir récupérer tout son retard, singeant les prémices d'un hiver rigoureux.

Un peu plus bas sur le boulevard, les décorations de Noël avaient été installées sur les arbres et cela mit un coup de pression à Ludivine. Marc craignait que la cellule agisse avant les fêtes de fin d'année mais pour la jeune femme c'était au contraire un moment propice, à la portée symbolique parfaite. Frapper le jour de Noël. Frapper dans les cœurs.

Des affiches électorales tapissaient les murs un peu plus loin, des slogans provocateurs et racistes tagués sur la plupart.

— Ça va mal finir, murmura-t-elle, dépitée.

— Non ma Lulu, on va les serrer avant.

— Je parlais pas de ça, mais du pays, du monde.

— Qu'est-ce qui t'arrive ?

— Tu vois pas le parallèle qu'on peut faire entre l'islamisme qui prend le pouvoir et nos pays occidentaux blasés par la politique ? Regarde ceux de Daech ou tous les salafistes dans leur genre qui clament que les pays arabo-musulmans ont déjà tout essayé, de l'asservissement colonial à des régimes indépendants, démocratiques mais corrompus par les valeurs modernes, aux régimes dictatoriaux, et qui prétendent que rien n'a fonctionné. L'unique période de l'histoire où leur peuple a prospéré et même dominé une partie du monde, c'est lorsqu'ils obéissaient aux valeurs essentielles du Coran, et c'est pourquoi les islamistes affirment que seule leur constitution est valable. Lorsqu'ils l'ont fait, en moins de deux siècles, ils ont conquis les territoires de l'Inde jusqu'à l'Atlantique. En moins de deux siècles, à une époque où on se déplaçait à cheval... Voilà ce que rappellent les islamistes. Leur pouvoir, c'est le Coran et rien d'autre. « Revenez aux bases et Dieu nous portera à nouveau. » Et dans le même temps, que se passe-t-il en Europe ? Les partis d'extrême droite prospèrent. Et de quelle manière ? Exactement avec le même discours ! Ils affirment eux aussi que nous avons déjà tout essayé et que ça n'a pas fonctionné, ni la gauche, ni la droite, ni même le centre, et qu'il est temps d'oser le vrai changement, de ne plus avoir peur de revenir aux sources de nos valeurs occidentales. Jusqu'à quel point ? Cette ressemblance dans l'excès me fait flipper, dans les deux cas la frustration et la peur prennent le contrôle sur la raison. Nous sommes dans un choc des cultures, et chacun réagit de la même manière en se repliant sur soi. Nos différences, plutôt que de nous enrichir mutuellement, nous éloignent un peu plus à chaque attentat et personne ne bouge.

— C'est pas vrai, il y a des gens qui se lèvent pour parler de fraternité, d'intelligence, de tolérance, d'amour... Regarde les manifs gigantesques après les attentats ! Si ça c'est pas un message collectif...

— Quand le pays est choqué il se remue, mais laisse le quotidien reprendre ses droits et attends de voir les élections... Je te jure, Segnon, ce monde est en train de perdre tous ses repères. Il se casse la gueule parce qu'il a peur.

Le grand colosse d'ébène lui passa la main dans le dos, comme un grand frère.

— Tu viens de me détruire le moral, merci.

La journée entière fut à l'aune de cette matinée déprimante. Morose, sans fin et peu concluante. Ils retrouvèrent le père de Sid Azzela – sa mère étant décédée depuis des années – et lui annoncèrent qu'ils pensaient que son fils était mort la nuit précédente, ce qui ne sembla pas le terrasser outre mesure. Les deux hommes n'avaient plus beaucoup de contacts et le père ressemblait à un bloc compact ne laissant transpirer aucune émotion. Les gendarmes prélevèrent sa salive à l'aide d'écouvillons en vue d'une comparaison ADN avec le cadavre brûlé puis, avec son accord, jetèrent un coup d'œil à son appartement. Rien n'indiquait en effet que le vieil homme partageât son toit avec une autre personne. Ensuite, ils prirent contact avec les quatre autres enfants Azzela, et purent en rencontrer trois qui manifestèrent cette fois davantage leurs émotions. Ludivine insista pour préciser qu'ils n'en étaient qu'à suspecter le décès de leur frère, sans en avoir la confirmation encore, et ils en profitèrent pour poser quelques questions. Aucun ne partageait l'extrémisme religieux dans lequel s'était plongé Sid depuis son séjour en prison, même si un de ses frères le comprenait. Il allait un peu mieux ces derniers temps, il portait à nouveau des vêtements autres que sa djellaba, il montrait une attitude plus ouverte, même si pour ceux qui le connaissaient depuis sa naissance il était évident qu'il y avait un problème. La *taqiya*, songea Ludivine, l'art de la dissimulation, sauf que Sid ne la maîtrisait pas bien face aux siens. Aucun membre de sa famille n'avait eu de contact véritablement poussé avec lui depuis sa sortie de prison, il passait les voir par politesse mais rien de plus. Il se repliait sur lui-même depuis plusieurs mois, mal dans sa peau, c'était évident malgré sa volonté d'afficher un look occidental. Et personne n'avait su quoi faire, comment réagir, priant pour que ça lui passe tandis qu'ils étaient happés par leur quotidien déjà bien assez éreintant comme ça.

Une des sœurs avait insisté pour que les gendarmes repartent avec un ballotin de pâtisseries orientales qu'elle avait confectionnées. Ludivine s'apprêtait à les jeter en sortant de l'immeuble lorsque Segnon l'en empêcha :

— Sérieux, Lulu, tu déconnes ? Elle s'est donné du mal pour les faire, tu peux pas lui manquer de respect comme ça.

— Depuis quand on accepte des cadeaux de nos témoins ?

— C'est pas un cadeau, c'est de l'hospitalité, elle est généreuse, c'est tout. Les Marocains ils sont comme ça, tu sors pas de chez eux l'estomac vide ! plaisanta-t-il.

— Et si elle cache bien son jeu ? Si elle est radicalisée elle aussi avec pour but de tuer du flic ? Qui te dit qu'elle n'a pas empoisonné ses pâtisseries avant de nous les donner ?

— Tu deviens parano là. Ses gosses en mangeaient devant nous. Allez, donne-moi ça, j'ai la dalle, on a pas déjeuné, je te rappelle.

Ludivine regarda Segnon se délecter avec une boule au ventre. Et c'est dans un silence contrarié qu'ils poursuivirent leurs investigations.

Sid avait très peu revu ses anciens amis de la cité, ceux qu'il avait avant de partir en prison pour trafic de drogue. À peine quelques visites de courtoisie là aussi, et la plupart d'entre eux n'étaient pas du genre coopératif avec les forces de l'ordre.

Faire l'entourage de Sid Azzela ne donnait rien.

Lorsque les deux gendarmes rentrèrent à la caserne en fin de journée, le colonel Jihan leur ordonna de prendre leur dimanche pour souffler. Ils tournaient en rond. Il fallait qu'ils respirent, rien qu'un peu, pour revenir avec un regard plus frais.

Le soir même, Segnon et Laëtitia improvisèrent un dîner chez eux, insistant pour que Ludivine vienne avec Marc. Il y avait Guilhem et Maud et ils trinquèrent autour d'une pierrade en attendant Marc qui ne les rejoignit qu'en milieu de repas, confus. La DGSI ne lâchait rien, mais il refusa d'en dire plus.

Un dimanche calme, le marché de Pantin le matin, déjeuner de légumes frais, puis repos face à la cheminée, entre livres, musique et attente, car Marc reçut un message en milieu d'après-midi et dut partir à Levallois, promettant à Ludivine de la tenir au courant.

Il rentra en début de soirée, le visage fermé. Ceux des derniers suspects contre lesquels il n'y avait aucune preuve devaient être relâchés, les six jours de garde à vue en cas de risque avéré d'attentat s'étaient écoulés.

— Je peux te poser une question débile ? demanda Ludivine.

— Vas-y.

— Les services secrets français utilisent parfois la torture ?

— Tu plaisantes ? On est pas dans un film ! Bien sûr que non. Je ne te dis pas que la DGSI ne brusque pas un peu ses clients de temps en temps, on peut parfois aller loin pour foutre une peur bleue à quelqu'un, mais ça s'arrête là.

— Même lorsque la vie de centaines de citoyens est en jeu ?

— De toute façon, la torture ne donne rien. Rien du tout. Sous l'emprise de la souffrance, une personne te dira tout ce que tu veux qu'elle te raconte, même des conneries si nécessaire, du moment que ça s'arrête. Et puis... nous ne sommes pas des psychopathes, ajouta Marc. Je suis un flic, comme toi, habilité secret défense, mais c'est tout. T'imagine pas tout un tas de trucs sordides, c'est dans la fiction tout ça.

Ludivine se sentit rassurée, sur lui, sur son pays, elle ne voulait pas envisager qu'il soit à ce point un autre par moments, détaché de son humanité. Pas lui.

En attendant ils n'avaient rien.

La question qui hantait désormais les couloirs de Levallois était de savoir s'il fallait diffuser les portraits d'Abel Frémont et Moussa Bakrani et rendre publique l'affaire, au risque de pousser les terroristes à précipiter leur attaque s'ils se sentaient sur le point d'être arrêtés, ou poursuivre sur la voie discrète dans l'espoir de resserrer l'étau avant qu'ils ne soient prêts.

L'option du secret fut privilégiée pour encore quelques jours. Il fallait qu'elle paye, d'une manière ou d'une autre.

Ludivine s'endormit difficilement. Elle n'arrivait pas à décrocher. Comment se détendre lorsqu'on sait que des hommes s'apprêtent à tuer, à semer la terreur, et que des vies sont en suspens, dépendant d'une erreur d'un des deux camps ?

Elle fut réveillée en sursaut par le téléphone portable de Marc.

La DGSI.

Ils ne dormaient donc jamais ? ronchonna-t-elle.

Marc écouta et raccrocha sans un mot, taciturne comme souvent.

Mais il se leva.

— Habille-toi, dit-il. Il s'est passé quelque chose.

59.

Même salle de réunion impersonnelle, même duo fatigué.

L'informaticien de la DGSI brancha son ordinateur aux écrans de la pièce comme deux jours plus tôt et afficha une carte de Paris et de sa grande banlieue.

L'analyste prit la parole d'une voix enrouée qui trahissait l'épuisement :

— Voici les données téléphoniques de Sid Azzela. Sur le premier filtre, ce sont les points de présence lorsqu'il a appelé ou reçu des appels, idem pour les SMS.

D'un geste de la main il demanda à ce qu'on passe à la suite, et l'écran enchaîna des points d'une autre couleur, suivis de flèches qui les reliaient pour tracer des trajectoires, des dizaines et des dizaines puis des centaines. À chaque fois un compteur marquant date et heure s'égrenait, indiquant que le logiciel accélérait le temps pour passer en revue l'ensemble des données collectées.

— Là ce sont ses déplacements. À chaque fois qu'une cellule de l'opérateur téléphonique a été accrochée par le mobile. Ce ne sont pas ses appels, mais les mouvements du téléphone, en supposant que ce soit bien lui qui l'ait détenu, bien entendu.

Ludivine avait le sentiment d'un grand déjà-vu, le même topo qu'avec Anthony Brisson, et elle réalisa à quel point nos vies étaient dépendantes de la technologie. Ce n'était plus un artifice ou une option, les portables étaient la clé d'accès permanente au monde virtuel parallèle au nôtre, celui d'Internet, des e-mails, des réseaux sociaux, devenus en peu de temps aussi indispensables et naturels qu'une ombre à sa silhouette. Elle trouva aussitôt cette analogie parlante. Cela voulait-il dire que pour elle la vie était la lumière, le virtuel les ténèbres ? Il était toutefois cocasse de constater à quel point tout le monde était accro à son portable. Même les criminels. Ne pas en avoir sur soi, ne pas être joignable était déjà presque suspect, la preuve d'une préméditation.

— Sid s'est rapproché de lieux ou de personnes qu'on a fichés ? interrogea Marc.

— On ne sait pas encore bien ce qu'il a fait, sinon beaucoup circuler comme vous pouvez le constater. Énormément même. C'est un cauchemar à quadriller. Était-il en repérage ? Nous allons répertorier toutes les trajectoires et les corréler au temps passé sur place à chaque fois pour vérifier s'il n'y a pas des endroits qui pourraient constituer des cibles intéressantes, ou des planques. Mais c'est un taf de titan.

L'informaticien intervint :

— Ce qui a attiré notre attention, ce sont deux ruptures du faisceau, là, et... là. À quelques jours d'intervalle, deux endroits différents, dans le 93 ici la première fois, et pas loin de Roissy la seconde.

— L'aéroport ? demanda Ludivine.

Voilà qui ressemblait à une cible pour un groupe terroriste.

— Presque. En affinant, comme vous allez le voir, nous sommes parvenus à pointer le centre commercial d'Aéroville.

Un autre objectif probable.

— La rupture de faisceau, ça indique quoi exactement ? insista-t-elle. Qu'il a coupé son téléphone ?

— Oui. On perd son signal les deux fois pendant un peu plus d'une heure.

— Peut-être parce que les deux fois il n'avait plus de batterie.

— Possible, mais nous nous devions de vérifier qu'il ne le coupait pas par sécurité.

— Comment savez-vous qu'il s'est arrêté là et qu'il n'a pas été plus loin pendant ce temps ?

— À cause des images.

L'homme pianota sur son ordinateur et un montage de quatre vidéos apparut sur les écrans. L'analyste prit le relais :

— Nous avons défini un rayon de la zone de déplacement possible pendant la durée d'invisibilité digitale. À partir de là les équipes ont été sur le terrain pour identifier et récupérer toutes les bandes des caméras de surveillance. Celles des villes équipées, des banques, des commerces, et ainsi de suite. Nous avons décortiqué l'ensemble en nous focalisant sur le créneau horaire des deux jours qui nous intéressaient, et en élargissant au fur et à mesure.

— Vous savez ce qu'il a fait ? Vous l'avez en vidéo ? s'excita Ludivine.

— Hélas non. Il s'est probablement rendu dans un endroit sans caméra, suite à un repérage en amont. Par contre, dans cette montagne de données nous sommes parvenus à extraire une coïncidence. Et vous savez, nous ici, nous n'aimons pas les coïncidences.

— C'est-à-dire ?

L'informaticien chargea les vidéos concernées. Des vues de rues, mal cadrées la plupart du temps, d'une définition médiocre – les caméras ayant besoin de stocker des centaines d'heures, les disques durs ne pouvaient se permettre de contenir des images très définies, beaucoup trop lourdes en informatique.

— Là !

L'image se verrouilla sur une petite citadine grise. Un deuxième film défilait à côté avant qu'il ne stoppe à son tour sur le même véhicule dans un autre décor, la sortie d'un parking.

— La première bande correspond au secteur où nous avons perdu le signal téléphonique de Sid Azzela la première fois, dans le 93. La deuxième c'est...

— Quelques jours plus tard, lorsqu'il allait en direction de Roissy, comprit Ludivine. La même bagnole.

— Exact. En fait ce n'est pas lui.

— Quelle probabilité pour qu'une personne qui n'a rien à voir avec nos terroristes circule à proximité de Sid Azzela à deux reprises en quelques jours sur deux secteurs différents ?

— Elle existe mais elle est faible.

— Vous avez vérifié s'il n'était pas sous surveillance policière au moins ? Si ça se trouve, il est pisté par les Stups !

— C'est fait et c'est pas le cas.

Ludivine se frotta les mains. Ironiquement, c'était en voulant ne laisser aucune trace que Sid Azzela les avait guidés vers ce qu'ils ne devaient pas voir.

— Lorsque le type sort du parking là, on ne voit pas sa gueule, il se planque, vous l'avez en mieux ensuite ?

— Non, il est malin, toujours invisible.

— Et la plaque est lisible sur une de vos images ? demanda-t-elle, soudain prise d'un doute. On dirait qu'elle est étrangère.

— Pas évident parce qu'elle est couverte de boue, nous pensons que c'est fait exprès. Mais avec un programme adapté on parvient à agrandir et combler une petite partie du manque de définition. Bon, c'est pas comme dans les films, entendons-nous, mais c'est assez pour se faire une idée avec une marge d'erreur assez faible. Sur les parties les plus indistinctes nous avons décliné toutes les possibilités pour aboutir à trente-sept plaques possibles. Toutes passées à la moulinette, et nous avons identifié la bonne.

— Qui donne quoi ? fit Marc, impatient.

— Un loueur italien, à Bari.

C'était TZ. Terroriste Zéro. Le leader, la souche. Ça ne pouvait être que lui. Bari était un port dans le sud de l'Italie, un lieu de transition, de commerce. Parfait pour débarquer discrètement de Turquie, d'Égypte ou même de Libye. C'était le chef de toute la cellule qui avait donné ses instructions finales à Sid Azzela, c'était lui dans la citadine grise.

— Beau travail, messieurs, les félicita Marc.

— Nous avons supervisé mais c'est la team de Mickaël qui n'a rien lâché. Ils y étaient tous, non-stop depuis hier matin.

— Vous avez des contacts avec les flics là-bas ? fit Ludivine qui ne tenait plus en place.

— Déjà fait. Vous savez, on critique pas mal la coopération des services de renseignement européens, mais parfois ça fonctionne vite et bien. Parfois. L'employé qui était présent sur place ce jour-là a été extirpé de chez lui cet après-midi pour répondre à nos questions. Et la photocopie du permis de conduire qui a été utilisé lors des démarches nous a été envoyée.

— Vous avez son visage ?

Ludivine se doutait qu'un homme aussi prévoyant et prudent avait utilisé un faux document, que le nom ne les mènerait nulle part, mais sa photo, elle, était un précieux sésame vers son identification. Le coup de pouce dont ils avaient besoin.

— L'employé essaye de faire un portrait-robot mais il ne se souvient presque plus, et la caméra sur place ne donne rien apparemment, l'homme prend soin de se tenir à l'écart ou de dos à chaque fois

— Oui, mais la copie du permis, elle donne quoi ?

— En fait c'est une femme.

— TZ ? Une femme ?

— Le permis est celui d'une nana en Serbie, et après vérification il est bidon. Mais l'employé est formel, c'était un homme face à lui. Il se souvient vaguement que le type était pressé, que sa femme réglait une histoire de valise perdue et qu'elle était de très mauvaise humeur, alors elle ne pouvait pas les rejoindre tout de suite. L'employé a fait le dossier quand même et, ne voyant pas la dame arriver, face au désespoir du client et manquant de temps, il lui a filé les clés.

— Putain… lâcha Ludivine en se couvrant le visage des mains.

— Oui, comme vous dites. Le mec en face l'a berné en jouant sur la carte du mari sous pression, solidarité masculine, tout ça. Un bon.

— C'est lui, aucun doute, résuma Ludivine. Aussi habile, c'est lui, c'est TZ. Donc nous n'avons rien ?

— Sur son identité ? Même pas le début d'une piste, sauf qu'à première vue ça corrobore la description générale qu'on s'était déjà faite de lui. Taille, morphologie. L'employé croit se souvenir qu'il était bronzé, genre méditerranéen ou peut-être proche-oriental.

— Il a bien payé la location avec une carte, non ?

— Oui mais le compte est à l'étranger, en Sierra Leone, ça va être coton pour le dépouiller, et vu le professionnalisme du bonhomme, tout sera bidon autour de l'identité du titulaire, mais on est dessus quand même. Nous ne négligeons rien.

— Et la bagnole, on sait ce qu'elle est devenue ? questionna Marc.

— Elle a été rendue il y a une semaine à peine, à l'agence de l'aéroport Charles-de-Gaulle. Clés déposées dans la boîte, sans signer le bon d'état.

— Témoignages, caméras, on a quoi sur place ?

— Six des nôtres y étaient tout à l'heure pour essayer d'en savoir plus, mais le mec a été prudent jusqu'à présent, je présume qu'on ne trouvera rien. À tous les coups il a nettoyé l'intérieur de fond en comble, et depuis la bagnole a été relouée.

— Il faut éplucher tous les taxis sur zone ce jour-là. Il a eu besoin de repartir.

— Prévu. Idem avec les cams de surveillance des transports en commun, sauf qu'on ne sait pas trop qui chercher, des types à peine visibles avec une casquette ça ne manque pas, et je vais vous dire : il est tellement malin qu'il aura encore changé de look. Il nous baise à chaque fois.

— Et pour la période où il conduisait la bagnole de loc, on peut remonter jusqu'où avec elle ?

— J'attends les infos de l'agence, ils équipent tous leurs véhicules d'un traceur GPS.

— TZ l'aura détruit, je ne me fais aucune illusion.

— On va lancer les péages, prévint l'analyste, les caméras d'autoroute tout ça, mais c'est un bordel sans fin et là, pour le coup, on va devoir partir un peu au pif, donc ça sera long. Très long.

L'informaticien compléta :

— Je vais mettre les douanes dessus, pour les éco-taxes.

Marc pivota vers Ludivine pour lui expliquer :

— Tu te rappelles les portiques écotaxe qui ont été implantés un peu partout sur les routes de France ?

Le fiasco ? Les routiers qui manifestent et le gouvernement qui recule ? Maintenant ils ne servent plus à rien ces trucs, si ?

— Ils devaient servir à flasher automatiquement les plaques des camions pour calculer leur itinéraire et le montant de la taxe à payer. Tu ne t'es jamais demandé pourquoi la plupart n'ont pas été démontés depuis ?

— Vous ? s'étonna la jeune femme.

— Surtout les douanes en fait. Pour surveiller les camions avec des marchandises suspectes. Suivi d'itinéraire, vérification de présence. Il en reste environ cent soixante-dix sur tout le territoire et il a suffi de légères modifications techniques pour les adapter.

L'informaticien enchaîna :

— Nous allons leur filer la plaque et ils vont regarder si les portiques ont repéré la voiture sur nos routes. C'est informatique, ça sera plus rapide que de visionner des milliers d'heures de bandes vidéo.

— On peut espérer une réponse quand ? demanda Ludivine.

— Même nous, un dimanche soir à une heure du mat' on ne peut pas faire des miracles. Mais rapidement, c'est sûr.

Ludivine se frotta les cheveux, les paupières fermées, renversée en arrière dans son fauteuil.

Ils se rapprochaient de lui. Pas à pas.

Ils étaient sur ses talons. Finalement, il n'était peut-être pas aussi infaillible que ça. C'était impossible. Un homme seul face à tous les moyens d'un pays ne pouvait tenir éternellement.

Encore un tout petit peu de temps et ils l'auraient, elle en était sûre.

Encore un peu de temps.

Le bien le plus précieux pour tant de vies.

60.

Le secret de la réussite résidait dans le cloisonnement. Celui de chaque intervenant, mais également
celui des lieux.

Djinn disposait de sa base, de sas, et de sa planque
secondaire. Le sas était son rituel obligatoire. Toujours.
S'il devait quitter sa longère à la campagne, alors il
passait toujours par un sas. Celui-ci prenait généralement la forme d'un parking avec deux sorties. Il en
avait dressé toute une liste selon les zones où il devait
se rendre. Il y entrait pour rapidement ressortir à l'opposé, puis il guettait pour vérifier quels véhicules sortaient à sa suite. Dès lors, il s'assurait qu'aucun d'eux
ne le prenait en chasse. S'il avait bien fait les choses,
chaque sas aurait contenu un second véhicule, pour lui
permettre de brouiller les pistes, mais il n'avait pas le
temps d'en acheter plusieurs sans laisser de traces et
d'aller les disposer un peu partout, ce serait prendre
un risque qu'il ne voulait pas s'autoriser, la manœuvre
en soi lui suffisait. Son équipe procédait de même. Une
base et une planque secondaire.

L'échéance ultime approchant, Djinn avait décidé qu'il était temps de sacrifier cette dernière pour le stockage.

Il avait roulé pendant plus de deux heures avant de s'engager dans la petite rue de cette banlieue nord où il avait rendez-vous. C'était la quatrième et dernière fois qu'il venait. Il n'aimait pas cette répétition, encore moins le contact, mais il n'avait pas le choix. Lui avait eu les moyens et la possibilité de fabriquer la bombe sans attirer l'attention, son équipe avait la charge de ne surtout plus exister, passer sous les radars afin d'être libre d'agir au moment voulu. Le cloisonnement là encore. Chacun son rôle.

Il avait pourtant bien fallu qu'ils se croisent pour procéder à la livraison. Plus question d'intermédiaire, il y en avait déjà eu bien assez, et cette fois c'était trop important pour confier cette opération à un autre que lui. De toute façon, Djinn estimait qu'à présent ils avaient bien trop d'avance pour qu'on puisse les arrêter. Personne ne savait qui il était ni où son équipe se terrait. Par mesure de précaution, il allait redoubler de vigilance et prendre des mesures drastiques. Il entrait dans la dernière partie de son action, il devait s'y préparer.

Djinn gara sa camionnette sur une place disponible à moins de vingt mètres de la porte coulissante de l'ancien garage de carrossier, il y avait beaucoup à décharger alors mieux valait ne pas être trop loin. Il savait que l'intérieur du garage était déjà bien encombré, impossible d'y rentrer la camionnette.

Trois des garçons sortirent dès qu'il s'annonça, ils étaient prêts.

À l'arrière du véhicule écrasé par le poids de sa charge, ils découvrirent des cartons empilés bien serrés. Tous numérotés à la main, une précaution de Djinn pour recompter après la livraison, ne surtout pas en égarer un, avec quelques mots inscrits au marqueur, bien visibles, comme « Cuisine », « Chambre » ou « Salon » pour crédibiliser leurs allers-retours si des passants assistaient au petit manège. Rien n'attirait moins l'attention qu'un groupe de garçons en plein déménagement.

Ils s'y mirent avec entrain, sans un mot, et terminèrent en moins d'une heure. Ils transpiraient, chaque carton contenant plusieurs kilos de la pâte explosive.

Abel fit coulisser la longue porte en fer pour les enfermer.

— Tout l'explosif est à présent là, et je vous ai déjà fourni les détonateurs, dit Djinn. C'est l'estafette ?

Un fourgon blanc occupait une partie du petit garage, à côté d'un 4 × 4 BMW rutilant.

— Oui, répondit Moussa. Les gilets et le matos de travaux publics sont dedans. On devrait pouvoir tout placer en quatre voyages.

— Abu Youssef est prêt ? demanda Djinn.

— Marco ? Il a fait tout ce que vous vouliez. Il a mis huit mois à se faire engager, mais c'est bon maintenant, il a bossé comme un chien, il a montré ce qu'il savait faire.

— Il a gagné la confiance de ses employeurs ?

— Grave. Il picolait avec eux pour les mettre à l'aise. Ils l'ont à la bonne, ils se doutent de rien.

— Les repérages ?

— *Tout est bon je vous dis. Il s'en est occupé et nous a donné les instructions, on a tout le matos, on s'y colle dès cet aprèm. On a les tenues, les panneaux, tout pour faire illusion. Marco, pardon, Abu Youssef nous a filé des ordres d'intervention, ça pourra faire l'affaire si on se fait contrôler mais normalement ça n'arrive jamais, les keufs ont autre chose à foutre que de surveiller les travaux de voirie. Le fourgon a été préparé, une trappe coulissante dans le plancher, on aura qu'à se garer au-dessus de la plaque d'égout, on sait lesquelles sont descellées et par où passer. On descend, on fait la chaîne et on place les charges.*

Djinn était satisfait de la discipline avec laquelle ils connaissaient le moindre détail du plan, mais il voulait se faire répéter chaque phase pour s'assurer qu'il n'y aurait aucun oubli. Tout avait son importance dans une action aussi complexe.

— *N'oubliez pas de laisser les cartons de transport sur le dessus après les avoir imbibés d'ammoniaque,* insista-t-il, *les chiens détecteurs d'explosifs ne feront pas la différence avec les odeurs des égouts.*

— *Ouais, on sait. Ensuite on va cramer le fourgon dans un champ loin de Paris pour laisser aucune trace. De notre côté ça va le faire. Y a plus qu'à prier Allah pour que ça marche.*

— *Ne t'inquiète pas pour ça. Les Français sont trop prévisibles. Ils feront exactement ce qu'on attend d'eux. Vous avez donné à Abu Youssef l'arme pour qu'il puisse faire ce qu'il faut s'il venait à être repéré ?*

— *C'est bon aussi, ils l'auront pas vivant.*

— *Et vous ?*

— On a tout. Ahmed est passé par son contact pour récupérer les guns et les munitions, ça vient des Balkans, c'est un trafic rodé, de la bonne came.

— Vous avez été livrés quand ?

— Il y a six mois, comme prévu.

— Bien. Si la police vous avait repérés à l'époque, vous ne seriez pas là ce matin depuis le temps.

Abel leva la main pour prendre la parole comme s'il était en classe.

— Euh… c'est sûr qu'on ira au paradis ? Parce que moi je croyais que le suicide était interdit dans le Coran ?

— Le Coran ne parle pas du suicide, les hadiths le font, mais tu ne te suicides pas si tu meurs pour Allah en emportant les kuffâr, tu seras alors un shahid, et tu le sais, soixante-douze vierges attendent les martyrs au paradis. « Quiconque entre au paradis ne voudra pour rien au monde revenir ici-bas, sauf le martyr qui désirera revenir en ce monde et être tué dix fois pour le grand honneur qui lui a été accordé. » Ta vie ici est un test, seule la mort sera éternelle et grandiose pour ceux qui l'ont méritée. Pourquoi attendre et pécher davantage encore, au risque de te voir condamner pour l'enfer alors que tu peux t'ouvrir les portes de la jouissance à jamais ? Tu le feras pour toi, pour l'oumma, tes frères musulmans, pour sauver nos enfants de l'oppression occidentale qui est l'œuvre du sheitan, le diable, pour que la loi islamique prospère un jour comme il se doit, comme c'est écrit, et tu le feras pour Dieu. Les infidèles ici vous appelleront « terroristes, radicaux », mais vous êtes en réalité des privilégiés, vous avez pris conscience de l'état de notre monde, *et obéissant à l'unique loi qui soit, la charia, vous êtes devenus des moudjahidin. Soyez fiers de cet honneur, et méritez-le en allant jusqu'au bout. Alors vous aurez réussi le test de votre passage ici-bas, alors vous serez récompensés pour toujours par Allah. Prouvez que si les mécréants aiment la vie, nous, nous aimons la mort.*

Abel parut rassuré, il acquiesça vigoureusement avant qu'une nouvelle question ne lui vienne :

— Et... je me demandais... vous, en fait, vous serez où ? Je veux dire : quand on va y aller.

— Lorsque vous, les cavaliers d'Allah, sèmerez la terreur dans la chair et les esprits des mécréants, moi je serai l'archer qui plante la flèche droit dans le cœur de l'ennemi. À nous tous, mes frères, nous allons les mettre à genoux.

Moussa approuva avec entrain. Abel, lui, semblait un peu plus sceptique. Il se pinça les lèvres plusieurs fois, hésitant.

— Vous pensez que ça va marcher ? osa-t-il enfin.

Djinn le gratifia de son sourire de serpent, cajoleur et hypnotique.

— Bien sûr, mon ami. Non seulement nous allons réussir plus spectaculairement que nombre de nos prédécesseurs, mais en plus nous ouvrirons la voie à des centaines d'autres. Notre action est grande et il en faut pour perpétuer la dynamique. Il y a eu le 11-Septembre, il y aura nous. Des modèles, des sources d'inspiration, plus encore : une nécessité pour pousser les nombreux indécis à se lancer à leur tour. Une action complexe et symbolique engendre des centaines de « loups solitaires », comme ils les appellent, qui par

leur nombre, leurs actes répétés, provoqueront une terreur sans fin. Nous serons glorifiés à jamais pour cela.

Les garçons se prirent par les épaules, galvanisés par les mots et le ton de Djinn qui les observait avec un sourire en coin. Puis Moussa désigna le bout du garage :

— Nous serions fiers de faire la prière avec vous.

Djinn regarda l'heure. Il était là depuis trop longtemps à son goût, mais le jeune insistant, il accepta. C'était la dernière fois qu'ils se voyaient dans ce monde, il pouvait bien en profiter un peu. Et puis c'était l'occasion de remercier Dieu pour Sa miséricorde et de Lui promettre qu'ils seraient bientôt tous à Ses côtés.

Ils allaient célébrer Son nom et Sa gloire avec des lettres de sang.

Et Son nom était si beau qu'il n'y aurait pas assez de sang dans tout ce pays.

61.

La nuit la narguait en lui arrachant le fil du sommeil dès que Ludivine tentait de s'en emparer. Il lui glissait entre les doigts et elle ne faisait que courir mentalement pour essayer de le rattraper.

Les heures défilaient et elle devinait le petit matin qui se profilait lentement. Nuit blanche.

Noire pour moi.

Noire de pensées.

— Tu n'arrives pas à dormir ? chuchota Marc, paupières ouvertes.

— Pardon, je bouge trop ?

Il plissa les lèvres pour lui signifier que ça n'avait aucune importance.

— Je ne crois pas que je pourrais faire ton métier, avoua-t-elle tout bas. Cette pression permanente...

— On finit par s'y habituer.

— Je sais pas... Cette culpabilité dès que je me repose, c'est comme une course contre moi-même... Si ces fous passent à l'action et qu'il y a des morts, je ne pourrai jamais me le pardonner.

— Tu as traqué des monstres dans ta carrière, et ils tuaient pendant que tu les cherchais. Tu as assumé. Ce n'est pas ta faute, même si tu peux te reprocher de n'être pas allée assez vite pour les en empêcher, au moins tu les poursuis et un jour tu les arrêtes. Il m'arrive souvent de songer aux vies que je n'ai pas pu sauver, dans ces moments sombres j'essaye d'imaginer toutes celles que nous avons épargnées ensuite. C'est dur. Mais c'est mon rôle. Il en faut des comme toi et moi, pour protéger la société.

Ludivine savait qu'il avait raison. Elle se considérait elle-même comme une *veilleuse* contre le Mal tandis que le commun des mortels déroulait la pelote des jours sans rien voir des monstres qui rôdaient à la lisière de l'ombre.

Elle se tourna pour fixer le plafond.

— Je préfère mes fous aux tiens. Je les comprends mieux.

— La majorité des terroristes ne sont pas dingues, c'est ce qui les rend d'autant plus effrayants. Des paumés, des ratés, des manipulés, des frustrés, des convaincus, mais pas des malades. Ils ont un état-major, un plan, au-delà de chaque action terroriste, ils ont une vision d'ensemble, une stratégie.

— Tu en parles comme d'une guerre.

— Dans plusieurs décennies, les livres d'histoire enseigneront que la Troisième Guerre mondiale a débuté le 11 septembre 2001.

— Troisième Guerre mondiale ? Carrément ? Tu le penses vraiment ?

— Elle a pris une forme différente de celles que nous connaissions, mais c'en est une. Avec ses zones d'affrontements militaires, en Irak, en Syrie, au Mali, en Somalie, au Yémen... Mais aussi avec ses attaques délocalisées, les attentats en France, en Belgique, en Angleterre, en Espagne, aux États-Unis, en Libye, en Indonésie, en Afghanistan, au Pakistan et ainsi de suite. Nous vivons en état de siège permanent, mais nous nous y habituons. L'armée patrouille dans nos rues, nos gares, surveille nos écoles ; nous sommes fouillés dès que nous voulons nous rassembler quelque part, mais c'est devenu presque normal à nos yeux. Nous savons que ça peut péter à tout moment, la menace est omniprésente, on y pense dans le métro, les fêtes publiques ou les trains, dans les magasins. Au début la peur était là, bien viscérale pour la plupart d'entre nous, puis nous nous sommes adaptés, exactement comme des gens en état de guerre. Nous vivons avec. L'homme a une faculté surprenante à se faire à tout. Notre vie est celle d'un monde en guerre. Notre vocabulaire aussi. Même les terroristes parlent d'eux comme de résistants face à l'occupation occidentale...

— Oui mais parler de guerre mondiale, tout de même...

— Nos adversaires sont en ce moment l'État islamique en Syrie et en Irak, mais aussi Boko Haram en Afrique centrale ou les shebabs dans la corne de l'Afrique, ainsi qu'Aqmi au Maghreb. Il y a également les talibans, dont on parle moins mais qui sont toujours aussi présents entre l'Afghanistan et le Pakistan, l'émirat du Caucase du côté de la Russie,

Abou Sayyaf en Asie et ainsi de suite... Des petites nations islamiques se sont constituées, des centaines de milliers d'hommes et de femmes armés à travers tout le globe ou presque. Et notre coalition pour les affronter regroupe une soixantaine de pays qui se battent depuis des années maintenant, et ça va durer. Autrefois le GIA, puis Al-Qaida, maintenant Daech et demain un autre encore, les noms changent mais l'idéologie demeure. Excuse-moi, mais moi j'appelle ça un affrontement mondial avec des armées et des civils au milieu qui meurent de chaque côté. Qui sait jusqu'où ça ira ?

Ludivine fixait une tache au plafond. Elle écoutait les mots de son compagnon qui parlait à voix basse, et plus elle contemplait la tache, plus celle-ci lui semblait coloniser son champ de vision. Au point qu'elle ne voyait plus qu'elle sur le plafond pourtant blanc.

— Tu crois qu'ils peuvent s'étendre ? demanda-t-elle doucement.

— Je l'ignore. Car quand bien même on parviendrait à résoudre le problème sur place par la voie militaire, ce qui n'est pas du tout simple, ce conflit a permis à des milliers de djihadistes du monde entier de se rassembler. Même s'il y avait un anéantissement de Daech et ses alliés, cela ne signifierait pas la disparition de tous ces gens, bien entendu. Et les survivants, dont certains rentreraient dans leurs pays d'origine officiellement, en passant par la case prison pour beaucoup, ou clandestinement pour d'autres, ces survivants constitueraient un risque important de noyautage de la société mondiale par des éléments extrémistes. Et il ne fait aucun doute qu'il existerait un réseau, une base de données de ce maillage, exactement comme l'avait fait Ben Laden pendant la guerre d'Afghanistan, où il avait répertorié les combattants djihadistes venus des quatre coins du globe, cette base de données qui donna naissance à Al-Qaida. Encore une fois, c'est une guerre que nous sommes loin de pouvoir gagner militairement, mais si nous y parvenions, ça ne signifierait nullement la fin des problèmes, seulement la naissance d'Al-Qaida II, ou son spectre, peut-être plus fort encore, modernisé et dispersé dans l'attente de frapper autrement, toujours plus sournoisement. En attendant, si nous ne faisons rien, ils continueront d'organiser leurs attaques depuis leurs fiefs là-bas et de recruter, encore et encore, grâce à leur propagande si bien huilée et ils grandiront.

— C'est sans fin…

— Ce sera long, c'est sûr. Et il nous faudra être forts. Car comme son nom l'indique le but premier du terrorisme, c'est de terroriser, pour nous déstructurer, pour que nous réagissions avec nos tripes, pris par la peur, et plus avec notre raison. Plus les attaques se multiplieront, plus nous devrons lutter contre cet instinct. Plus ce sera difficile pour nous. C'est exactement ce qu'ils veulent. Nous faire perdre les pédales. Que nous nous morcelions pour devenir une proie facile.

Ludivine serra les mâchoires. Les larmes lui vinrent dans un élan de fragilité, d'épuisement. Le traumatisme de son agression la rendait plus vulnérable à ses propres angoisses, aussi soudaines qu'un torrent.

L'homme nu, la mort, la violence mentale, tout cela monopolisait l'essentiel de ses résistances, et dans ce moment de confidence d'autres peurs plus factuelles la prirent d'assaut.

Elle sécha ses joues d'un revers de main, mais c'était là, au fond de sa gorge, il fallait que ça sorte :

— Parfois je ressens cette peur que tu décris... j'ai peur que ce conflit transforme nos sociétés, en pire. Le XXIe siècle démarre par une crise globale, économique, identitaire, sociale, sécuritaire, démographique, migratoire, même la santé de notre planète est en péril. Je crains que ces peurs nous fassent faire des conneries. Rien que sur le plan du terrorisme, quels sont les pays menacés qui s'en sortent le mieux aujourd'hui ? Les dictatures. Ces États où on ne s'embarrasse pas de preuves concrètes, où le moindre doute suffit à éliminer la menace, l'opposant, où il est possible d'emprisonner, voire pire, toute personne qu'on suppose inquiétante, où les lois ne sont plus là pour protéger les citoyens dans leurs libertés, mais sont devenues des lois qui protègent le système, permettant ainsi toutes les surveillances, tous les excès, au nom de la sécurité. Aujourd'hui, à force d'angoisses, les populations de nos démocraties, constatant qu'il faut durcir le ton face à des ennemis sans pitié, ne seraient-elles pas prêtes à élire des chefs d'État autoritaires, qui n'auraient pas peur d'annoncer qu'il faut sécuriser la société à tout prix ? Je ne dis pas que ça peut arriver tout d'un coup, mais c'est le fameux principe de la grenouille : si tu la plonges dans l'eau bouillante elle saute pour s'en échapper, par contre si tu la trempes dans de l'eau froide et que tu montes progressivement la température, lorsqu'elle réalise que ça bout autour d'elle, il est déjà trop tard. Rarement les partis les plus extrémistes, de droite comme de gauche, ont obtenu autant d'intentions de vote, leur capital sympathie augmente. Le terrain idéologique et économique devient peu à peu propice... Toutes les lois visant à renforcer le renseignement ne sont pas mauvaises par essence, mais il faut surveiller la prolifération de ces lois en même temps que celle des idées liberticides. Il y a un juste milieu à trouver, ainsi qu'une juste modération, à commencer par celle de nos peurs qui nous font faire n'importe quoi.

Marc la regardait. Elle avait lâché d'une traite ce qui lui pesait sur le cœur, comme si c'était la première fois depuis une éternité qu'elle trouvait un confident pour épancher son mal-être. Ses traumatismes encaissés à répétition depuis plusieurs mois se cristallisaient enfin en mots, ils prenaient la forme d'une terreur particulière, et les vannes s'étaient ouvertes.

Il lui caressa la joue du dos de la main. Elle prit cela comme un encouragement à vider toute cette anxiété, et elle ajouta :

— Nous devons être un peuple éduqué, qui comprend les enjeux, les difficultés, les subtilités et qui parvient à ne plus raisonner avec la peur. En pensant au groupe plutôt qu'à chacun. Nous avons besoin d'argent, de financement du système éducatif et social dans son ensemble, et dans une société ruinée, tandis qu'il est également impératif de subvenir à notre défense, ça devient de plus en plus compliqué. Nous vivons un moment capital dans l'histoire de nos démocraties, elles pourraient imploser.

Marc n'avait pas de mots pour répondre. Chaque siècle depuis la naissance des civilisations avait connu une guerre massive, une transformation des États, des mentalités, des peuples. Par quelle illusion pouvait-on croire que celui-ci serait différent ? Parce que les hommes apprennent de leurs erreurs ?

Mieux valait l'espérer, l'heure était venue pour l'humanité de le prouver.

62.

L'étau se resserrait.

Enfin.

Marc Tallec était dans la salle de réunion du premier étage de la SR de Paris, face à Ludivine et ses deux camarades, ainsi que le colonel Jihan, Magali, Franck, Ben et le capitaine de la division, Merrick. Tous l'écoutaient religieusement tandis qu'il pointait son stylo sur la carte de France accrochée au mur.

— Les portiques écotaxe ont repéré la voiture de location en plusieurs points lors de son arrivée sur le territoire français, puis plus tard à trois reprises sur le même axe, ici, sur la N2 entre Thieux et Saint-Mard en direction de l'Aisne.

— Et de la Belgique, nota Franck.

— Oui, sauf que nos homologues belges n'ont rien sur ce véhicule. De plus, nous pensons que, la cellule étant parisienne, il ne se sera pas éloigné à ce point de sa zone de confort.

— La balise GPS de l'agence de location n'a rien donné ? s'enquit Ludivine.

— Non, comme nous le craignions, il est parvenu à la retirer pour la coller sur une bagnole de passage.

— Il est passé trois fois sous le portique ? interrogea Magali.

— Oui, avant de changer de voiture. Tout porte à croire que la planque est dans ce coin. À l'écart.

Guilhem demeurait sceptique :

— C'est la pampa, dans les petites villes les gens se connaissent, ils ne passeraient pas inaperçus...

— C'est pour ça qu'il y a deux options privilégiées. Soit un autre complice non identifié les héberge, c'est pourquoi nous ratissons large dans nos bases de données et auprès de nos indics pour vérifier tous les radicaux dans ce secteur ; soit ils se sont mis au vert dans un endroit complètement isolé. Une cabane, une ferme, un lieu abandonné, voire un camping-car, une tente en forêt, et cetera...

— C'est courant ça, les mises au vert ? s'inquiéta Merrick.

— Dans les derniers instants avant l'attaque, oui. Ils se regroupent, se préparent psychologiquement avant d'aller taper.

Les gendarmes échangèrent des regards consternés. Marc leva les mains pour garder leur attention et reprit :

— L'autre hypothèse serait qu'ils aient eu besoin d'une base réelle, pour s'entraîner, et aussi pour fabriquer leur explosif. Alors faites demander à toutes les brigades sur secteur si des coups de feu inquiétants ont été répertoriés.

— À la campagne, en pleine période de chasse ? fit Franck, sarcastique.

— Justement, les paysans font bien plus facilement la différence entre des coups de carabine et des tirs d'arme automatique. Demandez pour des bruits d'explosion aussi. Ce sera forcément dans un secteur paumé, loin de tout.

Le colonel Jihan acquiesça.

— De notre côté nous travaillons sur la fourniture des composants, poursuivit Marc. Il n'y a pas mille manières de fabriquer des explosifs, surtout en partant de rien. Les nitrates et le peroxyde d'hydrogène nécessaires sont accessibles à travers des détergents, désherbants, désinfectants, mais aussi par des engrais. Remontez, là aussi via vos brigades, sur des vols éventuels de produits chimiques dans des grandes surfaces et magasins spécialisés, usines, laboratoires, entreprises de jardinage, cabinets vétérinaires et ainsi de suite. La DGSI va se charger de contrôler les magasins les plus gros de toute la région. Si la cellule est prévoyante, ils n'auront acheté que des petites quantités à chaque fois et nous serons incapables de le remarquer. Mais on ne sait jamais. De la même manière nous allons vérifier tous les bons de livraison des fabricants d'engrais par acquit de conscience, autant dire des milliers de lignes de commandes à pointer.

— Nous n'aurons jamais assez de temps... enragea Ludivine.

— On n'a pas le choix. Alors je compte sur vous.

Marc affichait une gravité qui ne laissait aucun doute sur l'impérative nécessité d'agir vite.

Les heures défilaient. Sinistre compte à rebours dont personne dans la SR ne connaissait l'échéance.

Les coups de téléphone se multipliaient, réception de fax, ouverture d'e-mails avec des documents à imprimer, à répertorier, à décrypter, et à chaque fois, sans qu'on parvienne à s'en empêcher, les yeux grimpaient dans l'angle de l'écran d'ordinateur pour regarder si la pendule avait beaucoup avancé.

Était-ce pour aujourd'hui ? Ce soir ? Demain ? Cette semaine ? Combien y aurait-il de blessés ? Et de morts ? Combien de vies anéanties, de familles meurtries ?

Les enquêteurs travaillaient avec la boule au ventre, conscients de se rapprocher lentement, trop lentement, de leur objectif. De quelle avance disposait la cellule ? Se doutait-elle de leur présence dans son sillage ? Certainement, avec les attaques terroristes contre la SR puis le suicide de Sid Azzela, les médias commençaient à flairer le scoop, ils cherchaient le lien, supputant une opération en cours, un démantèlement qui tournait mal. Le ballet des caméras sur le boulevard pour filmer la façade impactée s'estompait à peine dix jours plus tard.

Marc appela en fin de journée et demanda à Ludivine de le mettre sur haut-parleur.

— Nous en avons un troisième, annonça-t-il gravement. Ahmed Menouyi. Gros passif de délinquance, il a tout de l'enragé qui découvre la religion comme un moyen de s'apaiser ou de racheter ses nombreuses fautes, mais qui le fait avec la même détermination aveugle que lorsqu'il était un caïd dans la rue : violemment. Lié à un trafic d'armes qui l'a envoyé en prison, il pourrait être le logisticien du groupe, celui qui a les réseaux pour se procurer AK-47 et flingues en tout genre.

— Comment vous êtes remontés jusqu'à lui ? voulut savoir Ludivine.

— Par la seule porte d'entrée qu'ils nous ont laissée : Sid Azzela, toujours lui, et son téléphone béni. En comparant tous ses déplacements et ses arrêts prolongés aux éléments mentionnés dans les fiches de radicaux connus de nos services, notamment leurs adresses, privées et professionnelles pour ceux qui ont un job. Sid a tourné autour du secteur où vivait Ahmed Menouyi à trois reprises. Du coup on a envoyé du monde sur place pour checker mais il a disparu depuis cinq jours. Il n'est pas allé à son travail jeudi dernier, personne ne sait où il est et son téléphone n'émet plus rien.

— Celui-là non plus, vous ne l'aviez plus dans le collimateur ? s'agaça Guilhem. Un fiché S qui a un casier judiciaire long comme le bras et qui vit tranquille ?

— Pour nous, il était en train de se ranger. Un boulot régulier, une petite amie, il sortait régulièrement, se dopait et il lui arrivait de boire de l'alcool. Il ne fréquentait plus de mosquée clandestine. OK, avec le recul vous pouvez dire qu'il nous a enfumés, mais s'il fallait qu'on colle une équipe entière derrière chaque salafiste ou ancien salafiste, il nous faudrait toute l'armée française pour disposer d'assez de personnel, et encore…

Ludivine, sentant le ton monter, calma le jeu :

— Sa copine sait quelque chose ?

— Elle est en garde à vue, mais peu probable. Elle aussi, il l'a dupée, ou bien elle nous baratine, mais il ne lui aura pas dit où il partait, c'est sûr.

Segnon intervint :

— Une chance que le portable magique de Sid nous conduise à leur planque ?

— Aucune si vous voulez mon opinion. Sid était le moins expérimenté, le messager, rien de plus, ils auront sûrement compartimenté pour ne prendre aucun risque. On a tiré de lui tout ce qu'on pouvait. Et vous, vous en êtes où ?

— Nous collectons toutes les informations qui nous remontent des brigades, exposa Ludivine. On trie selon ce qui semble plus ou moins pertinent, Segnon et moi allons sur le terrain demain pour vérifier les plus intéressantes.

— Des pistes sérieuses ?

Blanc. L'hésitation de la franchise, de l'espoir qui cède au profit de la vérité crue.

— Je ne crois pas, avoua finalement Ludivine. Mais nous n'avons rien de mieux, alors ne négligeons rien.

Ce fut Guilhem qui osa la question que tous redoutaient :

— Ils sont hors circuit depuis cinq jours, ça veut dire que c'est imminent, pas vrai ?

Il y eut un souffle grésillant dans le haut-parleur avant que Marc réponde :

— Nous avons transmis au ministère nos informations et le pays vient de passer au niveau d'alerte attentat maximum. Nous nous attendons à ce que ça frappe d'un instant à l'autre.

Marc ne rentra pas dormir chez Ludivine ce soir-là, et elle chassa le fantôme du sommeil encore longuement avant que l'épuisement ne finisse par la faire sombrer.

Le lendemain, lorsqu'elle arriva à la caserne, se préparant à un petit périple dans l'Aisne, l'Oise et la Marne, ce fut à nouveau le nom de Marc qui s'afficha sur son téléphone.

Dès qu'elle le vit, elle sut que ce n'était pas un appel personnel. Son instinct frémissait, et elle en eut la chair de poule.

Elle redoutait ces mots. Elle faillit ne pas décrocher.

Il parla à toute vitesse :

— On a la planque. Prépare-toi, nous passons te prendre sur le trajet, on fonce sur place.

63.

Ils roulaient à bord d'un monospace noir, annonçant leur trajectoire à coups d'appels de phares pour que les véhicules devant libèrent la voie, presque secoués au passage du bolide.

Ludivine était au téléphone, elle le coinça entre son épaule et son oreille et interrogea Marc :

— Le colonel veut savoir si le GIGN doit être mobilisé.

— Pas cette fois, le GAO[1] est sur la route, et le RAID arrive en soutien.

Segnon, qui s'était imposé au dernier moment, demanda :

— Comment vous avez trouvé la planque ?

— Travail de fourmi. Mais on a aucune certitude. Nous avons demandé à tous les fabricants d'engrais qui contiennent des produits utilisables dans l'élaboration d'un explosif de nous transmettre les bons de livraison, quelle que soit la quantité, pour les six derniers mois dans tout le secteur. Il y en avait beaucoup, trop pour

---

1. Groupe d'appui opérationnel, dépendant de la DGSI.

qu'on puisse s'en sortir vite. Alors nous avons eu l'idée de commencer par toutes les livraisons à des nouveaux clients. Et là il y en avait nettement moins. Que des propriétés autour de terres agricoles, donc crédibles. En revanche, trois seulement étaient des locations récentes, mais une seule avait reçu, en cumulé, plus de mille deux cent cinquante kilos achetés chez plusieurs fournisseurs sans en faire la déclaration à la mairie, et c'était il y a seulement trois semaines. Apparemment pour des champs de blé. Nous nous sommes renseignés, l'apport d'engrais azotés se fait normalement à la sortie de l'hiver, pas début décembre.

— Probabilité que ce soit eux ?

— Je dirais... cinquante-cinquante. Ça fait beaucoup d'éléments tout de même. Après, nous ne sommes pas à l'abri de tomber sur un apprenti agriculteur qui ne respecte pas les règles et qui stocke en avance ses engrais, mais pour une profession souvent en manque de trésorerie c'est pas logique, surtout pour un nouveau venu.

Les derniers kilomètres furent les plus longs. Sentiment permanent de ne pas être assez rapides, de rater un point important.

Une campagne rase et morne déroulait ses terres ocres et ses prés blêmes, à peine quelques bosquets de troncs effeuillés ici et là pour donner un peu de profondeur à cette perspective déprimante. Une ferme, une grange, une étable au bout d'un chemin, par intermittence, et rien d'autre. Lorsqu'ils virent un petit bois se rapprocher, le monospace ralentit et Ludivine aperçut trois véhicules semblables au leur à l'arrêt, en retrait de la route, derrière les taillis. À côté, des hommes en tenue d'intervention noire, cagoules sur la tête, fusils d'assaut en bandoulière.

Un des commandos s'approcha et ouvrit la porte latérale avant même que la voiture soit complètement stoppée.

— Ferme isolée, annonça-t-il sans autre formalité. Gros découvert pour s'y rendre, on sera repérés à deux cents mètres. Faut un hélico en couverture avec caméra thermique et MilliCam 90 pour voir à l'intérieur, qu'on sache à quoi s'attendre, sinon ça risque d'être OK Corral.

— Du mouvement ? questionna Marc.

— Rien depuis que nous sommes en place.

— Aucune présence ?

— Visible, non.

Marc sortit en compagnie de deux collègues de la DGSI, un grand roux costaud du nom de JB et un trentenaire à l'œil perçant, Farid. Segnon et Ludivine suivirent.

— Il faudrait aller interroger le voisinage, le bled du coin et les fermes les plus proches, proposa Ludivine, pour savoir s'ils savent qui s'est installé là.

Une femme sortit d'un des monospaces, une petite brune un peu forte, lunettes en écaille, tenant trois téléphones dans les mains.

— C'est la planque ! s'exclama-t-elle. Aucun doute.

Marc s'avança à sa rencontre.

— Raconte, dit-il.

— Je viens d'avoir la fille de l'agence immobilière. Elle a loué la longère à un grand type chic, manager d'un groupe de musique qui voulait composer leur prochain album pendant les six prochains mois.

— Un groupe qui achète plus de deux tonnes d'engrais ? OK, on les a trouvés. On oublie l'enquête de voisinage, plus le temps. Je veux savoir si c'est calme parce qu'ils se planquent ou parce qu'ils sont déjà sortis, auquel cas on est dans la merde.

Le chef du GAO secoua la tête.

— Je lance pas mes gars sur deux cents mètres de découvert, potentiellement contre des armes de guerre, sans appui et sans véhicules blindés.

Marc serra les dents de frustration.

— Si je fais venir un hélico et qu'ils ne sont pas là mais qu'ils l'aperçoivent en rentrant, ils se barreront et on sera niqués.

— Alors attendez au moins qu'on nous apporte le matériel adapté.

— D'ici combien de temps ?

— Deux heures. Trois max.

Marc capitula, il était hors de question de risquer la vie des équipes d'intervention. Il pivota vers la fille aux téléphones :

— Tatiana, la nana de l'agence, elle t'a décrit quel genre de mec ?

— Plutôt séduisant, brun, type méditerranéen, la quarantaine bien tapée, possiblement dans la cinquantaine très bien conservé. Il parle un français excellent avec un accent étranger, mais elle n'a pas su dire d'où. J'ai essayé d'obtenir des détails, des signes distinctifs, mais elle n'a rien pu ajouter. Elle a fait toute la transaction par téléphone et e-mails et ne l'a vu qu'une fois pour signer les derniers documents et lui donner les clés.

— Pas de visite préalable ?

— Apparemment non, il était « en tournée à l'étranger », il a demandé des photos très précises et surtout un maximum de discrétion pour son groupe. La fille ne me l'a pas lâché, mais je suis sûre qu'il a payé bien grassement pour qu'elle soit gentille.

Ludivine s'approcha pour se mettre devant Marc.

— On fait quoi alors ?

— On attend, pas le choix.

La jeune femme jura en silence.

Ils s'étaient approchés par le sud, remontant un ru enfoncé dans un minuscule fossé et, allongés dans l'herbe humide, ils se passaient une paire de jumelles pour scruter la longère et sa grange. Aucun signe de vie, pas même un ruban de fumée s'échappant de la cheminée. Plus inquiétant encore : aucun véhicule visible, même s'il était possible qu'il soit à l'abri dans la grange.

Entre-temps l'équipement demandé par le GAO était arrivé ainsi que le RAID, plusieurs voitures et camions et toute une armada d'experts en tenues impressionnantes. Marc avait exigé qu'ils se replient rapidement dans une forêt et une ferme à proximité, mais surtout pas sur les petites routes de campagne où ils seraient vus immédiatement. Il craignait déjà que tout le canton soit au courant et que les terroristes ne l'apprennent s'ils traînaient encore dans le coin. Ludivine ignorait tout de la hiérarchie et de l'autonomie des enquêteurs à la DGSI, mais elle remarqua que Marc semblait en charge de l'opération, avec la fille aux lunettes.

La camionnette de la poste apparut dans les jumelles que tenait Ludivine. Elle cahotait sur le chemin qui desservait la longère.

Les forces de soutien étaient à proximité, prêtes à jaillir des zones de couvert les plus proches, à environ deux et trois cents mètres.

La tension était palpable alentour. L'air se raréfiait, le chant des oiseaux s'estompait. Plus rien d'autre ne comptait que le véhicule jaune en approche.

Il ralentit en arrivant dans ce qui servait de parking devant la maison et vint se garer juste dans l'angle le plus mort vis-à-vis des fenêtres, afin d'offrir le moins de solutions de tir à leurs adversaires. Jusqu'à présent tout se passait comme prévu.

Ludivine angoissait. Elle savait ces hommes surentraînés, capables de répliquer et survivre à des situations pires encore, mais son cœur s'emballait dans la crainte du moindre coup de feu.

Elle vit la porte latérale de la camionnette, côté opposé à la ferme, s'ouvrir et huit silhouettes noires en jaillir, armes en main, toutes recroquevillées et entassées à couvert.

Marc prit sa radio et changea de canal.

— Rien sur la route ? voulut-il savoir.

— Négatif, calme à mourir, répondit une voix.

Ils n'avaient pas disposé de vrais barrages pour éviter de signaler davantage leur présence, mais chaque accès au secteur était surveillé dans l'hypothèse où les terroristes, s'ils étaient sortis, reviendraient à leur planque.

Dans les jumelles, les huit commandos quittèrent leur cachette en deux groupes de quatre et foncèrent sans bruit depuis l'avant et l'arrière du fourgon jusqu'à prendre position de chaque côté de la porte du bâtiment principal. Ludivine savait que quatre snipers du RAID veillaient sur les flancs de la ferme. Sans radio reliée à eux, les seules informations dont elle disposait étaient ce qu'elle avait sous les yeux.

De loin, les intervenants ressemblaient à des ninjas des temps modernes. Elle les aperçut en train de se servir de petits miroirs au bout de perches télescopiques pour scruter l'intérieur à travers les fenêtres. Ils se parlaient par signes. Le deuxième groupe contourna la longère pour vérifier les autres pièces toujours selon la même méthode, tandis que le premier inspectait la porte avant plus en détail.

Une minute interminable s'écoula.

— Véhicule en approche, cracha la radio de Marc, par le nord. On intercepte ?

— Combien sont-ils dedans ?

Silence. Puis :

— Deux. Un couple. Des vieux.

— Oui, ordonna Marc, vous les arrêtez le temps qu'on termine.

Marc avait également une oreillette reliée à une autre radio dans sa poche, qui lui permettait de suivre en direct la progression. Ludivine lui demanda du menton ce qui se passait.

— Ils pensent que la porte est piégée, rapporta-t-il.

— Oh merde... souffla Segnon, allongé à côté de sa collègue.

Dans les jumelles cette dernière vit le second groupe revenir dans son champ de vision et prendre la direction de la grange qu'ils inspectèrent attentivement, fusils devant eux. Chaque pas semblait prendre une éternité et Ludivine se demandait pourquoi ils n'entraient pas par une fenêtre, même si au fond d'elle tout ça lui était familier. Elle perdait patience, elle n'en pouvait plus de craindre une attaque soudaine de tireurs embusqués que personne n'aurait repérés.

Au bout d'un moment, le second groupe vint rejoindre le premier au niveau de l'entrée principale.

— Envoyez les démineurs, confirma Marc dans le col de sa parka.

Un camion blindé apparut sur le chemin, roulant à vive allure. Il s'arrêta au niveau de celui de la poste et deux hommes sortirent par l'arrière, en scaphandre d'intervention, pour gagner la porte.

Au comble de l'angoisse à l'idée de voir en direct des collègues sauter dans une explosion, Ludivine tendit les jumelles à Segnon qui trépignait.

— Je peux pas regarder ça, dit-elle. Dis-moi quand c'est fini.

Elle comptait les secondes. Elle abandonna lorsqu'elle dépassa deux minutes.

Elle distingua un binôme couché dans l'herbe comme eux, beaucoup plus loin sur leur droite, à l'entrée du champ de boue, dissimulé par les dernières fougères d'un buisson. Le sniper et son observateur. Ils ressemblaient à des statues, une tache floue presque invisible dans la nature.

Capables de délivrer la mort sans même être vus.

Ludivine attendit encore. Plusieurs minutes.

— Ils entrent, lâcha Segnon au bout d'un moment.

Ludivine se remit en position et leva la tête pour tenter d'apercevoir quelque chose à l'œil nu. Elle vit les ombres s'engouffrer dans la longère et sa bouche s'assécha.

Maintenant, les coups de feu allaient retentir.

Elle ne savait pas si elle l'espérait ou pas. Risquer des dégâts chez eux mais intercepter un ou plusieurs membres de la cellule ou que le silence perdure, sans aucune certitude.

Deux membres du GAO ressortirent, l'un la main levée et l'agitant dans leur direction.

Marc se redressa, contrarié.

— Vide, dit-il seulement.

Ludivine regrettait déjà le silence.

64.

Un intérieur sans vie.

La ferme était meublée du strict nécessaire, sans décoration particulière, mais surtout sans signe d'occupation. Tout était parfaitement rangé, y compris dans la cuisine. La chambre était impeccable, lit fait comme si personne n'y avait jamais dormi. Ludivine considérait bien souvent qu'une habitation reflétait son occupant. Ici c'était édifiant. Un fantôme y avait séjourné.

Ludivine explorait en compagnie de Marc, Segnon, JB et Farid. Les membres du GAO sécurisaient l'extérieur, tandis que les accès alentour étaient surveillés dans l'espoir de voir un ou plusieurs terroristes revenir.

— Il n'y a qu'une chambre, releva Ludivine.

— Les autres auraient pu s'installer dans le salon, estima Farid.

Tout semblait si parfaitement figé dans le temps que Ludivine avait du mal à imaginer qu'une personne vivait ici, alors trois ou quatre encore moins.

— Et si c'était un leurre ? demanda-t-elle. Un piège pour nous faire perdre du temps ?

— Faut pas pousser, répondit Marc. Ils sont prudents, très bien organisés mais de là à anticiper toutes nos manœuvres dans le moindre détail, non. Ils avaient autre chose à faire de plus important.

JB confirma :

— La charge sur la porte était destinée à faire péter la maison. Ils auraient pas gâché de l'explosif pour rien.

— Vous ne l'avez pas détruite ? s'inquiéta Segnon.

— Non. C'est plus risqué pour les démineurs, mais la récupérer peut nous fournir des indices précieux sur l'assemblage. Certains groupes ont des signatures particulières dans la fabrication des détonateurs. Et puis on a l'espoir de retrouver une empreinte ou de l'ADN.

— Vous n'en trouverez pas, affirma Ludivine après son inspection des lieux. Ce type est parfait. Il n'a rien laissé, pas un seul détritus dans la poubelle. Les chiottes puent la javel, je vous parie qu'il ne dormait même pas dans les draps, juste un sac de couchage à lui sur une housse pour n'abandonner aucun poil ou cheveu. Il portait des gants en permanence.

— Peut-être pas à ce point, murmura Farid.

Ludivine désigna la télécommande de la vieille télévision :

Il y a la marque de la poussière tout autour, c'est pareil avec chaque objet, il n'a touché à rien ou presque. Cette baraque était une coquille pour lui, une couverture pour fabriquer l'explosif avec l'engrais. C'est TZ qui vivait là et il ne reviendra pas.

— Ce qui veut dire qu'on a pas la planque de la cellule même, se désespéra Segnon.

— Ce gars est donc aussi l'artificier, compléta Marc. J'ignore où il a été formé mais nous n'avons pas affaire à un amateur. C'est un étranger, il connaît toutes les techniques de dissimulation, il a eu le réseau pour constituer son groupe, il ment parfaitement et peut se rendre chaleureux, mettre en confiance, dispose d'une belle réserve financière et il sait fabriquer explosifs et détonateurs. Services secrets. Irakien ? Syrien ? Algérien ? Putain, on n'a rien sur lui !

— C'est pire que ça même, fit Tatiana en entrant, ses lunettes en écaille à la main. La grange est pleine d'abreuvoirs qui contiennent des miettes… c'est flippant, ça pue le fuel et il y a des sacs vides de cinquante kilos d'ammonitrate partout. Il a produit au moins deux tonnes.

Marc se passa la main sur le visage.

— C'est beaucoup ça, non ? fit Segnon, anxieux.

— Assez pour faire sauter tout un pâté de maisons dans Paris, annonça sinistrement Farid.

Dehors deux berlines pilèrent. Des hommes en costume s'en extirpèrent. La hiérarchie de la DGSI à n'en pas douter, songea Ludivine.

Marc se reprit aussitôt et donna ses ordres à JB et Farid :

— Dispatchez-vous tout autour pour recueillir un maximum d'infos sur l'occupant. Les fermes locales, l'épicerie du coin, les banques du périmètre élargi, trouvez le magasin hallal le plus proche ou ceux sur la route entre Paris et ici et allez poser des questions. Tatiana va se charger de repasser une couche sur la fille de l'agence immobilière. Sortez-moi n'importe quoi mais sortez quelque chose sur lui.

— Je peux mettre la SR sur la téléphonie du secteur, proposa Ludivine, on répertorie tous les numéros qui ont borné sur la région et on compare avec la liste de tous ceux qui ont été archivés depuis le début de l'enquête.

Marc approuva.

Il était sec, à vif. L'autorité et l'efficacité sans affect.

— On sort, inutile de polluer davantage les lieux. Faites venir l'identité judiciaire, tant pis pour la discrétion. Je veux qu'on examine chaque parcelle de cet endroit, s'il y a une empreinte dans la rainure d'une latte de parquet je la veux.

Les équipes s'étaient installées dans un hôtel miteux en bord de nationale, à moins de dix kilomètres de la ferme. Plusieurs poids lourds occupaient le parking au milieu des monospaces de la DGSI. Les portes des chambres au bout du couloir restaient ouvertes, chacun circulant de l'une à l'autre, téléphone à l'oreille, carnet de notes à la main pour échanger les bribes d'informations qu'ils rédigeaient ensuite sur les ordinateurs portables allumés sur les lits au milieu des sandwichs cellophanés de leur dîner.

La coopération avec la gendarmerie avait permis de disposer d'un PSIG qui veillait sur la longère pour la nuit, juste par précaution. Personne ne croyait au retour de TZ sur place.

L'ambiance était studieuse, mais morose. Une chape de plomb accablait tout le monde. Le sentiment que quoi qu'ils fassent ils auraient une longueur de retard. Ce type était trop habile. Il s'était préparé depuis trop longtemps et il ne commettait aucune erreur, ce qui rendait fous les enquêteurs. Nul n'est à ce point parfait.

Pas dans un environnement aussi imprévisible. C'était du délire. À croire qu'il n'était pas humain.

Ludivine et Segnon avaient participé à la collecte d'informations dans la journée, sans rien récupérer de plus que ce qu'ils avaient déjà obtenu par la fille de l'agence : l'occupant de la ferme roulait dans une petite voiture grise, probablement une Peugeot type 207 ou 208, sans aucune indication concernant la plaque d'immatriculation. Un modèle parmi les plus courants en France.

Les deux gendarmes se tenaient informés des éventuelles avancées de leurs camarades à la SR mais la téléphonie ne donnait rien de probant.

Ludivine s'endormit à minuit et demi, tandis que Marc pianotait encore sur son clavier d'ordinateur à côté. La nuit fut mauvaise sur la fine couche qui faisait office de matelas, et trop courte.

Vers 5 heures, on frappa à la porte et Marc alla ouvrir.

Tatiana se tenait dans l'encadrement, mine défaite, cheveux hirsutes, les yeux rougis par le travail. Elle avait encore ses chaussures et Ludivine devina qu'elle ne s'était pas couchée. Elle leva l'ordinateur qu'elle tenait pour le montrer à Marc. Dans le couloir plusieurs ombres s'agitaient. Il se passait quelque chose.

— Station d'essence la plus proche, dit la brunette à lunettes en désignant une image de caméra, c'était il y a huit jours. Peugeot 208 grise, et voilà notre homme.

Un individu longiligne portant une casquette apparut sur l'écran, prenant soin de toujours tourner le dos à l'objectif.

— Tu es sûre de toi ? demanda Marc.

Toute la suite dépendrait de la réponse de Tatiana, comprit Ludivine.

La brune referma dans un claquement son ordinateur.

— Je viens d'y passer la nuit, je ne suis plus sûre de rien. Mais j'ai relevé la plaque, enregistrée au nom d'un garage d'occasion du côté de Soissons, l'acheteur n'a pas encore fait les démarches pour la carte grise ou les documents fournis sont bidon, j'ignore encore. Je l'ai refilée à Levallois et Domi vient de m'appeler : la bagnole a pris une prune lundi matin à Saint-Denis. J'ai l'adresse.

Marc hocha la tête et se tourna vers Ludivine qui sortait déjà du lit.

— Cette fois, on va avoir besoin du GIGN, dit-il.

65.

Le pays se réveillait petit à petit.

Des lumières aux fenêtres, de plus en plus nombreuses. Des silhouettes sur les trottoirs, pressées pour la plupart. Des voitures sortant des parkings, se mêlant à la circulation qui se densifiait minute après minute. Le ballet des trains de banlieue, des bus et des trams gagnait en intensité. Les immeubles d'entreprises s'illuminaient carré par carré dans le Tetris sibyllin des façades modernes de verre. Chacun entrait en fonction, rouage infime d'un vaste ensemble dans la mécanique du quotidien.

Dans une rue non loin du centre-ville de Saint-Denis, une poignée d'hommes et de femmes déambulaient, aux aguets. Tout en essayant de ne pas paraître trop inquisiteurs, ils scrutaient le moindre recoin, entraient dans les halls des bâtiments, et, le plus discrètement possible, en sélectionnant leurs cibles, posaient quelques questions sur le quartier et ses occupants, en particulier les nouveaux venus.

Marc, JB, Farid, Tatiana, Ludivine et Segnon se rassemblèrent à l'endroit précis où la voiture de TZ avait été verbalisée.

Farid prit la parole en premier :

— La boulangère affirme qu'un groupe de garçons un peu fermés s'est installé récemment dans l'ancien garage de carrossier, juste là.

— Confirmé par un riverain, fit Segnon.

— Idem, fit Tatiana.

Marc se tourna vers Ludivine.

— Le GIGN ?

— Ils arrivent sur le périph'.

— Mets-les en stand-by aux portes de Paris le temps qu'on en sache davantage. Je n'attends plus, il y a urgence, il faut savoir si la cellule est déjà partie. Le soleil se lève d'ici une demi-heure, ils sont probablement en pleine prière s'ils sont encore là. JB, appelle le GAO, on entre. Que le RAID boucle le quartier.

Parqués à trois rues de là, les véhicules du Groupe d'appui opérationnel patientaient et le RAID était également en alerte, encore un peu plus loin pour ne pas attirer l'attention.

En moins d'un quart d'heure la rue fut fermée, un flic dans chaque hall d'immeuble, et deux colonnes d'hommes en noir progressant de chaque côté en direction du portail en fer d'un vieux et minuscule garage rouillé, à peine suffisant pour abriter deux voitures.

En face, les tireurs d'élite s'étaient imposés dans des appartements réquisitionnés dans l'urgence, canons et lunettes de précision braqués sur la structure grise.

Ludivine, Segnon et Marc suivaient à bonne distance, armes en main, gilets lourds sur les épaules, longeant les murs. JB et Farid en faisaient autant derrière l'autre colonne.

Le cadenas gisait au sol, la chaîne pendait, même pas enroulée autour du montant du portail pour le fermer. L'unité d'intervention fit coulisser la porte et se précipita à l'intérieur en hurlant :

— POLICE !

Faisceaux des lampes s'entrecroisant, gueules des fusils d'assaut explorant chaque recoin, pas rapides, gestes de la main, signes avec les doigts, accélérations brutales, puis en un instant les nerfs qui se dénouent, la tension qui baisse d'un cran à l'annonce finale :

— CLEAN. RAS. ON RESSORT.

Marc, Ludivine et Segnon entrèrent aussitôt pour découvrir l'intérieur plutôt désert. Les établis étaient en grande partie vides, quelques outils seulement abandonnés à l'écart, pas rangés, en compagnie d'appareils plus conséquents, meuleuse, disqueuse… Si le garage ne servait plus réellement depuis un moment, on avait cependant procédé à des travaux d'ajustement récemment. JB et Farid apparurent à l'entrée et Ludivine retint le premier.

— Marche pas là, dit-elle en désignant une longue trace de pneus sur le revêtement. Tout ça pourrait servir.

Une échelle, plus qu'un escalier, desservait une mezzanine couvrant les deux tiers du petit atelier. Ludivine y retrouva Marc qui sondait du bout du doigt les sacs de couchage entassés dans un coin. La jeune femme repéra tout de suite les cinq petits tapis de prière alignés côte à côte.

— Cinq sacs de couchage aussi ? demanda-t-elle.

— Oui.

Déjà on sait combien ils sont. Il nous en reste deux à identifier.

— Trois, corrigea Marc. TZ n'a pas dormi ici. C'est un parano, prudent à l'extrême, il n'allait se mélanger à eux qu'au moment d'attaquer. Les cinq qui vivaient ici sont la cellule, uniquement. Abel, Moussa, Ahmed et deux autres. TZ créchait à la longère. Il doit être dans une chambre d'hôtel miteux non loin à présent. Ça se rapproche...

— Il faut faire une analyse des traces de pneus en bas, je peux avoir une équipe très rapidement, dit Ludivine en sortant déjà son téléphone.

À peine Ludivine avait-elle raccroché que Segnon l'interpella :

— Tu devrais venir voir ça !

Elle le retrouva en bas, accroupi face aux différents outils jetés là en vrac. Il désigna une presse mécanique posée sur l'établi.

Ils ont embouti une plaque d'immatriculation récemment, le moule avec les matrices des lettres et des chiffres n'a pas été démonté. On connaît la plaque qu'ils utilisent.

— Très bien, j'ai appelé Philippe Nicolas, il débarque avec une équipe de TIC pour tout décortiquer.

— Il y a des armes là-haut ?

— Non.

— Merde. C'est pas leur planque permanente alors.

— Ils ont au moins passé la nuit dernière ici, il y a des sacs de couchage et deux à trois emballages de nourriture avec des bouteilles d'eau vides.

— Pas d'armes du tout avec des types comme eux ? Ça signifie qu'ils sont partis avec.

— Ou qu'ils ont une cachette spéciale, même si je les imagine mal ne pas s'entourer de flingues, au cas où...

Sur le seuil, Tatiana s'écria :

— Marc ! Viens voir. Magne-toi !

Derrière elle, un vieil homme aux cheveux aussi blancs qu'il avait la peau sombre se dandinait d'un pied sur l'autre, engoncé dans sa veste élimée.

Marc descendit à toute vitesse et les rejoignit.

— Ce monsieur est un voisin, expliqua Tatiana. Voulez-vous répéter à mon collègue ce que vous venez de me dire, s'il vous plaît.

L'homme s'humecta les lèvres avant de parler, avec un fort accent.

— Les occupants d'ici sont partis ce matin. Environ trente minutes avant que vous arriviez. J'étais devant ma fenêtre, j'ai tout vu.

— Combien étaient-ils ?

— Cinq je crois.

— Ils discutaient, ils évoquaient où ils allaient ?

— Non, et je n'aurais pas entendu de toute façon. Ils étaient plutôt... concentrés. Et pressés ! Ils n'ont pas fermé derrière eux et ils étaient même stressés je pense.

— Pourquoi ?

— Ils ont abîmé leur belle voiture en sortant trop vite.

Il se retourna et désigna l'angle du mur de l'immeuble mitoyen et du portail. Quelques débris de verre jonchaient le sol. Marc claqua des doigts pour qu'on sécurise les fragments immédiatement.

— Vous sauriez me décrire la voiture qu'ils avaient ? insista-t-il.

— Oh une grosse, une belle.

En quelques questions, les deux officiers de la DGSI obtinrent la description de ce qui devait être un 4 × 4 noir de marque allemande, mais sans certitude.

Dès que Tatiana se fut éloignée avec le témoin, Marc se tourna vers Ludivine.

— Putain, à trente minutes près.

— Ils sont tous sortis en même temps, sans rien laisser de personnel ici, résuma la jeune femme. Je vais immédiatement lancer un avis de recherche sur la plaque qu'on a. C'est peut-être un leurre, mais je ne crois pas. Ils étaient stressés et n'ont pas le degré de précaution de TZ. Ça peut être notre chance.

Marc secoua la tête.

— Je le sens pas. Mais alors pas du tout. C'est pour aujourd'hui, Ludivine.

Ses pupilles obscures glissèrent sur elle.

— Ils sont partis pour ça, insista-t-il. Ils vont frapper.

66.

Les investigations liées au terrorisme reposaient au quotidien sur une trop grosse masse de données remontées directement du terrain pour être traitées efficacement. Ces sommes de pistes à suivre s'accumulaient grâce au travail du personnel de la DGSI pour commencer, notamment à travers la vigilance digitale – Internet et écoutes téléphoniques en premier lieu –, mais également grâce aux témoignages plus ou moins volontaires de familles inquiètes, d'établissements scolaires, de policiers et gendarmes, de voisins, d'indics, d'imams mal à l'aise avec certains fidèles, parfois de journalistes, et bien sûr d'appels ou de lettres anonymes. La difficulté de chaque journée n'était pas de trouver de l'information, mais d'avoir le personnel et les moyens suffisants pour creuser convenablement tout ce que la DGSI récupérait, ou au moins définir les bonnes priorités.

En revanche, une fois qu'une enquête était lancée, récolter des précisions particulières sur des individus marqués devenait souvent plus complexe. La loi du silence dans les cités, la peur de parler dans les quartiers populaires, crainte de représailles, mensonges par omission, par sympathie pour les suspects, ou plus rarement pour leur idéologie : les enquêtes progressaient lentement par la voie de l'audition, et l'aspect humain devenait alors presque secondaire tandis que la technologie reprenait le dessus. Dans un monde dépendant de ses outils de communication, de ses machines, intriqué à son double virtuel, elle devenait un investigateur hors pair, omniprésent, vital.

Les traces de pneus relevées dans le garage ainsi que les débris du phare permirent d'identifier rapidement le véhicule. Soumises aux banques de données des fabricants de pneumatiques, les empreintes offraient une indication du modèle de voiture pouvant en être équipée. Rayon de braquage et empattement calculés d'après les traces, ajoutés à l'étude des fragments d'optique – chaque constructeur produisant ses propres qualités de verre –, permirent de resserrer jusqu'à une BMW de type X5. Dans la terreur de ne pas déjouer l'attentat qui se préparait, chaque service travailla plus vite que jamais. À peine plus d'une heure suffit pour obtenir les résultats complets. Une heure pendant laquelle tous les agents sur place se rongèrent les sangs, obsédés à l'idée de perdre un temps précieux.

Dès l'arrivée des TIC dans le garage, Ludivine avait exigé de Philippe Nicolas qu'il lui donne une combinaison pour qu'elle assiste à leur fouille. Elle demeurait en retrait, ne touchait à rien, mais ainsi elle avait le sentiment de ne pas être inutile. Elle guettait le moindre objet prélevé, assistait à la recherche d'empreintes digitales, et les aidait si nécessaire pour déplacer un caisson un peu lourd. Ce fut en dessous de l'un de ces rangements crasseux qu'ils trouvèrent un billet de train de petit format. Meudon-Paris Montparnasse.

— Il n'a pas l'air très vieux, commenta un des techniciens en identification criminelle.

— Faites voir, demanda Ludivine avant qu'il ne soit mis sous scellés.

Sans poser ses gants dessus, elle l'observa. Il était composté.

— Il date d'une semaine.

Elle ressortit aussitôt et n'avait pas encore ôté complètement sa combinaison blanche lorsqu'elle interpella Marc :

— Est-ce qu'un des terroristes qu'on connaît a un lien quelconque avec Meudon ?

Marc réfléchit un instant, se tourna vers Tatiana qui répondit que non.

— Non.

Il n'eut pas le temps de demander pourquoi cette question que toutes les radios crépitaient.

L'avis de recherche émis d'après la plaque d'immatriculation supposée avait été lancé dès sa découverte, avec consigne impérative de ne pas intervenir, il avait ensuite été complété par la marque et le modèle de véhicule. Les caméras de surveillance du périphérique de Paris venaient de le repérer.

La voiture roulait sur le périphérique intérieur, à hauteur de la porte de Saint-Cloud.

Ludivine se précipita sur son téléphone pour prévenir les équipes du GIGN en faction à la porte

Dauphine tandis que tout le monde se jetait dans les monospaces.

Au milieu de l'agitation, Ludivine ralentit, l'air dubitatif.

— Marc ! appela-t-elle. Est-il possible de nous déposer à la gare de Meudon ?

— On fonce vers la BMW !

— Pas nous.

Surpris un bref instant, il finit par pointer du doigt une berline aux vitres teintées.

— Vois avec Renan.

Claquements de portes, crissements de pneus et gyrophares allumés, les deux tiers de l'armada s'étaient déjà volatilisés.

Segnon s'installa dans la voiture avec sa camarade et demanda :

— Pourquoi on les suit pas ?

— À quoi on va servir ? Nous en saurons tout autant par téléphone. Je préfère aller vérifier un détail qui me tracasse.

— Précise, que je sache si on perd notre temps.

— Les cinq suspects sont partis tôt ce matin, et on les récupère seulement maintenant au sud-ouest de Paris, tandis qu'ils remontent. Ils ont fait quoi pendant tout ce temps ?

Segnon s'accrocha au fauteuil de Ludivine devant lui, tandis que leur chauffeur démarrait en trombe.

— Comment veux-tu que je le… ?

— Et s'ils déposaient leurs troupes au fur et à mesure ? Un premier je ne sais où mais apparemment assez loin. Un autre du côté de Meudon… Si le billet de train était la preuve d'un repérage ?

— C'est pas un peu gros ?

— Ils sont sous pression, ils s'apprêtent à mourir en commettant un attentat, aucun n'est un professionnel. Même si TZ n'est pas loin il ne leur colle pas au cul en permanence, du coup forcément ils ne sont pas parfaits. Et puis pourquoi l'être ? A priori, ils supposent que même si nous remontons jusqu'à ce garage un jour, ce sera bien après qu'ils auront commis leur attaque, alors quelle importance s'ils y ont laissé quelques indices par mégarde ? Non, au contraire, c'est même déstabilisant qu'il y en ait si peu. Ils sont cinq, si ça se trouve il va y avoir cinq frappes en cinq endroits différents et simultanément. Et la BM est en train de larguer les mecs un par un.

Segnon se mordilla les lèvres, ne sachant qu'en penser.

— Dans une gare de banlieue, direction Paris, tu veux qu'on fasse quoi au milieu de la cohue ?

— Rien, juste garder les yeux ouverts.

— Dans ce cas demande au GIGN de nous envoyer du monde.

— Ils ont déjà bien assez à faire avec le 4 × 4. Mettre des unités d'intervention au milieu de la foule, c'est la panique assurée. Évacuer la gare par précaution ne servirait à rien s'il n'y a aucun danger, et si un de nos terros s'y trouve il va se faire sauter direct ou fuir avec tout le monde pour changer de cible et nous n'aurons plus aucune piste. Et puis tu le dis toi-même, c'est un peu gros, mais je préfère m'en assurer par moi-même. Si on a un doute, on sonne la cavalerie.

Les rues défilaient à toute vitesse. Le chauffeur enclencha la sirène pour faire de la place au milieu du trafic.

Ludivine boucla sa ceinture, puis elle ajouta à l'intention de Segnon :

— Ferme ta veste, qu'on ne voie pas ton gilet en dessous lorsqu'on arrivera sur place, on ne sait jamais.

67.

Le moteur du Porsche Cayenne GTS noir ronronnait tandis que la circulation se faisait plus fluide. Véhicule aux vitres entièrement teintées saisi par la gendarmerie dans une affaire de drogue et réaffecté ensuite au GIGN, il embarquait quatre opérateurs en tenue d'intervention complète.

Un second 4 × 4 du même modèle lui collait au train, suivi un peu plus loin par trois monospaces remplis d'hommes et d'équipement.

Ils suivaient leur cible à bonne distance, attendant les ordres.

Le chef de groupe, dans la seconde Porsche, avait fait le point complet sur la situation et les moyens à leur disposition. Il attendait un retour.

Dans l'idéal, tout aurait dû être fait pour dévier la BMW des terroristes du périphérique et l'amener en direction d'un secteur bouclé au préalable et vidé au maximum de ses occupants, afin de procéder à une interpellation. Mais un tel scénario était impossible à mettre en place si rapidement. Même derrière les véhicules d'intervention, le périphérique n'avait pas été fermé, de crainte que les terroristes l'entendent à la radio et comprennent qu'ils étaient traqués. Ils évoluaient tous au milieu d'innocents, inconscients du feu couvant dans cette poudrière limitée à soixante-dix kilomètres-heure.

L'hélicoptère se tenait en retrait, en support pour le moment où une décision serait prise, mais pour l'heure pas question d'approcher.

Le scénario en cours était un des pires possibles, beaucoup trop de monde tout autour des terroristes. Mais faute de choix, l'état-major du GIGN avait déjà préparé son plan au cas où. Une stratégie folle. À la hauteur du danger encouru.

À présent la décision était entre les mains du sommet de la chaîne hiérarchique en pareil cas : l'Élysée. Le président avait été tiré de son petit déjeuner officiel avec des représentants syndicaux pour rejoindre la cellule de crise où toutes les informations lui furent communiquées en même temps.

Certains conseillers préconisèrent d'attendre, en espérant que la BMW s'éloignerait d'elle-même d'une zone trop fréquentée pour qu'on puisse déclencher l'interpellation plus facilement et moins dangereusement. D'autres au contraire insistaient sur le risque imminent que les suspects se rendent compte qu'ils étaient filés et que le GIGN perde tout avantage lié à l'effet de surprise. Pire, au regard des quantités d'explosif qu'il était susceptible de transporter, on pouvait considérer que le 4 × 4 était piégé, et le faire sauter sur le périphérique sans avoir pu prendre de mesures de protection minimales serait une catastrophe. Il y avait des voitures partout, des deux-roues mais aussi des cars, parfois scolaires, bref une horreur... Les militaires les plus anciens soulignaient l'importance du périphérique, un rail dans lequel il était finalement assez aisé de contenir un assaut, alors que si la BMW entrait dans Paris il deviendrait bien plus difficile de les cerner sans pouvoir anticiper sa trajectoire. Le problème principal était d'éloigner un maximum de civils du point d'interception : sur un boulevard à trois voies et à double sens, cela relevait de l'impossible ou presque. Le ton montait de toutes parts, chacun exposant au président les différentes options, calculant les risques, préparant déjà la communication en cas d'échec ou de succès, chaque service y allant de son plan pour remplacer celui du GIGN sur place, et offrir tout l'éventail des réponses possibles. Pendant ce temps, toutes les unités nécessaires s'organisaient et se préparaient à agir sur ordre, le cœur palpitant.

Il fallait prendre une décision rapidement. Chaque seconde avait son importance.

Dans le second Porsche Cayenne, le chef de groupe écouta les directives qui lui étaient transmises par sa hiérarchie. Il acquiesça puis se tourna vers ses hommes :

— Trop risqué de perdre le minimum d'avantage dont on dispose, alors l'ordre est donné : on tape. Il ne faut pas qu'ils entrent dans Paris.

Sur ces mots, un homme derrière ouvrit l'ordinateur portable sur ses genoux et demanda :

— J'ai combien de temps ?

— Ils lancent la procédure, tu as moins de deux kilomètres. Reste à prier pour que la BM ne sorte pas du périph' d'ici là.

Il tapota l'épaule du conducteur qui accéléra aussitôt.

— Mets-nous à leur hauteur. Mais vas-y progressivement, qu'ils ne se méfient pas. Messieurs, préparez-vous.

68.

La gare de Meudon mêlait un semblant d'Art déco à une architecture plus contemporaine sans intérêt, un bâtiment sans personnalité bien tranchée. Tout le contraire de Ludivine qui le traversa d'un élan autoritaire, Segnon sur ses talons.

Elle avait repéré la première caméra de surveillance, bien visible à l'extérieur, mais avant d'aller s'enfermer dans un bureau pendant des heures afin de visionner les bandes, elle préférait respirer l'atmosphère, se familiariser avec l'environnement, notamment ses points d'accès, voir ce qui pouvait intéresser un criminel sur le point de procéder à une attaque massive. Elle ignorait tout du plan des terroristes. Pourquoi Meudon ? Pourquoi en direction de Montparnasse ? Elle subodorait qu'il lui faudrait grimper dans un train pour guetter ce que cette ligne offrait comme cible privilégiée. Passait-elle à proximité d'un commissariat ? D'une école ? D'un lieu de culte particulier ?

Les quais se trouvaient en contrebas, une dizaine de mètres au fond d'une tranchée, et les deux gendarmes empruntèrent les escaliers pour gagner le long ruban central de béton séparant les quatre voies. Comme à chaque fois qu'elle mettait les pieds dans une gare depuis plusieurs mois, Ludivine devait faire un effort pour ne pas songer aux images horribles qui lui revenaient en mémoire suite à la première grosse enquête qu'elle avait conduite en compagnie de Segnon et Alexis, son ancien collègue.

L'instant présent. Rien qu'ici et maintenant.

La tranchée s'effaçait petit à petit à mesure que le quai déroulait sa langue ocre vers l'horizon. Des pavillons cossus, des arbres dénudés et des passants dans les rues apparaissaient au fur et à mesure, rappelant qu'on se trouvait dans une banlieue plutôt bourgeoise. Était-ce cela que visaient les terroristes ? Par désir de frapper partout ? Ludivine en doutait, elle flairait autre chose. Plus certainement lié au parcours en lui-même.

— Tu veux monter dans le train ? lui demanda Segnon. Il y en a un dans cinq minutes.

— Pas encore.

Elle observait. Une foule éparse de travailleurs, d'étudiants qui patientaient, portable à la main pour les deux tiers, quelques-uns un roman sous les yeux, le reste discutant tout bas ou perdu les yeux dans le vague.

Il faisait frais, le soleil emmitouflé dans son édredon de nuages gris occultant une partie de sa luminosité.

Y a-t-il un détail qui a attiré votre attention ? Une marque symbolique à vos yeux ?

Ludivine cherchait en circulant lentement entre les poteaux, sous les lampadaires éteints, examinant les filins électriques au-dessus des rails, puis revenant aux passagers eux-mêmes, sans que rien n'attire particulièrement son attention. Au loin les voies dominaient le paysage, légèrement surélevées.

Pourquoi Meudon ? Pourquoi être descendus si loin de votre planque ? Si c'est pour aller à Paris ça n'est pas logique...

Sauf si leur cible se trouvait tout près. L'enquêtrice observa à nouveau le passage surélevé et constata que depuis le train la vue devait être plongeante sur les maisons et immeubles en contrebas.

— Finalement on va prendre le prochain.

— Sûre ?

— Tu te positionnes à droite, moi à gauche. On cherche n'importe quoi qui puisse s'apparenter à une cible hautement symbolique. Il doit y avoir des viaducs ou ce genre de trucs sur le trajet qui permettent d'avoir une solution de tir intéressante. Ça doit être tout près d'ici, sinon ils ne seraient pas descendus à cette gare-ci.

— Tirer depuis un train c'est chaud quand même...

— Qui a dit qu'il fallait être à ce point adroit avec de l'explosif que tu lâches depuis la fenêtre ? Pas évident mais en sortant le bras par l'interstice, c'est jouable s'il suffit de le balancer.

— Oh merde... OK, je me mets à droite.

Ils marchèrent encore, lentement, entendant les rails résonner à l'approche du train. La petite foule autour d'eux se clairsemait à mesure qu'ils arrivaient au bout du quai, la plupart des voyageurs se rapprochaient du bord.

Le convoi entra en gare, les roues crissèrent, véritables lames de rasoir surchauffées. L'odeur caoutchouteuse des freins satura l'air froid.

Ludivine aperçut la silhouette tout au bout du quai, assise sur le dernier banc. L'homme regardait l'avant du train fixement.

La jeune femme chercha le bras de Segnon et elle l'attrapa le plus discrètement possible pour le presser.

Elle aurait reconnu ce visage au milieu de cent.

Jusqu'à présent il n'était qu'une photo de dossier. Désormais Abel Frémont se tenait à moins de vingt mètres.

69

Dans l'habitacle feutré du Porsche Cayenne GTS, les membres du GIGN ne parlaient pas, concentrés sur leur cible. Elle se trouvait exactement devant eux sur la voie la plus rapide.

Le véhicule de tête avait pris ce qu'il fallait d'avance pour fermer le passage au cas où, si la BMW décidait de quitter le périphérique par exemple. Il fallait la maintenir dans ce corridor. La portion qui se profilait était légèrement décaissée, des murs épais encadraient les six voies, ce qui était préférable à des façades d'immeubles en cas de balles perdues.

Le chef de groupe dit au chauffeur :

— Rapproche-toi encore, et décale-toi sur la file de droite, qu'on soit parallèles à eux.

Le moteur vrombissait, prêt à monter dans les tours au moindre ordre, mais pour le moment le conducteur caressait la pédale d'accélération. Il redonna un léger coup pour faire glisser son véhicule sur l'asphalte et revenir à la hauteur du X5 qu'ils filaient.

Le plan était en action, des centaines de policiers mobilisés, en train de bloquer les accès d'entrée à moins d'un kilomètre, pour que la route soit libre. Plus haut encore, un barrage venait de se mettre en place pour interrompre tout le trafic en sens inverse. À la radio, le commissaire Marc Tallec de la DGSI confirma qu'ils venaient de remonter la circulation pour former une digue avec leurs voitures et qu'ils s'apprêtaient à ralentir ensemble pour séparer les terroristes de la circulation. Seules les voitures qui se trouvaient devant eux ne pouvaient être éloignées.

Tout était dans le timing.

Dès qu'ils arriveraient à la portion évacuée, les terroristes comprendraient qu'ils étaient cernés et déclencheraient leur riposte, mais pas question d'intervenir plus tôt, avant d'avoir atteint la zone de sécurité. Tout devait être coordonné à la seconde près, une portion de quelques centaines de mètres seulement.

Les panneaux défilaient. Les deux-roues fonçaient entre eux, insouciants.

— Alors ? demanda le chef de groupe à l'informaticien derrière.

Je n'ai pas encore leur Bluetooth.

— Dépêche.

— Je fais au mieux mais le signal ne vient pas jusqu'à moi.

Le chef de groupe aperçut un camion simulant une panne au milieu de la rampe d'accès du périphérique, empêchant quiconque de s'engager. Au moins les choses étaient faites discrètement. Il croisa les doigts pour que les terroristes ne commencent pas à se douter de quelque chose maintenant.

Encore deux minutes. Juste deux minutes, pria le chef de groupe.

Les vitres de la Porsche étaient complètement noires, impossible de distinguer ses occupants depuis l'extérieur, mais elles obscurcissaient la vue également, et celles du X5 qu'ils longeaient étaient légèrement teintées, ce qui rendait difficile l'observation.

— Ils bougent, déclara le conducteur. Je sais pas ce qu'ils fabriquent mais ils s'agitent à l'intérieur.

— Ils ont peut-être remarqué que la voie d'entrée était bouchée et que le trafic se réduisait en face. Cisco, il vient ce Bluetooth ?

— C'est pas si facile, chef, il faut vraiment être tout près.

Aucun moyen de faire mieux sans éveiller l'attention de leur cible. Ils roulaient côte à côte, un mètre cinquante à peine les séparait.

— Je l'ai ! Je l'ai ! Préparez-vous !

Ayant récupéré tous les codes d'accès constructeur auprès de BMW, le logiciel du GIGN venait d'accrocher le Bluetooth du X5 des terroristes et pénétrait dans l'informatique du véhicule.

— Je suis en place, les informa Cisco. Mais le signal peut décrocher à tout moment, c'est maintenant ou je ne garantis plus rien !

— Pas avant de rejoindre la zone sécurisée ! ordonna le chef sur le siège passager.

La portion choisie succédait à un tunnel, pour être moins visible à distance.

Tout reposait sur l'effet de surprise. Si les terroristes se rendaient compte de quoi que ce soit, il leur suffirait d'ouvrir le feu pour faire un carnage, y compris sur les militaires tout près d'eux.

Derrière, les monospaces banalisés du GIGN se préparaient à accélérer pour monter à l'assaut. Ensuite venaient tous les véhicules de la DGSI.

Le trafic sur les voies en face se clairsemait de plus en plus.

— Ils vont piger que c'est pas normal, fit le conducteur, on ne va pas atteindre la zone à temps.

Le tireur derrière le chauffeur n'avait pas prononcé un mot depuis dix minutes, cramponné à son HK-MP5, canon pointé vers les pneumatiques de la BMW. Sa vitre avait été modifiée pour pouvoir tomber dans son fourreau presque d'un coup sur commande. Il était l'unique tireur direct dans cette opération, le plus proche, celui qui aurait la première responsabilité de tir. Mais aussi la cible la plus évidente en cas de contre-attaque.

Le chef de groupe aperçut le tunnel juste en face. Il déroula sa cagoule pour terminer de masquer ses traits.

— Moins de trois cents mètres, prévint-il.

Dans le rétroviseur, il repéra tous les autres véhicules prêts à se positionner.

Les voies opposées étaient presque vides à présent.

Si les terroristes déclenchaient leur bombe, tout le monde dans l'habitacle y passerait, songea le chef de groupe avant de se reconcentrer sur le timing.

Pénombre, lumière orange. Ils y étaient.

— Juste avant la sortie, tu enclenches, ordonna-t-il à l'informaticien. Tu as toujours le contact ?

Son cœur battait vite. La réponse mit trop longtemps à venir.

— Bordel, tu l'as encore ou merde ?

— Oui, c'est bon, c'est bon, je suis dessus.

La lumière grise du jour se profilait.

— Maintenant !

D'un clic, le logiciel shunta tout le système informatique et électronique de la BMW X5.

Son tableau de bord devint noir, son moteur se coupa sans laisser la moindre commande disponible sinon la direction et le freinage.

Aussitôt, le conducteur du GIGN s'écarta sur sa droite pour mettre le plus de distance possible entre eux.

Derrière, les monospaces se déployèrent pour remplir tout l'espace tandis que plus en retrait encore la DGSI venait de former un écran de voitures qui freinaient brusquement pour paralyser tout le trafic.

La fenêtre du tireur tomba et le HK-MP5 visa les roues droites.

Rafales sèches, crépitement des balles, éclatement des pneus, quelques impacts dans la carrosserie. Une fois pour chaque roue.

Complètement désemparés par l'effet de surprise, les terroristes n'avaient pas encore eu le temps de riposter que leur 4 × 4, devenu incontrôlable, fit une embardée. Il vint buter dans le rail central qui le repoussa violemment au centre du périphérique.

Le Porsche Cayenne à leur niveau cracha toute sa puissance pour les dépasser juste avant d'être frôlée, et rejoignit son homologue plusieurs dizaines de mètres plus haut.

Le X5 fut propulsé en travers de l'asphalte et, pris par son élan, bascula. Deux tonneaux consécutifs, avant de glisser dans une gerbe d'étincelles et de s'immobiliser sur le toit parmi le verre brisé et les débris.

Les Cayenne pilèrent vingt mètres devant, tandis que les monospaces en faisaient autant trente mètres derrière, portes latérales aussitôt ouvertes et membres du GIGN surgissant pour se mettre à couvert derrière les véhicules ou des boucliers d'intervention.

Un bras surgit du X5, puis un homme s'extirpa en rampant par la fenêtre pendant qu'un autre sortait par la porte entrouverte. Ils cherchaient quelque chose.

Les sommations de ne plus bouger pleuvaient, plus d'une douzaine de canons étaient braqués sur eux.

Le 4 × 4 des terroristes hors d'usage, les deux Cayenne roulèrent pour se positionner le long du mur, afin d'éviter d'être dans le prolongement direct des lignes de visée de leurs camarades.

Une kalachnikov apparut. L'un des terroristes la leva en direction des militaires, et aussitôt une salve de coups de feu retentit, assourdissante, le fauchant et le projetant sur le dos. Le second à se montrer avait un pistolet à la main et tira deux balles vers les monospaces avant que ses genoux n'explosent et qu'il ne s'écrase au sol.

Une ombre bougeait dans l'habitacle du X5, se déplaçant vers l'arrière.

Nouveaux ordres de reddition des gendarmes, d'immobilité.

L'odeur de la poudre, de l'essence du 4 × 4 qui se répandait sur l'asphalte et le stress rendaient l'atmosphère irrespirable.

Un homme cria en arabe à la gloire de Dieu.

Puis une explosion expulsa des centaines de projectiles dans une boule de feu monstrueuse, déchiquetant les occupants du véhicule. La déflagration arracha tous les panneaux, renversa les hommes et fit se briser toutes les fenêtres alentour, avant qu'un champignon noir ne s'envole vers les cieux.

Du noir de la haine.

70.

Abel Frémont ferma les yeux. Il murmurait pour lui-même.

Était-il en train de prier ? se demanda Ludivine.

Segnon se préparait à se jeter dans le compartiment du train juste devant lui pour sonner l'alarme s'il le fallait.

Abel sortit un téléphone de sa poche et jeta un coup d'œil fugitif au cadran, probablement pour l'heure.

Il attend le bon moment. Aucun doute, c'est une attaque coordonnée. Ils vont frapper tous en même temps.

Cette fois Abel ne regardait plus le train mais ses pieds, pensif.

Ludivine fit signe à Segnon qu'il pouvait reculer. Ce n'était pas pour maintenant, pas pour ce train.

Tandis que les rames se remettaient en marche, les deux gendarmes s'écartèrent pour ne pas attirer l'attention et s'assirent sur un banc, plus loin. Ludivine n'était pas folle, elle savait qu'il était préférable de laisser une unité d'intervention spécialisée se charger de lui mais s'il tentait de se rapprocher ou s'il faisait mine de vouloir monter à bord d'un train, elle le mettrait en joue. Puis elle réalisa qu'il portait probablement une ceinture explosive.

— Remonte à la gare, dit-elle assez bas à son collègue. Appelle Jihan et Marc sur le chemin pour qu'ils dépêchent des renforts d'urgence, bloque les accès pour que plus personne ne puisse rejoindre les quais, puis fais interrompre tout le trafic. Surtout aucun affichage ! Il faut qu'on le tienne ici sans qu'il s'en rende compte.

— Je te laisse pas seule avec lui.

— Pas le choix ! Il faut sécuriser le périmètre avant que d'autres passagers s'entassent ici !

Segnon serra le poing.

Leurs téléphones portables se mirent à sonner en même temps.

— L'opération est terminée ici, dit Marc à Ludivine, nous en avons neutralisé au moins trois. Il y en a deux dans la nature qu'il faut identifier au plus vite avant qu'ils…

— Abel Frémont est à quinze mètres de moi, gare de Meudon.

Silence. Puis Marc enchaîna :

— S'il a un smartphone sur lui il va vite comprendre, les médias commencent à surgir de partout ici. On arrive mais il ne doit pas partir, tu m'entends. En aucun cas.

— Je sais.

— Tenez bon.

En aucun cas. Les mots résonnaient lourdement.

Segnon raccrochait aussi, Guilhem venait de le prévenir.

— Je vais fermer les accès, prévint-il.

Le colosse s'éloigna aussi rapidement que possible sans paraître suspect et Ludivine jeta un coup d'œil à Abel Frémont, isolé sur son banc.

Il jouait nerveusement avec un petit objet métallique.

Le détonateur ?

Il n'allait pas se faire sauter ici, sans personne autour, ça n'avait aucun sens. D'ailleurs, pourquoi n'était-il pas plutôt au milieu du quai, là où il serait le plus sûr d'être entouré d'un maximum de victimes potentielles ?

Soudain Ludivine reconnut l'objet dans sa main. Une clé pour ouvrir les portes de train. Voulait-il forcer l'ouverture pendant le trajet ? Pour disposer d'une plus grande liberté de mouvement afin de lancer sa bombe sur sa cible ? C'était un plan risqué, il serait cerné de nombreuses personnes capables de l'en empêcher, voire de le pousser sur les voies si nécessaire ! Même à l'avant du train, il ne serait pas tranqui...

Ludivine se plaqua la main sur la bouche en comprenant.

Non, il n'était peut-être même pas muni d'une ceinture d'explosif après tout. Il n'en aurait pas besoin. La bombe, c'était le train.

Il monterait devant pour pouvoir ouvrir la porte du conducteur avec sa clé. Il le tuerait pour prendre le contrôle de la rame...

Ludivine imagina ce qu'un train lancé à pleine vitesse pourrait faire comme dégâts en arrivant en pleine gare Montparnasse... un carnage. Une horreur. Tous les passagers qu'il transporterait plus tous ceux dans le hall qui seraient arrachés, broyés...

Ce type ne devait surtout pas monter à bord. S'il réussissait à s'enfermer, Ludivine ignorait si même avec son arme elle serait en mesure de le déloger.

Il ne fallait pas qu'il *s'approche* du prochain train. Ne pas prendre le moindre risque qu'il lui échappe.

En aucun cas.

Combien de temps fallait-il pour qu'une unité d'intervention du GIGN ou du RAID voire de la BRI débarque ? Vingt minutes ? Peut-être trente ?

Ludivine se pencha vers l'écran d'affichage des départs et constata avec dépit que le prochain train devait arriver dans moins de dix minutes. Segnon ferait le nécessaire pour qu'il n'entre pas en gare, ne surtout pas exposer des dizaines sinon des centaines d'innocents au danger.

Abel allait comprendre. C'était sûr.

Ludivine inspecta les quais tout autour. Une vingtaine de personnes environ. Beaucoup trop.

Et de là où se trouvait Abel Frémont, il pouvait aussi faire feu sur la rue, viser des passants.

Il ne fallait pas qu'il remarque qu'il était repéré. Ludivine devait le neutraliser à tout prix avant.

Instinctivement, elle porta la main vers la crosse de son Sig Sauer.

Segnon était seulement en train de monter vers la gare après avoir attiré à lui un maximum de passagers, sans faire de bruit.

Il en restait tout de même trop.

Personne ne réalisait ce qui se tramait, pas même Abel Frémont.

Il récite ses prières.

Ludivine savait que Segnon ferait bien les choses, la SNCF aussi, l'écran allait indiquer un retard de dix minutes pour expliquer l'absence de train afin de gagner encore un peu de temps. Mais comment évacuer tous les civils ?

Abel consulta à nouveau son téléphone.

La stratégie des gendarmes ne tiendrait pas assez longtemps pour permettre aux spécialistes d'arriver. Une notification de news sur l'écran du terroriste pouvait tout foutre en l'air, ou un message si ses complices n'agissaient pas comme convenu, quel que soit leur plan. Sans compter le cinquième larron dans la nature, lui aussi allait se rendre compte que tout avait foiré et probablement appeler Frémont.

Celui-ci sortit un tube de sa poche et avala son contenu. Ludivine savait ce qu'il faisait. Elle avait lu que la plupart des terroristes procédaient de la même manière juste avant d'attaquer.

Son cocktail d'antidouleur. Il se prépare. Il se came pour pouvoir agir le plus longtemps possible même s'il est blessé.

Ludivine agitait la jambe, gagnée par la nervosité.

Tout d'un coup Abel se leva.

Le cœur de la jeune femme s'accéléra encore.

Il hésita puis commença à venir vers elle, vers la gare.

Pourquoi changeait-il de position ? Venait-il d'apprendre pour ses acolytes ?

S'il dépassait Ludivine il serait ensuite au plus près des voyageurs attendant leur train. Elle ne pouvait pas le laisser faire. C'était trop dangereux. Risque de prise d'otages, ou qu'il en blesse plusieurs s'il était armé de grenades, même en se tenant à distance...

En aucun cas.

Réagir. Prendre une décision.

Peut-être allait-il juste acheter une bouteille d'eau ou uriner…

Décide-toi ! S'il passe, tout le monde est à sa merci !

Ludivine défit sa veste d'un geste et sortit son arme pour le mettre en joue :

— GENDARMERIE ! ABEL FRÉMONT NE BOUGEZ PLUS !

Le jeune homme s'immobilisa, surpris, les mains dans ses poches.

— SORTEZ LES MAINS ET LEVEZ-LES DOUCEMENT AU-DESSUS DE VOTRE TÊTE. ALLEZ ! aboya Ludivine.

Le regard éteint du garçon sembla se rallumer, une brève lueur du fond de son crâne qui le reconnectait avec le monde. Ses synapses s'électrisaient de toutes parts. Il cherchait à comprendre.

— VITE ! insista Ludivine tandis que dans son dos un mouvement de panique et des cris repoussaient les gens le plus loin possible.

— Comment vous avez su ? demanda Abel, tout calme.

S'il a une ceinture de kamikaze, il est trop près de moi… Il est peut-être en train de l'armer !

Ludivine s'efforçait de se maîtriser. Ne surtout pas tirer, si elle le tuait et qu'il n'avait rien sur lui elle n'aurait aucune excuse, si elle le manquait ou qu'il encaissait le choc, il pourrait répliquer, en se faisant sauter… Pire, sa balle pouvait toucher l'explosif.

Gagne du temps. Fais retomber la pression.

— Un billet de train abandonné dans votre garage, lâcha-t-elle, sans hurler cette fois, mais avec autorité. Maintenant sors tes mains.

Abel haussa les épaules et Ludivine faillit presser la queue de détente mais elle se retint in extremis.

— J'ai pas de bombe sur moi, avoua-t-il avec une franchise déconcertante.

Il peut mentir !

— Ton plan c'était de projeter le train dans la gare Montparnasse, n'est-ce pas ?

Froncement de sourcils.

— Vous savez ça aussi ?

— Nous savons tout, bluffa-t-elle. Vous n'aviez aucune chance. C'est terminé maintenant. Laisse tomber tes rêves de mort et rends-toi. Il y a un avenir ici, même pour toi.

Abel secoua lentement la tête, du dégoût et de la haine remontaient à la surface.

— C'est Allah qui décide de mon avenir, pas vous.

— Tu veux mourir ici, c'est ça ? Sans même rien avoir fait de ta vie ?

— Je suis un soldat de Dieu, c'est ça ma vie. Je défends ma religion contre les oppresseurs comme vous, les *kuffâr* qui méritent la mort. Il n'y a de lois que celles de Dieu.

Très bien, il répond, continue, garde son attention...

— Si je t'abats ici tu n'auras servi personne, ni à rien, c'est ça que tu veux qu'on dise de toi ici et là-haut ?

— Je serai un symbole pour mes frères ! Vous croyez quoi ? Que ça va s'arrêter après nous ? C'est que le début, vous m'entendez ? Que le début !

— L'État islamique est démantelé petit à petit en Irak et en Syrie, c'est au contraire la fin, Abel.

Instaurer le dialogue. Gagner du temps.

Le tutoiement était là pour ça, créer un lien.

— Vous avez rien compris ! Le Califat, on le refera ailleurs ! Ce que vous nous avez volé là-bas on va vous le reprendre ici. Il y aura toujours des frères pour poursuivre le combat. Sur Internet ils vont propager le message, pour que tous les musulmans de France et d'ailleurs comprennent que leur soi-disant nation veut en faire des brebis athées pour mieux les contrôler, alors qu'il n'existe qu'une seule voie, celle d'Allah ! La charia pour tous !

Abel transpirait. Une main devant lui, dessinant dans l'air, l'autre, bien plus inquiétante, s'agitant dans son manteau. Était-ce la nervosité ou préparait-il autre chose ?

Ludivine s'efforçait de réguler sa respiration pour ne pas flancher. Ne pas tirer.

— Les frères vont appeler les banlieues enragées à se soulever, insistait Abel, pour que ce soit la guerre civile ! C'est le plan de Daech ! Que ce soit le bordel, la haine ici ! Pour que tous les Français se battent entre eux. Que les partis d'extrême droite prennent le pouvoir grâce à la peur ! Que tout le monde stigmatise encore plus les musulmans. À la fin, ces derniers se sentiront tellement détestés par tous qu'ils n'auront plus d'autre choix que de prendre les armes. Tous ! Et alors ils retourneront sur la vraie voie d'Allah, et ils deviendront tous des moudjahidin ! Ce sera la guerre dans toute l'Europe ! Puis dans le monde, et l'islam triomphera ! C'est ça la vérité ! C'est que le début, je vous dis ! Daech peut bien tomber là-bas, nous serons bientôt ici même !

La haine et la fièvre religieuse s'emparaient de lui. Un discours parfaitement rodé, implémenté au plus profond, comme pour se rassurer, pour donner du sens à ses actes fous.

Qu'est-ce qu'il fabrique avec sa main cachée ?

Ludivine percevait un début de panique s'emparer d'elle. Son index pressait de plus en plus fort sur la queue de détente et elle s'en rendit compte juste assez tôt pour éviter le pire. Fallait-il lui ordonner une fois encore de sortir sa main de sa fichue poche ?

Non, tu vas perdre le lien. Garde le contrôle par les mots, bon sang !

Elle devait reprendre l'ascendant :

— L'islam est une des grandes religions du monde. Une religion qui perdure et séduit tant d'âmes depuis si longtemps ne peut être la promesse de guerres.

Cette discussion était surréaliste, la mort pouvant survenir à chaque seconde d'un côté comme de l'autre.

— Qu'est-ce que vous y connaissez vous à l'islam, hein ?

— Ce que le plus grand nombre de musulmans m'en apprend chaque jour, respect, tolérance et amour. Tu sais ce que c'est la dyslexie ? C'est par exemple inverser certaines lettres, ne pas bien lire. Toi et tes amis vous êtes des dyslexiques religieux. Vous vous méprenez sur le sens de ce que vous lisez, vous pensez bien faire alors que vous êtes juste mal guidés par votre perception.

Abel secouait la tête, refusant ce qu'il entendait, mais Ludivine insista pour aller au bout de sa pensée :

— La dyslexie est un handicap, mais ça se travaille, ça se soigne. Toi aussi tu peux faire ce chemin. L'islam est réel, ta foi est profonde, mais tu l'as mal interprété, tu as inversé certains sens. Je te promets qu'il peut y avoir une solution.

— Arrête de me parler de l'islam, tu le salis !

Il s'agita soudain si violemment, sans pour autant dévoiler sa main, que Ludivine faillit une fois encore répliquer mortellement. Elle n'en pouvait plus. Son cœur battait à ses tempes.

— Nous pouvons t'aider…

— Tais-toi !

— Abel…

— Ferme ta gueule !

Comprenant qu'il s'enfonçait dans l'hystérie, Ludivine haussa le ton avant de perdre tout contrôle :

— Très bien. Maintenant lève les mains et mets-toi à genoux !

— Toute ma vie je me suis mis à genoux devant tout le monde et j'ai jamais rien eu, aucune reconnaissance, aucun respect. Plutôt crever que de me mettre à genoux devant une femelle mécréante et flic ! Va mourir !

D'un geste brusque, il sortit la main de sa poche. Tout ne dura qu'une seconde à peine, le temps pour Ludivine d'apercevoir la clé de train qui glissait vers le sol… Les doigts, eux, tenaient un revolver pointé dans sa direction.

Ludivine s'était empêchée de l'abattre et avait noué le contact. Lorsqu'elle aperçut le chrome de l'arme, il était trop tard.

Abel Frémont avait pressé la détente en premier.

Un double coup de feu retentit pourtant sur les quais et résonna lourdement.

La joue d'Abel se creusa d'un poinçon rouge et l'arrière de son crâne se disloqua dans un geyser de sang et de matière cérébrale.

Segnon se tenait sur l'autre quai, en face, l'arme fumante.

Ludivine tomba à genoux.

Une balle en plein cœur.

71.

Ludivine eut juste le temps de comprendre que c'était fini.

Le choc dans sa poitrine fut instantané. Le projectile frappa au niveau du cœur, diffusant l'onde de choc dans tout le torse, brisant plusieurs côtes déjà fragilisées depuis l'agression par l'homme nu.

Ses poumons furent vidés de leur air d'un coup.

Son cœur lui parut s'arrêter en même temps.

La jeune femme fut projetée en arrière, tapa contre un poteau et bascula vers l'avant, où elle tomba à genoux avant de s'effondrer. Encore consciente, elle vit le quai se dérober tandis que des points noirs recouvraient sa vue. Le sifflement des détonations lui vrillait les tympans.

Incapable de respirer, la poitrine comprimée, elle enfonçait ses doigts dans les fissures comme pour y trouver une faille par où fuir ce corps meurtri. Sa bouche était grande ouverte, happant le vide, à moins que ce ne soit pour que son âme puisse tenter d'en jaillir.

Pourtant son cœur battait, elle pouvait l'entendre. Il ne s'était pas réellement arrêté. Il devait pomper tout son sang hors de son corps ; chaque battement allait la refroidir, jusqu'au linceul glacé de la mort.

Segnon avait traversé les voies et se hissait à ses côtés pour la retourner, face vers le ciel. Il paniquait. Il inspecta son corps du regard pour localiser l'impact, et dès qu'il le remarqua il devint blême.

— Accroche-toi ma Lulu, accroche-toi !

Il tira sur les attaches de quelque chose de lourd qu'il arracha pour libérer Ludivine de sa gangue de plomb.

L'air revint brusquement, il s'engouffra dans ses poumons et elle se cambra avant de haleter. Elle avait mal à chaque inspiration mais elle parvenait à respirer. Et son cœur battait toujours aussi vite. Elle ne devinait pas l'écoulement tiède de son sang où que ce soit sur elle.

Segnon lâcha le gilet pare-balles qui avait encaissé le projectile et lui prit le visage entre ses grosses mains. Il riait et pleurait en même temps.

— Oh putain... c'est pas vrai... T'es là, t'es bien là. Ça va, je suis avec toi...

Elle l'agrippa et le serra fort.

72.

Le cinquième terroriste avait rapidement compris que tout le plan était compromis, les médias tournaient en boucle autour du périphérique enfumé et mentionnaient des coups de feu dans une gare de proche banlieue, presque en temps réel. Le mot « terrorisme » s'affichait déjà partout sur Internet, sur les réseaux sociaux, comme le totem glaçant d'une nouvelle ère.

L'individu, paniqué, avait quitté précipitamment la gare de Maisons-Alfort-Alfortville.

Les photos des trois terroristes connus avaient été diffusées à travers tous les médias presque dans la foulée de l'assaut sur le périphérique, stipulant que l'un d'entre eux était encore en fuite.

Il n'avait pas fallu une heure à la DGSI et à la SR de Paris pour recueillir plusieurs témoignages clés. Parmi les centaines d'appels qui affirmaient avoir vu les hommes fichés un peu partout sur le territoire, quelques-uns furent décisifs.

Les enquêteurs supposaient que le plan du détournement de train avait certainement été doublé et qu'une seconde gare était visée afin de provoquer le plus de morts possible. La BMW revenait de Meudon lorsqu'elle avait été interceptée, et compte tenu du temps qu'elle avait eu pour déposer les deux opérateurs solitaires, cela ne pouvait être qu'en banlieue est ou sud de Paris.

On priorisa les témoignages corroborant la présence d'un homme ressemblant trait pour trait à Moussa Bakrani et s'enfuyant de la gare de Maisons-Alfort. Les bandes de surveillance vidéo furent saisies pour être décortiquées et les enquêteurs purent rapidement retracer le parcours du jeune homme.

Contre toute attente, il était revenu directement au garage de Saint-Denis. Estimant probablement que certains de ses camarades avaient pu s'en sortir, il y était retourné pour définir avec eux leur nouvelle stratégie. Tous n'avaient pas la prudence, l'intelligence et la méfiance naturelle de TZ, leur leader. La chance souriait enfin aux forces de l'ordre, car elles avaient identifié cette planque-ci de la cellule. Si Moussa Bakrani avait décidé de rentrer plutôt à leur base initiale, qui demeurait inconnue des enquêteurs, il serait passé entre les mailles du filet…

Le RAID, qui planquait à proximité du garage, lui tomba dessus si rapidement qu'il n'eut pas le temps de sortir son arme et il fut conduit au siège de la DGSI à Levallois.

Exceptionnellement, Ludivine, qui pansait ses côtes blessées à sa manière — en travaillant —, fut autorisée à assister à une partie de la garde à vue. Marc menait l'interrogatoire dans une petite pièce ne contenant qu'une table et deux chaises.

— Moussa, tu vas me confirmer les noms de tes potes qui ont cramé dans la bagnole.

Le gros dur s'était verrouillé dès le début de l'audition, et il était impossible d'en tirer le moindre mot.

— Tu as conscience que si je ne connais pas au moins leurs noms, ils vont finir enterrés comme des chiens les uns sur les autres avec des inconnus dans une fosse commune ?

Cette idée sembla déplaire fortement au survivant, qui regarda Marc dans les yeux pour la première fois. Ce dernier en profita pour en remettre une couche :

— Personne ne saura jamais qui ils étaient. Qui étaient ces garçons qui se sont sacrifiés pour Allah. Des anonymes. Et tu sais comment ça marche maintenant, si personne ne connaît ton nom, alors c'est comme si tu n'avais jamais existé ! Ils seront morts pour rien. C'est quand même con de faire tout ça pour finir entassés avec des mécréants, peut-être des juifs, des…

— Insultez pas leur mémoire, ils sont morts dans la gloire et ils sont au paradis maintenant.

— Sauf que ça, personne ne le saura jamais, si tu ne parles pas. Ils voulaient que le monde entier les connaisse, sache de quoi ils étaient capables, et en définitive ils seront morts anonymement. Donne-nous leurs noms pour leur offrir au moins ce plaisir, Moussa, celui de passer à la télé dans les journaux. Et pour leurs parents, pour qu'ils soient enterrés dignement, comme des musulmans, avec un nom sur leur tombe.

Marc bluffait depuis le début. Il était sûr de parvenir à tous les identifier une fois l'enquête entièrement bouclée, mais il voulait gagner du temps, avoir une confirmation, et plus encore il était obsédé par une question bien précise qu'il gardait dans sa manche pour le dernier moment.

— Très bien, on va jouer ça différemment. Abel était à la gare de Meudon. Toi à Maisons-Alfort. Qui étaient les trois dans la voiture ? Ahmed y était. Qui d'autre ?

Moussa parut déstabilisé. Donc la DGSI savait qui ils étaient ? Pourquoi toutes ces questions alors ?

— Eh oui, tu vois, on n'est pas que des mécréants débiles, fit Marc.

Les pupilles de Moussa passaient de droite à gauche, comme s'il cherchait à comprendre ou à attraper une information invisible devant lui.

Marc estima qu'il était temps d'aborder le cœur du problème :

— Qui était l'artificier ? Sacré beau boulot, la BM était bourrée à craquer, elle a flambé d'un seul coup.

— Ahmed, avoua Moussa du bout des lèvres.

— Pardon ?

— C'est Ahmed qui a fabriqué la bombe.

Marc ne s'était pas attendu à cette réponse. Il flairait une entourloupe.

— Comment il a fait ?

— Je sais pas, avec de l'engrais je crois.

— Où ça ? Au garage ?

— Non, il avait un coin peinard pour ça, mais je sais pas où, c'était la règle : on se dit rien.

Marc avait suspecté Ahmed Menouyi d'être le logisticien de la cellule, d'avoir procuré les armes via ses contacts dans le milieu de la grande délinquance qu'il avait longuement fréquenté, mais il n'avait jamais envisagé qu'il soit aussi l'artificier. Cela se tenait, il y avait même une certaine logique, mais il se demandait comment le terroriste avait appris.

— Comment il savait faire une bombe ? C'est pas courant ça.

— Sur Internet, il y a des tutos, il suffit de les suivre.

Marc fit la moue. Il savait que c'était possible quoi que risqué, ce qui n'était pas un frein compte tenu de leur détermination. Il décida de tester la franchise du prévenu :

— Quel était l'objectif de la BM ?

Moussa hésitait encore. Il réfléchissait à toute vitesse. Puis après un long soupir il se lança :

— Au départ, on devait faire sauter les Champs-Élysées le soir du 31 décembre.

— Dans plus de trois semaines ? Tu te fous de moi ?

— Non, non, c'est vrai ! On avait même arrangé une camionnette pour se faire passer pour la voirie et entrer dans les égouts par les plaques. Les charges auraient été déposées tous les cent mètres environ, plus de deux tonnes en tout. On devait tout installer cette semaine, avant que la sécurité commence à trop se renforcer à l'approche des fêtes. On aurait attendu jusque-là et le 31 on attaquait. Boum ! La plus belle avenue du monde envolée avec tous ceux qui se croient supérieurs.

— Pourquoi avoir changé d'avis ?

— Parce que c'était foireux ! On a failli se faire gauler deux fois. Trop de monde tout le temps, les keufs sur les nerfs à regarder dès qu'une bagnole s'arrête plus de dix minutes. Je le sentais pas, alors on a abandonné. C'est là qu'Ahmed a proposé de changer le plan et de gaver le X5 avec l'explosif pour aller sur le marché de Noël en bas des Champs.

— Vous deviez vous faire sauter là-bas ?

— Oui.

— Pourquoi aujourd'hui ?

— Parce que Ahmed craignait qu'on se soit fait repérer avec la camionnette sur les Champs, fallait plus traîner. Un mercredi midi, avec les touristes et tous les gamins, c'était symbolique. Boum la caisse ! Et ensuite on tirait à la kalach sur tout ce qui bougeait encore jusqu'à ce que les flics débarquent pour qu'on se dépouille. Ahmed a dit qu'on allait transformer vos fêtes en souvenir de mort.

— Il n'y avait pas tout votre explosif dans la BM. Où est le reste ?

Nouveau regard surpris de Moussa. Nouvelle hésitation.

— Avec la camionnette qu'on a cramée.

— Vous avez fait brûler votre bombe ?

— On avait finalement besoin de bien moins que prévu, vous vouliez qu'on en fasse quoi ? Ça rentrait pas dans le 4 × 4, les deux tonnes !

Moussa se mettait à table, alors Marc décida de sortir sa question cruciale :

— Qui dirige le groupe ?

— Ahmed.

— Tu es sûr ?

Pupilles noires contre pupilles noires. Personne ne flanchait.

— Vous voulez faire mes réponses en plus des questions ?

— Pourquoi lui ?

Moussa haussa les épaules.

591

— Parce que c'était lui, c'est tout. Il avait la maille, il avait les guns, il savait faire la bombe, c'était le plus âgé, le plus expérimenté, il avait le charisme, voilà.

Ahmed était TZ.

Marc commençait à voir le tableau d'ensemble. Abdelmalek Fissoum l'idéologue, Laurent Brach en simple fusible pour recruter un intermédiaire indétectable par la DGSI – Sid Azzela –, Anthony Brisson pour faire le ménage, puis le commando composé d'Abel Frémont, Moussa Bakrani, Ahmed Menouyi le leader, le terroriste souche par qui tout avait commencé, et deux autres inconnus non encore identifiés.

— Tu le connaissais d'où Ahmed ? voulut-il savoir.

— De nulle part. Je l'ai rencontré au dernier moment.

En effet, Fissoum avait donc sélectionné les hommes de la cellule.

— De qui il prenait ses ordres ?

— Comment ça ?

— Ahmed il vous commandait vous, mais lui il obéissait à qui ?

— À personne. Ahmed c'était un spécial... Pas le genre à obéir à un autre. Vous le connaissez pas. Il a eu mille vies, ça se voit. Il savait tout faire. Je sais pas d'où il venait vraiment, il disait rien, mais je suis sûr qu'il est mort avec le sourire, que la paix et le salut d'Allah soient avec lui.

Pour le coup, Marc devait bien lui reconnaître qu'il n'avait pas tort. Ahmed était celui qui avait récupéré la kalachnikov pour ouvrir le feu sur le GIGN avant de se faire abattre.

— C'était qui les deux autres avec lui dans la voiture ?

— Pourquoi vous me demandez si vous avez déjà tous les noms ?

— Aide-moi à confirmer, qu'on mette les bons corps dans les bonnes tombes.

Moussa secoua la tête. Il avait compris que la DGSI n'avait pas encore tout. Ce fut le point de rupture. Marc ne put rien en tirer de plus et il ressortit dans le couloir où l'attendait Ludivine, près de la porte restée entrouverte.

— Voilà le genre de mec qui se cache derrière le mot « terroriste », lâcha Marc, blasé.

— Difficile à raisonner. Le sortir de son endoctrinement va être difficile.

— Lui est un convaincu, ce sera impossible. Il nous a certainement lâché ce qu'il a bien voulu. On en saura pas plus avec lui. Et il n'y a pas de discussion possible sur ses convictions.

— Peut-être qu'avec du temps, grâce à un imam, il reviendra à plus de modération.

— Il a sa vision de la religion chevillée au corps, il refusera d'en reconnaître une interprétation différente. Nous sommes deux civilisations qui s'affrontent autour d'une table pour savoir si c'est un 9 ou un 6 qui nous sépare. Certains peuvent parfois se poser et admettre que c'est une question de point de vue, mais lui je ne crois pas.

— Il s'est mis à table plutôt rapidement, fit remarquer Ludivine.

— C'est souvent le cas. Ils ont besoin de parler des faits, à défaut de religion. Pas trop déçue ?

— Par quoi ?

Marc désigna le détenu à travers la fenêtre.

— Par lui. Ils n'ont pas souvent la carrure qu'on imagine. On s'attend à des génies du Mal, l'œil vif, avec une réponse à tout, et la plupart ne sont rien d'autre que des paumés endoctrinés. Tu as entendu : ils ont abandonné leur grand plan parce qu'ils ont failli se faire choper. Les Champs-Élysées, rien que ça ! Ils s'attendaient à quoi ? À ce qu'on les laisse tranquillement poser leur bombe ? C'est l'avenue la plus surveillée de Paris ! Une belle brochette… Heureusement, c'est ainsi la plupart du temps. C'est pour ça qu'on les attrape.

À présent ils marchaient lentement dans le corridor.

— Tu dis que la plupart d'entre eux sont comme ça, c'est donc qu'il y en a de plus… sagaces ?

— Hélas. Des fanatiques qui se préparent et qui sont assez malins pour aller jusqu'au bout. Ceux-là sont les rares qui passent à travers les mailles de nos filets et qui font la une des journaux avec la liste de leurs victimes.

Après quelques pas, il ajouta :

— Je suis déçu de ne pas avoir chopé TZ vivant.

— Les leaders sont les plus déterminés, non ? Ahmed n'aurait rien dit…

— C'est possible, mais j'aurais aimé l'avoir en face de moi. Il faudra étudier son passé, comprendre d'où il venait, quel a été son véritable parcours, pas celui qu'il a sournoisement fait gober aux autres et à l'État. Peut-être que cela nous ouvrira de nouvelles pistes pour démanteler d'autres réseaux.

Ludivine posa sa main sur le bras de Marc.

— L'essentiel c'est aujourd'hui. On les a eus. Il y en aura d'autres, bien sûr, alors tout ce cirque recommencera et avec de la chance ils se feront aussi choper, mais savourons déjà cette bataille remportée. La guerre sera peut-être longue, autant profiter de chaque triomphe.

Marc acquiesça. Mais il paraissait incapable de se réjouir.

— À quoi penses-tu ? demanda Ludivine.

— Depuis la France nous n'aurons jamais que les opérateurs. Qui les a financés, eux ? Qui a longuement œuvré dans l'ombre pour les faire basculer dans le terrorisme ? Des hommes comme Zineb Razaf, le Tunisien que je t'ai montré l'autre soir dans le palace, des types qui jouent un double jeu avec nos intérêts stratégiques et économiques pour se rendre intouchables. Parfois une opération militaire ou orchestrée en douce par la DGSE en fait tomber un, mais la plupart restent inapprochables. Des puissants parmi les puissants. Ceux-là sont dehors, ils le resteront sans que nous puissions rien faire.

Ludivine ne sut que répondre. Elle se contenta d'être présente.

Il avait raison, le monde était fait de déceptions, de désillusions, d'injustices. Mais au fond, elle savait qu'il abritait des trésors de vie qui le rendaient tout aussi fascinant, presque pardonnable.

Et elle plus que quiconque avait eu le choix de sa voie.

Elle avait opté pour celle de l'espoir.

À tout prix.

73.

Lorsque la France apprit la nature des attentats auxquels elle venait d'échapper, une vague d'indignation la souleva. S'attaquer aux Champs-Élysées, en ciblant notamment des enfants, puis lancer des trains bondés dans des gares, les mots suffisaient à tous pour que les films les plus terribles s'imposent dans des imaginations déjà bien nourries par les tragédies passées. C'était impossible, impensable, inacceptable. Les journaux télé tournaient en boucle sur les images du périphérique saturé de flics, l'épave fumante au centre. La France, encore bouleversée par les attentats récents, sensible, prit cette tentative avortée presque comme un défi. Plusieurs mouvements d'union nationale embrasèrent les réseaux sociaux, et très vite tous s'accordèrent sur la nécessité de prouver que le pays savait se souder, qu'il était temps d'envoyer un message fort au monde entier, à commencer par la galaxie terroriste où qu'elle soit sur le globe. Dire « Non ! ». Massivement. Les illuminés prenaient les armes pour délivrer leur haine, la France allait prendre la rue pour répondre par la fraternité.

Une marche de la liberté fut décrétée sur la place de la République à Paris, haut lieu de rassemblement dont le nom avait une portée fortement symbolique face au système liberticide que les fanatiques voulaient imposer.

Ludivine s'interrogea sur sa volonté d'y participer. Son devoir de réserve en tant que militaire l'y autorisait-il ? Les médias faisaient un tel buzz qu'il y aurait un monde fou, et elle n'était pas certaine d'avoir envie d'être à ce point cernée. Un samedi au calme chez elle lui ferait du bien. Peut-être que Marc la rejoindrait. Elle l'espérait. Elle commençait à se projeter. Leur histoire balbutiait à peine, pourtant elle s'attachait déjà. Ces petits instants de bonheur lorsque son nom s'affichait sur son téléphone ; ces soirées qui lui donnaient envie de chanter et de danser tandis qu'elle s'apprêtait ; les nuits tour à tour douces et torrides qui la berçaient jusqu'au petit matin. Elle aimait tous ces instants. Cette manière qu'avait Marc de se comporter comme si leur relation coulait de source, que la question de leur avenir ne se posait pas, lui provoquait des papillons dans le ventre à chaque fois qu'elle le regardait boire son café au réveil, dans la cuisine, ou lorsqu'il l'embrassait en lui disant : « À ce soir. » Elle tombait amoureuse, elle le sentait. Tout entière. Avec son corps, son cœur et son âme.

Et cette fois Ludivine était prête à s'offrir. Elle allait vivre sa chance. S'exposer, au risque de voler en éclats. Mais Marc était de cette nature qui la mettait enfin en confiance, y compris avec elle-même. C'était une qualité rare chez un homme.

Ses collègues de la SR furent très présents cette semaine-là, inquiets de ce qui lui était arrivé, de l'accumulation. Curieusement elle semblait plutôt bien encaisser là encore. Elle s'était vue mourir, mais également renaître dans les bras de Segnon. Elle avait survécu au terrorisme, au fanatisme. C'était là le plus important. Elle en avait fait des cauchemars la première nuit mais plus rien ensuite. La peau chaude de Marc contre elle y était pour quelque chose, songeait-elle.

Le grand dîner du vendredi soir chez Segnon et Laëtitia rassembla Guilhem et sa femme, Magali, Ben et Franck ainsi que Ludivine et Marc, qui arriva à l'heure cette fois. Ils mangèrent trop, burent avec excès, rirent beaucoup, jurèrent, blasphémèrent certainement, et se moquèrent de tous et de tout pour se sentir vivre, tout simplement. Ils cultivaient leur individualité, leurs singularités, à travers leur rituel de groupe.

Le lendemain, samedi, Marc dut finalement abandonner Ludivine pour la journée. La grande marche de la liberté mobilisait tous les services de sécurité : des sas de fouille partout, des barrières de véhicules de police à chaque coin de rue, et même des snipers sur les toits ; un niveau d'encadrement rarement atteint pour ce genre d'évènement. La DGSI n'échappait pas à l'astreinte et les éléments jugés potentiellement les plus dangereux étaient sous surveillance depuis plusieurs jours. Il était impensable qu'il se produise quoi que ce soit en ce jour emblématique et tout avait été balisé en ce sens. Même le soleil s'invita à la fête dès le matin.

Ludivine ne ressortait pas totalement indemne de cette folle investigation. Les mots des uns et des autres résonnaient parfois à ses oreilles et elle frissonnait.

Elle repensait à tout ce qu'elle avait entendu, et s'imagina que les islamistes qui ne combattaient plus là-bas en Irak et en Syrie avaient opté pour une stratégie plus larvée, en noyautant le système lui-même. Sous couvert pendant des années, usant de la *taqiya* pour se faire passer pour des citoyens ordinaires ils étaient devenus des informaticiens à des postes clés, des policiers, des militaires, des techniciens spécialisés et occupaient bien d'autres postes où ils pourraient agir le moment venu. Est-ce qu'un des snipers supposés protéger les manifestants place de la République n'allait pas soudain se mettre à tirer dans le tas au nom de son idéologie ? Est-ce que des informaticiens n'allaient pas couper les routeurs essentiels au trafic Internet du jour au lendemain ou lancer une vague de cyber-attaques sans précédent pour paralyser le pays ? Des spécialistes d'EDF détruiraient-ils l'approvisionnement en électricité pour faciliter un grand nombre d'attaques simultanées ? Un militaire ne pouvait-il ouvrir le feu sur la tribune officielle pendant son défilé du 14-Juillet ? Et si certains éducateurs sociaux dans les quartiers difficiles étaient en fait là pour alimenter le feu plutôt que l'apaiser ? Pour que les banlieues s'embrasent et jouent le jeu de l'ennemi, qui consistait à monter les Français les uns contre les autres. À faire passer les critères ethniques et sociaux au-dessus de celui de la fraternité nationale. Tout faire pour que les extrêmes prennent le pouvoir. Pour fragiliser encore plus les mentalités, pour polariser, pour faire bouillir, pour opposer, jusqu'à la perte totale de confiance, de repères.

Ludivine allait trop loin, elle se perdait dans son imagination, elle ne pouvait nier qu'elle garderait toute son existence des séquelles de ces quelques semaines. Des flashs lors de promenades, des montées de stress inattendues au milieu de rassemblements populaires, des idées folles, anxiogènes, régulièrement dans sa vie, dans la rue, dans une gare, une boutique ou pendant un moment de détente allongée dans un parc ou sur une plage… Elle repensa au discours de Marc et constata avec amertume qu'il n'avait pas tout à fait tort lorsqu'il prétendait que nos mentalités étaient devenues celles de victimes de guerre.

Nous pensons et vivons comme durant un long siège ponctué d'attaques éclairs, presque préparés, tandis que nos troupes sont au combat.

Ce pays et ce temps de l'histoire avaient bien besoin d'un point d'union qui perdurerait. Un symbole fort.

Place de la République.

74.

Un flot humain tanguait doucement sur la place. Une marée blanc, brun, noir, jaune ou en dégradés. Houle d'hommes, de femmes et d'enfants. Banderoles fières, messages de paix, de force, d'union, et d'amour. Un bouillonnement solidaire qui débordait de tous côtés, tourné vers le centre, comme un seul peuple célébrant la République.

Certains chantaient, d'autres scandaient, des groupes s'esclaffaient et parfois quelques-uns séchaient leurs larmes.

Cette foule n'était pas un regroupement d'inconnus mais un seul être constitué là, dans une volonté partagée de faire bloc, un golem de chair et d'espoir assemblé pour briser la dynamique de la terreur voulue par un petit nombre. Et la créature s'agitait, criait son enthousiasme, sa détermination. Pour l'heure, elle coagulait ces milliers de particules qui formeraient son enveloppe au moment de se mettre en marche.

Au milieu de la masse, un homme se tenait les mains dans les poches, un peu impressionné. Nader Ensour, réfugié jordanien, en France depuis trois ans. Droit dans son manteau, pas loin d'être fier d'être venu, entouré de cette horde bienveillante. Il se sentait presque devenu français en cet instant.

Son parcours n'était ni particulièrement glorieux ni honteux, c'était celui d'un homme ayant grandi entre ses origines palestiniennes et sa famille recomposée jordanienne, avant que de sombres histoires politiques ne l'obligent à la fuite, lui qui avait déjà tout perdu, parents, frères et sœurs, au fil de tragédies et d'emprisonnements. Il s'était retrouvé en France, seul, dans un centre d'accueil insalubre pour les sans-abri porte de Clichy, les foyers pour réfugiés étant tous saturés. Nader n'était pas formé à un métier rare ou important, pas plus qu'il n'était particulièrement doué pour un art quelconque, il était juste un survivant, et c'était l'essentiel. Il se contentait de peu et, d'une nature plutôt dynamique et volontaire, il s'était débrouillé pour dénicher assez vite un boulot de plongeur non déclaré à l'arrière d'un restaurant de Levallois-Perret. Nader était un taiseux, il écoutait, et c'est ainsi qu'il apprit le français en un an. Puis il s'efforça de le perfectionner, enrichissant son vocabulaire à l'aide des quotidiens gratuits qu'il ramassait à l'entrée des bouches de métro. Bientôt, il avait eu assez d'argent pour rejoindre un groupe de Libyens et d'Érythréens qui partageaient un appartement à Clichy. Quitter la vue sur le périphérique, ses odeurs, son bruit et sa faune pas toujours très accueillante fut une grande réjouissance pour lui.

Nader avait été beaucoup trahi durant sa vie, par les siens, par les femmes et par le système. Il ne faisait pas confiance, il n'aimait pas se confier, il n'appréciait pas la vie en communauté. Aussi l'appartement à

Clichy devint-il rapidement un autre purgatoire, d'où il s'extirpa six mois plus tard en s'exilant à Gennevilliers, où il put enfin avoir un logement rien qu'à lui, un studio en mauvais état mais qui lui paraissait très suffisant pour ses maigres besoins. Un vieil acariâtre le lui louait contre un paiement en cash tous les quatre mois, et sans aucune obligation de rénovation. Cela convenait à Nader, qui n'avait pas les moyens ni le dossier adéquat pour obtenir mieux légalement. Plus il s'éloignait de Paris et de ses fumées, plus il avait le sentiment de gagner en indépendance, de grimper sur l'échelle sociale. Il avait punaisé une vieille carte de France sur la porte de ses toilettes et entouré la Bretagne, considérant non sans humour qu'à ce rythme, un jour il irait s'y installer pour vivre près de la mer, loin de Paris, comme le notable qu'il serait devenu.

Sans vie sociale, alternant les plonges pour différents restaurants au gré des offres, Nader n'avait que deux petits plaisirs coupables : celui d'aller nourrir les pigeons au parc non loin de chez lui dès qu'il en avait la possibilité, et se rendre à la mosquée pour prier les vendredis lorsqu'il le pouvait.

C'était presque par hasard qu'il s'était retrouvé happé par l'entrain populaire, mû par un soupçon de curiosité plus que par une quelconque fibre patriotique, et qu'il s'était rendu à la marche de la liberté ce samedi après-midi.

Un groupe de jeunes soufflant dans des trompettes passa à côté de lui, sur l'immense place de la République que la marée faisait paraître minuscule, et ils le prirent dans leurs bras en criant qu'ils n'étaient qu'un. Nader se fendit d'un sourire amusé.

Il tentait de se frayer un chemin, presque timidement, pour ne pas déranger, lui le réfugié transparent. Combien étaient-ils ? Vingt mille ? Le double ? Et il en affluait encore de tous côtés. C'était impressionnant.

Nader trouva un espace près d'un banc occupé, et son regard fut attiré par les pigeons amassés sur une façade non loin.

Puis il observa les gens tout autour. Ces familles apprenant à leurs enfants ce qu'étaient les valeurs de la France. Ces adolescents brandissant leurs pancartes en carton pour bannir la haine. Un couple s'embrassant comme s'ils étaient seuls au monde. Un papa avec sa fillette sur les épaules. Au loin deux policiers qui s'éloignaient. Trois garçons draguant ouvertement deux filles beaucoup plus jeunes. Des syndicalistes arborant casquettes siglées mais aussi T-shirts faits main pour dire non au terrorisme. Un opportuniste vendeur de bouteilles d'eau qui avait certainement dû passer une éternité à faire contrôler sa marchandise, tant la sécurité était renforcée. Un homme seul, en train de marmonner, le regard triste, la sueur au front.

Nader était tout près de lui. Bien qu'il ressemblât davantage au « bon petit Français de souche », comme il se disait parfois à la télévision, l'homme parlait en arabe, Nader reconnut sa langue de suite.

Il récitait une prière.

D'un regard plus soutenu, Nader se rendit compte qu'il était fébrile, il tremblait. Son débit s'accélérait. Quelque chose clochait chez lui.

Nader vit le téléphone portable dans sa main.

L'homme s'apprêtait à appuyer sur le bouton d'appel. Il ferma les yeux, invoqua Allah et Sa gloire, et s'en remit à Lui pour le reste.

Nader se jeta sur lui. L'homme ne le vit pas venir et fut emporté par l'élan de son assaillant. Ils roulèrent au sol et le téléphone lui glissa des mains. D'un coup de coude dans l'arcade sourcilière, il tenta de se débarrasser de Nader mais celui-ci l'agrippait de toutes ses forces, et il n'en était pas démuni. L'homme en sueur enrageait d'être à ce point vissé au sol, et il multiplia les coups de poing au visage, encore et encore, jusqu'à ce que le pauvre Nader ne puisse plus rien y voir, couvert de son sang. Mais ses mains ne lâchaient pas.

Il retenait l'homme en sueur comme s'il s'agissait du démon. Il l'emprisonnait pour le tenir le plus possible et le plus longtemps qu'il le pourrait à l'écart du téléphone.

Loin du détonateur.

La foule autour s'était déjà écartée, des cris fusaient. Nader, lui, était sur le point de lâcher, incapable de rester conscient plus longuement dans cette position, lorsque deux rugbymen se jetèrent sur l'homme en sueur pour le maintenir à terre.

Nader mobilisa toute son énergie pour ne pas défaillir, et il roula sur le ventre pour scruter le sol malgré le sang qui l'aveuglait partiellement.

Il repéra le téléphone à un mètre à peine, et le pointa du doigt.

— Une bombe... dit-il dans son français soigné. Une bombe !

Les cris redoublèrent. Des CRS se précipitèrent, mais déjà la rumeur se propageait sur toute la place et il s'en fallut d'un rien pour qu'un mouvement de foule ne provoque plus de dégâts que ne l'aurait fait une grenade.

Pourtant, Nader Ensour avait vu juste.

Il y avait une bombe au bout du téléphone.

Il y avait un fléau.

Il y avait la terreur.

75.

Près de deux tonnes d'explosif furent retrouvées sous la place de la République, dissimulées dans les égouts, prêtes à s'embraser sous l'effet d'un simple appel lancé depuis le téléphone portable du terroriste. Deux tonnes qui auraient pu provoquer des morts par centaines au moins, plus probablement par milliers.

Moussa Bakrani s'était joué de Marc et de la DGSI. Pour gagner du temps. Le plan n'avait jamais été de faire sauter les Champs-Élysées. Ils devaient bien s'attaquer au marché de Noël ainsi qu'aux gares avec les trains et emporter le plus de mécréants possible dans leurs attaques suicides, mais celles-ci n'avaient finalement pour but que de déclencher une vague d'indignation comme la France en avait le secret lorsqu'elle était à ce point meurtrie, blessée dans sa chair. Pour qu'en toute logique ou presque, sinistrement, par habitude, un rassemblement immense s'organise, comme les précédents, place de la République.

Ironic de l'histoire, il avait bien eu lieu malgré l'échec des attentats. On était passé à rien d'un drame qui aurait fait des victimes à ne plus pouvoir les compter et laissé le pays exsangue, sonné pour des années. Ce rien s'appelait Nader Ensour. Bien que l'homme soit modeste, timide et ne veuille surtout pas s'exposer, les journalistes parvinrent à l'identifier, et sa photo administrative de demandeur d'asile trôna sur toutes les unes dès le lundi. Un héros national.

Lui, l'immigré insignifiant, devint un symbole.

Celui du courage mais, au-delà encore, la preuve que la lutte contre le terrorisme ne pouvait se cantonner aux seuls services spécialisés. Aucune victoire ne serait possible sans l'investissement de tout un chacun. Du flic compétent au simple citoyen. La police seule ne pouvait être partout, tout faire. Ce n'était même plus une lutte, c'était une guerre, elle concernait et impliquait tout le monde, conscrit d'office face à la nature du Mal.

Tous les médias voulaient savoir qui était Nader Ensour, quels étaient son parcours, sa vie. Celui qui incarnait les réfugiés montrés du doigt venait de sauver la France. L'histoire était trop belle pour ne pas tourner en boucle, et bientôt on ne parla plus que de lui, et presque plus des terroristes.

Il y en avait pourtant un sixième que personne n'avait vu venir. Le dernier maillon de la chaîne. Marco Izzeni, dit Abu Youssef, qui avait réussi à passer sous les radars du renseignement en menant une vie en apparence banale. Il sortait, buvait, fréquentait des filles et avait trouvé un job d'égoutier. Il avait fait preuve d'une insistance peu commune pour exercer cette profession. C'était son rêve, son obsession, et il avait tenté sa chance de nombreuses fois, pendant plusieurs mois, avant de décrocher son graal. Une intrusion digne d'une préparation par des services secrets. Il avait fourni les connaissances et le matériel nécessaires à la pose des explosifs dans les égouts sous la place. Étant le membre le plus invisible de la cellule, c'était à lui qu'était revenue la responsabilité ultime de presser le bouton pour tout faire sauter à la fin.

Abu Youssef refusa de parler, se murant dans un silence obstiné contrastant avec la personnalité décrite par ses collègues qui n'en revenaient pas d'avoir été dupés. Rien n'y fit pour qu'il se mette à table, et Marc Tallec comprit que celui-ci faisait partie des plus coriaces, que nulle technique ne parviendrait à le faire craquer. Tout ce qu'ils apprendraient proviendrait de leur enquête, pas de lui.

Mais la France s'en moquait bien. Elle avait son nouveau totem.

Le mardi, *Le Parisien* publia une photo volée de Nader Ensour marchant dans la rue, l'air un peu inquiet, le visage tuméfié et couvert de pansements, avec le titre « Le vrai visage d'un symbole ». Tout était dit. Nader était cet emblème. La France ne pouvait se sauver elle-même de tous les périls, elle devait compter sur ses enfants « illégitimes ». Son avenir était là aussi.

Tous les plateaux télé, toutes les radios se battaient pour arracher une interview exclusive, la toute première du nouveau héros, mais Nader se cachait du mieux qu'il pouvait, fidèle à ses habitudes de discrétion. Cela faisait des années qu'il cherchait à se faire le plus invisible possible dans le corridor de la vie, ce n'était pas pour s'exposer subitement à toutes les caméras de France.

Toutefois, il y eut une invitation qu'il ne put refuser.

Nader Ensour avait toujours eu le sens de la hiérarchie et le respect de l'autorité, même lorsque celle-ci l'avait traqué dans son pays d'origine. Aussi, lorsque l'Élysée manifesta son désir de le recevoir pour le remercier au nom de l'État français, Nader ne sut se dérober.

Lui, le petit immigré, reçu par le président en personne. Quel revirement, quel honneur. Ses parents auraient été les plus fiers de la planète.

Il savait qu'il y aurait tous les journalistes pour l'attendre, pour le harceler de questions, pour capturer son portrait, mais la portée officielle dépassait toutes ces nuisances. On ne décline pas une invitation du président du pays qui vous accueille.

L'annonce de sa venue au palais de l'Élysée galvanisa l'opinion publique et électrisa les journalistes. Un homme, un seul, faisait un bien fou au pays.

Le jeudi fut le grand jour.

Le président recevait en même temps ses héros. Celui que tous connaissaient et voulaient voir, et ceux plus discrets qui avaient œuvré pour que les terroristes ne puissent frapper, essentiellement la hiérarchie de la DGSI et de la gendarmerie, mais Marc Tallec avait réussi à se faire inviter au milieu de tous. Il était entendu qu'il resterait en retrait pour éviter toute présentation médiatique embarrassante pour un homme de l'ombre comme lui, mais sa curiosité n'avait pas résisté à vivre pareil moment, même depuis les coulisses.

Il avait confié à Ludivine, sur le ton de la plaisanterie, qu'il serait ainsi le garde du corps du nouveau symbole de l'État, celui à qui il fallait surtout que rien n'arrive. Elle s'était beaucoup moquée de lui et de son ego.

Le jour J Ludivine s'installa dans la salle de réunion du premier étage de la SR en compagnie de ses collègues pour assister à la présentation officielle du héros. Secrètement, elle était fière de savoir Marc là-bas et elle espérait capter sa présence furtive à l'écart sur une des images, juste pour elle.

Lorsqu'elle entra dans la pièce après être passée aux toilettes, elle découvrit toute une collection de jouets Kinder disposés sur la longue table centrale.

— C'est pas vrai…

Segnon, Guilhem, Magali, Ben, Franck et même le capitaine Merrick se tenaient en face et ils applaudirent en sifflant.

— Donc c'était tout le monde, comprit Ludivine.

Segnon vendit la mèche :

— C'était l'idée de Mag !

— Pour te détendre, avoua l'intéressée sous sa frange. Nous voulions t'aider à poser ton esprit sur quelque chose d'autre que tes enquêtes une fois de temps en temps. Après tout ce qui s'est passé au printemps…

— Et moi j'ai pris deux kilos à force de bouffer les chocolats ! se plaignit malicieusement Franck.

Ludivine les gratifia de quelques tapes sur l'épaule ou le ventre. Elle était enfin débarrassée de ce mystère. Puis la moitié d'entre eux retournèrent vers leurs bureaux respectifs. Les autres mirent une des chaînes d'information continue et ils virent le perron de l'Élysée et ses portes vitrées grandes ouvertes malgré la pluie battante. Des huissiers en livrée à liseré doré se préparaient à accueillir tout ce petit monde. Pour le moment, ils étaient reçus par le président dans un des salons du palais, expliquait un duo de journalistes pour meubler.

Le regard de Ludivine erra jusque sur les jouets devant elle. C'était le genre d'attention puérile et pourtant magique qui rendait cette équipe unique. Liée par le pire, liée par le plus dérisoire. Ludivine fut prise d'un élan d'amour qui lui fit presque monter les larmes aux yeux.

Si je me mets à chialer pour ça maintenant... se moqua-t-elle faussement.

Au fond, elle éprouvait presque de la fierté d'être si perméable à ses émotions.

Des terreurs récentes menaçaient de ressurgir des recoins où elle les avait enfermées. Des cris, des sensations de compromission inavouable, de mort imminente, le pantin à la fois ridicule et effroyable de l'homme nu...

Guilhem la sauva lorsqu'il apparut dans l'encadrement de la porte :

— Ludivine, téléphone pour toi, c'est le capitaine Forsnot de l'IRCGN. Il demande si ça t'intéresse toujours de savoir ce qu'a donné le « bouillon Kub ». J'ai pas bien pigé...

— Ah oui, transfère l'appel ici, s'il te plaît.

Il y avait de l'agitation à l'écran, tous les invités allaient apparaître d'un instant à l'autre.

Mauvais timing, maugréa Ludivine.

— Et tu peux m'apporter aussi l'ordinateur portable s'il te plaît ?

Le renvoi d'appel sonna devant elle et elle décrocha tandis que Guilhem déposait sur la table l'ordinateur ouvert.

— Lieutenant, je vous ai transmis le fruit de notre recette maison, exposa Forsnot, de bonne humeur.

— Vous êtes satisfaits du résultat ?

— Ce sera à vous de me le dire ! Nous, nous avons exécuté notre tâche, mais normalement c'est assez fidèle à la réalité de ce qu'a été le sujet.

Ludivine ouvrit sa boîte mail professionnelle puis le document en question. Elle n'attendait plus grand-chose de ce résultat, maintenant que le sentiment d'urgence était passé, mais il serait un atout considérable pour identifier le cadavre défiguré et rongé par la chaux qu'Anthony Brisson avait enterré dans le jardin de sa mère.

À la télévision, plusieurs silhouettes apparurent, dont celle reconnaissable du président, tout sourire, accompagné par un homme assez grand, d'une cinquantaine d'années, la peau mate et le visage encore tuméfié par les coups qu'il avait pris. Le « petit immigré », comme beaucoup le surnommaient, avait plus de présence qu'elle ne s'y était attendue, même si son regard fuyant évitait les caméras. Son malaise était palpable. Les deux hommes étaient entourés de plusieurs personnes et Ludivine cherchait à y reconnaître Marc, en retrait, lorsque l'ordinateur émit un bip pour indiquer que le téléchargement était terminé.

D'un clic Ludivine ouvrit le fichier.

— J'ai commencé avec seulement trois portraits, prévint Forsnot, mais si besoin je peux décliner avec d'autres propositions de coupes de cheveux, et avec différentes barbes par exemple.

Ludivine posa les yeux sur les trois photos tirées du logiciel de reconstruction faciale. Une glabre, une avec des cheveux courts et la dernière cheveux mi-longs.

Le cœur de la jeune femme s'arrêta.

Son souffle se bloqua dans sa poitrine.

Sa mâchoire se décrocha.

C'était impossible. Elle refusait de croire à ce qu'elle avait sous les yeux.

76.

Marc Tallec avait pris soin de se tenir à l'écart.

Le chef de l'État était venu le saluer et le féliciter, comme tous les autres membres de la DGSI présents, mais Marc ne voulait pas apparaître sur les photos officielles et il guettait le moindre appareil pour s'assurer de ne pas être dans le champ. Toute la cérémonie avait quelque chose de surréaliste. Nader Ensour lui-même semblait ailleurs, ne réalisant pas bien ce qui lui arrivait.

Marc était surpris par la décontraction du président et de ses équipes, tout paraissait facile, évident. Les poignées de main, une phrase pour chacun, la bonne humeur, et les promesses de tout ce que la nation pourrait offrir au nouveau héros qui acquiesçait poliment. Mais le plus bluffant pour Marc restait la facilité avec laquelle il était arrivé dans le palais. Une fois son nom validé par le service du protocole de l'Élysée sur présentation de sa pièce d'identité, il avait été autorisé à entrer par le côté, sans une fouille ni même franchir le moindre portique de sécurité. Rien de tout cela. Il aurait pu venir avec son arme de service que cela n'aurait pas été remarqué. C'était insensé à ses yeux et pourtant très habituel. Qui pouvait imaginer que l'on confronte chaque invité officiel à des palpations, qu'on l'oblige à retirer ceinture et chaussures et à vider ses poches dans une bannette avant de passer par le détecteur de métaux ? L'Élysée ne fonctionnait pas ainsi. Le protocole l'interdisait. Même pour un simple invité. Nader Ensour était entré libre comme l'air. Toutes les personnes présentes avaient fait de même. Un contrôle de personnalité en amont avait suffi à établir leur non-dangerosité et on estimait que chacun avait déjà fait plus que ses preuves quant à son intégrité.

Ici, ce qui comptait, c'était l'image, la réputation. Elle seule garantissait l'accès et la sécurité des lieux. Et la vie de chaque invité avait été préalablement méticuleusement décortiquée pour validation.

La première dame naviguait dans le salon avec la grâce de celle qui est dans son élément, pourtant Marc captait dans son regard des instants de doute, de lassitude. La façade bienséante des politiciens. Combien de cérémonies semblables enchaînaient-ils dans l'année ? Marc s'accorda un moment pour observer les lieux, les dorures, les tentures, les luminaires… Tant d'histoire, tant d'événements et de secrets s'étaient succédé ici. Le champagne circulait sur des plateaux d'argent, d'un invité à l'autre, escorté de petits-fours. Tous étaient sous le charme du lieu, de l'institution. Fiers.

Le président obtint le silence. Encadré de ses deux conseillers discrets, en retrait, et de ses gardes du corps, encore plus éloignés, il se lança dans un discours en apparence improvisé, offrant à ses invités un instant unique, personnel, durant lequel il souligna la nécessité, dans ces heures sombres, pour le salut de la nation, que chaque citoyen prenne part à la vigilance quotidienne. La France donnait à ses enfants, mais elle avait également besoin de leur bienveillance, de leur attention. C'était le message du moment. Il souligna l'ironie, dans un contexte de rejet de l'autre grandissant, que ce soit un immigré qui soit devenu le héros du pays et s'en félicita avant de saluer Nader Ensour avec la promesse que l'État saurait s'en souvenir. Il était un symbole, le président comptait bien capitaliser dessus.

Puis les conseillers firent comprendre que le temps était passé et qu'il fallait enchaîner.

Marc accompagna tout le monde vers l'entrée du palais, le hall ouvert par de larges baies vitrées sur la cour de l'Élysée, et une fois encore il veilla à rester un peu en arrière, mais sans perdre de vue le président et Nader – c'était tout de même sa récompense personnelle que d'assister à cet instant. L'armada de photographes, de caméramans, de micros et de journalistes emplissait la moitié de la grande salle, des trombes d'eau se déversant dans la cour, et les huissiers organisaient le groupe, veillant à ce que le président et Nader demeurent bien au centre, pour les images officielles. C'était une cérémonie un peu confuse et embarrassante, nota Marc, où chacun se voyait placé en fonction de son importance, certains jouant des coudes pour se rapprocher du cœur de l'événement. D'un pas de côté Marc s'effaça complètement, témoin plutôt qu'acteur de cette mascarade de communication.

En face, l'armée d'objectifs se préparait, attendant l'autorisation officielle pour lancer la chasse à l'image la plus parfaite. Certains semblaient blasés, avides de ne surtout rien rater. L'un en particulier ne cessait de trifouiller sa caméra tout en se calant pour être parfaitement dans l'axe. L'impatience grondait peu à peu, mais contenue par habitude, par respect.

Les projecteurs s'allumèrent, aveuglants.

Marc tourna la tête le temps de s'habituer.

À côté de lui, un garde du corps en costume se tenait bien campé sur ses jambes. Le renflement de sa veste au niveau de la taille, dans son dos, trahissait la présence de son arme à feu, nota Marc en bon professionnel.

Les flashs se mirent à crépiter depuis le fond de la pièce.

Le grand moment solennel débutait.

Le téléphone portable de Marc se mit à vibrer.

Discrètement, il le sortit de sa poche pour vérifier.

Ludivine.

Était-ce bien le moment ? Il hésita puis décrocha, presque amusé.

— Tu sais où je suis ? demanda-t-il tout bas en dissimulant son sourire.

Le ton de la jeune femme l'alerta aussitôt :

— C'est lui ! Marc ! C'est lui TZ !

— Quoi ? De qui parles-tu ?

— Nader Ensour ! C'est TZ ! C'est son visage !

— Quoi ?

Même si Marc n'avait pas toutes les informations son esprit vif en comprit assez pour faire le lien.

L'Élysée. Le président. Toute la horde de journalistes présents. Des images pour le monde entier. Pour l'histoire. Pour l'éternité.

L'absence de contrôle de sécurité à l'entrée pour les invités officiels.

Il tourna la tête et vit que les caméras s'allumaient d'un voyant rouge les unes après les autres.

Toutes en direct.

Le bon moment pour tout faire sauter.

C'était de la folie. Agir sur un coup de tête. Sur un coup de fil. Sur un coup du sort.

Juste par conviction.

De la folie que de réagir maintenant. Non, il ne le pouvait pas. Ne le *devait* pas.

C'est le bon moment pour tout faire sauter, se répéta-t-il en hurlant dans son crâne. Une alarme rugissait entre ses oreilles. Tous ses poils étaient dressés sur son corps. Il frissonnait.

Les voyants rouges des caméras le fixaient comme autant de témoins. Les yeux du jugement. Pour toujours.

L'alarme ne sonnait plus dans sa tête, elle le rendait sourd, douloureuse.

Marc lâcha le téléphone et se précipita sur le garde du corps juste à côté. D'un geste précis il passa la main sous la veste pour s'emparer de son arme. Un coup de coude avec l'autre bras pour le repousser.

Un cri d'alerte.

Le canon monta dans les airs en direction du président.

Des mouvements de panique tout autour.

Marc ajusta son tir.

Il le décala juste ce qu'il fallait pour mettre Nader Ensour en joue.

L'homme venait de glisser la main dans sa poche. Il murmurait quelque chose entre ses dents.

Il allait presser le bouton de sa ceinture d'explosif.

Le coup de feu partit aussitôt.

La tempe de Nader Ensour explosa en direct à la télévision, projetant le sang du symbole français sur le président.

Des hommes surgissaient de partout pour mettre le chef d'État à couvert sous une mallette qui se déplia soudain, dressant un bouclier pare-balles devant lui, tandis que deux autres détonations fauchaient Marc en plein torse.

L'agent de la DGSI s'agrippa à un buste de Marianne avant de s'effondrer sur le carrelage à damier où le visage de marbre se fracassa en même temps.

Son sang coulait lentement et il vint se mêler à celui de Nader Ensour, dont le regard semblait le fixer depuis le néant.

Marc lutta encore quelques secondes pour résister à la pression étouffante qui le tirait vers l'intérieur, il cligna des paupières, avalant l'air comme il pouvait, mais la chose en lui l'aspirait, inéluctablement, et après quelques secondes d'une résistance vaine, Marc se laissa happer par ses propres ténèbres.

77.

Obscurité rassurante. Chaleur. La plénitude par la dissolution de la conscience. Un voyage intérieur avec deux issues possibles : la dispersion de l'être ou un retour rapide à la base, à l'enveloppe.

Puis les bips électriques, la ventilation lointaine.

Une main sur son poignet.

Un baiser sur son front.

Cette présence, ce réconfort, ne pouvait être fugace.

Marc s'y accrocha comme un naufragé à sa bouée, perdu dans la houle de l'océan. Tourbillon obsessionnel, la présence l'aspira.

Et il remonta à la surface.

Boucles blondes espiègles, minois taquin, yeux de saphir angoissés, le charme de deux canines légèrement de travers sous ses lèvres suaves.

Ludivine.

Marc retomba dans sa torpeur mais cette fois elle n'était que de surface, et il en ressortit bientôt plus à même de s'exprimer.

— Le président ? demanda-t-il.

— Indemne. Physiquement en tout cas.

— Et moi ?

Marc ne sentait pas encore tout à fait l'intégralité de son corps, une partie de ses membres lui paraissaient distants, comme remplis de ouate, et il se mit à craindre la paralysie.

— Les médecins affirment que tu t'en sors bien malgré un poumon perforé et une balle dans le foie. Les gardes du corps ont mis un certain temps avant de comprendre que tu n'attaquais pas mais que tu défendais. Tu as eu de la chance qu'aucun ne vise la tête.

— Et lui ? Nader ?

— Ce n'est pas vraiment Nader Ensour. Mais les deux sont morts. Le vrai il y a plusieurs semaines, probablement de la main d'Anthony Brisson sur ordre de Fissoum, et l'autre sous ton tir. Tu te rappelles que l'imam cherchait quelqu'un de précis, qu'il voulait engager un « chasseur » pour cela ? Ce n'était pas pour débusquer un traître comme nous le pensions. C'était un sosie qu'il cherchait. Il voulait quelqu'un qui ressemblait à TZ, un homme seul, isolé, pour que sa disparition ne se remarque pas. C'est Nader Ensour qui a été choisi pour son profil idéal, son historique rassurant pour accéder ensuite au président.

— TZ avait prévu d'être reçu à l'Élysée ?

— Oui, c'est lui qui était place de la République aussi, tout ça faisait partie de leur plan. Les bombes là-bas ne devaient pas exploser, TZ savait où se trouverait Marco et son détonateur, j'ignore si ledit Marco s'attendait à ce qui allait se passer, mais l'affrontement était réel, il s'est acharné sur le visage de TZ, donc on peut le supposer. Les traits complètements gonflés et violacés servaient à masquer les points de différence entre TZ et Nader Ensour pour que la ressemblance soit largement suffisante.

— Il était armé ?

— Ceinture d'explosif. TZ avait dû se renseigner, il savait que les invités de prestige ne sont pas fouillés lorsqu'ils pénètrent à l'Élysée. Il s'apprêtait à la déclencher au moment où tu es intervenu, c'est assez évident lorsqu'on regarde les images.

Marc ferma les paupières un instant pour réaliser.

Une organisation millimétrée pour un projet machiavélique. Le symbole français tuant le président en direct à la télévision. Toute l'imagerie forte effondrée. Le pays se serait-il relevé de pareille opération monstrueuse ?

— Qui est-il, ce TZ ? demanda Marc.

— Nous l'ignorons, il n'est fiché nulle part pour l'instant. La DGSE le suspecte d'être un ancien du Hezbollah qui se serait retourné contre eux, mais tout reste à creuser et on ne peut pas dire qu'ils se montrent très coopératifs. Il est fort probable que nous ne connaissions jamais son nom, mais une lettre est arrivée à toutes les rédactions des grands journaux le lendemain. Quelques mots seulement.

— Qu'est-ce qu'elle disait ?

— « Nous répondons à l'appel de Dieu. Nous ne sommes que le début. » Signé : « Djinn ».

Moussa Bakrani les avait manipulés totalement. Ahmed n'avait jamais été le leader. Lorsqu'il avait senti que la DGSI n'avait pas grand-chose sur eux, Bakrani avait donné du temps à ses complices en inventant au fur et à mesure pour faire porter le chapeau aux morts. Celui-là n'était pas près de ressortir de prison.

— Cette fois c'est fini, conclut Ludivine en déposant un baiser sur son front.

Et Marc se rendormit presque aussitôt.

Il fit des rêves et quelques cauchemars.

Dans le plus prégnant, il courait dans le désert, pourchassé par une créature polymorphe qui prenait tour à tour la forme d'une tempête de sable, d'une flamme énorme ou d'un courant d'air tiède. Elle hurlait aux quatre vents en le traquant, non pas pour le dévorer mais pour l'assimiler, le soumettre à sa nature.

Mais fort heureusement, jamais elle ne le rattrapait.

78.

Le cimetière était calme, presque désert.

Une poignée d'arbres étiques poussaient ici et là, les racines profondément enfouies au plus près des corps, et Ludivine se demanda s'ils étaient aussi noueux et inquiétants parce qu'ils se nourrissaient de sucs humains.

Elle se tenait en retrait de la petite cérémonie rassemblant à peine une demi-douzaine de personnes. Ludivine avait tenu à assister aux deux remises en terre, celles d'Hélène Trissot et de Georgiana Nistor dont c'était aujourd'hui le second enterrement. Question de respect. Elle avait fait sortir ces filles de leur dernière demeure pour les faire découper une nouvelle fois sur une intuition, inutilement. Venir aujourd'hui était sa manière à elle de leur présenter ses excuses.

Marc l'avait accompagnée. Il la tenait contre lui, un bras sur l'épaule. Chaque geste lui prenait plus de temps et quelques grimaces, mais il était sorti de l'hôpital et c'était sa plus grande fierté.

Les poignées de terre furent lancées après quelques paroles religieuses, puis les uns et les autres s'éloignèrent, laissant Georgiana Nistor à la solitude éternelle de sa tombe.

Ludivine savait mieux que quiconque ce que cette pauvre femme avait enduré. Elle en frissonna, terrifiée. Marc la serra contre lui pour la réconforter.

Ludivine écrasa une larme avant qu'elle ne coule sur sa joue. Elle devenait plus sensible que jamais en s'ouvrant aux émotions, en refusant l'armure qui l'avait si longtemps blindée. Mais ces souffrances du quotidien valaient bien toutes les joies en retour.

Elle et Marc se mirent à déambuler parmi les stèles.

Son humeur était maussade. Pour boucler toute la paperasse de l'enquête, elle avait dû se replonger dans chaque détail, notamment dans la personnalité des terroristes, jeunes pour la plupart. Comme l'avait dit Marc, chacun avait ses raisons d'être tombé dans le fanatisme, des paumés, des ratés, des frustrés, des manipulés crédules, des illuminés par la foi, et ainsi de suite. Mais quelques-uns étaient tout à fait posés, plutôt intelligents, ils avaient effectué un choix bien conscient. Ils ressentaient une telle haine pour le système en place qu'ils avaient volontairement basculé dans une forme de lutte totale. L'idéologie était presque un prétexte. Pour tous, l'islamisme représentait une porte de sortie glorieuse, une revanche, une réponse, un moyen de punir. Mais au-delà de ces explications demeurait leur acceptation absolue de la mort. Ils voulaient se sacrifier. Nier tout ce qu'ils avaient été auparavant. Tout espoir.

Elle décida de s'en ouvrir à Marc qui l'entraîna vers une petite butte dominant le cimetière.

— Quel est le point commun de tous ces garçons, demanda-t-elle, pour qu'ils soient à ce point prêts à mourir ?

— Ils sont convaincus par ce qu'on leur raconte, par la lecture qu'on leur fait de la parole de celui qui les attend là-haut.

— Oui je sais bien, mais au-delà de ça, il y a forcément quelque chose de plus profond en eux pour qu'ils *veuillent* entendre ce discours, pour qu'ils l'embrassent avec envie.

Marc l'amena au sommet, entre les buissons, jusqu'à un muret de pierre, la cime d'un mausolée impressionnant qui s'accotait à la butte.

— Grimpe là-dessus, dit-il.

Ludivine hésita, elle serait juste en surplomb de plus de dix mètres de vide.

— Vas-y, insista Marc.

Prenant son courage à deux mains, elle se hissa avec l'aide de son compagnon, ses côtes brisées lui faisaient un mal de chien, et elle eut un mouvement de recul, proche du vertige.

— Comment te sens-tu ?

— Pas super. C'est quoi le but ?

— Est-ce que tu as peur de tomber lorsque tu te tiens au bord d'un trottoir ?

— Bien sûr que non, parce que je risque rien en trébuchant de vingt centimètres de haut, alors que là…

— Tu es une grande fille, tu sais très bien conserver ton équilibre. Tu as largement de quoi marcher ici, pourquoi est-ce que tu n'arriverais soudain plus à te tenir droite ?

— La peur de tomber ?

— Tu te tiens ainsi à longueur de journée depuis des décennies, pourquoi tomberais-tu maintenant ? Tu n'as jamais peur lorsque tu te déplaces d'habitude.

— J'en sais rien, mais c'est désagréable. Où veux-tu en venir ?

— Ce qui fait de nous des êtres humains est aussi notre faculté de nous tenir debout, nous contrôlons parfaitement notre équilibre interne et, à vrai dire, on ne se pose même pas la question, c'est une évidence, c'est naturel. Je vais te raconter quelque chose qui en dit long sur notre espèce, et plus encore sur notre système, tu m'écoutes ?

— Oui…

— Quand on se tient sur le toit d'un immeuble ou au-dessus d'un précipice, ça n'est pas la peur d'être aspirés qui nous effraie, parce que au fond de nous nous savons très bien que nous gardons notre équilibre, c'est inné, c'est facile. Non, ce qui nous met mal à l'aise face au vide, c'est que la seule chose qui nous retient c'est notre profond désir de rester en vie. À l'instant présent, ce qui te fait flipper, c'est ton inconscient qui sait qu'il joue son existence sur la possibilité en toi de faire un tout petit pas de plus en direction du vide ou de ne pas le faire. Si tu n'éprouves aucune peur, alors c'est que tu ne portes pas les germes de l'autodestruction. Mais si tu ressens la moindre appréhension, c'est que le doute est là, en toi, tapi quelque part, et qu'il t'interroge. La vérité c'est que tu n'as pas peur du vide, non, tu as peur de toi.

— J'ai pas du tout envie de mourir, pourtant je suis mal à l'aise.

— La plupart d'entre nous sont ainsi. Si nous portons une étincelle de vie depuis notre naissance, un souffle de mort nous habite également. Réminiscence de nos instincts primaires, atavisme naturel pour que notre espèce devenue dominante puisse disposer d'un interrupteur de sécurité naturel accessible, qui sait ? Mais c'est ainsi. Ce que tu ressens là, c'est à cause du vide qui murmure à tes sens reptiliens que tout peut s'arrêter maintenant.

Marc la prit par le bras pour l'aider à redescendre.

— Ça, chacun de ces garçons l'a entendu, et chacun s'est laissé séduire, voilà ce qu'ils ont en commun. L'appel du néant.

Ludivine soufflait pour se remettre de son malaise qui se dissipa en quelques pas. Elle tenait ses flancs douloureux en songeant à ce qu'elle venait d'entendre et à tout ce qu'elle avait vécu en un mois.

Elle savait que d'autres encore écouteraient le murmure de la mort, cet appel du néant. Le travail pour les arrêter serait difficile. Une œuvre monumentale en amont attendait l'humanité pour empêcher le Mal de se répandre toujours davantage.

Les premiers flocons de neige se mirent à tomber au ralenti.

Ludivine s'arrêta au milieu des tombes pour écarter les bras et savourer ce qu'elle ressentait. La vie.

Marc l'observait, amusé. Elle le vit et sourit.

— Et nous dans tout ça ? interrogea-t-elle.

Il la couvrit de son regard le plus tendre, et le plus perçant.

— Je ne suis pas un mec facile.

— Je suis une fille compliquée.

— Toi et moi on va se prendre des coups, mettre à mal nos orgueils respectifs.

— Mais peut-être que ça en vaudra largement la peine, non ?

Rictus. Douceur dans les yeux. Naissance de complicité. Des volutes d'amour invisibles se tissaient entre eux deux.

Marc avait laissé tomber toutes ses protections lorsqu'il dit :

— Le monde devient plus tolérable lorsqu'on est deux, n'est-ce pas ?

Il lui tendit la main.

Générique de fin :

« *The Sound of Silence* »
[Simon & Garfunkel, repris par Disturbed]

Hello, darkness my old friend
I've come to talk with you again
Because a vision softly creeping
Left its seeds while I was sleeping
And the vision that was planted in my brain
Still remains
Within the sound of silence

In restless dreams I walked alone
Narrow streets of cobblestone
'Neath the halo of a street lamp
I turned my collar to the cold and damp
When my eyes were stabbed by the flash
of a neon light
That split the night
And touched the sound of silence

And in the naked light I saw
Ten thousand people, maybe more
People talking without speaking
People hearing without listening
People writing songs that voices never share
And no one dared
Disturb the sound of silence.

633

Fools, said I, you do not know
Silence like a cancer grows
Hear my words that I might teach you,
Take my arms that I might reach you
But my words like silent raindrops fell,
And echoed in the wells of silence

And the people bowed and prayed
To the neon god they made
And the sign flashed out its warning
In the words that it was forming
And the signs said the words of the prophets
Are written on the subway walls
And tenement halls
And whispered in the sound of silence.

Postface et remerciements

Ce roman est né il y a plusieurs années lors d'un voyage au Liban. Comment explorer la notion du Mal qui m'est chère sans aborder le terrorisme compte tenu de ce que nous vivons sur la planète ? J'ai rédigé deux versions de cette histoire que vous ne lirez jamais. La première, je l'ai abandonnée en janvier 2015, après les attentats qui débutèrent par l'attaque de *Charlie Hebdo*. La seconde en novembre de la même année suite au drame du Bataclan. À chaque fois mon histoire était trop proche de ce que nous venions de vivre et j'étais incapable de poursuivre. L'écriture doit être un plaisir, même lorsqu'on a le sentiment d'avoir quelque chose d'important et de grave à dire, et je n'en éprouvais plus aucun.

Il m'aura fallu du temps pour y revenir, et pour oser me lancer à nouveau. Il fallait que ça sorte alors j'y suis retourné, plusieurs fois. J'ai presque tout recommencé à zéro à chaque tentative, par besoin de m'ouvrir une feuille vierge, de reprendre mon élan, jusqu'à la bonne version, celle que vous tenez entre les mains. L'écriture est ainsi, lorsqu'une histoire vous habite, elle trouve toujours un moyen de sortir, et le sous-texte qui l'accompagne s'incorpore à son tour quelle que soit la forme.

Celles et ceux qui me lisent depuis un moment auront peut-être été surpris de constater que ma noirceur régulière a faibli cette fois, en faisant triompher mes héros à chaque attaque. Ce n'est pas ainsi que mon récit devait se dérouler initialement mais il s'est avéré qu'à l'écriture j'étais incapable d'offrir la moindre victoire aux terroristes, même à travers un roman, cela me semblait impossible, indécent. Je voulais qu'on puisse comprendre Djinn, ses failles béantes qui expliquent beaucoup de choses, montrer que même les monstres sont avant tout des êtres humains qui s'effondrent, raconter cette rupture, mais pas aller jusqu'à lui donner raison, ne serait-ce qu'un tout petit peu.

Toute cette histoire repose sur mon imagination mais est assise sur une documentation conséquente. Réalité et fiction s'entrecroisent. Je décris des lieux et des technologies qui existent pour la plupart, je cite des villes ou des quartiers, parfois des pays pour crédibiliser le récit, mais cela demeure de la fiction. De la même manière, les personnages sont de mon invention, par conséquent les propos tenus par chacun entre ces pages n'engagent pas ni ne reflètent ceux des institutions mentionnées. Il s'agit d'un roman. Comme le résume la formule : toute ressemblance avec la réalité ne saurait être que fortuite.

Ma reconnaissance incommensurable va en premier lieu à ma famille, ma femme Faustine pour sa présence et son soutien, qui m'éveille à la vie. Moi qui me suis si souvent réfugié dans la création, son influence sur moi se ressent dans le personnage de Ludivine. À mes enfants également, qui me dérangent souvent pendant que j'écris, mais qui rendent ces pauses imposées plus merveilleuses que dix pages réussies et qui en inspirent vingt dans la foulée. Je vous aime.

À Ollivier qui a le don de détruire en un mot des pans entiers de mon intrigue au nom de la crédibilité de l'enquête, tout en ayant celui d'y apporter une solution la plupart du temps. Mon ami, je sais, je m'autorise encore parfois des petites libertés, surtout sur la vitesse à laquelle va l'enquête, mais c'est pour le bien du livre ! Merci d'être toujours là, fidèle au poste et diablement efficace, mais ne rêve pas, *Eagles sucks* !!!

Merci à la Gendarmerie nationale et au SIRPA pour leur confiance, pour m'avoir ouvert leurs portes avec générosité. La plupart des personnages sont des créations mais une poignée ont été influencés par mes rencontres ici et là avec les militaires.

Merci à François pour tout le temps et toutes les précisions accordés. L'anecdote du bouillon Kub me hante encore !

S'il devait y avoir la moindre erreur technique ou quelques raccourcis malvenus dans cette histoire, la faute m'en incombe entièrement, puissiez-vous me pardonner.

Merci à celles et ceux dont je ne peux citer les noms mais qui m'ont guidé afin de mieux comprendre les arcanes du renseignement.

Merci à toutes les équipes chez mon éditeur Albin Michel pour leur travail essentiel. Si elles n'étaient pas là, mon livre existerait mais il ne pourrait pas arriver sous cette forme entre vos mains. Passeurs de mots, je sais ce que je vous dois. Vous êtes nombreux, au rang desquels Richard, mon récif dans la mer parfois agitée de l'écriture, et Stéfanie, l'avion de reconnaissance qui a toujours fini par me retrouver où que je sois, perdu sur les flots. Merci à vous pour votre œil aiguisé, votre confiance et vos encouragements.

Cher lecteur, gardons le contact via les réseaux sociaux (sans nous y perdre…) :
Twitter @ChattamMaxime ou Facebook Maxime Chattam Officiel.

Les armes les plus efficaces contre le terrorisme, sur le long terme, sont bien entendu l'éducation et la culture. Bien des enfants du monde souffrent de ne pas y avoir accès. Il est de notre devoir moral d'agir pour que tous les enfants de notre planète puissent au moins recevoir le minimum d'enseignement pour être équipés afin de mieux comprendre la vie, le monde qui les entoure, devenir capables de faire les meilleurs choix. Leurs choix. Si nous ne pouvons agir sur le terrain directement, nous pouvons au moins contribuer à aider ceux qui le font.

Je soutiens l'UNICEF (le Fonds des Nations unies pour l'Enfance) dans cette démarche car je connais la valeur de son engagement, la nature de son travail, et les résultats qu'il peut obtenir.

Vous pouvez le faire également, en lui donnant des moyens supplémentaires à travers un don, même petit.

Il en a besoin.

Les enfants en ont besoin.

Notre monde et le futur en ont besoin.

Juste un petit quelque chose aujourd'hui de votre part et personne ne sait quelle forêt pourrait naître de cette graine.

Maxime Chattam
Beyrouth, novembre 2011
– Edgecombe, 14 juillet 2017

POCKET N° 16665

MAXIME CHATTAM

LE COMA DES MORTELS

POCKET

« *Maxime Chattam fait battre le cœur de ses lecteurs à 100 à l'heure.* »

LCI

Maxime CHATTAM

LE COMA DES MORTELS

Parce que sa vie lui semblait trop rangée, trop terne, Pierre a tout bazardé : couple, boulot, entourage. C'est un homme neuf, un homme libre, qui retrouve ses instincts au contact quotidien des animaux du zoo de Vincennes. Or en déviant de sa trajectoire, Pierre a contrarié le cosmos. Et le cosmos se venge. En éviscérant sa nouvelle petite amie, d'abord, et à peu près tous ceux auxquels il tient. Malédiction ? Ou fable d'assassin ? Est-ce le début, ou la fin ? Qui est vraiment Pierre ? Et sur quelles pierres a-t-il bâti ce château de cartes ?

POCKET N° 14555

Le Mal peut-il
contaminer ceux
qui le traquent ?

Maxime CHATTAM
LA PATIENCE DU
DIABLE

Des gens ordinaires découverts morts... de
terreur. Un *go-fast* qui transporte pire que de la
drogue... Et dans ce qui semble être l'antichambre
de l'enfer : un homme retrouvé sauvagement
égorgé. Lieutenant à la section de recherches
de Paris, Ludivine Vancker comprend bientôt
qu'un fil sanglant relie ces faits divers. Le mal
qui ronge le monde, elle le connaît. Elle le côtoie
depuis trop longtemps. Alors elle plonge, prête à
nager dans l'horreur pour en retrouver la source.
Là-bas, le Diable l'attend, patiemment.

Retrouvez toute l'actualité de Pocket :
www.pocket.fr

MAXIME CHATTAM

QUE TA VOLONTÉ SOIT FAITE

« Une démonstration magistrale, à la fois dérangeante et fascinante... »

Le Pèlerin

Maxime CHATTAM
QUE TA VOLONTÉ
SOIT FAITE

Bienvenue à Carson Mills, petite bourgade du Midwest avec ses champs de coquelicots, ses forêts, ses maisons pimpantes, ses habitants qui se connaissent tous. Un véritable petit coin de paradis... S'il n'y avait Jon Petersen.

Il est ce que l'humanité a fait de pire, même le diable en a peur. Pourtant, un jour, vous croiserez son chemin.

Sans doute réveillera-t-il l'envie de tuer qui sommeille en vous.

Retrouvez toute l'actualité de Pocket :
www.pocket.fr

Composition et mise en pages
Nord Compo à Villeneuve-d'Ascq

Imprimé en France par CPI
en janvier 2019
N° d'impression : 3031717

S26909/01